IMPERIO

LAS CRÓNICAS DE LOS INVASORES II

JOHN CONNOLLY
JENNIFER RIDYARD

IMPERIO

LAS CRÓNICAS DE LOS INVASORES II

Traducción de Vicente Campos

TUSQUETS
EDITORES

Título original: *Empire*

Diseño e ilustración de portada: © Juanjo Ávila / Opalworks

1.ª edición en Tusquets Editores España: mayo de 2016
1.ª edición en Tusquets Editores México: julio de 2016

ISBN: 978-607-421-829-9

Impreso en los talleres de Litográfica Ingramex, S.A. de C.V.
Centeno núm. 162-1, colonia Granjas Esmeralda, Ciudad de México
Impreso en México – *Printed in Mexico*

Para la otra hermandad, Jacquie y Lucy

De la segunda guerra civil

Y LA LLEGADA DE

Syl Hellais, la Terrinata

Resulta extraño que el descubrimiento de una especie avanzada —la **humanidad**— y la ocupación exitosa de su planeta señalara también el principio del fin de la Conquista ilyria y colocara a los ilyrios al borde de una segunda guerra civil.

Las semillas del conflicto se habían sembrado mucho antes, claro: el **Ejército** y el **Cuerpo Diplomático** llevaban siglos enzarzados en luchas de baja intensidad, sin que ninguno de ambos bandos lograra imponerse. Más adelante, en los primeros años de la Conquista, los diplomáticos se aliaron con la hermética orden conocida como la **Hermandad de Nairene**, unión que se vio reforzada mediante el matrimonio de la Archimaga Syrene —la imagen pública de la Hermandad— con el gran cónsul Gradus, el diplomático de mayor rango en el Imperio ilyrio. A partir de ese momento, el destino del Ejército pareció sellado.

Syrene y Gradus viajaron a la Tierra para enfrentarse al jefe militar más influyente en el planeta, Lord Andrus, que hacía las veces de pararrayos que protegía a quienes se oponían a los diplomáticos y a sus aliadas Nairenes. Lo que seguidamente sucedió está bien documentado: la captura de Gradus por parte de la Resistencia humana y su muerte en el castillo escocés llamado Dundearg. Sin embargo, ese baño de sangre se vio eclipsado por el descubrimiento de que los ilyrios no eran los únicos invasores extraterrestres, porque entre los de nuestra raza había quienes portaban en su interior un organismo alienígena avanzado. De hecho, habían acogido de buen grado a las criaturas en sus cuerpos porque eran seres antiguos, tan antiguos como el tiempo mismo, y sus conocimientos eran casi tan inconmensurables como su voracidad.

Pero cuanto ocurrió en la Tierra durante la Conquista queda a su vez ensombrecido por la emergencia de una de las **figuras capitales** de la historia ilyria: la hija de Lord Andrus, la niña conocida como Syl Hellais, la Terrinata.

Syl la Destructora.

Ella fue el primer ilyrio que nació en la Tierra, y estableció unos profundos lazos de afecto con el combatiente de la Resistencia humana **Paul Kerr**. La Hermandad consiguió separarlos, desterrando a Syl a la **Marca**, el convento sellado de la orden, que orbita alrededor del planeta original de Ilyr, y enviando a Kerr a luchar —y, se esperaba, a morir— en las Brigadas. Por último, a Lord Andrus lo infectaron con el parásito alienígena, con lo que se privó a los militares de su jefe más preparado. La Hermandad y los diplomáticos creyeron que el Imperio estaba en sus manos.

Pero se equivocaban.

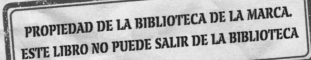

Parte I
Separados

1

Las depredadoras daban vueltas a su alrededor y se turnaban para gruñirle, unas con mayor ferocidad que otras, pero todas resueltas a llevarse su pedazo de carne.

—Estúpida andrajosa.

—Y es que nunca aprende.

—Es demasiado estúpida para aprender.

—¿Qué haces aquí?

—Éste no es tu territorio.

—¿Por qué existes siquiera?

—Elda... Si hasta tu nombre es feo.

—¡Mírate!

—No puede. Rehúye los espejos. Le da miedo que se resquebrajen al reflejarla.

Y entonces la líder, la joven alfa, se acercó para morder. La jauría se separó, haciéndole sitio; con la cara inclinada hacia ella, la admiraban, mientras sus ojos reflejaban el fulgor que desprendía.

La líder era Tanit, la joven y hermosa Tanit: cruel, y algo todavía peor que cruel.

—No, no es eso —dijo Tanit—. No se acerca a los espejos porque no hay nada que ver. Es tan insignificante que apenas si existe.

Era esa forma de hablar, las palabras vomitadas descuidadamente, como si el objeto de su desdén ni siquiera mereciera el esfuerzo que requería aplastarlo. Bajó la mirada hacia Elda —Tanit era alta, incluso para una ilyria; en eso radicaba parte de su poder—, extendió una mano y la dejó deslizarse por la melena oscura de esta Novicia inferior, cuyos mechones se enredaron entre sus dedos.

—Nada —dijo Tanit—. No siento nada.

Su víctima mantenía la cabeza gacha, la mirada fija en el suelo; así era mejor, más fácil: quizá Tanit y las demás se aburrirían y se marcharían en busca de otra presa a la que atormentar.

Pero no, esta vez no funcionó. Elda sintió un hormigueo en la piel. Empezó por las mejillas, luego se propagó lentamente a la nariz, la frente, las orejas y el cuello. La calidez se transformó en calor; el calor, en un dolor abrasador. Lo que estaba haciéndole Tanit iba contra las normas, pero Tanit y sus secuaces se saltaban todas las normas; después de todo, para ellas esto no era más que un ejercicio práctico. Eran como niñas perturbadas a las que se anima a torturar insectos y roedores para que no titubeen cuando se les ordene infligir dolor a los de su propia especie.

Y no tenían miedo de que las descubrieran. Estaban en la Marca, la antigua guarida de la Hermandad de Nairene, y no faltaban los espacios en los que las fuertes podían abusar de las débiles.

La quemazón se volvió más intensa. Elda sintió que se iban formando ampollas, que la piel se le levantaba y burbujeaba. Se cubrió la cara con la mano en un vano intento de protegerse, pero la palma también se le empezó a ampollar al instante y la apartó, aterrada. Se derrumbó en el suelo. Intentó no gritar, resuelta a no concederles esa satisfacción, pero apenas podía soportar el dolor. Abrió la boca, pero fue la voz de otra la que habló:

—¡Dejadla en paz!

Tanit perdió la concentración. Al instante empezó a disminuir el dolor de Elda. No le quedarían cicatrices. Ya era algo.

La Novicia alzó la mirada. Syl Hellais se abrió paso entre la jauría: un codo bien metido aquí, una rodilla allí. Algunas se resistían, pero sólo pasivamente. Crecieron los murmullos y la confusión, pero Tanit se limitó a mirar y a reírse mientras cruzaba los brazos delante del pecho, como si se pusiera cómoda para ver qué pretendía hacer Syl.

Ésta se colocó al lado de Elda.

—Elda, ¿estás bien?

Syl, mientras miraba con inquietud el rostro de Elda, la ayudó a levantarse; luego dio la vuelta a la mano de Elda y examinó la herida que se había hecho en la palma. Como si hubiera sufrido graves quemaduras por el sol, tenía la mano enrojecida y llagada, pero las ampollas, pequeñas, no habían reventado.

—¿Es muy horrible?

—Se curará —contestó Syl, lo cual no respondía del todo la pregunta.

En cualquier caso, ahora no había tiempo para eso. Tenían preocupaciones más apremiantes. Aunque la jauría era valerosa cuando la formaban muchas, aun así sólo tenían la fuerza que tuviera su líder. Si abates a la líder, la jauría se dispersará. Al menos, en teoría.

Pero la líder era Tanit, y ésta no se echaba atrás fácilmente. Observaba a Syl de cerca, con el rostro oculto tras una máscara que delataba lo mucho que disfrutaba.

—¿Qué le has hecho? —preguntó Syl.

—Sólo le he dicho que era bonita —dijo Tanit—. He hecho que se ruborice.

—¿Y a ti qué te importa, Apestosa? —preguntó una de las chicas más osadas, que se movía nerviosa a la izquierda de Tanit. Se llamaba Sarea y competía con otra Novicia, Nemein, por el favor de la líder; también quería que ésta, caprichosamente, la considerara su mejor amiga. Tanit disfrutaba enfrentándolas. Ninguna de las dos le negaría nada por temor a que recurriera a la otra.

Syl y Tanit intercambiaron una mirada, un breve destello de gélida comprensión entre rivales letales. Sarea intentaba ganar puntos provocando a Syl. Tanit dirigió a Sarea un gesto apenas perceptible con la cabeza, dándole permiso para que empezara la diversión.

Sarea se adelantó. Era una chica grácil, casi de una belleza delicada, con huesos finos y ojos brillantes. Sin embargo, la belleza de Sarea ocultaba un gusto por la violencia que bordeaba la psicopatía. Su habilidad particular era la aplicación de presión con su fuerza mental, desde una simple tirantez en la piel hasta la ruptura de huesos y el aplastamiento del cráneo. Lo había intentado una vez con Syl, poco después de la llegada de ésta a la Marca; un leve roce de bienvenida, así fue como lo describió Sarea.

A modo de represalia, Syl le rompió la nariz, y eso no le requirió demasiado esfuerzo mental. Fue básicamente algo físico.

Pero sólo básicamente.

Ahora Syl sonrió, aunque sentía el estómago vacío y débil y le temblaban las manos. Las cerró y se convirtieron en puños.

—Eres muy valiente cuando te metes con las que son más débiles que tú, rodeada de tus amigas —dijo Syl—. ¿Serías tan bocazas si estuviéramos a solas tú y yo?

Syl percibió las ansias que tenía Sarea de hacerle daño; una pequeña presión y podría reventarle a Syl algunos de los vasos sanguíneos de la nariz o de los ojos. Un poco más fuerte, y le astillaría un dedo de la mano o le partiría uno del pie. Y luego estaban esos preciosos órganos internos: los pulmones, los intestinos, el corazón.

¡Oh, sí, el corazón! Sarea anhelaba aplastar un corazón. Y lo que estaba imaginando ya se iba convirtiendo en real. Syl sintió un levísimo apretón detrás de las costillas, una presión sobre el órgano latiente, y supo que era obra de Sarea, aunque ésta tenía prohibido utilizar esas habilidades fuera de clase. Sin embargo, Sarea no pasaba de ser también una Novicia que no controlaba del todo sus turbios talentos; al menos, no todavía. O quizá es que prefería no controlarlos.

Sarea abrió la boca como si fuera a replicar, pero entonces se le vidriaron los ojos y sacudió la cabeza, como si no tuviera palabras. Clavó una mirada llena de ira en Syl y luego miró al resto del grupo, desconcertada. Syl la observaba, con el corazón liberado de nuevo, latiendo sin restricciones en su pecho. Esperaba que la jauría atacara, pero entonces Tanit volvió a hablar.

—Lo siento. No pretendíamos hacer daño.

—¿Disculpa? —dijo Syl.

—No ha pasado nada, Hermana. Nada. Lo lamentamos. No queríamos hacerle daño.

Tanit retrocedió y dio media vuelta para marcharse; las demás la siguieron. Syl y Elda las miraron, boquiabiertas por la sorpresa. No obstante, una de las chicas de la jauría se quedó inmóvil, sin despegar los ojos de Syl, mientras el resto de las criaturas de Tanit se perdían de vista. Estaba medio oculta entre las sombras; era delgada, de pelo oscuro, y vestía una túnica de color azul intenso. Su nombre era Uludess, pero sus amigas la llamaban Dessa. Mientras Syl contemplaba el ceño fruncido y el rostro concentrado de Dessa, de la nariz de ésta cayó una gota de sangre; Dessa se encogió entonces de hombros y esbozó una leve sonrisa teñida de tristeza. Syl abrió la boca para decir algo, pero Dessa negó con la cabeza muy ligeramente, se dio la vuelta y se alejó, enjugándose la sangre en la manga mientras se apresuraba a alcanzar a sus amigas.

Una tutora, con los atuendos rojos de una Hermana plena, se acercó.

—¿Qué ha pasado aquí?

Era Cale, la responsable de las Novicias primerizas como Syl. Era joven para tratarse de una Nairene de alto rango. Su familia había muerto en el accidente de una lanzadera poco después de que Cale naciera; sólo ella había sobrevivido. La Hermandad se había ocupado de ella y la había criado, de manera que el ascenso de Cale en la escala había empezado antes que el de la mayoría.

Syl y Elda bajaron la mirada.

—¿Alguna de vosotras quiere explicarme qué ha pasado aquí? —preguntó Cale, pero sólo era de cara a la galería. Sabía perfectamente cómo eran Tanit y su jauría, del mismo modo que sabía que Syl y Elda no le contarían nada de lo que había ocurrido. Aunque lo hicieran, Cale sólo podría acudir a la Granmaga Oriel para elevar una queja, pero Oriel, que supervisaba la formación de todas las Novicias, no le habría hecho el menor caso. Oriel sentía un cariño especial por Tanit y las de su clase.

—Me he tropezado —dijo Elda—. Syl me ayudaba a levantarme.

—¿Y las demás? —preguntó Cale.

—Hacían cola para ayudar —dijo Syl.

Cale dedicó a Syl una mirada extraña. Pareció a punto de sonreír, pero se lo pensó mejor.

—Volved a vuestros deberes, las dos —dijo.

Obedecieron. Cale las observó cuando se alejaban. Pero también las observaba, sin ser vista, otra ilyria. La Granmaga Oriel permaneció unos instantes en el umbral y luego se fue.

2

Lejos de la Marca, y de la mayoría de los sistemas civilizados, una lanzadera militar sobrevolaba a poca altura el desierto siguiendo los montículos y las grietas de las arenas, descendiendo, ascendiendo, deslizándose suavemente a izquierda o derecha bajo el control experto del piloto. A veces se acercaba tanto a la superficie que los propulsores de la lanzadera levantaban tras de sí nubes de polvo, con lo que los sensores de proximidad se activaban para emitir señales y pitidos de alarma que resonaban por toda la embarcación.

—Va a matarnos. Os juro que va a matarnos.

Era la voz del soldado Cutler, el especialista en comunicaciones de la unidad y un contumaz pesimista. Según él, la única razón por la que todavía no había muerto era porque Dios aún no había dado con la forma más brutal posible de matarlo. Cutler era oriundo de Omaha, Nebraska, y había visto el océano por primera vez desde la ventanilla de la lanzadera de transporte ilyria que le llevó a unirse a las Brigadas. Aquel día no le había cabido duda de que acabaría ahogado. Desde entonces se había creído varias veces al borde de la muerte, ya fuera abrasado, en una caída, asfixiado, envenenado o aplastado. Hoy un accidente parecía el destino más probable, sobre todo con Steven Kerr a los mandos de la lanzadera.

Al lado de Cutler, el hermano mayor de Steven, Paul, apoyaba la cabeza en el respaldo de su asiento, con los ojos cerrados. No le inquietaban en lo más mínimo las aptitudes de Steven como piloto. Su hermano poseía un talento especial, un don; a lo suyo no podría llamársele de otro modo. Paul creía que tenía algo que ver con todos aquellos juegos de PlayStation desperdigados por el dormitorio que compartían en Edimburgo. Paul había probado también los juegos —y le gustaban los de disparos, aunque rápidamente se hizo mayor para seguir jugando cuando, tras implicarse en el movimiento de Resistencia humana contra los invasores ilyrios, se introdujo en la sórdida realidad de matar—, pero lo de Steven era pura y simplemente devoción. Podía abstraerse en ellos durante horas interminables, olvidándose incluso de comer, mientras los índices y los pulgares bailoteaban sobre los controles como si hubiera nacido para pulsar botones. Le atraían especialmente los coches, los aviones y los helicópteros, cualquier aparato que pudiera conducirse o pilotarse. Cuando llegó la hora de que los ilyrios pusieran a prueba sus facultades, Steven había destacado en el manejo de todos los simuladores de vuelo. De inmediato lo enviaron a seguir por la vía rápida el programa de piloto, y se pasó la mayor parte del periodo de instrucción sentado en una cómoda silla jugando a un magnífico juego de ordenador, mientras su hermano mayor tenía que embarrarse con los machacas de infantería, corriendo, saltando, cayéndose y disparando.

Claro que Paul sabía que no fue exactamente eso lo que le tocó en suerte a su hermano, por más que le divirtiera burlarse de Steven. Los pilotos tenían que estar en permanente estado de máxima alerta mental y poseer una desarrollada resistencia física, y Paul había visto a Steven derrumbarse con la vista nublada en la habitación del barracón que compartían, con las sienes latiéndole desbocadas y las extremidades doloridas tras pasarse largas horas en simuladores cada vez más difíciles. Menos del uno por ciento de los aspirantes a piloto de Brigada llegaban al nivel que había alcanzado Steven —el rango de comandante de vuelo— y nadie lo había logrado tan rápido. La lanzadera en la que volaban ahora era la de Steven, la primera nave sobre la que tenía el mando exclusivo, y disfrutaba de cada minuto, un placer que Cutler no compartía.

—Está loco, ¿sabes? —insistió Cutler—. Si vuela un milímetro más bajo acabaremos bajo tierra.

—No está loco —dijo Paul—; sólo feliz.

—Al menos uno de nosotros lo está.

Paul abrió los ojos. Había pensado echarse una siesta durante el vuelo, pero incluso él tenía que reconocer que las maniobras de Steven no iban a permitir que nadie descansara tranquilo. Las lanzaderas militares tampoco estaban diseñadas para ofrecer un sueño cómodo: eran transportes fuertemente armados y blindados, con asientos de vuelo individuales enfrentados a lo largo de la nave. Unos cañones dobles colgaban bajo la cabina de los pilotos, y un segundo par de cañones iban en una burbuja en la parte de atrás de la nave. Cuando se necesitaba, podían desplegarse cuatro equipos de lanzacohetes desde el armazón de la nave en formación en X: era un arma de guerra rápida y contundente.

Sin embargo, ese día no iban a luchar; habían salido en misión de exploración. De hecho, en su unidad, sólo Cutler y De Souza, el teniente, habían disparado alguna vez sus armas, presas de la rabia. Y sólo lo habían hecho durante una misión de protección a una luna que ni siquiera tenía nombre, sólo número, donde habían utilizado sus armas de pulso contra criaturas que estaban sólo un peldaño evolutivo por encima de las medusas. Lo cierto es que el universo carecía prácticamente de vida inteligente; a decir verdad, carecía de cualquier tipo de vida. Hasta el momento, la raza humana era la especie más avanzada que habían encontrado los ilyrios, y sólo había que ver lo que le había pasado a los habitantes de la Tierra: invasión y conquista, seguidas por la ocupación. La Resistencia seguía combatiendo a los invasores —Paul y Steven habían sido hechos prisioneros en un combate contra sus conquistadores, antes de ser enviados por la fuerza a las Brigadas—, pero su lucha era poco más que un incordio para los ilyrios.

A través de la ventanilla, Paul contempló el árido paisaje blanco del planeta que pasaba bajo ellos. Era Torma, y habían tardado un mes en llegar hasta allí. En algún punto por encima de Torma se encontraba el destructor ilyrio *Envion*, sometido a reparaciones tras un viaje difícil, o «salto» a través del último agujero de gusano. Paul aún no se había acostumbrado a la sensación que produce el viaje a través de los agujeros de gusano: la distorsión del espacio y el tiempo, la impresión repulsiva de que iba dejando tras de sí el cerebro y los órganos internos. Lo mejor que podía decirse de ese tipo de viajes era que, al menos, se hacía corto y acababa rápido, y siempre sentía un gran alivio cuando lo completaban y comprobaba que estaba vivo e ileso.

Peris, su supervisor de instrucción ilyrio, iba sentado en la cabeza de la nave, justo detrás de Paul. El soldado ilyrio había sido en el pasado el comandante de la guardia del Castillo de Edimburgo, pero había renunciado a su cómoda existencia para cuidar de Paul y Steven en las Brigadas. Paul no entendía del todo los motivos de Peris, pero había acompañado a los hermanos Kerr desde la Tierra, y había estado con ellos durante su instrucción básica en la base de la Brigada en Coramal, un diminuto planeta en un pequeño sistema muy lejano.

La instrucción había consistido básicamente en aprender a comportarse como una unidad, además de en perfeccionar las habilidades de los reclutas con las armas, enseñándoles los fundamentos de la tecnología ilyria y mejorando su dominio del idioma mediante técnicas de inmersión, como introducirles una corriente continua de palabras y gramática mientras dormían. La lengua alienígena resultó menos compleja de lo que Paul había imaginado al principio, y al poco la hablaba mejor que la mayoría, lo que fue indudablemente una de las razones por las que lo habían ascendido a sargento. Los reclutas también tuvieron que someterse a una variedad de tratamientos médicos diseñados para evitar que los huesos se les volvieran quebradizos tras largos periodos en el espacio y para controlar el riesgo añadido de cáncer debido a la exposición a la radiación.

Peris pilló a Paul mirándole, y asintió. Paul había llegado a respetar al viejo ilyrio, aunque no puede decirse que le cayera bien. Los ilyrios eran el enemigo, y el objetivo último de Paul era destruir su imperio. Si Peris se interponía, Paul lo mataría. Pero, pese a todo, no podía mirar a Peris sin acordarse de Edimburgo, y del castillo.

Y de Syl.

Asúmelo, pensó Paul (y no era la primera vez), estás enamorado de una ilyria. En un mundo ideal, tú doblegarías a su civilización y huirías con Syl a través de sus ruinas. ¿Cómo crees que puede hacerse algo así? Oh, y está además el pequeño detalle de que ella se encuentra a millones de años de luz, separada de ti por incontables agujeros de gusano, encerrada en un convento dirigido por una pandilla de extrañas monjas que adoran el conocimiento como si fuera un dios. Tendrías que haber salido con una chica de Leith, o incluso de Dundee, o, apurando mucho, de Inverness.

Al lado de Peris se sentaba Faron. Aunque Peris era mayor que él y tenía más experiencia y conocimientos, Faron era técnicamente el oficial ilyrio de rango más alto que iba a bordo, y ésta era su primera misión completa. La Brigadas se utilizaban para que los nuevos e inexpertos oficiales ilyrios se hicieran una idea de lo que era estar al mando. Paul tenía a Faron por un redomado inútil: su arrogancia disimulaba su indecisión, y se mostraba despectivo con los humanos a su mando, una tentativa frustrada de ocultar que les temía. Faron sólo se había unido a ellos en este viaje porque necesitaba acumular cierto número de misiones antes de poder dejar las Brigadas.

Paul vio que Faron sudaba. A todas luces, el modo en que Steven pilotaba la lanzadera aterraba a Faron tanto como a Cutler, pero Faron no quería parecer débil delante de los humanos, y tampoco de Peris.

—¿No hemos llegado todavía? —preguntó Cutler.

Paul cerró de nuevo los ojos y soñó con Syl.

3

Mientras la seguía al salir de la cámara, Elda balbuceó un vago agradecimiento por la oportuna intervención de Syl. Envueltas en un incómodo silencio, caminaron juntas hasta el cruce del Duodécimo Reino con el Decimotercero. Antes de alejarse, Elda se dio la vuelta. Se detuvo y tocó fugazmente el brazo de Syl.

—Cuídate —dijo mirando directamente a Syl por primera vez desde que ésta había llegado a la Marca, hacía ya varios meses—. Estos viejos pasillos son traicioneros. Mi amiga Kosia murió bajo una pared que se derrumbó... —Su voz se apagó, y pareció titubear, como si pensara que debía decir algo más, pero temerosa de las consecuencias si lo hacía.

—¿Tu amiga Kosia? —preguntó Syl. Al instante lamentó la incredulidad que pareció traslucir involuntariamente su voz al repetir «tu amiga», como si la amistad fuera algo que quedaba fuera del alcance de Elda.

Elda retrocedió y bajó la mirada; los hombros se le hundieron un poco más.

—Sí —dijo—, mi amiga. Nos presentamos juntas.

—Lo siento —empezó a decir Syl, pero Elda se escabullía ya por el Decimotercer Reino sin volver la vista atrás.

Syl no sabía si tenía ganas de zarandear a la Novicia o de abrazarla. Elda, que se mantenía siempre a distancia, era muy pasiva. Se desvanecía al fondo, débil y difuminada; hacía todo lo posible por no llamar la atención, anhelaba evitar todo contacto innecesario con las demás, hasta el punto de que las mangas de sus túnicas se habían ensuciado porque siempre estaban pegadas a las paredes de la Marca. Y, pese a todo, estaba claro que la había apenado la muerte de su amiga, la tal Kosia, de quien Syl no había oído hablar hasta ese momento. La joven sufría, pero ¿quién lo habría sabido con sólo mirarla? Más aún, ¿quién miraría alguna vez a Elda, cuando ni siquiera parecía estar ahí?

Todavía alterada, Syl se encaminó hacia sus alojamientos. Pese a lo que había dicho Cale, había acabado sus deberes por esa jornada. Había pasado buena parte de la tarde en el Scriptorium contiguo a la biblioteca principal de su Reino, junto a su mejor amiga, Ani, traduciendo unos poemas conceptuales del inglés al ilyrio, antes de que Ani saliera corriendo a sus clases especiales, las lecciones a las que asistía con las otras Novicias «Dotadas».

Syl había seguido traduciendo, pero se había distraído y su mente ya no estaba allí, por lo que, al cabo de un rato, la Hermana a cargo del ejercicio la echó, chasqueando la lengua ante su incompetencia. Syl se sintió aliviada; era un trabajo lento y concienzudo, y no entendía por qué se tomaban tantas molestias. ¿Qué uso podía darle la Hermandad a las cavilaciones de poetas muertos hacía lustros y de un mundo remoto? Pero sus tutoras aducían que los poemas representaban conocimiento, por más antiguo y alienígena que fuera, y el conocimiento era la savia de la Hermandad. Ningún conocimiento podía considerarse inútil; simplemente había conocimiento que podía aplicarse y conocimiento que todavía no había encontrado aplicación.

Y, por supuesto, formaba parte de su formación como Novicias. Traducir, transcribir, leer, escribir..., a eso se dedicaban casi todas la mayor parte de sus primeros tres años. Y, entre esas tareas, estudiaban también historia ilyria, geografía universal, matemáticas y ciencias. Syl y Ani sólo sobresalían en una asignatura: biología existencial, la que se centraba en la zoología y la botánica de los mundos conquistados, y específicamente las de la Tierra.

La asignatura que menos le gustaba a Syl era la diplomacia aplicada. Consistía en una mezcla de protocolo ilyrio, estudios sociales, psicología, política y, para el gusto de Syl, puede que demasiados ejercicios prácticos de conversación insustancial, o cómo aprender a cruzar las manos educadamente sobre el regazo o a darse toquecitos discretos en la boca para eliminar hipotéticas migas sin que se note. El propósito de la asignatura, por lo que veía, consistía en instruir a las Hermanas de Nairene para que formaran parte de la sociedad mundana ilyria y sedujesen —o manipulasen— a todos los que conocieran que pudieran favorecer los fines de la Hermandad. A Syl sólo le servía para aprender cómo funcionaba la Hermandad y cómo veía ésta el mundo exterior a la Marca. Conoce a tu enemigo: eso era lo que le había enseñado su padre.

Su padre, Lord Andrus...

Al recordarle, tragó saliva y le escocieron los ojos. Por más que lo intentara, no acababa de resignarse a su pérdida, aunque ya habían pasado seis meses, medio año terrestre entero, desde la última vez que lo había visto. Peor aún que la distancia que lo separaba de él era que todavía recordaba el extraño olor dulzón de su aliento y la mirada vacía de sus ojos cuando la había abrazado por última vez para despedirse. Estaba infectado: su mente, su voluntad, incluso sus órganos internos, habían sido ocupados por un organismo alienígena desconocido que había convertido su cuerpo en un mero portador del parásito que moraba en su interior. Pero él parecía —y ella así lo sentía— tan cálido, tan real como el único padre que ella había conocido, y todavía lo amaba con toda su alma.

Y la «imagen pública» de la Hermandad de Nairene, la Archimaga Syrene, era la responsable. De algún modo, ella había implantado aquel bicho en el padre de Syl. De algún modo, ella le había arrebatado a su padre muy poco antes de que Syl pudiera despedirse y lo había envenenado desde dentro. Syrene estaba confabulada con esas entidades, esas formas de vida alienígenas, pero Syl no sabía con qué fin. El puñado de combatientes de la Resistencia que conocían su existencia las llamaban los «Otros», y Syl los había visto con sus propios ojos, había sido testigo de lo que hacían en un remoto castillo de Escocia antes de que el fuego y las explosiones destruyeran las pruebas, dejando sólo humo y desmentidos. Pese a todo, ella lo sabía, al igual que un pequeño grupo de combatientes de la Resistencia en la Tierra, aunque lo que habían visto sólo hubiera dado lugar a más preguntas.

Syl había jurado que descubriría la verdad, que vengaría a su padre, que lo liberaría de esa criatura que portaba en su interior, si es que había alguna manera, aunque la consumía una tristeza tan abrumadora que pensaba que acabaría matándola. Tenía que obligarse a creer que todavía había esperanza y que esa esperanza se hallaba en la Hermandad de Nairene, las guardianas de todo el conocimiento universal.

Pero la Marca era inmensa: una serie de secciones conectadas, o Reinos —veinte en total—, que se extendían por toda Avila Minor. Syl vio la Marca por primera vez desde las alturas cuando su lanzadera se aproximaba para alunizar. Las peñas y los acantilados esculpidos que se alzaban de la superficie le recordaron a Petra, la gran ciudad excavada en la roca en Jordania, en la Tierra, pero ahora que estaba en su interior, sabía que la Marca se parecía más a los enormes y atestados montículos que levantaban las termitas en la sabana africana.

Las paredes de los edificios visibles eran gruesas, pero gran parte de la Marca se extendía oculta bajo la superficie. Cada Reino tenía su propia plataforma de aterrizaje para lanzaderas, y sus propios sistemas de emergencia, almacenes, generadores y granjas solares. Aunque los Reinos individuales estaban conectados, en su mayoría podían sellarse y separarse de sus vecinos en caso de emergencia, o si se producía un ataque. Y, sin embargo, ¿quién se atrevería a atacar la Marca? Durante el día, cualquier fuerza invasora quedaría achicharrada por el sol, y por la noche sería devorada por las feroces criaturas que cazaban en la oscuridad. La luna se desharía de cualquier fuerza hostil mucho antes de que pudiera traspasar las defensas de la Marca.

Desde su llegada, Syl había permanecido enclaustrada entre esas paredes, sintiéndose como una termita, excavando, escarbando, dedicada en cuerpo y alma a las labores de estudiante, pero sin cesar de buscar pistas y claves sobre los verdaderos fines de la Hermandad.

Bueno, eso siempre que no se metía en problemas al proteger a la pobre y desdichada Elda...

Y aun así, aun así...

Syl se sentía calladamente agradecida a Elda y su actitud sumisa porque, sin su ejemplo, ella no habría sabido cómo empezar a explorar esas zonas de la Marca que le estaban vedadas. Había observado con sigilo cómo Elda se escabullía como un perro apaleado, evitando el contacto con las demás Novicias cuando pasaban resueltas a su lado, como si no quisiera establecer contacto visual con ellas, para eludir las conversaciones e introducirse con agilidad en las grietas de la fachada rocosa. Hacía cuatro años que Elda había llegado a la Marca, pero en ese tiempo se había convertido en una pieza de mobiliario más, tan invisible como una pared o una silla. Syl se había enterado de que Elda había dejado de asistir a clase durante los primeros meses, cuando las expectativas que habían puesto en ella las Nairenes se desvanecieron hasta quedar en nada, porque era servil e ignorante; sin duda estaba destinada a seguir siéndolo. Así que, sin más, las Hermanas, que la habían relegado a encargarse de las tareas más pesadas, le ordenaban limpiar y quitar el polvo sólo para no tenerla delante.

A estas alturas, a Elda le habría correspondido ser Hermana Intermedia y vestir las orgullosas túnicas verdemar propias de aquellas que casi han concluido su educación, aquellas que sólo aguardaban su investidura en la orden como Hermanas plenas; pero Elda seguía caminando desganada, la mirada triste, con su túnica raída de tono amarillo mantequilla, la que vestían a diario las meras Novicias en la Marca, y poco a poco su atuendo se había descolorido hasta el blanco de la orden más baja y menos prometedora de la Hermandad —las Hermanas del Servicio—, el atuendo de cuando supervisaban las tareas de limpieza o de la cocina.

Y de algún modo, en algún momento, Elda se volvió invisible para aquellas que se creían mejores que ella, como suele ocurrirles a quienes sirven.

Syl se había dado cuenta de todo eso cuando estaba a punto de dejar de fijarse también en Elda, y había seguido su ejemplo; se ponía ropa descolorida y una pañoleta para protegerse la cabeza, ocultando su propio y delator cabello broncíneo en un retal de sábana desgarrado de su ropa de cama, e incluso había llegado a robar una de las túnicas de color blanco sucio de Elda del gimnasio cuando la chica estaba trabajando en las duchas vestida sólo con su ropa interior, fregando los suelos enmohecidos mientras el agua le salpicaba la espalda encorvada. Sintiéndose culpable, Syl había sustituido la pieza robada con su mejor túnica, nueva, limpia y amarilla, pero Elda pareció no percatarse y se puso la ropa de Syl sin siquiera enarcar una ceja.

Poco a poco, Syl, disfrazada como Elda, había empezado a explorar y a introducirse cada vez más en las profundidades de los lugares que estaban prohibidos para una simple Novicia de primer año, siempre con un cubo de utensilios de limpieza y bayetas en la mano. No se arriesgaba a salir a menudo, y no seguía ninguna pauta, pero, cuando lo hacía, encorvaba los hombros, arrastraba los pies e intentaba pasar inadvertida fundiéndose con el fondo. En las escasas ocasiones en las que la detenían o le preguntaban algo, afirmaba que estaba sustituyendo a Elda o cumpliendo órdenes de una Hermana del Servicio, y balbuceaba y se disculpaba hasta que la dejaban seguir, a veces con una palabra desagradable y en una ocasión con un molesto pellizco en la carne blanda del interior del brazo. Pero nadie pareció demasiado sorprendido por su presencia. Después de todo, las que pertenecían a la Hermandad aceptaban el honor de ocupar un lugar en ella: sin duda, ninguna de ellas pretendería jamás hacer algún daño o promover una insurrección. Allí se apiñaban tantas mujeres que resultaba relativamente sencillo desaparecer en la multitud.

Así, Syl quitaba el polvo a bibliotecas que no podían leer las Novicias primerizas; limpiaba superficies de mesas de los Scriptoria más altos, donde trabajaban las Novicias mayores; fregaba suelos en los pasillos de las Hermanas Intermedias, mientras escuchaba sus conversaciones; y abría libros que no estaban destinados a sus ojos. Pero le quedaban tantos pasajes por explorar: incontables laberintos de habitaciones, cámaras y alojamientos privados, de pasillos sin salida y paredes sin señalar, y todas las vías principales conducían invariablemente a la puerta sellada que se alzaba al final del Decimotercer Reino: la puerta sellada pintada con el ojo rojo de la Hermandad.

Con frecuencia, frustrados sus esfuerzos, se acostaba en su cama y urdía nuevos planes mientras soñaba cómo podría hacer que su mundo —de hecho, sus mundos— volviera al buen camino.

Pero a veces se descubría soñando también con otras cosas y con otros lugares, soñando con un sol cálido y la fragancia de las rosas, con la hierba cubierta de rocío y el canto de los pájaros, con un águila alzando el vuelo hacia los densos cielos escoceses, con un ciervo caminando por la orilla de un torrente helado de las Highlands, con unos dedos que dibujaban un corazón en su espalda...

Soñaba con el chico humano al que había besado en la Tierra.

Soñaba con Paul Kerr.

4

La voz de Steven, que resonaba ronca por el sistema de comunicaciones, sacó a Paul de sus cavilaciones.

—Destino a la vista. Aterrizaje en cinco clics.

—Gracias a Dios —dijo Cutler—. Dile a tu hermano que el viaje de regreso lo haré andando.

Faron también pareció aliviado ante la perspectiva de aterrizar. Contuvo sus náuseas el tiempo necesario para dar una orden.

—Escaneado estándar —dijo—. Tan rápido como pueda.

El escaneado estándar, requisito mínimo para prepararse para la posibilidad de encontrarse en territorio desprotegido, buscaba indicios de movimiento, rastros de calor y vida basada en el carbono. Peris amagó con decir algo, pero finalmente permaneció en silencio. Ante ellos se cernía la base de exploración, diseñada para buscar y sondear depósitos minerales. Se creía que Torma era un planeta rico en mineral de hierro, oro y uranio, aunque, como a todo, los ilyrios les daban otros nombres. En las bases de exploración solía haber científicos, ingenieros y sismólogos que evaluaban la viabilidad de la explotación de los recursos. La base de Torma se había depositado en el planeta diez semanas antes y no estaba prevista su recuperación hasta el final de su misión de evaluación, que se alargaría seis meses.

Por desgracia, poco después del primer mes se habían interrumpido todas las comunicaciones con la base, y el *Envion* había sido enviado hasta allí para investigar y, de ser necesario, llevar a cabo una misión de rescate y recuperación.

—Escáner negativo —dijo Steven—. Vía libre para aterrizar.

—Sobrevuele en círculo —dijo Faron.

Steven obedeció. La lanzadera sobrevoló alrededor de la base de exploración. Parecía una pequeña fortaleza, con altos muros de acero que rodeaban un patio central con el suelo cubierto de arena del desierto. En el extremo norte se alzaba un grupo de edificios: laboratorios y alojamientos para el pequeño equipo de investigación. En el sur, había lo que parecía una larga tubería, uno de cuyos extremos se introducía en las profundidades de arena. Era la funda del dispositivo de sondeo principal y protegía una enrevesada masa de equipo de perforación, extracción y corte. Una pasarela elevada la conectaba al laboratorio, permitiendo que las muestras fueran fácilmente transportadas para su análisis. Unas luces titilaban sobre las torres y antenas de la base. Distinguieron una pequeña lanzadera civil sobre la única plataforma de aterrizaje, pero no había señales de vida.

—¿Estaban armados? —preguntó Faron. Su conocimiento de las bases de perforación y su funcionamiento no habría dado para una conversación muy larga.

—Sólo las armas de pulso básicas —contestó Peris—. La lanzadera lleva un cañón de setenta milímetros, pero nada más.

Faron percibió un dejo de reproche en la voz de Peris.

—El planeta fue calificado H-2 —le dijo a Peris—. No se consideró necesaria más protección.

Los ilyrios clasificaban los planetas según dos designaciones básicas: H, los Habitados y D los Deshabitados. La primera designación iba seguida de una serie de secuencias numéricas ordenadas: 1 designaba básicamente la vida microbiana; 2 indicaba formas de vida inferiores carentes de inteligencia y que por lo general no suponían ninguna amenaza; 3 señalaba una vida abundante, con especies poco evolucionadas de cierta inteligencia, equivalentes a los simios terrestres; y 4 era una civilización avanzada. Hasta ese momento, sólo la Tierra había merecido un 5: una civilización avanzada con capacidad potencial para el viaje interplanetario, aunque sólo en el interior de su propio sistema.

El estudio inicial en busca de formas de vida en Torma no había dado grandes resultados; principalmente se habían encontrado insectos y unas peculiares criaturas, que parecían lagartos y se alimentaban de ellos, que los ilyrios habían apodado «tormales». Parecían combinar los cuerpos escamosos de los metabolismos de sangre fría de los reptiles con un exoesqueleto duro y retráctil. Ese escudo podían desplegarlo como unas alas hasta que la criatura se sentía amenazada, momento en el que se activaba el exoesqueleto, encerrando al lagarto en el interior de un duro caparazón negro. Algunos de los científicos e ingenieros enviados a Torma habían empezado a adoptar tormales como mascotas —pese a las órdenes en vigor contra tales prácticas— porque los pequeños lagartos se contentaban con pasar el tiempo comiendo, durmiendo y jugando con pelotas de colores, que iban a buscar y devolvían como si fueran perritos. Raramente activaban sus escudos protectores cuando estaban en compañía de ilyrios, y era un misterio la existencia misma de un mecanismo de defensa como ése. Se sugirió que podría tratarse de un vestigio evolutivo, una forma de protección contra algo que ya no existía pero que había quedado incrustado en el desarrollo de las criaturas —como el apéndice humano, según les había explicado De Souza a los demás a modo de comparación—, que no había sido eliminado. Paul no había cuestionado a De Souza, pero le parecía recordar que, en realidad, los científicos habían descubierto que el propósito del apéndice era almacenar bacterias útiles. Además, el simple hecho de que algo no revelara de buenas a primeras la razón de su existencia no quería decir que no la tuviera.

—Bájenos —dijo Faron—. Aterrice dentro del perímetro, pero siga en los mandos y mantenga la lanzadera preparada. De ser necesario, quiero poder salir de ahí al instante.

—O sea, en un abrir y cerrar de ojos, por no decir un parpadeo —intervino una voz cansina.

Era Thula, el cabo zulú. Faron clavó en él una mirada de odio, pero no dijo nada. Como todos los ilyrios, Faron carecía de párpados. Sus ojos estaban protegidos por una membrana nictitante, similar a la que poseen las aves, los reptiles y algunos mamíferos. Sabía que Thula había hecho un chiste a su costa, pero no estaba por la labor de reprender al joven. Si bien Faron era capaz de ocultar su temor secreto a los soldados humanos, fracasaba estrepitosamente a la hora de disimular que Thula le aterraba.

El nombre completo de Thula era Khethukuthula. En su lengua significaba «elegido para permanecer en silencio». En cierta ocasión,

Cutler le había sugerido que en realidad debía de significar «bocazas», a lo cual Thula había reaccionado agarrando a Cutler del cuello y levantándolo del suelo, y no lo soltó hasta que empezó a ponerse azul. El nombre de Thula no acababa de encajar con él, y Paul había descubierto que era aún más expresivo en privado. Pero en público era serio, raramente sonría. Era delgado aunque extremadamente fuerte, y casi tan alto como un ilyrio medio. Como Paul y Steven, Thula había sido miembro de la Resistencia, había combatido y matado ilyrios en Sudáfrica, y se había librado por muy poco de que le mandaran a un destino letal en los Batallones de Castigo, a los que los ilyrios enviaban a los humanos considerados terroristas y criminales. Era una de las razones por las que él y Paul habían entablado amistad. Thula destacaba por su fuerza y su inteligencia: ni siquiera los ilyrios estaban dispuestos a desperdiciar el potencial de tan excelente combatiente.

Thula le hizo un guiño a Paul. Éste, divertido, sacudió la cabeza. Faron llevaba tan sólo unos meses al mando. Era posible que tuvieran que seguir con él muchos meses más. Lo sensato era intentar encontrar una forma de convivir con él lo mejor que pudieran y buscarle las cosquillas sólo lo imprescindible.

Pero eso no significaba que Faron no fuera un gilipollas.

Steven hizo descender lentamente la lanzadera. Sin que se lo ordenaran, los doce soldados que iban a bordo revisaron sus armas. Todas las armas ilyrias entregadas a los humanos o a otras especies estaban equipadas con sensores que impedían que se disparasen contra un blanco ilyrio, de manera que las Brigadas no pudieran rebelarse contra sus mandos ilyrios. Los soldados de las Brigadas recibían armas de pulso como estándar, pero a pocos les gustaban porque estaban diseñadas para su uso en combinación con los Chips neuronales que llevaban implantados los ilyrios. Eso implicaba que la potencia del disparo del pulso se decidía en la fracción de segundo de interacción entre el cerebro del que disparaba y el Chip, y se transmitía instantáneamente al rifle: potencia para aturdir, para matar o plena potencia para abrir un agujero en un muro.

Sin embargo, no se permitía que se implantaran Chips a los humanos, supuestamente porque el funcionamiento del cerebro humano y el ilyrio era distinto, pero en realidad porque los ilyrios no

querían implantar una tecnología tan avanzada en las razas sometidas. Aunque lo cierto era que —como Paul no tardó en descubrir
durante su instrucción básica— los Chips habían vuelto a los ilyrios
un poco vagos: habían acabado dependiendo tanto de ellos que
parte de sus reacciones naturales habían perdido intensidad. Por
ejemplo, el hermano de Paul puede que no fuera un piloto técnicamente tan preparado como algunos de los pilotos ilyrios, pero
se adaptaba mejor, y dependía de su inteligencia, no sólo de la tecnología.

Sin Chips, la única forma que tenían los humanos de utilizar
las armas de pulso era ajustarlas manualmente o recurrir a una «red»
neuronal que llevaban como pieza añadida en el casco. Incluso en
ese caso, la reacción era varias veces más lenta, y cualquier golpe
en el casco podía tener como consecuencia una avería de la red, lo
que dejaba al soldado con un arma inútil en las manos. Además,
los rifles de pulso ocasionalmente erraban al identificar el ADN de
sus portadores humanos, quedando inservibles. Si se daba ese fallo,
aparecía un mensaje en la pantalla digital del arma: DPM, es decir
«Denegada Posible Manipulación» o, como lo rebautizaron las Brigadas: «Date Por Muerto».

Por tanto, siempre que era posible, los humanos preferían el armamento convencional. Por lo tanto, Paul revisó las cargas de uranio empobrecido en su rifle automático militar ilyrio SR: trescientas
balas por cargador, y llevaba cinco como norma, lo suficiente para
iniciar una guerra a pequeña escala. Su cinturón bandolera también
contenía cinco granadas —tres incendiarias, dos de gas—, un cuchillo de más de veinte centímetros con el filo dentado y un revólver.

El revólver era, en términos técnicos, un arma ilegal, pero muchos humanos complementaban su armamento estándar ilyrio con
algunas adiciones letales de la Tierra: pistolas, armas cortas, incluso
escopetas de cañones recortados. También eran frecuentes los machetes y, algo menos, las espadas o las hachas. Oficialmente, los ilyrios
ponían trabas a esas armas terrestres porque, a diferencia de los rifles de pulso u otras armas ilyrias, podían utilizarse contra ellos. Sin
embargo, poco a poco los ilyrios se dieron cuenta de que el riesgo
de rebelión era relativamente bajo. Aquellos que, en los primeros
tiempos, se habían vuelto contra sus oficiales ilyrios fueron abatidos

en cuestión de días, y a los nuevos reclutas se les mostraban grabaciones de sus desdichadas muertes —expulsados de compartimentos estancos para que se congelasen en las tinieblas o consumidos por el envenenamiento causado por la radiación en una mina de un Batallón de Castigo— sólo para recordarles las consecuencias de rebelarse. Así que las armas terrestres que no podían ser disparadas en modo automático —escopetas, pistolas semiautomáticas— eran permitidas a regañadientes. La familiaridad con la que las manejaban hacía que los soldados fueran combatientes más efectivos y los test psicológicos habían revelado que los humanos con armas de la Tierra eran unos colaboradores mejor dispuestos a participar en situaciones de combate peligrosas que aquellos que no las tenían.

La lanzadera aterrizó. Peris fue el primero en levantarse.

—Caballeros, en pie.

Le hizo un gesto con la cabeza a De Souza, que tomó el mando. De Souza, que era brasileño y uno de los hombres más pequeños de la tropa, irradiaba una seguridad y una autoridad que inspiraban respeto.

—Sargento Kerr, Thula, delante. Cutler, Olver, detrás. Los demás en el medio. Baudin y Rizzo, os quedáis en la nave. ¿Alguna pregunta?

—¡No, señor! —gritaron sus voces al unísono, con la única excepción de Cutler.

—Eh, teniente, ¿Baudin y Rizzo se quedan aquí porque son chicas?

Baudin, una francesa musculosa que llevaba una ballesta como arma adicional, le enseñó el anular a Cutler. Rizzo, una italiana diminuta y morena, hizo un movimiento rápido con la mano derecha y una estrella ninja salió disparada hacia la entrepierna de Cutler. Se clavó en el casco de éste, que, por suerte para él, sostenía sobre su regazo. Cutler levantó el casco y miró la pequeña arma plateada.

—No es justo —dijo—. Eh, eso podría haberme hecho daño.

—Dejadlo ya, todos —ordenó De Souza—. Finjamos que somos unos profesionales. —Señaló a Baudin y Rizzo—. Ya sabéis lo que hay que hacer: si volvemos corriendo, empezáis a disparar.

Las dos jóvenes asintieron. Eran las mejores tiradoras de la unidad. Si algo iba mal en la base, De Souza quería que le proporcionaran fuego de cobertura. Podía estar seguro de que Baudin y Rizzo acertarían a lo que fuera que les persiguiera. Cutler no le daría ni a la puerta de un granero aunque se le viniera encima.

—Preparados —dijo De Souza.

Una luz roja parpadeó. Las puertas de la lanzadera empezaron a abrirse.

—¡Adelante! —ordenó De Souza—. ¡Vamos, vamos, vamos!

5

Syl, en la Hermandad de Nairene, estaba obligada a morar en el Duodécimo Reino de la Marca, una de las adiciones más recientes a la sede de la orden, reconstruida hacía unos años tras el derrumbamiento de su red de túneles principal.

Sin embargo, seguía siendo un espacio de piedra y roca, sus aulas tenían una iluminación fría, cortante, mientras que el resto estaba en penumbra y levemente envuelto en una capa de polvo. En el Duodécimo Reino se alojaban y se instruían a las Novicias —las que cumplían su primer, segundo y tercer año— porque se consideraba beneficioso que las Novicias de mayor y menor edad se mezclaran sin restricciones, aunque Elda, si alguien se hubiera tomado la molestia de preguntarle, podría haber dado otra opinión al respecto.

El Duodécimo conectaba directamente con el Decimotercer Reino, donde las Novicias mayores vivían durante los dos últimos años de su educación, o, más bien, de su adoctrinamiento, como prefería considerarlo Syl. A las mayores se las llamaba Hermanas Intermedias.

Esas dos secciones eran los únicos Reinos que no podían separarse fácilmente el uno del otro. Al lado se encontraba el Decimocuarto Reino, que contenía los alojamientos de las Hermanas que participaban directamente en la formación y educación de las Novicias, protegidas de las fisgonas recién llegadas por aquella malhadada puerta.

Syl dejó atrás las cocinas, el gimnasio, las puertas que llevaban a los invernaderos y a las salas de lectura, y entró en el pequeño pero digno alojamiento que al principio había compartido con su institutriz Althea y con Ani. Cada una tenía su propio dormitorio, pero compartían una zona común, una cocina y un baño. Se habían adaptado a esos cerrados confines sin excesivos problemas, y Althea había organizado una lista de tareas de limpieza, pero primero les enseñó a utilizar la lavandería comunal para lavar sus túnicas y sábanas porque las chicas de alta cuna, acostumbradas a su vida en el castillo, nunca se habían detenido a mirar un pila de colada sucia hasta entonces. Es más, ni siquiera habían fregado una olla ni barrido un suelo. Althea les impuso esos quehaceres domésticos, los dejó bien establecidos, se aseguró de que sus necesidades básicas estaban satisfechas, y luego, un mes atrás, había querido hablar con Syl en privado.

—¿Te importaría disculparnos, Ani? —había dicho Althea, aunque no se trataba tanto de una pregunta como de una orden.

Ani alzó una ceja en gesto de comprensión hacia Syl antes de salir, porque desde hacía años le había correspondido a Althea regañar a Syl cuando se portaba mal y su padre no estaba, e incontables veces Ani había tenido que salir del cuarto antes de la gran reprimenda. Pero Syl sabía que su relación con Althea había cambiado desde sus aventuras en la Tierra: Althea ya no la trataba como a una niña a la que debía proteger, y tampoco se sometía a Syl como lo haría una institutriz contratada. Más bien, trataba a la chica como a una igual y una aliada en la lucha contra la oscuridad que cubría la Conquista ilyria. Y como una madre que reconocía que su hija ya era una mujer, Althea aconsejaba a Syl, le insistía en que tuviera cuidado y se inquietaba por ella, pero evitaba darle órdenes e instrucciones; también trataba de no sobreproteger a la chica.

Para los desconocidos, parecía tan sólo una niñera que la adoraba, pero en privado era una mujer de armas tomar.

—A ver, querida mía —dijo Althea cuando se quedaron solas, y había una firmeza en su voz que hizo temer a Syl lo que vendría a continuación—. Tengo que volver a la Tierra. Al menos durante un tiempo.

—¿Qué?, ¿por qué? —Syl sintió que unas lágrimas infantiles se agolpaban en su garganta.

—Aquí estoy paralizada y no soy de ninguna utilidad para nadie —respondió Althea.

—¡Para mí sí!

—¿Cómo?, ¿para recoger la ropa interior que dejas tirada?, ¿para vigilar que hayas lavado tus túnicas?, ¿para confortar tu ego cuando alguien te insulta? Ya no necesitas una institutriz, Syl.

—Pero viniste aquí para eso —había replicado Syl con mala intención, unas palabras que más tarde recordaría con vergüenza.

—Oh, Syl, no seas maleducada. Sabes muy bien que fue un ardid para que pudiera acompañaros a Ani y a ti y que no estuvierais solas. Pero me contaste lo que pasó en la Tierra desde la última vez que vi a tu padre, me contaste que podría estar infectado. En Edimburgo seré más útil, y al menos estaré mejor informada. Aquí, en cambio, debo interpretar el papel de niñera quejica, se me prohíbe la entrada a las bibliotecas de las Nairenes o leer sus preciosos libros o incluso mirar directamente a la cara a las Hermanas.

—¡No puedes dejarme aquí sola! —había gemido Syl, pero Althea se limitó a abrazarla con fuerza, aspirando el aroma del cabello de su casi hija.

—No estás sola; tienes a Ani. Os tenéis la una a la otra. Y tienes una misión que cumplir, como yo —añadió Althea—. Sé que las dos estáis a salvo aquí; sé que Syrene no tiene intención de hacerte daño, al menos no físicamente. No puedo garantizar que no intente jugar con tus emociones, pero tengo fe en tu capacidad para manejar esa clase de bajezas. Mientras tanto, yo tengo mis asuntos que atender.

—¿Qué asuntos? —preguntó Syl, aunque recordaba con toda claridad lo que le había contado Ani: que había visto a Althea besándose con un humano. «Apasionadamente», había dicho Ani, pero Syl estaba segura de que la lujuria no era más que fruto de la imaginación de su amiga. A Althea no le iban ese tipo de cosas, estaba convencida.

—Oh, pequeña mía —dijo Althea, que se rió con aspereza mientras alzaba la mirada hacia su pupila, que ya era mucho más alta que ella—, tú sabes que es mejor que guarde mis asuntos en secreto. Así no puedes contarlos, ni aunque te obligaran.

—¿Cuándo te irás?

—Bueno, ésa es la cuestión. En tanto que tu supuesta institutriz —miró a Syl maliciosamente—, la petición para mi salida del planeta tienes que hacerla tú, dado que eres mi señora. Necesito que comuniques a la Hermandad que ya no me quieres aquí.

Syl la miró negando con la cabeza.

—Pero ¿cómo?

—Diles que estás harta de tenerme rondando por aquí. Diles que te sientes como una niña tropezándote cada dos por tres con tu niñera y que serás capaz de integrarte mejor sin mi presencia, de hacer amigas si no yo ando merodeando. Diles que quieres independencia. Diles que soy una pesada..., me da igual. A ellas les encantará librarse de mí, así que tampoco importa mucho. Por favor, ¿lo harás, Syl?

Syl clavó la mirada en sus propios pies.

—Claro que lo haré.

—Gracias.

—Pero ¿cuándo volverás, Althea?

—Sólo puedo volver si tú me convocas. Ser tu humilde institutriz me impide tomar ese tipo de decisiones por mí misma.

—En ese caso, ¿vendrías si te llamara?

Althea volvió a reírse.

—Tan rápido como lo permita el agujero de gusano más cercano. Pero prométeme que no te expondrás a ningún peligro, Syl. Sé cautelosa. Cuida de Ani. Cuidaos la una a la otra.

Syl había hecho lo que le había pedido Althea, y su institutriz había partido sin demora en la siguiente nave con destino a Avila Minor, pero no sin derramar antes más lágrimas, porque nunca habían estado separadas más que unos días, y no sin que Syl le implorase que intentara averiguar lo que pudiera sobre Paul Kerr y su hermano Steven, y si estaban a salvo. Althea había fruncido el ceño, reprobándola, pero al ver la angustia de Syl, finalmente había asentido: lo intentaría.

Ahora el dormitorio de Althea esperaba vacío, limpio y extrañamente esterilizado. Althea había cambiado la ropa de cama antes de partir, pero parte de su ropa colgaba como una promesa en su modesto armario, y su volumen favorito de poesía seguía con un marcador de página sobre su mesa. Era un pequeño consuelo. Aparte de eso, las condiciones de vida eran llevaderas, o lo habían sido hasta que quedó claro que Ani y Syl iban a ser tratadas de manera distinta por la Hermandad.

Las Hermanas, a través de Syrene, habían descubierto las capacidades de Ani. Tenía poderes psíquicos naturales, y todo aquel que poseía poderes mentales de cualquier tipo merecía al instante la atención de la Hermandad, porque se trataba de individuos muy escasos. Por eso Tanit y su pandilla, con sus variados trucos y tormentos mentales, gozaban de tanta libertad. La habilidad de Ani parecía menos dañina: simplemente era capaz de nublar las mentes, un don menor en comparación con los de las arpías de Tanit. Pero era un don que también tenía Dessa, un don que ésta ya había demostrado que dominaba a la perfección.

Syl esbozó una mueca, confundida, mientras reflexionaba sobre el motivo que podía haber movido a la intervención anterior de Dessa: su ademán cómplice con la cabeza cuando Syl y Elda se escabullían sólo confirmaba sus sospechas.

Tal vez Tanit y su pandilla se habían olvidado de que la profunda y oscura Dessa podía hacer que otros vieran lo que ella quería que viesen —a una Hermana plena donde sólo había una Novicia, por ejemplo—, y tal vez fueron tan descuidadas que no se protegieron de ella. Y, de hecho, ¿por qué iban a ponerse en guardia frente a Dessa si ésta formaba parte de su círculo íntimo, era una de las suyas?

Sí, resultaba de lo más inquietante.

En cuanto a Syl, por lo que sabía la Hermandad, no era especial —como lo era Ani— porque carecía de todo poder. Sí, Syl y Ani habían sido captadas juntas, engañadas para convertirse en Novicias por la Archimaga Syrene, pero sólo Ani tenía un don que podía desarrollarse y ser utilizado por la orden. En el caso de Syl, su padre era uno de los principales líderes militares y se sabía que éstos desconfiaban de la Hermandad, así que controlar a la hija de Lord Andrus era un golpe maestro para las Nairenes. La trataban como a un trofeo, sólo para exhibirla, y ahí empezaba y terminaba su utilidad.

Pero la Hermandad se equivocaba. Syl tenía más poder del que ellas eran capaces de concebir, e intentaba mantenerlo oculto. Ni Ani ni Althea sabían de él. Syl tenía poderes psíquicos con un potencial tan profundo que ni ella misma acababa de entenderlos.

Pero Syl era consciente de que tenía que perfeccionar sus fuerzas, así que por hábito interrogaba a Ani sobre las lecciones extra, y Ani estaba siempre más que dispuesta a charlar; su propio despertar psíquico resultaba a la vez emocionante y aterrador, de manera que lo que aprendía —o intentaba aprender— salía a raudales por su boca en un torrente de palabras. Hasta entonces Ani nunca se había considerado excepcional, y su don siempre había sido sobre todo una fuente de inquietud. Lo había ocultado la mayor parte de su vida; temía lo que podría suceder si lo descubrían, temerosa de convertirse, como decía ella, en «una friki». Pero la Hermandad la había aceptado y le había dicho que sus aptitudes la convertían en alguien especial, extraordinario. Ani se sintió animada, halagada incluso, y se deleitaba en la atención que recibía por ser una de las Dotadas.

Así que Syl escuchaba a su amiga divagar emocionada, asimilando cada palabra pronunciada sin aliento y, en privado, practicaba todo lo que le estaban enseñando a Ani sobre concentrar sus poderes, sobre el control, y repetía los ejercicios una y otra vez mientras la Marca descansaba, levantando muros de protección interior para que sus habilidades no fueran detectadas por las Nairenes.

La Hermana canosa que estaba a cargo de todas las Novicias, la Granmaga Oriel, era especialmente sensible a las capacidades psíquicas. Syl había percibido que la examinó cuando Ani y ella llegaron a la Marca, buscando algún signo de poder. Lo único que había podido hacer Syl fue permanecer pasiva, y creyó que había conseguido engañar a Oriel porque la vieja bruja no pareció mostrar excesivo interés por la última adquisición de Syrene. Era Ani la que interesaba a Oriel, y eso le venía bien a Syl. Bueno, lo de bien es un decir, porque significaba que Ani pasaría mucho tiempo con Tanit y las Dotadas, y muchas horas lejos de Syl.

Una distancia entre ellas que se iba acentuando y que asustaba a Syl porque, sin Ani, se sabía sola y sin amigos en la Marca.

6

La atmósfera de Torma consistía en una mezcla tolerablemente dulce de, principalmente, oxígeno y anhídrido carbónico, pero era tan caliente que abrasó la nariz y la garganta de Paul cuando salió de la lanzadera. Su traje, que disponía de regulación térmica, comenzó al instante a refrescar su cuerpo, pero el sistema no funcionaba tan bien con los cascos y el sudor ya le goteaba en los ojos. Soplaba una brisa que formaba fantasmas en la arena, como si los granos de ésta huyeran de él. Thula avanzaba detrás de Paul, y cada uno reproducía especularmente los movimientos del otro, dándose la vuelta, escrutando a su alrededor, las miradas fijas en las mirillas de sus armas. Ambos habían activado la lente que llevaban sobre el ojo derecho, y el pequeño círculo les daba detalles sobre la velocidad del viento, las distancias, las fuentes de movimientos..., cualquier información que pudiera proporcionarles ventaja en caso de que surgiera algún problema.

Con el peso del arma en las manos, Paul sentía que cada nervio de su cuerpo, cada sinapsis de su cerebro, funcionaban a pleno rendimiento. No tenían ni idea de lo que había pasado en la base de perforación, si es que había pasado algo. Era posible, suponía Paul, que se encontraran al equipo de investigación entero preparado para una emboscada, u oculto en armarios y detrás de cortinas, al acecho para salir en cualquier instante y sorprender a unos potenciales intrusos. Era posible, sí, pero improbable. Porque allí había ocurrido algo. Podía percibirlo.

Lo que Thula y él sabían era que, en cuanto puntas de lanza del pelotón, eran chivos expiatorios en potencia. Quienquiera que hubiera silenciado a un equipo de investigación entero y convertido una base de perforación en una ciudad fantasma podría, razonablemente, seguir ahí, al acecho...

Paul miró detrás de él. El resto de la unidad había salido de la lanzadera y seguía cautelosamente los pasos de la guardia adelantada. Rizzo y Baudin habían ocupados sus posiciones a ambos lados de la puerta de la nave; Rizzo, en pie, Baudin, arrodillada, y ambas con las armas listas para proporcionar fuego de cobertura en caso de retirada.

Ante ellos se abría una puerta que conducía a los pequeños alojamientos y los laboratorios: un edificio de una sola planta, pegado al muro defensivo septentrional de la base. Una hilera de ventanas circulares recorría la fachada, todas aproximadamente a la altura de una cabeza ilyria, lo que las hacía un poco altas para que cualquier humano que no fuera Thula —y desde luego no Paul— pudiera mirar a través de ellas con facilidad. Sin embargo, asomarse era una tontería porque las ventanas estaban tintadas para proteger del abrasador sol tórmico a los que se hallaran dentro. Desde fuera parecían simples cristales negros que sólo reflejaban el exterior.

Paul y Thula ocuparon sus posiciones en la puerta, y Paul le hizo señales indicándole su intención de entrar el primero y desplazarse a la izquierda. Thula le seguiría y se dirigiría a la derecha. En el interior, las luces estaban encendidas, y Paul veía el borde de una silla y una mesa sobre la que había algunos platos y vasos, todos cubiertos de una capa de arena blanca. Había arena sobre la mesa, en el suelo, arena por todas partes.

Paul inspiró otro poco de aire abrasador, agarró con más fuerza el rifle de asalto y echó una fugaz mirada al otro lado del marco de la puerta. Vio una zona de descanso con sillas funcionales y un sofá que no parecía mucho más cómodo que el suelo, y, más allá, la cocina. Una de las sillas estaba volcada. Era el único signo anómalo. Su lente le bombardeaba con información sobre la sala: datos sobre su largura, anchura, altura y temperatura, así como los resultados de un escaneado en busca de rastros de calor corporal, que resultó negativo. No había ningún lugar donde esconderse, pero aun así Paul realizó un rastreo cuidadoso, e incluso llegó a revisar el interior de un horno y un par de alacenas en las que no descubrió nada más interesante que raciones de alimentos. Habló en voz baja por el micrófono del casco, y sus palabras se transmitieron a la unidad entera.

—¿Thula?

—Despejado.

Paul se dio la vuelta y vio a Thula acabando su propio registro del pequeño comedor. Había cinco platos sobre las dos mesas, de las que se habían apartado desordenadamente las sillas. Un vaso había caído al suelo. Thula se encogió de hombros ante la mirada de Paul. Cuando éste estaba a punto de dar vía libre al resto de su unidad, le llamaron la atención unas marcas en la pared del comedor.

—Veo huellas de disparos de pulso en las paredes —dijo Paul—. Aquí se han utilizado armas.

Intentó hacerse una idea de la potencia de los disparos de pulso: demasiado débiles para atravesar la pared del edificio, pero lo bastante potentes para poner fin a cualquier forma de vida de tamaño medio que recibiera su impacto directo. Fuera el que fuese el objetivo del rifle, tenía que ser lo bastante grande para que se regulara la potencia de disparo por encima de la necesaria para matar; Paul, sin embargo, no veía rastros de sangre. En realidad, no había restos de ninguna clase.

—Hay un panel suelto en el suelo —advirtió Thula.

Ambos se acercaron. Paul asintió y Thula apartó el panel de una patada. Debajo sólo había arena. Thula se encogió de hombros y siguieron adelante.

A través del sistema de comunicación llegó el sonido de unos tacos. Era la voz de Cutler, seguida del traqueteo de disparos de uranio empobrecido. Paul y Thula volvieron rápidamente a la puerta, pero cuando llegaron la acción ya había terminado.

—¡Alto el fuego, joder! —gritó De Souza—. ¡Alto el fuego!

Con cautela, Paul y Thula se asomaron al otro lado del umbral. Cutler miraba fijamente a un pequeño objeto negro que había junto a su pie derecho, como si le hubiera insultado gravemente.

—Es un tormal —dijo Olver. Era australiano y, si Thula no hubiera formado parte de esa unidad, habría sido su miembro más callado—. Es sólo un tormal.

El pequeño lagarto había reaccionado al ruido de los disparos y al impacto de las balas sobre la arena a su alrededor activando su caparazón. Parecía, pensó Paul, un modelo en resina de sí mismo.

—Eres un gilipollas, Cutler —dijo De Souza—. Casi me vuelas el pie.

Cutler dio un golpecito al tormal con la boca de su rifle.

—Apareció de repente —dijo con un matiz de asombro en la voz—. Debo de haberle alcanzado con una docena de balas, y todas rebotaron.

—¿No me digas? —replicó De Souza—. Bien, pues si vuelves a disparar sin un motivo, haré que desees tener un pellejo tan grueso como ése. —Miró a Paul—. Aparte de los disparos de pulso, ¿todo bien ahí dentro?

—Sí, teniente. Tenemos a la izquierda una puerta cerrada. El plano de la plataforma informa de que conduce a los laboratorios y los alojamientos.

—Bien, no van a registrarse solos, ¿verdad que no? Vamos, en marcha. Cutler, quédate aquí fuera. Me pones nervioso.

Cutler cumplió la orden. El tormal, tras concluir que ya no estaba en peligro inminente, replegó el caparazón y se escabulló por la arena. Eso pareció actuar a modo de señal para otros congéneres de que podían emerger, porque de repente Paul vio al menos a una decena de lagartos sobre la arena. Seguramente habían estado dormitando bajo la superficie hasta que los despertó la llegada de los soldados.

Con Cutler en el exterior, el resto de la unidad completó el registro de los alojamientos sin mayores incidentes. No encontraron ni rastro del equipo de investigación, aunque sí más marcas de pulsos en la zona de dormitorios: una densa concentración de disparos, como si hubiera tenido lugar una especie de último intento de resistencia.

—Fijaos en esto —dijo Cady, la única con conocimientos científicos merecedores de ese nombre; antes de que la alistaran a la fuerza en las Brigadas, estaba preparando su solicitud para estudiar fisicoquímica en la Universidad de Edimburgo.

Cady había llegado al laboratorio, donde observaba una pantalla. En ella se veía una imagen de resonancia magnética del equipo de perforación, con la cabeza de la broca —lo que quedaba de ella—

enterrada en las profundidades de la arena y la roca a sus pies. La imagen indicaba que la cabeza perforadora había explotado.

—Eso es imposible —dijo Faron—. Esas cabezas son prácticamente indestructibles. Tienen que serlo.

—Pues me parece que en ésta hemos encontrado un defecto de diseño —dijo Cady—. Alguien tendría que presentar una demanda.

—Cady —pidió Peris—, escanea buscando las balizas del equipo de investigación.

—Ya lo hemos hecho —dijo Olver—. No hemos encontrado nada.

—Hazme caso —dijo Peris—, pero apunta bajo tierra, no encima.

Cady cumplió la orden utilizando los escáneres sísmicos del propio equipo de investigación. Al momento, la pantalla se iluminó con quince luces centelleantes, esparcidas por una zona de poco más de un kilómetro cuadrado bajo la base y, en algunos casos, hasta cien metros bajo tierra.

—¿Qué coño hacen ahí abajo? —preguntó De Souza.

—Están muertos —dijo Paul.

—Creo que deberíamos largarnos de aquí —le dijo Peris a Faron—. Ahora mismo.

Faron quizá fuera un novato, pero no era tonto.

—Estoy de acuerdo —replicó.

No hizo falta que le repitieran la orden a De Souza.

—Ya habéis oído lo que ha dicho el capitán: volvemos a la lanzadera. Mismo despliegue que antes. Kerr y Thula delante. ¡Vamos! De Souza a lanzadera: nos vamos.

—Entendido —se oyó la voz de Steven—. Motores preparados.

Salieron a toda prisa, y al llegar a la puerta encontraron a Cutler caminando hacia algo que había llamado su atención cerca de la pared.

—¡Cutler! —le llamó De Souza—. ¿Adónde vas?

Paul ajustó el aumento de su lente parpadeando varias veces. Vio lo que había llamado la atención de Cutler: un casco rojo de protección, de los que utilizan los mineros. Estaba tirado en la arena, inquietantemente limpio; no estaba allí cuando habían llegado, de eso no le cabía duda a Paul. Se habría fijado, del mismo modo que ahora veía que por la arena se diseminaban las formas oscuras de tormales cubiertos de sus caparazones protectores.

—¡Cutler! —gritó—. ¡No lo toques!

Demasiado tarde. Cutler alargó la mano hacia el casco, lo levantó de la arena y fue como si levantara arena con él y los granos cayeron formando una perturbación en el aire, un centelleo como de cristal, y Paul tuvo la vaga impresión de que veía garras y colmillos de ángulos marcados. Aquello envolvió a Cutler y lo arrastró bajo la arena antes de que tuviera tiempo de gritar siquiera.

Entonces se desató el tiroteo.

Y ya no hubo más que disparos, y muerte.

7

Más tarde, lo único que recordaría Paul —o tal vez, lo único que se permitía recordar— era el caos. A pesar de su instrucción, a pesar de sus armas, a pesar de su fachada de arrogancia y hastío, ellos no eran más que un puñado de hombres y mujeres jóvenes lejos de su hogar, arrojados a un entorno extraño, y habían sido presa del pánico, aun sabiendo que los que se asustan y los que se dejan dominar por el miedo son siempre presas fáciles.

Un chorro de sangre, como un géiser rojo, se elevó del trecho de arena en el que se había desvanecido Cutler. Alcanzó su punto más alto antes de comenzar un descenso casi elegante hacia el suelo, pero su impacto se vio alterado por otra forma casi transparente que surgió de abajo, y la sangre de Cutler la salpicó confiriéndole una especie de definición. Sus mandíbulas, tan inmensas que parecían dislocadas, se convirtieron en unas fauces púrpuras en las que eran visibles trozos de dientes mellados. Su cabeza era plana y su cuerpo alargado, desarrollado para moverse ágilmente a través de la arena, pero también destilaba dureza. A Paul le recordó un gran taladro de diamante tallado con la forma de un demonio. Esa cosa podía penetrar en la roca con tanta facilidad como en la arena.

Olver fue el primero en reaccionar, rociando a la criatura con una lluvia de fuego. Fragmentos del cuerpo del alienígena explotaron como astillas, y un apéndice afilado, semejante a una espina de cristal, salió disparado desde su torso y alanceó a Olver justo en el pecho y lo mató al instante. Cady cayó a continuación, pero esta vez no hubo sangre. La arena simplemente se la tragó, y desapareció.

Un objeto metálico brillante voló por el aire, y Paul oyó el grito de aviso de Thula: «¡Granada!». Volvió la cara justo cuando el dispositivo explotaba, y con él la criatura, que voló hecha añicos, como el cristal, y el aire de repente cobró vida con astillas letales. La mayoría de ellas impactaron en el chaleco blindado de Paul, pero algunas le alcanzaron el brazo derecho, que llevaba descubierto. El dolor fue intenso y casi le espoleó para que reaccionara de inmediato, pero se quedó inmóvil donde estaba. No podía dejar de mirar el cuerpo de Olver, que yacía boca arriba con la larga púa que lo había matado emergiendo de su pecho, y el resto de la bestia reducido a fragmentos por la granada. Thula se encaminó hacia la lanzadera mientras De Souza y Peris daban fuego de cobertura, ayudados por Rizzo y Baudin. Alguien agarró el brazo izquierdo de Paul. Era Faron.

—¡Muévase! —ordenó—. Tenemos que llegar a la lanzadera.

Pero ya en ese instante Paul vio que la nave empezaba a sacudirse, y se inclinó tanto sobre el eje derecho que hizo caer a Baudin de la puerta a la arena. De pronto, una cabeza plana se alzó junto a Baudin y unas mandíbulas se cerraron sobre ella. Baudin se resistió, pero sólo unos segundos, y Paul oyó el crujido de su cuello al romperse.

La puerta de la lanzadera se cerró de golpe mientras se inclinaba cada vez más hacia la derecha, hasta que quedó de lado, enterrada en parte en la arena. Lentamente, empezó a ser succionada hacia su interior.

—¡Salid del patio! —gritó Peris—. ¡Id hacia las paredes!

Una pasarela con barandilla recorría el interior de las paredes de la base; a ella se accedía por una red de escaleras. Eran una instalación habitual en los recintos de este tipo, y permitía que se colocara un centinela o que se montara armamento defensivo en caso de un ataque desde el exterior. Por desgracia, este ataque procedía del interior, aunque de todos modos quizá podría servirles de defensa.

En éstas aparecieron dos figuras sobre el fuselaje de la lanzadera volcada: Steven y Rizzo habían salido utilizando la compuerta de babor. Bajo la mirada de Paul, Steven y Rizzo saltaron a la arena y se encaminaron hacia los muros, y entonces Paul echó a correr también, para salvar su vida, intentando, sin conseguirlo, mantenerse al ritmo de las zancadas más largas de su capitán ilyrio.

Estaba a diez metros. A seis. A tres. La escalera quedaba casi al alcance de Faron.

La lentitud de Paul le salvó la vida. En el instante en que Faron saltaba para alcanzar la escalera, una de las criaturas se alzó como una explosión de la arena para recibirle y le atrapó en sus mandíbulas en cuanto los pies del ilyrio perdieron el contacto con el suelo; acto seguido, lo desgarró en dos partes antes de arrastrar sus restos bajo la arena. Paul quedó casi cegado por la ducha de sangre ilyria, pero no dejó de correr. Llegó a la escalera y sintió que unos fuertes brazos lo alzaban. Era vagamente consciente de que unas mandíbulas se cerraban apenas a unos centímetros de su bota, y al instante estaba en la pasarela, y a salvo.

Por el momento.

Se dejó caer de rodillas. Le dolían los pulmones y la garganta por el esfuerzo; al respirar profundamente el aire tórmico, las entrañas le quemaban como si hubiera bebido café hirviendo. Apenas podía hablar. Buscó palpando su botella de agua y vació la mitad de su contenido en la boca, intentando aliviar el dolor.

Otra mano le apartó la botella de la garganta. Era Steven.

—Podrías necesitar esa agua más adelante —le advirtió.

Paul asintió. Quería beber más agua, con desesperación, pero su hermano tenía razón. El agua era seguramente la mercancía más valiosa que tenían, más valiosa aún que la munición.

Sólo en ese momento se fijó Paul en De Souza. Estaba acurrucado sobre la plataforma, con la cara grisácea y el puño izquierdo cerrado con fuerza, mientras Thula se ocupaba de lo que quedaba de su brazo derecho. Parecía que lo habían mordido por encima del codo, y Thula intentaba contener la hemorragia del muñón. De Souza gritaba. Thula metió la mano en la mochila botiquín, sacó una inyección de sedante y se la puso a De Souza en el muslo izquierdo. De Souza dejó de chillar. Su cabeza cayó flácida hacia delante y él se sumió en una piadosa inconsciencia.

Seguían con vida seis de ellos. Eso era todo, y ni siquiera estaba claro que De Souza sobreviviera mucho tiempo, a no ser que recibiera tratamiento médico apropiado. De hecho, las probabilidades de que cualquiera de ellos vivieran mucho más no parecían muy altas.

Peris activó su enlace de comunicaciones.

—Peris a *Envion*. Adelante, *Envion*.

Todos escucharon la respuesta en los enlaces de sus cascos.

—Aquí el *Envion,* supervisor Peris. ¿Cuál es su situación?

Paul reconoció la voz de Galton, el corpulento londinense que era el primer oficial de la nave y, por tanto, el segundo oficial de más alto rango a bordo, sólo por debajo de su comandante ilyrio, Morev.

—Hemos sufrido bajas. Cinco muertos o desaparecidos, uno gravemente herido. La lanzadera destruida. Necesitamos rescate, y rápido.

Paul sólo podía imaginar la consternación que la noticia causaría a bordo del *Envion.* Su unidad era una de las dos con que contaba la nave y, a pesar de la rivalidad, y hasta del odio, que existía entre algunos miembros de las Brigadas —algo inevitable cuando hombres y mujeres jóvenes se ven forzados a convivir íntimamente durante largos periodos—, no por ello dejaban de ser muy leales entre ellos.

—¿Puede darnos más detalles?

Nombres: Galton quería nombres.

—Capitán Faron, muerto. Soldados Olver y Cutler, muertos. Soldados Baudin y Cady muertas o desaparecidas. Teniente De Souza, herido.

Peris hizo una pausa.

—Lo siento, Galton..., siento lo de Cady.

Cady y Galton habían mantenido una relación. Llevaban juntos sólo un par de meses, pero todos tenían claro que estaban colgaditos el uno por el otro.

—Entendido, supervisor.

Paul captó que a Galton se le atragantaban las palabras, y luego percibió que éste dejaba a un lado su propio dolor. Galton lloraría más tarde. Ahora era el momento de preocuparse por los vivos.

—¿Naturaleza o amenaza? —preguntó Galton. Por la emoción que delataba su voz bien podría haber sido un robot el que planteaba la pregunta.

—Formas de vida alienígena desconocidas.

—¿Están en una posición segura?

—Por ahora sí. Estamos en los muros. —Peris se asomó por encima de la barandilla—. Si son capaces de subir escaleras, tendremos problemas, pero todavía no han dado ningún signo de esa capacidad.

Llegó otra voz por el sistema de comunicaciones. Era el comandante Morev, un veterano de las Brigadas y, como Peris, se trataba de uno de los pocos ilyrios a los que no parecía molestarles servir con humanos.

—Peris —dijo Morev—, van a tener que resistir. Todavía no hemos acabado las reparaciones. La segunda lanzadera tiene un propulsor averiado y no estará lista para volar en las próximas seis horas. Por otro lado, el *Envion* no está en condiciones de intentar un aterrizaje en Torma después de las sacudidas que soportó en el agujero de gusano. Todavía estamos revisando los daños del casco.

—Entonces no parece que podamos hacer otra cosa que esperar —dijo Peris—. Le agradecería que nos mantuviera al tanto de los avances, comandante.

—Afirmativo. Trabajaremos lo más rápido que podamos. Resistan, y buena suerte.

El enlace de comunicaciones se interrumpió. Los supervivientes se sentaron pegados a los muros y contemplaron cómo la lanzadera, ahora casi sumergida por completo bajo la arena, acababa arrastrada del todo. Steven se dejó caer abatido al lado de su hermano.

—Era la primera vez que estaba al mando —dijo Steven—. Mi primera nave.

—Sí, podría haber ido mejor —reconoció Paul y le asombró su propia capacidad para el humor negro, cuando la sangre de sus camaradas manchaba todavía las arenas a sus pies. Pero no podía pensar en ellos, no en ese momento. Al igual que Galton, dejaría de lado su dolor hasta que hubiera tiempo de llorar su pérdida.

Peris ordenó que contaran las municiones. Entre todos tenían una docena de granadas, un par de rifles de pulso, dos armas semiautomáticas y más de mil balas de munición de uranio empobrecido, una pistola y varios cuchillos. La escopeta de cañones recortados de De Souza había quedado sobre la arena, junto con su bandolera de veinte balas. Pero el agua era el verdadero problema. Ahí fuera, en los muros, quedaban expuestos al sol tórmico, y pronto, muy pronto, les entraría sed. Entre todos tenía unos dieciocho litros. El resto se había perdido con la lanzadera.

—No es mucho —dijo Peris—, pero puede bastar. A partir de ahora la racionaremos. Yo os diré cuándo y cuánto beber. Si se os ocurre tocar el agua, os cortaré la mano.

Paul miró hacia las arenas de abajo. No había rastro de las criaturas, pero los pequeños tormales seguían cobijados en sus caparazones protectores.

—Ahora ya sabemos para qué necesitan su armadura —dijo Paul.

—Buscamos con escáner señales de vida —dijo Steven—. No había nada más grande que esos lagartos.

—Lo que buscábamos era «vida basada en el carbono» —le corrigió Peris, que se unió a ellos para observar las arenas.

También se acercaron Rizzo y Thula. Éste había hecho lo que había podido por De Souza, que seguía inconsciente. Si tenía suerte, De Souza volvería a despertarse de vuelta en el *Envion*. Si no, era improbable que se despertara de nuevo.

—¿Y qué son esas cosas? —preguntó Paul.

—Yo diría que son vida basada en silicio —dijo Peris—. Una posibilidad teórica... hasta ahora.

—¿Estás diciendo que hemos descubierto una nueva forma de vida alienígena? —dijo Paul.

—A lo mejor le ponen tu nombre —dijo Thula—. Si lo pides educadamente.

—¿Tú crees? —dijo Paul.

—Pudo haber sido la perforación —dijo Peris, sin hacerles caso—. Tal vez la perforadora llegó a cierta profundidad y esas cosas se sintieron amenazadas. Es plausible en una forma de vida compuesta de silicio. La atmósfera aquí es, en parte, oxígeno, lo que significa que una criatura basada en el silicio produciría dióxido de silicio como un derivado de la respiración. Pero ese dióxido de silicio sería un sólido, lo que bloquearía los sistemas respiratorios de las criaturas..., a no ser que vivan a temperaturas de centenares de grados, cerca del núcleo del planeta, donde el dióxido de silicio sería líquido.

—Tío, es como si hubiéramos vuelto a la escuela —dijo Thula.

—Así que rompieron la cabeza de la perforadora —dijo Paul— y luego vinieron para averiguar quién la había mandado ahí.

—Parece una posibilidad razonable —dijo Peris.

Steven se puso de pie y empezó a apartarse. Rizzo le miró alejarse. Ella se entretenía puliendo sus estrellas ninja en un piedra de afilar. Rizzo era muy rara, pensó Paul.

—¿Adónde vas? —preguntó Paul, pero lo entendió rápidamente cuando Steven se detuvo y miró atentamente la lanzadera del equipo de investigación, abandonada en su plataforma en el centro de la estación. Quedaba demasiado lejos para llegar a ella de un salto. La mano derecha de Steven se alargó instintivamente hacia ella, como si pudiera atraer la nave hacia sí sólo con la fuerza de su voluntad. Paul se puso a su lado en la barandilla.

—Tendría que haber corrido hacia la lanzadera, no hacia el muro —dijo Steven—. Me entró el pánico.

—No estabas solo. No...

Pero Paul no acabó la frase. La pasarela se estremeció bajo sus pies y por un momento estuvo seguro de que los dos acabarían cayendo a las arenas. Steven y él se agarraron a las barandillas para salvar la vida. La estación entera parecía vibrar.

—¿Qué es esto? —gritó Steven—. ¿Un terremoto?

Paul no lo creía. Fueran lo que fuesen esas criaturas, posiblemente también podían excavar en la roca. No era probable que dejaran que unas escaleras y unas pasarelas les impidieran la caza. Si no podían escalar para atacar, entonces optarían por la siguiente posibilidad.

Derribarían los muros, y a sus presas con ellos.

8

A Ani le sangraba otra vez la nariz. Siempre había tenido hemorragias cuando forzaba sus capacidades, y su formación con las Novicias Dotadas le requería hacerlo con tanta frecuencia que ya no le quedaba ni una sola prenda de ropa sin manchas de su propia sangre oscura. Ani era la única que revelaba su debilidad de manera tan dramática; las demás delataban la tensión a las que estaban sometidas de otras maneras: un tic facial aquí, un temblor incontrolable allá.

Pero Ani sangraba.

Notó que la sangre le caía sobre los labios —primero sangró por el orificio izquierdo de la nariz, luego por el derecho—, pero no intentó enjugársela, ni siquiera restañar el flujo. Se concentró en el rostro de la tutora, sentada frente de ella, en la mesa. Era una prueba sencilla, pero en la que hasta ahora Ani había fallado sistemáticamente. La tutora, que se llamaba Thona, apoyaba la palma de su mano derecha sobre un pequeño plato. La tarea de Ani consistía en convencer a Thona de que el plato se estaba calentando por momentos hasta que, al final, la percepción del calor obligara a Thona a apartar la mano para no quemarse. Hasta ahora, tras muchas tentativas, el plato había seguido resueltamente frío, aparte de la calidez natural que le transmitía la mano de la propia Thona.

Ani intentó relajarse. Relajarse, concentrarse, ahí radicaba el secreto. No podía forzarse. Tenía que despejar la mente y controlar la respiración. Tenía que olvidarse del plato. El plato no importaba; nunca se calentaría. Lo que se requería era una sutil manipulación de las percepciones de Thona. Pero Thona era fuerte. Triplicaba a Ani en edad, y aunque era servicial y tolerante con las Novicias Dotadas que tenía a su cargo, no era necesario saber leer los pensamientos para ver que la falta de progresos de Ani la impacientaban.

Aní notó el gusto de la sangre en sus labios. Respiró hondo y percibió el sabor salino en la lengua. Perdió la concentración y, en su frustración, se forzó demasiado. El goteo de sangre se convirtió en un chorro. Se salpicó la parte delantera de la túnica, salpicó la mesa...

Y a Thona.

Ani se levantó de un salto de la silla, avergonzada. Se llevó la mano a la nariz, que no paraba de sangrar. Intentó aspirarla, y se le atragantó. Tosió y roció más sangre. Empezó a sentir pánico, se mareó y la habitación empezó a dar vueltas a su alrededor.

—Yo... —dijo, pero no pudo seguir. Todo se fundió a negro, pero no antes de que captara un último atisbo del rostro de Thona, oscurecido por la rabia y salpicada de sangre.

Cuando Ani recobró la conciencia, estaba tumbada en un sofá, en un rincón. Una Hermana Intermedia del pabellón médico le enjugaba la sangre de la cara con una tela húmeda, y le ofreció agua. Thona estaba a un lado, entre un grupo de Dotadas que miraban a Ani. La tutora se había limpiado casi toda la sangre de su propia cara, pero un poco salpicaba todavía su túnica roja con manchas más oscuras, y una mota aislada le había quedado bajo el ojo derecho, como una lágrima olvidada.

—Lo siento mucho —dijo Ani.

—No tienes por qué —dijo Thona, pero su rostro delataba la falsedad de sus palabras. Ani había fallado. Una vez más.

Sarea soltó una risita despectiva, pero Tanit le dio un fuerte codazo.

—No es lo que sé hacer —intentó explicarse Ani, ruborizándose por la vergüenza—. No es mi punto fuerte. Puedo nublar los pensamientos. Puedo convencerla de que usted ve algo que no está ahí, pero no puedo hacerle *sentir* lo que no es real.

No obstante, ni siquiera eso era del todo verdad. Se había dirigido a la tutora, pero lo cierto era que nunca había podido nublar la mente de Thona. Oh, sí, podía engañar a sus colegas Novicias, o al menos a aquellas que carecían de habilidades psíquicas, pero cuando se trataba de las que habían perfeccionado sus habilidades, como Thona y Tanit, era como si intentara transformar la oscuridad en luz. Lo había intentado repetidamente siguiendo las instrucciones de Thona mientras diversas Dotadas se sentaban delante de ella, con miradas frías e inflexibles, inmunes a sus tentativas. No era extraño que Sarea y Nemein la despreciaran tan descaradamente.

Mientras tanto, a ella podían manipularla tan fácilmente como a una muñeca, aunque sólo lo hacían bajo la supervisión de sus tutoras, porque incluso las que tenían poderes psíquicos tan débiles como los de Ani eran consideradas preciosas, y se cuidaban las unas a las otras. Las Dotadas eran la élite, y se daba por sentado que todas estaban todavía educando sus talentos, aunque algunas progresaban mucho más deprisa que las demás. A Ani eso le resultaba profundamente frustrante porque era muy consciente del honor que confería lucir la holgada túnica azul. Ahora tiró de la tela con ansiedad.

—Ser capaz de nublar una mente no es más que la manifestación de tus dones con la que te sientes más cómoda —dijo Thona, y no era la primera vez—. Te han acostumbrado a utilizarlo, mientras que no has podido desarrollar tu potencial en otras áreas. Pero Dessa también puede nublar, ¡y mírala! ¿Dessa?

Thona se volvió hacia Dessa, y también las demás, pero transcurrieron varios segundos, muy largos, antes de que la chica hablara.

—Si puedes convencer a alguien de que ve lo que no está ahí, sólo hace falta un leve reajuste para que consigas que el mismo individuo sienta algo que no es real —dijo Dessa con voz monocorde—. Simplemente no has encontrado el mecanismo para ese ajuste, todavía.

Thona asintió satisfecha.

—De momento —añadió—, pero lo conseguiremos.

Ani no estaba tan convencida: tal vez ofuscar las mentes era su única capacidad, como un deportista que sólo sabe chutar con el pie derecho o lanzar con la mano izquierda. A veces, cierto nivel de aptitud sólo sirve para resaltar más los demás defectos de uno.

Y, merodeando junto al codo de Tanit, Nemein tampoco parecía convencida, porque en ese momento señaló con un dedo burlón a la figura pequeña y triste de Ani, postrada en el sofá.

—¿Tan segura está, Hermana Thona, de que ella tiene algún talento? —dijo Nemein y lanzó un mirada de soslayo a Tanit, buscando su aprobación—. Tal vez estamos perdiendo el tiempo intentando mejorar algo que nunca se perfeccionará, cuando podía emplearse esa energía en algo más importante.

La inferencia estaba clara: Nemein prefería que ellas se concentraran en sus propios talentos personales, que encontraba más interesantes: su especialidad era la enfermedad y estaba ansiosa para que la dejaran pasar de las enfermedades curables a sus variaciones sobre el cáncer y la peste. Pero Tanit respondió antes de que pudiera hacerlo Thona.

—Nemein —dijo con su voz clara e imperiosa—, ¿no te acuerdas de que, cuando empezaste, lo único que podías hacer era que a Sarea le saliera en la cara aquella ridícula espinilla? Estas cosas requieren su tiempo, y la pobre chica sólo lleva unos meses aquí.

Esbozó una sonrisa cálida como el sol, y Ani se descubrió sonriéndole a su vez, agradecida. Al igual que Syl, Ani se andaba con cuidado con Tanit, pero no dejaba de sentirse atraída por el carisma de la joven Novicia. Puede que fuera peligrosa, pero por eso mismo su aprobación era crucial.

—¿Cómo te sientes ahora? —le preguntó entonces Tanit, casi con amabilidad.

—Bien —dijo—, un poco mareada, pero ya se me pasará.

Tanit asintió dándole ánimos y sin despegar la mirada de ella.

Ahora la doctora se volvió hacia Thona.

—Le sugeriría que la formación de la Novicia se suspendiera por hoy.

—¿De veras? —dijo Thona—. Tres años de estudios de medicina ¿y me dice lo que ya sé? Vaya y búsquese otro sitio donde sirva para algo.

La doctora asimiló el insulto sin inmutarse, y abandonó la sala. La Hermandad se organizaba siguiendo una estricta jerarquía, y las de rango superior no admitían la menor discrepancia de unas meras Hermanas Intermedias.

—Ve a una de las salas de meditación —le dijo Thona a Ani—. Lee. Piensa. Despéjate. Mañana intentaremos algo nuevo.

Ani asintió. Algo nuevo estaría bien. Si la obligaba a volver a mirar a aquel plato, seguramente le explotaría el cerebro. Se levantó. La habitación se ladeó levemente y la sangre coagulada se deslizó por el fondo de su garganta, como si fuera limo, pero se la tragó y, tambaleante, se dirigió hasta la puerta. Al pasar, Tanit le dio una palmada amable en el hombro, y el fugaz contacto con otro ser hizo que Ani se detuviera un instante, anhelando desesperadamente a su madre, su hogar.

Recorrió el pasillo dando tumbos y se metió en la primera cámara de meditación vacía que encontró. Era menos austera que la sala de formación: fragante, con una luz tenue y llena de seductores cojines tapizados. Los sistemas de inteligencia artificial le permitían pedir arte, libros y música de Ilyr, la Tierra y el puñado de otros mundos que hasta el momento habían ofrecido muestras importantes de cultura, pero Ani no quiso acceder a nada. Se dejó caer en un rincón y lloró sin parar.

Thona estaba delante de la Granmaga Oriel. Los alojamientos de la anciana Hermana —los más amplios del Decimocuarto Reino— estaban iluminados por arco iris proyectados por cristales fluorescentes, y las grietas y los recovecos tallados en las paredes de piedra contenían artefactos de cientos de mundos: arte, fósiles, especímenes en tarros. Exhibiciones como ésa no eran raras entre las Hermanas de más alto rango. Cada pieza era una manifestación de un fragmento del conocimiento reunido y atesorado por ellas.

—Tienes sangre en la cara —dijo Oriel. Incluso con esa luz tenue, su vista era asombrosamente aguda.

—Ani —dijo Thona—. Ha vuelto a sangrar, profusamente. Incluso ha perdido por un momento la conciencia.

—Pero insistirás.

Era una orden, no una pregunta.

—Sí. Tiene un don, pero me temo que su fuerza sea más limitada de lo que Syrene esperaba.

—No importa. Un poco de habilidad es mejor que ninguna, y en el pasado ya hemos visto Novicias que han necesitado su tiempo para desarrollar sus habilidades. ¿Se sigue considerando un rehén?

—Creo que ya ni se lo plantea —dijo Thona—. Se la nota ansiosa por complacer.

—¿Y qué me dices de Syl Hellais? —preguntó Oriel.

—¿Qué pasa con ella? —preguntó Thona, a la que no preocupaban mucho las Novicias sin dones.

El rostro de Oriel permaneció impertérrito, pero en su interior le costaba contener la impaciencia. Thona tenía tantos prejuicios, un pensamiento tan poco ambicioso, que su definición de «Dotada» abarcaba sólo las habilidades psíquicas. Pero había otras fuerzas, otros talentos. Oriel percibía mucho potencial en Syl Hellais: potencial y algo más, porque había algo en Syl que inquietaba a la anciana Hermana: una mansedumbre que se avenía mal con su inteligencia natural. Eso apuntaba a la posibilidad de que ocultara algo, y Oriel sentía mucha curiosidad por saber qué podía esconder Syl. Pero hasta el momento Syl había resultado impenetrable, incluso para la talentosa Oriel.

—Syrene tiene un gran interés en que Syl encuentre su lugar en la Marca —contestó Oriel—. Ha depositado grandes esperanzas en la hija de Lord Andrus y de su difunta Lady Orianne. Podría ser una gran embajadora para la Hermandad.

Syrene no se había quedado mucho tiempo en la Marca antes de regresar a la Tierra, y su viaje de vuelta al planeta había sido más rápido que nunca tras el descubrimiento de una serie de nuevos agujeros de gusano. Oficialmente, Syrene seguía de luto por su marido, Gradus, y ella culpaba en parte a Syl y a Ani de su muerte, pero si Syrene tenía un talento ése era el ser pragmática y la Hermandad era su primer amor. Si las rehenes de la Tierra podían utilizarse para el progreso de las Nairenes, que así fuera.

Y, sin duda, Syrene tenía otros objetivos secretos en mente, porque tal era su naturaleza.

—Nunca deberíamos haber admitido a Syl Hellais en la Marca —dijo Thona, todavía divagando—. Su madre nos rechazó, ¿y ahora acogemos a la hija? Ella no quiere estar aquí, y yo, por no mencionar a otras, tampoco la quiero a ella.

Esta vez Oriel suspiró en voz alta. ¿Cuántas veces tenían que hablar de esto?

—Ella solicitó la admisión en la Hermandad —dijo Oriel—. No podemos rechazar a la que se nos ofrece.

—Ella solicitó su admisión para salvarse de la muerte, o de la casi certeza de que iba a morir —dijo Thona—. Eso no es una vocación genuina.

—¿Y Ani?, ¿no se unió a nosotras por la misma razón?

—¡Pero ella tiene un don! —insistió Oriel, que se dio cuenta de que era inútil discutir con Thona.

—Además —añadió Thona—, no la necesitamos como rehén para utilizarla contra su padre. Ese problema ya está resuelto.

Ah, pensó Oriel, eso al menos era cierto. El gobernador Andrus era el padre de Syl sólo de nombre. Syrene se había encargado de eso.

Syrene y lo que moraba en el interior de ésta.

9

Las arenas de Torma estaban vivas, tanto en el interior como en el exterior de la base. Los supervivientes rodaban y caían dando vueltas, zarandeados por las criaturas invisibles que se movían por debajo de ellos. De vez en cuando, una de ellas emergía y su lomo encorvado captaba la luz del sol, brillando como cristal tallado. Eran casi bellas.

Casi.

Los muros de la base de perforación estaban construidos con láminas de una aleación pesada, remachadas entre sí y diseñadas especialmente para resistir el calor del sol tórmico. Si no hubiera sido así, al tocarlas se habría corrido el riesgo de abrasarse. Los cimientos se hundían en la arena, si bien tan sólo hasta unos tres metros, en buena medida como consecuencia simplemente de su peso. Fuera lo que fuese lo que las criaturas estuvieran haciendo bajo tierra, provocaba unas vibraciones capaces no sólo de soltar los remaches sino también de deformar los muros, combándolos poco a poco de manera que acabarían sometidos a tal presión en las juntas entre las láminas que finalmente se desmoronarían.

—No aguantaremos horas aquí —dijo Steven—. Y no duraremos ni seis segundos en cuanto toquemos la arena.

—Tenemos que llegar a la lanzadera de la base —dijo Paul—. Es la única solución.

—Pero ¿cómo?

—Una cuerda. Podemos pasar un cable desde los muros hasta el borde de la plataforma y hacer rápel.

—Pero ¿de dónde sacamos el cable?

—De ahí —dijo Paul señalando un rollo de alambre que estaba sobre un revoltijo de barriles, cajas y piezas inidentificables de equipo minero. Estaba exactamente debajo de la pasarela, a una media docena de metros de donde se encontraban. A seis metros en línea recta, sí, pero también unos tres metros más abajo.

—¿Y piensas llegar caminando hasta allí? —preguntó Steven. A esas alturas, todos habían supuesto que, fuera cual fuese la naturaleza de su enemigo, las criaturas debían tener una sensibilidad muy aguda para percibir las más leves vibraciones y movimientos en las arenas. Después de todo, la unidad no había visto ni rastro de ojos en sus cabezas, y los necesitarían muy poco bajo tierra. Poner el pie sobre el suelo del desierto sería como tocar la campanilla que avisa de la comida.

—No. Thula y tú vais a echarme una mano, y un pie cada uno si hace falta, y bajarme hasta ahí.

Thula se acercó a ellos.

—¿He oído pronunciar mi nombre en vano?

—Tengo un plan —dijo Paul.

—¿Es peligroso?

—Casi con toda seguridad.

Thula se permitió esbozar una sonrisa.

—Ésos son siempre los mejores.

Paul se balanceaba. La sangre le bajaba a la cabeza, y tenía la sensación de que el cerebro estaba a punto de explotarle.

—Poco a poco —dijo—, ¡tranquilos!

Los dedos de su mano derecha estirada rozaron de nuevo el rollo de la bobina de cable. No acababa de llegar. Le faltaba muy poco. Retorció el cuerpo ligeramente de manera que veía en lo alto, mirando entre sus propias piernas, a Thula y Steven.

—Bajadme unos centímetros —pidió.

—No podemos —dijo Steven—. No llegamos a más.

Paul lo intentó de nuevo, pero fue inútil. El cable quedaba demasiado lejos. Sentía cada vez más náuseas. Las criaturas golpeaban sin parar los muros y las vibraciones traspasaban a Thula y Steven y llegaban hasta Paul. Se balanceaba ligeramente, como un hombre que de repente se encuentra boca abajo en un barco zarandeado por el mar.

Notó un cambio en el agarrón en sus piernas. Levantó la vista otra vez y vio que Thula le sujetaba ahora las dos extremidades, y que Steven y Peris sujetaban a su vez a Thula, deslizándole con suavidad sobre el filo de la pasarela hasta que, al final, la parte superior entera de su cuerpo quedó suspendida en el aire. Paul notó que descendía más. Su mano se cerró sobre el cable.

—¡Lo tengo! —gritó.

Empezó a arrastrarlo hacia sí. Emitía un chirrido metálico al rozar con las cajas.

Sonido.

Vibración.

—Oh, mierda —dijo Paul.

El suelo era el cielo; el cielo, arena. Unas nubes la agitaron: nubes, y un centelleo como de cristal.

—¡Subidme! —gritó—. ¡Ya!

Pero el cinturón de Thula se había enganchado en el filo de la pasarela. Intentó desenredarse retorciéndose contra ella, lo que hizo que Paul se deslizara peligrosamente entre sus manos.

—¡Lo digo en serio! —dijo Paul—. ¡Sacadme de aquí!

—Eso es lo que intentamos —dijo Steven.

—¡Pues poned más empeño!

A su izquierda oyó un tintineo. Torció la cabeza y vio a Rizzo en uno de los peldaños más bajos de la escalera más próxima, golpeando el filo de un lanzagranadas contra el metal. Sus vibraciones, más insistentes, hicieron que la criatura cambiase de rumbo y desviase su atención de Paul hacia ella. Paul veía que Rizzo se había enganchado una pierna alrededor del peldaño de la escalera y la otra en el armazón. Se llevó el lanzagranadas al hombro.

—Ven con mamá —dijo.

La criatura emergió de la arena con las mandíbulas abiertas. La granada, preparada para explotar unos segundos después del impacto, se le metió a la criatura hasta la garganta, en el mismo instante en que Rizzo soltaba el lanzador y se daba la vuelta para protegerse la cara.

La bestia reventó, lanzando una lluvia de fragmentos sobre Rizzo. Paul cerró instintivamente los ojos. Cuando volvió a abrirlos, Rizzo parecía un puercoespín de cristal, y el chaleco blindado y la piel de la nuca estaban sembrados de brillantes púas. Lentamente, la soldado empezó a ascender de nuevo por la escalera. Por un instante se tambaleó y pareció que iba a soltarse, pero de algún modo consiguió llegar arriba. Paul subió en paralelo a ella cuando el cinturón de Thula se desenredó por fin y ambos fueron alzados hasta la pasarela. Una vez que Thula estuvo bien asentado arriba, Steven le ayudó a arrastrar a Paul mientras Peris iba a ayudar a Rizzo.

—¿Cómo está? —preguntó Paul en cuanto hubo asegurado el cable ligero envolviéndoselo alrededor del hombro derecho. Los otros y él estaban encima de Peris que se había arrodillado al lado de Rizzo. Ella se había tumbado boca abajo. La cara se le deformaba en una mueca de dolor.

—Quitadle el chaleco blindado —ordenó Peris.

Steven tiró de las correas de sujeción de los hombros y de la cintura de Rizzo, y levantó la parte de atrás del chaleco. Aunque éste había absorbido la mayor parte del impacto de las esquirlas, algunas le habían alcanzado el cuerpo. Tenía astillas más pequeñas en el cuello, los brazos y el cráneo. Las heridas de la espalda le sangraban a través de la camisa.

—¿Puedes mover las piernas, Rizzo? —preguntó Thula.

Los pies de Rizzo dieron unos golpes contra el metal de la pasarela.

—No ha sufrido daños en la columna —dijo Thula—. Eso es buena señal.

Se arrodilló al lado de Peris, y con cautela tocó las astillas clavadas en la piel de Rizzo. De ninguna chorreaba sangre, lo que significaba que no habían afectado a las arterias y no parecía que ninguna astilla hubiera penetrado más allá de un centímetro.

Peris se volvió hacia Paul.

—¿Por qué no intentas enganchar ese cable a la plataforma? Thula atenderá a Rizzo.

Thula ya estaba buscando los antisépticos en su botiquín, así como una cuchilla, algo afilado, con la que extraer las astillas, de ser necesario. Paul y Steven lo dejaron ocupado y se pusieron a pergeñar el modo de asegurar el cable hasta la lanzadera.

Paul encontró un montante suelto en la barandilla de apoyo de la pasarela y ató con fuerza un cabo del cable a su alrededor. La plataforma de la lanzadera era una única lámina de metal, sin agujeros ni listones en los que fijar un cable con peso, de manera que su mejor posibilidad parecía lanzar el montante hacia la propia lanzadera, que se alzaba sobre unos patines de aterrizaje no muy distintos de los de un helicóptero. Así que Paul lo intentó con el patín que quedaba más cerca. La primera vez ni se acercó, y la segunda y la tercera sólo consiguió darle a la propia lanzadera, hasta hacer caer algo de su armazón al golpearla con el último impacto.

—¿Era algo importante? —le preguntó a Steven.

—Preferiría no estar en el aire cuando lo descubramos —dijo Steven—. Podrías intentar no reducir a chatarra la lanzadera antes siquiera que hayamos conseguido abordarla.

Tras cada intento, Paul tenía que recuperar el montante arrastrándolo cautelosamente sobre la arena. Lo último que quería era que una de esas criaturas tirara de él desde bajo tierra, y tal vez se lo llevara a él también.

Paul volvió a lanzar. Esta vez, el montante se enganchó bajo uno de los patines. Paul le dio un tirón de prueba. Aguantaba. Se echó hacia atrás y tiró con todas sus fuerzas. El montante ni se movió.

—Seguramente es lo mejor que podremos conseguir —dijo. Fijó la otra punta del cable a la pasarela.

—Alguien tendrá que ser el primero en intentarlo —dijo Steven.

—Seré yo.

—Yo peso menos.

—Tú eres el piloto. Si caes, nos quedamos atrapados aquí.

—Peris sabe pilotar una lanzadera.

—No como tú. Mira, yo he lanzado el cable y yo correré el riesgo. Una vez tenga la certeza de que es seguro, puedes seguirme. Acercaremos la lanzadera al muro y recogeremos a los demás desde el aire.

Habría que ayudar a De Souza a subir a bordo, pero todo indicaba que Rizzo podría hacerlo sola. Thula le había extraído casi todas las esquirlas de silicio de la carne, aunque probablemente quedaran los fragmentos más pequeños, y ahora estaba sentada, bebiendo agua. Tenía la espalda de la camisa oscurecida por la sangre.

Paul se había puesto los guantes de combate. Le daban un agarre bastante seguro en el cable. En un mundo ideal, habría dispuesto de un mosquetón para sujetarse al cable, pero el mundo en el que estaban distaba mucho de ser ideal. Así que confeccionó un arnés de sujeción con su bandolera. No le sería de gran ayuda si el cable no aguantaba, pero si perdía el agarre manual podría evitar que cayera a la arena. Al final, era, más que nada, un consuelo psicológico.

Peris y Thula se acercaron cuando Paul, sentado en la barandilla de la pasarela, estaba enganchando su improvisado arnés al cable.

—¿Estás seguro de lo que vas a hacer? —preguntó Peris.

—No —dijo Paul—. Pero tampoco es que importe mucho.

En ese momento se sacudió el muro y una sección cercana se soltó y cayó al suelo, dejando un inmenso hueco en el muro. Si se hubiera desmoronado hacia el otro lado, podría haber caído sobre la lanzadera, condenándolos a todos.

—En ese caso, en marcha —dijo Peris—. No tenemos todo el día. Y si necesitas más ánimos, echa un vistazo hacia allí.

Señaló hacia el norte, donde los descarnados cielos azules de Torma se habían desvanecido.

—¿Qué es eso? —dijo Steven.

—Una tormenta de arena —dijo Peris—. Nos barrerá de los muros, si es que no se desmoronan antes.

Paul rezó una oración en silencio, enroscó las piernas en el cable, apoyándose en los tobillos, dio un último tirón y empezó el descenso. Se movía rápidamente porque quería pasar el menor tiempo posible suspendido sobre las arenas ondulantes. Intentaba no pensar en una posible caída, concentrarse exclusivamente en arrastrarse a lo largo del cable. Ya le dolían los brazos, y ni siquiera había recorrido la mitad del trayecto. Su propio cuerpo, su agotamiento, el calor, todo se confabulaba contra él. El cable se combó, debido a su peso. Se imaginó que el montante se desplazaba, que su precario agarre en el patín de la lanzadera se aflojaba por la fuerza del ser humano que estaba sobre el cable. Deprisa, más deprisa. Veía la plataforma de la lanzadera más allá. Le dio la impresión de que ya casi podía tocarla con la punta de los dedos de los pies, aunque calculó que todavía le faltaban otros tres metros.

Y entonces el montante se desplazó. Notó cómo se movía, y el cable le hizo caer hacia la arena. Esperó el impacto, pero éste no se produjo. Seguía colgado en el aire, aunque casi medio metro más cerca del suelo. Paul tenía miedo de moverse. Si lo hacía, el montante podría saltar del todo. Pero ¿qué otra opción le quedaba?, ¿permanecer colgado de un cable hasta que le venciera el cansancio o el montante se soltara inevitablemente, tanto si se movía como si no?

Avanzó unos centímetros.

El montante, que se sostenía contra el patín de la lanzadera por un margen ínfimo, cedió, y Paul cayó a la arena.

10

El primer pensamiento que le vino a la cabeza a Paul al caer fue: voy a morir.

Y el segundo: no quiero morir.

En cuanto tocó la arena rodó a un lado y, antes de darse cuenta de qué impulso le había hecho reaccionar tan rápido, ya estaba de pie. Era como si sus extremidades fueran más rápidas que sus pensamientos y supieran qué había que hacer con ellas antes de que su mente pudiera incitarlas a la acción. Percibía que la arena se revolvía detrás de él, pero no se volvió a mirar. La plataforma de la lanzadera estaba a muy pocos metros delante de él, con la rampa levantada. Se alzaba a casi dos metros del suelo, de manera que era un poco más baja que la cabeza de Paul. Dio un salto, se agarró al borde y usó los músculos de la espalda para encaramarse, agradeciendo las muchas horas que se había pasado haciendo flexiones de brazos en barra como parte de su instrucción básica. Oyó disparos cuando los supervivientes desde los muros intentaban darle a lo que fuera que le persiguía, pero a esas alturas ya había alcanzado la plataforma. Se dio la vuelta para quedar tumbado de espaldas, sacó su revólver y se preparó para disparar entre sus rodillas, pero no apareció nada.

—¡Es demasiado pequeña! —gritó Steven—. La criatura no puede elevarse lo bastante para llegar a la plataforma.

Paul se dejó caer sobre el metal. Intentó tragar saliva, pero tenía la boca seca. Le dolía la cabeza, debido principalmente a la sed que lo acuciaba y, lo sabía, al pánico, que apenas podía contener. Era lo único que podía hacer para no acurrucarse y esperar que alguien acudiera en su rescate. Pese a todo, sabía que ahora era él el rescatador y que sus camaradas dependían de él, con su cobardía o sin ella.

Se obligó a levantarse, y vio que Steven ya estaba recuperando el cable a toda prisa. Una de las criaturas lanzó un mordisco fallido, aunque no parecía que el metal le interesara tanto como los humanos. Una vez tuvo ambos cabos del cable en las manos, Steven lanzó uno hacia la plataforma, y Paul lo agarró antes de que resbalara por el borde. Lo envolvió con fuerza alrededor del tren de aterrizaje de la lanzadera, enredando el cable sobre sí mismo para que mantuviera en su sitio el montante de anclaje.

—Muy bien —le dijo a Steven—. Adelante.

Steven se bajó del muro, enroscando los pies sobre el cable y moviendo una mano tras otra a lo largo del mismo. Se desplazaba rápido, más rápido que Paul. No era la primera vez que Paul se fijaba en que la grasa infantil de su hermano había desaparecido de su cuerpo en los últimos meses y ahora era más delgado y ágil. Cuando acabara de crecer, sería más alto que Paul.

De repente, la plataforma de aterrizaje se estremeció. El impacto fue tan fuerte que mandó a Paul tambaleándose contra el casco de la nave. La vibración recorrió el cable, pero Steven pudo seguir aferrado a él y continuar su avance. Las criaturas habían percibido el movimiento en la plataforma, pero eran incapaces de llegar a Paul. Igual que habían hecho con los muros, optaron por hacerle caer a él. Las bestias eran inteligentes, eso tenía que reconocérselo. Desde luego que le gustaría acabar con ellas, pero lo cortés no quita lo valiente. Desde algún lugar por debajo de las arenas llegó un chirrido y la plataforma se ladeó unos cinco grados a la derecha. Las criaturas estaban rompiendo el punto de apoyo central. No tardarían mucho en hundir la lanzadera en la arena.

Steven se dejó caer al lado de su hermano.

—Te lo has tomado con tranquilidad —dijo Paul.

—Bueno, esperemos que no dejaran cerradas las puertas.

Paul palideció sólo de pensar que, después de todos sus esfuerzos, éstos no habrían servido de nada por culpa de unos científicos demasiado preocupados por la seguridad, pero Steven simplemente le guiñó un ojo y le dio al mecanismo de apertura con el puño. La puerta se abrió con un siseo y Paul dejó escapar un entrecortado suspiro de alivio.

—No ha tenido gracia —dijo.

La plataforma volvió a estremecerse. Esta vez, la lanzadera pareció deslizarse ligeramente hacia la derecha.

—Entra y haz despegar el maldito chisme —dijo Paul.

Steven desapareció dentro. Paul le siguió. Era bastante más pequeña que la nave militar que había desaparecido en algún punto bajo las arenas. Como mucho, podía transportar a seis pasajeros y a la tripulación, y apretujados. Paul intentó no pensar en qué habría sucedido si todos hubieran sobrevivido al ataque inicial de las criaturas. ¿Habrían tenido que echar a suertes quién viviría?

Steven encendió los motores y preparó un despegue vertical. Al hacerlo, la lanzadera se ladeó, Paul perdió el equilibrio y se dio un fuerte golpe en la cabeza contra el casco de la nave.

—¡Agárrate! —le advirtió Steven—. Va a ser muy movido.

Activó el propulsor de estribor para compensar la inclinación. La lanzadera pareció tambalearse en el aire, pero Steven la mantuvo bajo control. Cuando Paul se asomó por la ventanilla que tenía más cerca, vio que la plataforma se venía abajo y que las formas alienígenas de silicio se subían a ella con la vana esperanza de que su presa no hubiera escapado.

—Esta vez va a ser que no —dijo Paul y se le aparecieron fugazmente los rostros de aquellos que habían muerto en la misión—. Hoy ya os habéis llevado a bastantes de nosotros...

Primero subieron a bordo a De Souza con la ayuda de Thula y Peris. Aun así, Paul tuvo que alzarlo y, pese a que seguía dormido por los sedantes, De Souza gimió cuando el muñón del brazo amputado golpeó la puerta. Rizzo subió prácticamente por sí sola, con sus propias fuerzas, y sólo a regañadientes aceptó la ayuda de Paul en el último momento. Finalmente fue el turno de Thula y Peris, y éste subió a bordo casi por los pelos, porque la sección del muro en que se apoyaba se desmoronó a su espalda. Paul cerró la puerta de la lanzadera y la nave dio una última vuelta sobre la base. Muy lejos, en el suelo, las criaturas se levantaron frustradas, sus cabezas sin ojos se volvieron hacia el cielo y sus mandíbulas mordieron las vibraciones que captaban en el aire.

Pero la tormenta ya casi se les había echado encima. Se los tragaría si no encontraban refugio. No podían dejarla atrás, no había tiempo para eso. Paul se unió a su hermano y ocupó el asiento del copiloto para dejar más sitio a los demás en la zona de carga de la lanzadera. Steven hizo ascender la nave y se quedó suspendido frente al muro de arena que se acercaba.

—¿Qué estás haciendo? —preguntó Paul.

—Pensando. Supervisor Peris..., ¿señor?

Peris se adelantó.

—¿Qué sucede?

Steven sacó un pequeño cilindro del bolsillo de su mono de vuelo. Apretó con fuerza la parte superior y el cilindro se abrió con un clic por el otro extremo, dejando al descubierto un botón rojo.

—¿Qué es eso? —preguntó Paul.

—Es el mecanismo de autodestrucción de mi lanzadera perdida —dijo Steven—. ¿Da su permiso para que lo active?

Peris lo miró.

—Son unas instalaciones muy caras —dijo.

—Han matado a cinco de los nuestros —dijo Steven, y Paul se fijó en que incluyó a Faron entre «los nuestros». Fueran cuales fuesen sus defectos, lo cierto es que Faron había estado de su parte cuando importaba.

—Sí, lo han hecho —dijo Peris. Asintió—. Permiso concedido.

Steven pulsó el botón y durante diez segundos lo mantuvo apretado mientras ascendía a una altitud segura. Incluso allí, la explosión zarandeó la pequeña nave y el estallido fue como el nacimiento de un pequeño sol a sus espaldas.

Paul cerró los ojos.

Venganza, pensó. Siempre venganza.

Hacia el sur se alzaba una de las inmensas formaciones rocosas que, cual agujas de primitivas y gigantescas catedrales, salpicaban el paisaje tórmico. Si encontraban un lugar donde aterrizar en su vertiente septentrional, podían resguardarse en espera de que pasara la tormenta de arena. Steven les condujo hacia la roca con la tormenta, un torbellino de destrucción inminente, pegada a sus talones.

—Informa al *Envion* de que vamos a buscar donde refugiarnos y que luego nos pondremos en camino —ordenó Peris.

Pero el *Envion* tenía sus propios problemas.

11

Una de las razones por las que los ilyrios se habían fijado en Torma como prometedora fuente de riquezas minerales, aparte de su atmósfera respirable y su aparente ausencia de formas de vida nativas hostiles —algo que ahora se había revelado como una hipótesis letalmente errónea—, era su cercanía al agujero de gusano más próximo. Los mejores agujeros de gusano eran los que se abrían pegados a sistemas estelares —aunque lejos de los peligros de los cinturones de asteroides y de los colapsos estelares— y tenían mundos a los que era fácil llegar, explorar y, de ser posible, explotar.

Sin embargo, ahora estaba claro que el agujero de gusano situado cerca de Torma tenía menos estabilidad gravitatoria de lo deseable. La nave de exploración que había dejado caer la base de perforación y al equipo de investigación en Torma había sufrido daños poco importantes tanto al entrar como al salir del sistema, mientras que el *Envion*, más ligero y rápido, había tenido que soportar un vapuleo en toda regla. Torma, según parecía, no estaba dispuesta a entregar sus tesoros de buena gana. Mientras proseguían las reparaciones en su nave, el comandante Morev pensó que, cuando algo parece demasiado bueno para ser verdad, es que no suele serlo.

Observaba cómo Galton, su primer oficial, coordinaba los trabajos, y que ni su voz ni sus gestos delataban ni una sola vez su tormento por la pérdida de su amada. Lo cierto es que, con el *Envion* casi inutilizado y los restos de una unidad aislados en Torma, simplemente no había tiempo para el duelo. Tal vez fuera lo mejor: vista la gravedad de su situación, Galton estaba obligado a seguir adelante y, al hacerlo, tal vez descubriría que era más fuerte de lo que creía.

El comandante se fijó en que, como muchos humanos, Galton llevaba símbolos religiosos alrededor del cuello, en su caso una medalla de san Judas, el patrón católico de las causas perdidas, y de san Sebastián, el santo patrón de los soldados. Algunos miembros de la jerarquía ilyria —en particular los diplomáticos— no aprobaban tal exhibición de creencias religiosas, pero Morev, que era militar, sabía que todos los soldados, los ilyrios incluidos, tienen sus talismanes. Se preguntó si Galton encontraba consuelo pensando que Cady podría seguir existiendo de otra forma, en lugar de aceptar que sus átomos simplemente se habían esparcido y reciclado en el cosmos. Si era así, deseaba suerte a su subordinado y que encontrara consuelo donde pudiera.

Y entonces fue Galton quien sacó a Morev de sus cavilaciones para informarle de que había actividad en la boca del agujero de gusano.

—Señor, tenemos una nave emergiendo —dijo Galton.

—¿Una nave? —Morev no pudo evitar que se le trasluciera el alivio, o la sorpresa, en la voz.

Habían enviado un dron de exploración de vuelta a través del agujero de gusano para que informara al Mando Militar de su situación, pero incluso con el sistema de estaciones de transmisión para mandar la señal, cualquier ayuda habría tardado más en llegar hasta ellos. Tal vez había una nave ilyria en las cercanías del agujero de gusano cuando había emergido el dron, aunque Morev no estaba al tanto de ninguna actividad prevista en ese sector. Como fuere, cualquier ayuda que se ofreciera sería bienvenida, sobre todo si significaba que podían organizar un rescate en la superficie tórmica. Si la nave que llegaba contaba con una lanzadera o su comandante estaba dispuesto a entrar en la atmósfera de Torma...

Los escáneres del *Envion* identificaron la nave a partir de su señal de contacto en cuanto se puso a su alcance: se trataba de la *Dendra,* más pequeña aún que el crucero *Envion,* con una tripulación de no más de seis miembros. Morev pensó que debía de haber soportado un viaje muy desagradable a través del agujero de gusano. Era asombroso que todavía siguiera entera.

—¿Qué hace aquí una nave civil? —se preguntó Morev.

Las naves civiles raramente se alejaban de los alrededores de Ilyr.

La gran Conquista ilyria del universo estaba en manos del Ejército y su rival, el Cuerpo Diplomático. Los civiles simplemente representaban a las masas en el Consejo ilyrio, apoyando a militares o a diplomáticos según se terciase.

Galton señaló a la pantalla.

—Señor, eche un vistazo al escáner. Está destrozada.

La *Dendra* tenía la suerte de seguir entera. No había sido diseñada para el viaje a larga distancia, y el agujero de gusano había causado estragos en ella. Un reajuste del escáner reveló más daños todavía en el casco, a estribor.

—¿Debido al agujero de gusano? —preguntó Morev.

—No, más bien parecen causados por disparos de armas, y además recientes. Ha sido atacada.

—Contacta con ella —dijo Morev.

—Aquí el destructor militar *Envion*, llamando a la nave civil *Dendra* —transmitió Galton—. Responda, *Dendra*.

—Aquí Alis, piloto de la *Dendra* —fue la respuesta—. No saben cómo nos alegramos de verlos, *Envion*.

—Y a nosotros nos sorprende verles a ustedes, Alis —le interrumpió el comandante Morev—. No se nos notificó su intención de utilizar el agujero de gusano.

—Nos introdujimos al ser atacados. Fue nuestro último recurso.

—¿Atacados por quién?

—Naves desconocidas. Creo que nos libramos de ellas, pero por muy poco.

—¿Cuál es su misión, Alis?

Esta vez no fue Alis la que respondió. Otra voz resonó por los altavoces. Sonaba extraordinariamente tranquila, pese a acabar de ser atacados y de un viaje imprevisto a través de un agujero de gusano.

—Yo soy la misión, comandante. Soy el consejero Tiray, representante civil del Consejo de Gobierno ilyrio, y solicito refugio a bordo del *Envion*.

Los ilyrios se guiaban por ciertas normas de comportamiento, en especial cuando se trataba de naves en el espacio profundo. Una era que no podía rechazarse una solicitud de refugio o de ayuda de una nave con problemas. Hacerlo se consideraba un delito grave e implicaba inevitablemente una pena de cárcel. Dadas las circunstancias, a Morev no le quedaba más opción que responder como lo hizo.

—Su solicitud es aceptada, consejero —dijo—. Aproxímese cuando quiera.

Morev y Galton observaron cómo se aproximaba la *Dendra*. Habían despejado el puerto de atraque del *Envion* y la *Dendra* se posaría en el espacio que había ocupado antes la lanzadera perdida en Torma. La nave estaba lo bastante cerca para que fueran visibles las luces de la cabina. Galton casi podía distinguir el rostro del piloto.

Una alarma recorrió toda la nave y una voz llegó al receptor de Morev desde el puente de mando.

—Comandante, tenemos dos naves más emergiendo del agujero de gusano. Los escáneres no revelan ninguna señal de identificación, pero están armadas.

El sistema de inteligencia artificial del *Envion* recreó inmediatamente una imagen de las naves que se aproximaban. Parecían ajadas, antiguas, menos capaces de propulsarse que la *Dendra*, y por supuesto del todo incapaces de superar el viaje a través del agujero de gusano, pero el escáner revelaba que su apariencia era engañosa. Pese a su aspecto externo, estaban fuertemente blindadas y poseían motores de extrema potencia.

—Parecen nómadas —dijo Morev.

Nómadas: ilyrios que rechazaban su propia sociedad, ya fuera por idealismo o, más habitualmente, porque eran forajidos, o desertores. Tenían bases —poco más que comunidades temporales ocultas en bosques y montañas— en algunos de los mundos periféricos del sistema de Ilyr, aunque la mayoría de ellos preferían estar siempre en movimiento continuo porque las autoridades asaltaban sus asentamientos cuando daban con ellos. Los nómadas se proveían de piezas y suministros allá donde podían, sus naves parecían montones de chatarra flotantes, pero los más atrevidos eran capaces de atacar naves mercantes solitarias. En la Tierra, a los peores de ellos los habrían llamado piratas.

—Pero los nómadas jamás se atreverían... —empezó a decir Galton.

Morev ya no le escuchaba. Su instinto de soldado ya había reaccionado.

—¡A los puestos de combate! —ordenó con una voz que resonó por toda la nave—. ¡Preparados para entrar en acción!

12

Ani no estaba segura de qué hacer con su amiga Syl. Sí, habían venido juntas, se habían inscrito en la Hermandad para escapar a una muerte segura, y sí, sabían que había algo maléfico en Syrene. Pero apenas habían visto a la Bruja Roja desde que habían llegado, e incluso en esas ocasiones, después de alunizar en la roca sobre la que reinaba, se había mostrado sorprendentemente agradable. Fue Syrene en persona la que las había llevado a sus alojamientos, les había señalado las delicadas sábanas de algodón egipcio que había pedido personalmente, traídas de la Tierra, «para que os sintáis como en casa», y los jabones que tenían en el baño, con aroma a genuina lavanda francesa. Incluso había colocado una fotografía de Andrus junto a la cama de Syl, y otra de los padres de Ani al lado de la suya, pero Syl había puesto el antiguo marco de plata boca abajo durante las primeras semanas, hasta que finalmente Althea lo había envuelto en papel de seda y lo había guardado.

No, Syrene no era del todo malvada, aunque Syl no pudiera verlo.

Las demás intentaban ayudar, educarlas en las tradiciones de la Hermandad. Sí, incluso Tanit. De verdad, sólo con que Syl hubiera visto el tacto que había mostrado antes Tanit, lo amable que había sido, o el empeño que ponían las tutoras intentando enseñarles todo lo que sabían, si Syl entendiera lo mucho que podía beneficiarles a ambas su estancia aquí..., pero su amiga parecía resuelta a detestar a todas y a todo lo que formara parte de la Hermandad. Sin duda, no ayudaba mucho que hubiera todavía quienes insistían en llamar «Apestosa» a Syl, pero no era más que un desaire infantil, y Ani estaba harta de la persistente suspicacia y la negatividad de su amiga.

¿Acaso Syl no escuchaba en las clases de historia? ¿Por qué no reconocía la gran valentía y el inmenso sacrificio que habían hecho las Hermanas en nombre de todo lo bueno que tenían los ilyrios?

En los primeros tiempos, la Hermandad de Nairene se había asentado en su mundo nativo, Ilyr, donde la orden se había creado como una especie de asilo para las mujeres que no encajaban en la sociedad, un refugio para las féminas incasables, las raras, las desafiantes, las testarudas y a cuantas podían alborotar en una sociedad segregada por géneros. La Hermandad les proporcionaba calladamente un refugio y un hogar, y así las molestas quedaban apartadas del mundo, llevadas a donde no podían cuestionar sus costumbres ni sembrar la discordia.

Pero las Hermanas no se dieron por satisfechas con ver pasar ociosamente los días, y así empezaron a leer. Lo leían todo. (Y Syl amaba los libros, argumentaba Ani; le encantaba aprender, como le ocurría a la Hermandad. Así que ¿por qué no encajaba?)

Aquellas arpías y brujas de los viejos tiempos habían recopilado manuscritos, memorias e historias, los habían catalogado y archivado, y luego habían seguido reuniendo más palabras, escribiendo las suyas. Dibujando árboles genealógicos privados, estudiando los linajes, los ancestros, la genética y la herencia.

Trazaron mapas de las estrellas y de las órbitas de las lunas que se movían por encima de ellas, y analizaron el suelo y las piedras bajo sus pies. Cultivaron plantas en los extensos jardines del Convento de Arain original y las diseccionaron hasta entender sus mecanismos, y luego diseccionaron las criaturas que construían sus guaridas entre raíces y hojas. Con el tiempo, las Hermanas ampliaron sus conocimientos a las plantas de otros mundos, de modo que cultivaron, cosecharon, estudiaron y crearon entornos alienígenas en miniaturas hechas de cristal y cuarzo. Las Hermanas construyeron, experimentaron, exploraron nuevas ideas, tomaron apuntes de cuanto caía en sus manos, y poco a poco el convento se convirtió en una biblioteca, y ésta en un gran archivo, y las Hermanas podían cobrar lo que quisieran por dar acceso a su vasto almacén de información. Escribas, líderes y filósofos acudían a ellas por su sabiduría, y las Hermanas y su cada vez más amplia red de conventos se convirtieron en una pieza esencial para el mundo que antaño las había apartado.

Con el tiempo olvidaron todos que la Hermandad había empezado como un claustro para féminas molestas, y acabó siendo venerada. Sus conventos atraían sólo a las jóvenes ilyrias más brillantes, y aunque las Hermanas estaban dispuestas a dar consejo y acceso a sus archivos, preferían no mantener mucha relación con gente del exterior, sólo la indispensable.

Y sí, Ani no tenía problemas para reconocer que posiblemente algunos elementos nocivos habían entrado en ella, pero que sin duda con el tiempo podrían ser erradicados, y todavía quedaba mucho de lo que maravillarse, mucho que admirar. Después de todo, no había más que ver lo que las Nairenes ya habían conseguido. ¡Cuántas adversidades habían superado!

Porque para las Hermanas las cosas habían cambiado con lo que acabó siendo conocido como «la Decadencia», cuando la tiranía se hizo con el poder en Ilyr. En aquella época se decretó que todo conocimiento debía ser erradicado —libros, grabaciones, imágenes en movimiento, arte, música— y que el Imperio ilyrio se reconstruyera a partir del fuego y las cenizas. Se ejecutó a académicos, escritores, músicos y artistas. Todos los que poseyeran una educación mínimamente significativa fueron encarcelados, exiliados o asesinados. Muchos fueron obligados a trabajar hasta la muerte. Se separaron familias. Se quemaron ciudades enteras.

La Hermandad, por su propia naturaleza, se convirtió para los Decadentes en un objetivo que abatir. Sus santuarios fueron saqueados; las Hermanas, violadas y asesinadas; sus hermosos volúmenes antiguos y los documentos cuidadosamente atesorados sirvieron de combustible para sus piras funerarias.

Fue entonces cuando las siete Hermanas de mayor rango decidieron marcharse. Llenaron siete lanzaderas con los objetos más preciados de su colección y copias y duplicados digitales de cuanto pudieron. No tenían sitio para ninguna de las Novicias ni de las demás Hermanas, pero nadie se quejó, ni siquiera las más jóvenes, porque comprendían la necesidad de su sacrificio.

Las lanzaderas, que partieron de Ilyr en el instante en que los Decadentes irrumpían por las puertas del Convento de Arain, se dirigieron a Avila Minor. Una fue derribada antes de que saliera de la atmósfera ilyria, y otra se estrelló en la luna y quedó completamente destruida. Las otras cinco aterrizaron cuando el cielo se desvanecía en el crepúsculo. La luna se enfriaba tras el calor abrasador del día y las criaturas nocturnas todavía no habían salido a alimentarse. Las Hermanas, que habían estudiado la geografía de la luna, se ocultaron en una antigua red de cuevas. Sobrevivieron gracias a las raciones de comida, y a la caza, y así empezó la Marca. Por descontado, los Decadentes mandaron tropas en su busca, pero éstas no habían estudiado Avila Minor como lo había hecho la Hermandad. El sol abrasaba a los soldados hasta quemarles las entrañas durante el día, y por la noche, las criaturas que vivían sobre la superficie salían y se alimentaban de sus restos.

En clase, cuando les explicaron a las Novicias el triunfo de las Hermanas, había estallado una ovación espontánea; incluso Syl se había unido a los vítores.

Pero la alegría se desvaneció rápidamente cuando se enteraron de que dos de las Cinco Primeras también habían muerto durante aquel primer año. Las tres supervivientes plantaron semillas, cuidaron los plantones y los hicieron crecer bajo tierra, en los pequeños ecosistemas que habían perfeccionado en Ilyr. Trasladaron todo el equipo que pudieron recuperar de las lanzaderas y poco a poco crearon un hogar para sí mismas.

La Decadencia no podía durar. El primitivismo de los Decadentes no se propagó a las colonias periféricas, y, con el tiempo, esas colonias acudieron en ayuda de su mundo nativo, pero los Decadentes se negaron a rendirse e incluso, una vez hechos prisioneros, se conjuraron para continuar la lucha. Se sucedieron ejecuciones masivas, y había quien todavía creía que ese último derramamiento de sangre, aunque había puesto fin a la guerra, también había dejado una marca indeleble en el alma ilyria.

Finalmente, se envió una lanzadera para rescatar a las Hermanas y llevarlas de vuelta a Ilyr, pero ellas se negaron a abandonar la Marca; eran plenamente conscientes de que lo que había ocurrido una vez podía ocurrir de nuevo, porque la historia se repite. Así que vendieron las tierras en las que se habían levantado en el pasado sus conventos, ahora en ruinas. Pidieron una compensación por sus pérdidas al nuevo gobierno ilyrio, y la recibieron. Invirtieron toda su riqueza en ampliar y fortificar la Marca, utilizando la compleja red de cuevas y pasajes subterráneos que horadaban como un panal los estratos rocosos de su luna. Se construyó así el Primer Reino, que alojaba la biblioteca más antigua, junto con los alojamientos para las Hermanas. Según se decía, fue ahí donde las cinco hermanas de mayor rango, las sucesoras de las Cinco Primeras, han vivido hasta hoy, dirigidas por Ezil, la mayor de todas. Se habían convertido en ermitañas, dedicadas al aprendizaje, y nadie había visto a Ezil ni a las otras cuatro líderes en público desde hacía muchos años.

Aun así, Ani pensaba en ellas con frecuencia, y a veces percibía su presencia en sueños, y se preguntaba por los asombrosos conocimientos que debían de poseer y las cosas que podrían enseñar. Pero si Ani se maravillaba, Syl se burlaba y las despreciaba. La actitud de Syl llevaba a Ani a sentirse cada vez más sola y aislada. Por eso se volvió a las otras Dotadas, en busca de compañía y apoyo.

Si hubiera sido un poco mayor, un poco más madura, Ani se había dado cuenta de que precisamente eso era lo que quería la Hermandad.

13

Cayó la noche. Fuera de la Marca, el desierto rojo abrasador de Avila Minor iba cobrando vida a medida que sus arenas se enfriaban. La luna era completamente oscura. Sólo la Marca estaba iluminada, con luces que resplandecían en las ventanas de las torres y edificios construidos sobre la superficie y que, en los Reinos más antiguos, brillaban desde las montañas y las colinas que habían sido transformadas por dentro, horadadas en los primeros años de su construcción.

En esa oscuridad comenzó la caza.

La lanzadera que descendía hacia la luna estaba fuertemente blindada, su tecnología era tan avanzada que la mayoría de los oficiales militares de más alto nivel —y ciertamente los miembros del Cuerpo Diplomático— ni siquiera sabían de su existencia. Descendió, invisible para los radares de la Marca, y aterrizó a la vista del Décimo Reino.

De las arenas cercanas, atraído por las vibraciones de la nave, emergió un antropoide con un poderoso revestimiento protector conocido como cascido. Tenía el tamaño de un perro grande; a través de una tráquea aspiraba la atmósfera rica en oxígeno de la luna de baja gravedad, lo que le permitía crecer más que las especies comparables de Ilyr o, ya puestos, de la Tierra. Sus mandíbulas eran lo bastante grandes para aplastar el cráneo de un ilyrio adulto o atravesar el hueso y el metal. Se aproximó a la lanzadera con curiosidad. No concebía el miedo. Sólo el hambre.

Pero la lanzadera era demasiado grande para que la atacara un único cascido. Emitió secreciones químicas, convocando a más congéneres para apoderarse de la presa, y al poco el desierto que rodeaba la lanzadera era un hervidero de criaturas, cada una de las cuales soltaba a su vez sus propias secreciones hasta que la manada entera fue presa del frenesí. Finalmente, y se diría que al unísono, se lanzaron a atacar la lanzadera.

Una serie de pequeños respiraderos se abrieron en la panza de la nave. De ellos surgió un siseo grave, seguido por chorros de gas blanco expulsados a alta presión. Al cabo de unos segundos, la masa de animales que se aproximaba estaba envuelta en nubes de nitrógeno líquido que los congelaron al instante, creando una extraña escultura antropoide, como si las criaturas hubieran sido talladas a machetazos en el hielo. Las secreciones de pánico de los moribundos bastaron para disuadir a otras criaturas de que se acercaran.

El gas se dispersó.

La lanzadera esperó.

Los alojamientos de Elda se contaban entre los más pequeños y despojados de la Marca, como correspondía a una Novicia que estaba considerada poco más que una criada. Tenía un dormitorio, un baño contiguo que era apenas más grande que un ataúd vertical, una única caja de madera que hacía las veces de tosca mesa, una silla dura y una cama que resultaba más cómoda sin el colchón que con él. Un armario con sus pertenencias ocupaba una parte tan amplia del espacio que quedaba que tenía que ponerse de lado para moverse entre él y la cama.

Elda llevaba cuatro años viviendo en esa habitación, pero las cosas estaban a punto de cambiar. La tabla del fondo del armario yacía en el suelo. Del hueco que había detrás había recuperado una pequeña caja y había extendido su contenido sobre la cama. Entre otras cosas, un trajeoscuro ultrafino, enrollado hasta formar un cilindro poco mayor que su pulgar; un cuchillo corto y afilado; y una pluma estilográfica que en realidad ocultaba un diminuta arma de pulso con una baliza electrónica incrustada.

Elda se miró en el espejo que había encima de la mesa. Oh, Tanit, pensó, si pudieras verme ahora. La Elda que había recorrido los túneles y pasillos de la Marca limpiando, fregando, observando, escuchando, ya no existía. La joven que reflejaba el espejo se erguía en toda su estatura. La perpetua mirada asustadiza que lucía como una máscara había desaparecido, y en su lugar sólo se veía una fiera resolución. Cuatro años, que ahora estaban a punto de tocar a su fin. Cuatro años haciéndose pasar por alguien tan insignificante, tan poco ambiciosa, tan vulgar que la Hermandad había dejado de fijarse en ella. Y dado que le confiaban las tareas más desagradables y aburridas, las que sólo encargaban a un puñado de otras chicas, aparentemente como ella —las tontas, las torpes, las carentes de cualquier talento, las que, en otros tiempos, habían sido asesinadas sin dolor por no estar a la altura de los estándares de la Hermandad—, había podido acceder a las zonas de la Marca prohibidas a otras Novicias. Elda poseía las claves y códigos que compartían sólo las Hermanas Rojas ordenadas y los había utilizado con sensatez. Cierto era que había fracasado en una de sus misiones —descubrir la localización precisa de Ezil y las otras cuatro Hermanas superioras, o averiguar si seguían siquiera vivas—, pero se llevaría de la Marca otra información, de capital importancia. No sólo sabía que Syrene trabajaba para desarrollar las capacidades psíquicas de jóvenes ilyrias (algo de lo que nada se sospechaba fuera de la Marca), sino que también creía conocer el motivo por el que Syrene había puesto en marcha ese programa.

Por último, había conseguido dibujar un mapa de la mayor parte de la Marca, y también se había hecho con los detalles de sus sistemas de seguridad y los códigos para deshabilitar sus escudos. Por primera vez desde hacía siglos se revelarían algunos de los más recónditos secretos de la Marca, y el gran laberinto sería vulnerable a sus enemigos. Y todo eso lo había logrado una joven que sólo había sido objeto de desprecio en ese lugar.

Su verdadero nombre no era siquiera Elda, aunque tenía su mismo rostro y aspecto. La verdadera Elda había muerto siete años atrás, arrebatada a sus amantes padres por un corazón débil. Pero antes de comunicar su muerte, los padres de Elda recibieron una visita: una pareja de asesores militares de alto rango. El padre y la madre de Elda eran leales miembros del Ejército y habían observado con inquietud el ascenso del Cuerpo Diplomático. Pese a su duelo, vivían para servir. Aceptaron mantener oculta la muerte de su hija, y que otra ocupara su lugar: una joven ilyria que tenía exactamente la misma apariencia que su difunta hija gracias a las maravillas que obraba la piel ProGen; una chica cuyo perfil genético fue manipulado para que superara incluso el más perfeccionado de los test, que hablaba y se comportaba igual que lo había hecho la auténtica Elda. Más aún, era una réplica tan perfecta que, con el tiempo, ellos casi se olvidaron de que no era su hija y, cuando finalmente la admitieron en la Hermandad, lloraron su ausencia por segunda vez.

Elda: la joven que, en esa despojada habitación en las profundidades de la Marca, había adoptado otra identidad tanto tiempo que casi había olvidado la suya. No importaba. ¿Quién sabía qué forma adoptaría cuando saliera de la Marca? Muy pronto la Hermandad y sus dóciles diplomáticos perseguirían a alguien que se pareciera a Elda, así que ésta tendría que desaparecer. El proceso sería doloroso, pero necesario.

Se desnudó y se puso el trajeoscuro encima del cuerpo desnudo, luego volvió a vestirse con su túnica de Novicia. Se la quitaría para siempre en las puertas del Duodécimo Reino, por donde había decidido escapar. El trajeoscuro la ocultaría a las demás criaturas del desierto. En general, esos seres no tenían buena vista y recurrían al calor, el movimiento y el sonido para seguir a sus presas. El trajeoscuro se encargaría también de los dos primeros detalles, pero para el tercero tendría que confiar en su propio sigilo. En cuanto a los animales que veían bien en la oscuridad, su arma de pulso tal vez fuera demasiado pequeña, pero su carga era muy potente. Cualquier bicho que intentara devorarla acabaría convertido en un pequeño amasijo de sangre y restos sobre las arenas del desierto.

Se metió el cuchillo en el bolsillo ancho de la túnica, se palpó el cinturón y la bolsa y echó un último vistazo a su alojamiento. No la embargó la menor emoción. Ya había puesto fin a esa existencia. Pero incluso en ese momento de partida y huida, Elda había tenido presente la posibilidad de fracasar. Sólo había una persona en la Marca por la que sentía cierto afecto, sólo una que había dado alguna señal de que, como Elda, no era partidaria de la Hermandad: Syl Hellais. Consciente de lo que había en juego, Elda había dedicado un momento para pedirle un último favor a Syl. En la taquilla de Syl, en el gimnasio, había dejado un amuleto que contenía un grabado de la madre de Elda, o de la mujer que todo el mundo creía que era su madre, junto con una nota pidiendo a Syl que encontrara el modo de hacérselo llegar en Ilyr a esa mujer. Si Elda conseguía escapar de la Marca, el amuleto sería un recordatorio adicional de su descubrimiento. Si Syl no conseguía devolverlo a Ilyr, no se había perdido nada.

Pero si Elda no conseguía salir de la Marca...

Cerró la puerta a sus espaldas, inhabilitó la cerradura utilizando un pulso poco potente de su arma y después se la deslizó por la manga. Cuanto más tiempo transcurriera antes de que se descubriera su ausencia, mejor. Dado que el alojamiento de una Hermana, incluso el de una simple Novicia, era considerado su reino privado —un reino dentro de un Reino, como les gustaba decir a las Hermanas mayores—, cualquier intrusión era mal vista. La puerta sellada causaría retrasos y confusión, y echarla abajo requeriría el consentimiento de al menos dos Hermanas de cierto rango. Todo eso le concedía una valiosa ventaja que le permitiría alejarse más de la Marca.

La Marca siempre estaba atareada, incluso por la noche. Aunque bajaba su ritmo durante las horas de oscuridad, nunca dormía por completo. La acumulación de conocimientos ni podía ni debía detenerse. Así que algunas miradas de indiferencia se posaron en Elda, la tonta y prescindible Elda, mientras se deslizaba pegada a las paredes con la cabeza gacha, los ojos entornados apenas centelleando bajo el resplandor de las luces.

No tardó mucho en llegar a la salida de servicio. Pocas Hermanas, aparte de las responsables de mantenimiento e ingeniería, se aventuraban hasta los niveles inferiores. Después de todo, ¿qué razón tendrían para salir de la Marca y vagar por las arenas? Las salidas de servicio se utilizaban sólo para realizar reparaciones, e incluso esos casos eran muy raros, porque la Marca estaba construida con los mejores y más fuertes materiales. Elda había descubierto que algunas de las salidas de servicio más antiguas ni siquiera estaban equipadas con alarmas. Unas puertas pesadas y unas cerraduras bastante obsoletas se consideraban seguridad suficiente; aun así, Elda había tardado tres años en conseguir las llaves de dos puertas.

Ahora, delante de la puerta señalada como L4, se quitó la túnica, sacó una de esas delgadas llaves plateadas de la bolsa del cinturón y la insertó en la cerradura. Tenía que confiar en que la lanzadera estaría esperando, como habían prometido. Activa la baliza, le habían ordenado hacía años, y una lanzadera te estará esperando en el lugar convenido al cabo de dos horas. Permanecerá allí dos horas más, y luego partirá. Si no has subido a bordo cuando parta, te daremos por muerta.

Elda esperó que la llave abriera la puerta. No pasó nada. Probó de nuevo, pero siguió sin oír el tranquilizador clic de la cerradura al abrirse. Sacó la llave y la examinó. Era la correcta, sin duda. La había marcado sólo para estar doblemente segura. Incluso lo había probado la noche anterior y la puerta se había abierto fácilmente. Sí, podía dirigirse a la segunda salida, pero eso la retrasaría. Todavía podía llegar a la lanzadera, pero con poco margen, tan poco que empezó a inquietarse. Así que probó una vez más con la llave, en vano.

—Joder —dijo a la oscuridad.

Y la oscuridad respondió con la voz de Tanit.

—Me parece que quieres decir «jodida».

Elda se dio la vuelta y el arma de pulso se deslizó fluidamente a la palma de su mano mientras la alzaba para disparar. El rostro de Tanit se cernía en la penumbra, pero antes de que Elda pudiera activar el arma, un dolor intenso le paralizó la mano. Se miró el puño y vio aterrorizada cómo una fuerza invisible lo aplastaba, los frágiles huesos se rompían, los nudillos se astillaban en trozos dentro de su carne hasta que su mano derecha quedó reducida a una masa de carne sin articulaciones, envuelta en un guante de piel. Chilló de dolor y cayó de rodillas, pero el dolor no disminuía. Sintió y oyó a la vez los chasquidos simultáneos cuando el radio y el cúbito del antebrazo empezaron a fracturarse, seguidos del húmero en el codo y por último del mismo húmero en el brazo. La presión siguió avanzando por el omoplato y la clavícula, hasta que Tanit gritó:

—¡Para!

A través de las lágrimas, Elda vio que Sarea se acercaba a Tanit. Sarea parecía decepcionada porque Tanit hubiera puesto fin tan pronto a su juego. La siguió Nemein, y luego las demás: Iria, Dessa y las hermanas Mila y Xaron. Todas miraban sin asomo de compasión a la herida Elda, cuyo brazo derecho colgaba inútil a un costado, con el delgado tejido del trajeoscuro como única sujeción de la extremidad hecha trizas.

—Registradla —ordenó Tanit.

Nemein se apresuró a obedecer. Encontró el cuchillo y la segunda llave. Y, más importante, descubrió el pequeño cartucho de memoria que contenía todos los secretos que Elda había atesorado durante sus cuatro años de estancia allí. Sin motivo alguno, Nemein tocó el brazo herido de Elda, haciéndola chillar de nuevo. Incluso entonces, mientras se enfrentaba a sus torturadoras por última vez, a Elda la asombró la insensibilidad y despreocupación con las que Nemein ejercía la crueldad.

—Supongo que piensas que vamos a interrogarte —dijo Tanit—. Ya sabes, preguntarte quién te envió, quién eres en realidad, esas cosas. Pero no. —Se acuclilló de manera que podía mirar a Elda a los ojos. Hablaba sin odio, sin pasión, sólo con pena—. Lo cierto es que no nos importa. Ni siquiera ahora, al final, nos importas. Has fracasado, igual que tu amiguita Kosia antes que tú. Ella nos lo contó todo antes de que la matáramos, todo menos tu nombre. Por desgracia, murió antes de poder compartirlo con nosotras. Pero todo lo que nos reveló nos llevó a pensar que contaba con una cómplice, que había otra espía en la Marca. Así que vigilamos y esperamos. Y te descubrimos. Debo confesarte que me sorprendió. Te disfrazaste bien. Pero ahora, como Kosia, vas a morir. —Se volvió hacia Nemein para ordenarle—: Dame el cuchillo.

Nemein se lo dio. Elda esperó que le desgarrase la carne, pero no fue así. En lugar de eso, Tanit lo utilizó para cortar y quitar el trajeoscuro de la parte superior del cuerpo de Elda, dejándola desnuda hasta la cintura. Manejó el cuchillo con cuidado, casi con ternura, de manera que la hoja, sin cortar la piel de Elda, dejara leves marcas rojas sobre ella. Tanit incluso evitó rozar el brazo herido de Elda; se dio por satisfecha dejando los restos del trajeoscuro encima. Cuando acabó, examinó su obra y asintió aprobándola.

—Mucho mejor —dijo—. Y tienes buena figura. Es una pena que hayas tenido que esconderla tanto tiempo.

Tanit se metió la mano en el bolsillo de la túnica y sacó una nueva llave, delgada como una aguja y resplandeciente.

—Me parece que esto es lo que buscabas —dijo—. Hemos cambiado las cerraduras, así como todos los códigos de seguridad, pero seguramente ya lo habrás supuesto a estas alturas. A decir verdad, nos preocupaba que pretendieras escaparte anoche. Sí, ya te vigilábamos. Podríamos haberte detenido antes, supongo, pero era más divertido esperar y que te creyeras libre. ¡Oh!, y en cuanto a nuestro anterior encuentro, considera tus quemaduras como nuestro regalo de despedida.

Sarea y Xaron se adelantaron y obligaron a Elda a ponerse en pie. Tanit le dio la llave a Nemein, que abrió la cerradura, pero no la puerta, todavía no.

—¿Quieres pronunciar unas últimas palabras? —preguntó Tanit.

Elda se irguió cuan alta era. Pese a su miedo y su dolor, clavó en Tanit una mirada desafiante.

—Puede que no sea la primera —dijo—, pero tampoco seré la última. Y seré vengada. Díselo a tu Bruja Roja.

—¿Sabes una cosa? —replicó Tanit con un matiz de admiración—. Nunca me habías caído bien hasta ahora.

—¿Y tú sabes una cosa? —contestó Elda—. Tú a mí sigues sin caerme bien.

Tanit se encogió de hombros.

—Querías irte —dijo—. Pues vete.

Nemein abrió la puerta de golpe y, con un rápido empujón, Elda fue arrojada a través del hueco. Las jóvenes tuvieron un breve atisbo de una tronera de roca que descendía hasta el desierto, y de Elda cayendo de rodillas sobre las piedras, antes de que Nemein asiera la puerta y cerrara con llave.

—Es hora de acostarse —dijo Tanit—. Ha sido un día largo, muy largo.

Y alargó la mano para apagar las luces exteriores.

Elda se arrodilló sobre las piedras del desierto, en medio de un cono de luz. En la noche gélida, el dolor de su brazo destrozado era lacerante. Oyó movimiento a su alrededor; las criaturas invisibles se sintieron atraídas por el calor que desprendía su cuerpo desnudo y el dolor de su miedo. Sin embargo, la luz las mantenía alejadas.

Detestaban la luz. Les hacía daño en los ojos. Tal vez, si pudiera sobrevivir hasta que saliera el sol...

Entonces la luz se apagó. Su recuerdo ardió en los ojos de Elda cuando algo duro y afilado se cerró alrededor de su cuello. Abrió la boca para chillar, pero de ella no salió ningún sonido, porque su cabeza estaba ya desgajándose del cuerpo.

Y empezó el banquete.

14

La llamaban la Ciudad de la Agujas. Tannis: la joya de Ilyr, la mayor, más glamurosa y poblada metrópolis del planeta. Era la sede del gobierno, el centro del poder. Su nombre se debía a su arquitectura: grandes astillas de cristal y metal ascendían como estalagmitas y parecían rascar los cielos mismos en las alturas.

Tannis, la Ciudad de las Agujas.

Tannis, la Ciudad de los Espías.

Al edificio lo llamaban el Árbol de Luces. Alojaba a cinco mil de los ciudadanos más acaudalados y poderosos de Ilyr, todos ellos diplomáticos o personas que mantenían buenas relaciones —profesionales o personales— con el Cuerpo Diplomático. Sólo contaba con mayores medidas de seguridad el Parlamento, con el que compartía además un buen número de residentes. En una ciudad de edificios altos y estilizados, el Árbol de Luces llamaba la atención por su diseño excepcional: una alta columna central de sustentación que albergaba oficinas y los sistemas esenciales, y aparte, desplegándose por encima de ésta, una gran corona de lujosos apartamentos conectados por ramas que contenían pasarelas mecánicas móviles y ascensores discretos; jardines colgantes que formaban sus propios ecosistemas dentro del edificio; y plataformas de aterrizaje para las lanzaderas y los deslizadores utilizados por los residentes. El Árbol de las Luces había dado lugar a polémicas. Algunos creían que su forma no estaba en armonía con la personalidad arquitectónica de Tannis, pero dado que carecían del poder, del dinero y de la influencia de quienes aprobaron el diseño, financiaron la construcción y ahora vivían en él, sus opiniones fueron desdeñadas casi por completo. En cualquier caso, para los residentes del Árbol de las Luces, el edificio no había alterado el paisaje urbano de Tannis en lo más mínimo porque podían asomarse a sus ventanas y ver tan sólo las agujas doradas. Eran los demás a los que no les quedaba otro remedio que mirar el Árbol de las Luces y envidiar a quienes vivían en sus ramas.

En una de las suites más altas, un diplomático llamado Radis se miraba en el espejo del baño. Su cráneo calvo estaba salpicado de sudor, aunque la habitación se había refrescado instantáneamente a su temperatura favorita en cuanto había puesto el pie dentro. Abrió el agua de nuevo, posponiendo el momento en que tendría que marcharse. Ya se había dado una ducha tan larga que se le había arrugado la piel y su esposa —su esposa Nairene, porque Radis había tomado a una Hermana recién ordenada, Paylea, como esposa— sin duda estaría preguntándose qué le retenía. Sólo llevaban unos meses casados. Su compromiso había sido casi una sorpresa para el propio Radis, pero era un honor que no podía rechazar. Y Paylea era hermosa. A Radis le costaba hacerse a la idea de que fuera suya.

De hecho, a veces dudaba que lo fuese.

Junto al lavamanos había un diminuto comunicador. Era la razón por la que Radis estaba en el baño. Después de todo, apenas podía separarse de los brazos de su esposa para mirar un mensaje de uno de los comunicadores cuya existencia ella desconocía. Sin embargo, pronto tendría que salir. Oía a Paylea en el dormitorio. Ella ya le había preguntado una vez si se encontraba bien, y él no quería despertar sus sospechas.

El comunicador cobró vida con un parpadeo y proyectó un mensaje sobre el espejo: la lanzadera había abandonado Avila Minor sin su carga. El mensaje permaneció ahí sólo unos segundos y después se desvaneció. Radis colocó inmediatamente el comunicador en el lavabo y abrió el agua caliente. Observó cómo el aparato se desintegraba y los pedazos eran arrastrados por el desagüe como si fueran cenizas. Cerró los ojos, desesperado. Tras tantos años esperando...

Cuando abrió los ojos, vio el reflejo de Paylea en el espejo. Se colocó detrás de él, alzó la mano derecha y la delgada hoja penetró en la base del cráneo de su marido. El último pensamiento de éste antes de morir fue:

Nos han traicionado.

15

Les había sonreído la fortuna, pensó Paul, pero tal vez ya era hora de que también tuvieran un poco más de buena suerte. A media altura de la inmensa formación rocosa había un estrecho saliente, apenas lo bastante ancho para acomodar la lanzadera de exploración. Una vez más, Paul se asombró de la habilidad como piloto de su hermano. Ahí estaba, en una nave que no conocía, mientras una tormenta de arena amenazaba con destrozarla y esparcir los restos de sus ocupantes por un desierto alienígena, y, sin saber cómo, consiguió descender con seguridad en el saliente; quedó tan cerca de la fachada de roca que si hubiera abierto las ventanas Paul podría haber sacado la mano y tocarla.

La tormenta desplegaba una gran violencia; parecía un ser vivo que respirara, consciente de la presencia de la nave y frustrado porque era incapaz de alcanzarla. Incluso protegidos por toneladas de piedra, sintieron estremecerse a la antigua mole de roca cuando la tormenta se lanzó contra ella. En el momento álgido, Paul creyó que su refugio se desmoronaría finalmente ante el embate, aplastaría la lanzadera como si fuera de hojalata y los enterraría bajo los despojos.

Pero poco después, cuando la tormenta pasó, seguían con vida.

—Creo que no me gustaría repetirlo —dijo Thula.

—A mí tampoco —dijo Paul.

Steven encendió los motores y alzó la nave. Paul estaba asomado por la ventana, viendo alejarse ya la roca que les había salvado la vida y rezando una silenciosa oración de agradecimiento, cuando algo le llamó la atención. Se obligó a parpadear por lo extraño que le pareció; se le antojaba ininteligible.

—Steven, llévanos de vuelta.

—¿Cómo has dicho? ¿Por qué?

—Porque no es sólo una roca.

Steven los llevó de vuelta otra vez e hizo que la lanzadera volara ante la fachada de la formación rocosa. Todos menos el todavía inconsciente De Souza se adelantaron para mirar.

La arena había bruñido la fachada de la roca, haciendo que fragmentos de la misma cayeran a las arenas. Habían quedado al descubierto los restos de complejas obras talladas en la piedra: puertas, ventanas, incluso indicios de esculturas de figuras: un ojo ahí, o lo que podría ser una extremidad, allá. Las puertas y las ventanas, inmensas, multiplicaban varias veces el tamaño de las de una morada ilyria o humana. Con esas construcciones al descubierto, la roca le recordó a Paul una torre en ruinas de alguna de las enormes catedrales de la Tierra. Aquello tenía grandeza, incluso en las pequeñas porciones visibles. Pero el tiempo y los daños causados por la tormenta —y sin duda por muchas tormentas anteriores— dificultaban el hacerse una idea clara de la naturaleza de sus creadores, si es que de hecho se habían retratado así mismos en sus paredes.

Todos guardaban silencio. Sólo podían mirar. Peris fue el único que no parecía tan asombrado como los demás. Paul se dio cuenta nada más reparar en la cara del ilyrio.

Y Paul lo supo.

—Tú ya habías visto algo parecido antes —dijo.

Peris asintió.

—¿Quién lo construyó?

—No lo sabemos —dijo Peris—. Hemos encontrado restos de otra civilización diseminados por las galaxias de esta región. Éstos parecen antiguos, incluso para los estándares de lo que hemos descubierto hasta ahora. Hay algunos más recientes que éstos.

—Tal vez esas criaturas de silicio se los comieron —dijo Rizzo.

—De ser así, se lo tomaron con calma —dijo Paul—. Les dejaron en paz el tiempo suficiente para permitirles excavar un hogar, o un templo, en el centro de una roca.

—A lo mejor hay más —dijo Thula—. Después de todo, no es la única formación rocosa de este tipo que hemos visto en el planeta.

Aun así, pensó Paul, ésta era distinta. Recordó las formaciones que habían sobrevolado, o incluso pasado entre ellas, de camino a la base de perforación. Eran más angulosas, a veces con una inclinación de cuarenta y cinco grados con respecto al suelo desértico. Esta roca, totalmente vertical, podría haber pasado por un edificio disimulado para que pareciera una roca.

—¿Por qué no se nos informó? —le preguntó a Peris.

—¿Sobre qué?, ¿sobre una civilización desaparecida? ¿Qué importancia tiene?

—Pero ¿adónde fueron?, ¿qué les pasó?

—Guerra. Enfermedades. ¿Quién sabe? —dijo Peris—. Las civilizaciones nacen y mueren. Algún día, la ilyria puede que no sea más que una sucesión de ciudades decadentes en mundos muertos. Y la humana, otro tanto. Recuerda que si los ilyrios no hubieran llegado a la Tierra, os habríais destruido vosotros solos en un milenio, o puede que en menos. Vuestro clima estaba cambiando. Tormentas, inundaciones, tifones aniquilaban ciudades. Naciones enteras morían de hambre. Nosotros os dimos más tiempo. La Conquista ilyria salvó a la humanidad.

Paul no se molestó en discutir. Había oído esa historia una y otra vez. La había oído desde que era niño. Se trataba de la propaganda ilyria habitual, pero también era el lenguaje que utilizaban todos los conquistadores con los conquistados. *Lo peor ya ha pasado. Si dejáis de resistiros, puede empezar la tarea de gobernar pacíficamente. Construiremos nuevas carreteras. Os protegeremos de vuestros enemigos. Estaréis a salvo bajo nuestro dominio. Pero si continuáis resistiéndoos...*

Peris, no obstante, no había sido amenazado con morir ejecutado en la horca. Peris no había visto cómo eran borrados del mapa pueblos enteros. La generación de Peris no había sido reclutada por la fuerza para servir en los ejércitos ilyrios, a veces para morir, en mundos remotos, contra su voluntad.

Peris no sabía nada de los parásitos alienígenas que vivían dentro de las cabezas de los ilyrios.

O tal vez sí. Paul no podía estar seguro. Había veces en que quería confiar en Peris más de lo que lo hacía; quería aceptar que Peris sólo deseaba de corazón lo mejor para Paul, Steven y el resto de la unidad; quería creer que Peris era de algún modo distinto a los demás ilyrios. Pero entonces Peris decía algo sobre la Tierra, se le escapaba un comentario despectivo o condescendiente, y Paul se daba cuenta de que Peris, pese a su voluntad de servir junto a los humanos, en realidad no era tan distinto de los suyos.

Quizá fuera mejor así. Paul necesitaba su odio.

Miró con atención las ruinas semiocultas y le recorrió un escalofrío cuando Steven hizo ascender la lanzadera, elevándola en vertical, a lo largo de la fachada de piedra que pasaba ante ellos. Tenía la extraña sensación de que, fuera cual fuese la raza que había construido ese lugar —como templo, base de investigación o morada—, seguía presente, en algún lugar. Fue una sensación tan fuerte que la percibió casi físicamente, como si algo en las profundidades de la roca hubiera salido para comunicarse con él.

No se habían extinguido. No se habían destruido a sí mismos. Simplemente habían partido. Pero ¿adónde?

Hay mecanismos tan antiguos que casi no parecen objetos manufacturados, e invenciones tan antiguas que, incluso milenios más tarde, siguen siendo más avanzadas que nada que podamos imaginar o construir nosotros mismos. En las profundidades de la formación rocosa de Torma, uno de esos mecanismos captó la presencia de la lanzadera y de quienes iban en ella. Sin que lo supieran Paul y los demás, el mecanismo escaneó sus pensamientos y recuerdos, su fisiología y su forma.

Y empezó a transmitir.

16

Elda. ¿Dónde se había metido Elda en esta roca maldita? Syl recorría los pasillos buscándola, llamándola por su nombre de vez en cuando, por si alguien albergaba alguna duda de qué la llevaba por allí. Cale había solicitado la presencia de Elda porque había habido una filtración en el laboratorio de química y Elda tenía las llaves del armario donde se almacenaban los productos de limpieza peligrosos que necesitaban.

—Maldita boba —espetó Cale—. Todavía no me ha devuelto las llaves. Ve a buscarla, Syl.

—Pero hace días que no la veo —dijo Syl, y al tiempo que las palabras le salían entre los labios se dio cuenta, con sorpresa, de que era verdad.

—Justamente. Pero, según parece, es tu amiga, así que ve. Ya.

La demás Novicias se rieron por lo bajini cuando Syl salió dando pisotones del aula, y ella notó que se le ruborizaban las mejillas. Como si no fuera ya una marginada en este lugar seco y rancio, ahora la ponían en el mismo grupo que Elda, la penosa, triste y débil Elda. Syl pasó por delante de Ani, que le dedicó una mirada comprensiva, pero Syl siguió adelante a grandes zancadas, como si no la hubiera visto, porque Ani estaba sentada con Tanit y las Dotadas con sus atuendos de seda azul de calidad, sentada donde le habían dicho que se sentara el primer día de clase, y así había seguido haciendo desde entonces, todos los días, sin falta. Ella apenas se había resistido, y a veces Syl oía a su amiga riéndose, puede que con demasiadas ganas, de las charlas susurradas de las otras chicas. Eso le tocaba una fibra sensible dentro del pecho y la hacía sentirse aún más sola, sobre todo ahora que Althea se había marchado.

Mientras tanto, Syl se sentaba con las otras Novicias normales, con su anodina túnica amarilla, según el orden que regía allí dentro. Sin embargo, todas eran impacientes y tenían un brillo especial en los ojos, todas estaban desesperadas por que se fijaran en ellas, ansiosas por conseguir la aprobación tanto de las Dotadas como de las profesoras, y mostraban una pasión sin resquicios hacia la Hermandad porque ellas habían elegido venir a este lugar. Era como un culto, había concluido Syl, que decidió mantener sus no menos apasionados sentimientos bien ocultos. De cara al exterior era fría e intocable, mientras que por dentro ardía en llamas.

La única Novicia que parecía compartir su aparente desinterés era Elda. Así que no era nada extraño que ahora la trataran como a la mortecina criatura. Rescatarla del acoso de Tanit y las demás no había hecho más que afianzar ese débil lazo.

Así que Syl deambuló por los pasillos que Elda había recorrido antes que ella, y fue primero a la lavandería, luego al almacén y más tarde a la sala donde Elda pulía cristales y utensilios. Se pasó por el gimnasio, se asomó a la cantina donde las Hermanas del Servicio de guardia se encogieron de hombros con indiferencia ante sus preguntas, hasta que al final alguien la mandó a los alojamientos de Elda, que se encontraban al final de un lóbrego pasillo flanqueado de armarios de suministros. Syl casi se rió, porque durante su propia exploración había pensado que la pequeña puerta que daba a la habitación de Elda no ocultaba más que un armario de la conserjería.

Llamó, pero por respuesta sólo recibió silencio.

—Elda —la llamó con voz aguda y dio unos golpes en la puerta.

Pero la quietud pareció responder por sí sola, así que Syl intentó abrir, aunque titubeando. La puerta estaba cerrada. Empezó a preocuparse. ¿Y si Elda se había caído o estaba enferma? Tal vez yaciera inconsciente en el suelo. Tardaría en conseguir permiso para abrir la cerradura. Tras mirar a su alrededor para asegurarse de que no había nadie cerca, cerró los ojos. Su mente encontró el mecanismo, manipuló la cerradura y al cabo de unos segundos oyó que la puerta se abría de golpe. Una luz se encendió automáticamente y Syl se quedó en el umbral de la habitación más ordenada que había visto en su vida. Era una página tan en blanco como Elda. Lo único que contenía era un catre sencillo, despojado de toda ropa de cama, un armario no más grande que una taquilla, una silla desgastada, y una caja pulida colocada al lado del lecho, encima de la cual había una vela nueva en una palmatoria. El pábilo, blanco, nunca había sido encendido.

—¿Elda? —llamó Syl, sólo para asegurarse, antes de cruzar el umbral, y encogiéndose cuando la puerta crujió. Tuvo que cerrarla casi del todo para poder pasar al diminuto cubículo de la ducha y el retrete, y éste también era un espacio totalmente despojado. No había ni un tarro de crema ni una pastilla de jabón que quebraran las lóbregas líneas, y la mísera celda dormitorio entera olía a lejía. Era como si nadie hubiera vivido nunca allí.

Sin embargo, la mayor sorpresa fue el armario, porque cuando Syl lo abrió descubrió que no contenía nada. Estaba completamente vacío, sin una túnica, una bata ni una pieza de ropa interior a la vista. Tan sólo ganchos de alambre vacíos, como en un hotel barato. Althea nunca había soportado esos ganchos porque deformaban las túnicas, incluso las más fuertes.

Pero ¿dónde estaba Elda?, ¿dónde estaban sus cosas?

—¿Qué estás haciendo, chica?

Syl casi saltó dentro del susto. Justo a su espalda estaba Oriel, pronunciando las palabras en su oído, muy bajas, como un viento enrarecido.

—¡Oh! —exclamó Syl al darse la vuelta, con la cara a unos centímetros de la de la Nairene—. Granmaga Oriel. Buenos días.

Oriel enarcó una ceja vieja y resabiada, en gesto interrogativo.

—Esto —tartamudeó Syl intentando recordar exactamente lo que estaba haciendo, pero la cabeza le daba vueltas y sentía los zarcillos de la mente fluida de Oriel sondeándosela, buscando, llamando tentadoramente a las cámaras de los secretos que guardaba. Syl sacudió levemente la cabeza y esbozó una gran sonrisa ante la Hermana. Era un truco de Ani, pero no quedaba bien en el semblante serio de Syl, y Oriel pareció un poco sorprendida por la hilera de dientes que apareció ante sus ojos, los labios apartados con fuerza para desvelar unas encías rosáceas. Pese a todo, el gesto le dio a Syl la oportunidad de concentrarse y de erigir mentalmente los muros de defensa en su cerebro.

—Estoy buscando a Elda, Su Eminencia. La Hermana Cale me mandó a buscarla..., tiene unas llaves que...

—Como ves, no está aquí —dijo Oriel—. ¿O acaso crees que se ha escondido en su propio armario?

Syl negó con la cabeza pero no dijo nada y bajó la mirada a los pies como si estuviera avergonzada.

—¿Y bien?

—Sólo estaba curioseando, Granmaga —dijo Syl sin levantar todavía la vista.

Oriel dejó escapar una risita grave, que parecía proceder de una mujer mucho más joven.

—¡Oh, qué astuta eres, jovencita! Te crees muy lista. Imaginas que puedes ser más inteligente que las demás haciéndote pasar por tonta. Elda suponía lo mismo, la pobre criatura.

—¿Dónde está Elda? —preguntó Syl.

—Tal vez ha optado por dejarnos. —Oriel frunció el ceño como si esa simple posibilidad le doliera, pero sus ojos chispearon con un extraño brillo—. Como sea, aquí están las llaves que busca la Hermana Cale. Llévaselas inmediatamente. No te entretengas.

Oriel dejó caer un liviano manojo de agujas metálicas en la mano de Syl, y cuando ésta las deslizó despreocupadamente en el bolsillo cavernoso de su túnica sintió unas náuseas repentinas, y le pareció que unas púas se le enganchaban dentro del cráneo y unas espinas ganchudas se aferraban a su tejido cerebral, abriendo pequeños orificios en sus pensamientos. Oriel intentaba leer su mente.

—Interesante —susurró Oriel mirando fijamente a Syl, que estaba inmóvil ante ella, como una presa paralizada ante su depredador—. Eres consciente de que estoy buscando dentro de tu cabeza, lo que puede sugerir la presencia de ciertas habilidades básicas por tu parte. Pero también percibo que tienes mucho que ocultar. Enséñamelo, pequeña. Revélate ante mí.

Con cada palabra que pronunciaba los ganchos profundizaban más y más, sondeando, palpando. Syl sabía que tenía que resistirse, pero ¿cómo? Se concentró en la púas y mentalmente las fue desclavando una por una mientras la voz seguía hablando, casi entonando las palabras, y ella ya no sabía si Oriel hablaba en voz alta o directamente dentro de su cerebro.

—Sé que, tarde o temprano, la presa que has levantado en tu interior se resquebrajará y las aguas se desbordarán, y entonces allí estaré yo para beber en ese torrente. Cada gota será mía. Cada gota será nuestra. Cada secreto que guardas en esa arrogante cabeza tuya. Todo. Todo será nuestro. —Oriel sonrió con frialdad—: Igual que tu padre es todo nuestro.

Su padre..., ¿qué sabía Oriel de su padre? Syl se irguió enfurecida. Un destello de rabia incandescente la recorrió de arriba abajo, tiñéndole la visión mientras su corazón bombeaba la sangre cada vez más rápido. Se irguió cuanto pudo, pero aun así tenía que alzar la vista para mirar a la imponente anciana que tenía delante.

—¿Qué ha dicho?

Las púas eran ya poco más que un cosquilleo, su efecto se amortiguaba por la fuerza de la propia furia de Syl. Sentía esa furia como un calor que ascendía, como una oscuridad que lo cubría todo, un estanque negro de ira que giraba cada vez más rápido, buscando una salida, y de repente Oriel hizo una mueca y se llevó una mano a la sien. Pareció que le flojeaban las piernas, dio unos pasos atrás y palpó a ciegas buscando la cama que tenía detrás, antes de dejarse caer pesadamente sobre ella.

¡Oh!, ¿qué había hecho Syl? Había ido demasiado lejos —la bruja lo sabría, iría a por ella, pero no ahora, por favor, todavía no, era demasiado pronto—, e inmediatamente la rabia abandonó a Syl, su rostro se transformó en una máscara inexpresiva. Respiró hondo, se acercó a la cama y se arrodilló en el suelo, a los pies de Oriel, recomponiendo cuidadosamente sus rasgos para fingir preocupación.

—Granmaga, ¿qué pasa?, ¿no se encuentra bien? —dijo.

Durante interminables segundos todo permaneció en silencio. Oriel estaba sentada, totalmente inmóvil, con la cara oculta entre las palmas de las manos. El cerebro de Syl permanecía inalterado, intacto.

—¿Granmaga?

Siguió una larga pausa.

—¿Oriel?

La manos de Oriel se abrieron de golpe y aferraron la cara vuelta hacia arriba de Syl y sonrió triunfante.

—¡Tú! Sí, tienes algo. Por fuerza debes de tenerlo, si no ¿por qué...?

Syl intentó soltarse, aterrorizada, mientras los dedos afilados de Oriel escarbaban en el nacimiento de su pelo. Sintió que las sondas volvían a presionar su cerebro y que las púas intentaban seguir una ruta hacia atrás, por su columna, para introducirse en su bulbo raquídeo, y no sabía qué hacer para detener el examen de Oriel mientras se desparramaba bajo las puertas mentales que ella mantenía cerradas en su mente, y se filtraban a través de las grietas en las paredes que había levantado. Compartimentos estancos, pensó, necesito compartimentos estancos, y empezó a visualizarlos, pensando en submarinos y naves espaciales, en puertas con ruedas que las abrían y cerraban, ruedas que ella trabó mentalmente para que no pudiesen moverse una vez se cerraba cada puerta, y durante todo ese rato Oriel la obligaba a mirar su cara crispada.

—Tal vez —chilló desesperadamente Syl—, tal vez está sufriendo un ataque de corazón, Hermana.

Y con un esfuerzo descomunal, en parte mental, en parte físico, se echó hacia atrás, alejándose de las garras de Oriel. La anciana Hermana suspiró profundamente, se deslizó hasta el suelo y su cráneo golpeó contra la piedra. Sus ojos se quedaron en blanco y, al reventarle las venas, se llenaron de sangre.

—Déjeme pedir ayuda —dijo Syl y se arrastró hacia la puerta. Entonces se detuvo un instante y volvió junto a la Hermana caída. Se arrodilló al lado de Oriel, puso las manos en las sienes de la bruja e intentó borrar de su memoria todo recuerdo de lo que acababa de ocurrir en la habitación de Elda. Quizá no lo lograra, pero debía intentarlo. Luego, salió corriendo de la celda sofocante y fue a buscar ayuda. Mientras corría, los pensamientos líquidos de Oriel se diluyeron goteando hasta quedar en nada mientras la Granmaga perdía su agarre en la realidad y la conciencia. Pero el miedo que había implantado en la mente de Syl no se desvaneció.

Syl entró tambaleándose en el aula de ciencias, sin aliento, y todas se volvieron hacia ella.

—¿Qué ocurre? —preguntó Cale frunciendo el ceño.

—¡Oriel!

—¿Qué pasa con la Granmaga Oriel?

Syl, alterada, abrumada, contó su versión.

—Se ha puesto enferma. Se ha caído. Creo que le ha dado un ataque al corazón. En los alojamientos de Elda.

Cale, boquiabierta, salió corriendo del aula y, como si fueran una, las Dotadas se pusieron en pie de un salto para seguirla como la cola azul de un cometa. Las chicas de túnicas amarillas no tardaron en apartar estrepitosamente sus sillas y abrirse paso también, pero se apretujaron inseguras en la puerta, hasta que algunas, más resueltas, se atrevieron a salir y fueron en pos de la acción. Syl se quedó sola, jadeando. Bueno, casi sola, porque unas manos amables la cogieron de los hombros y la acercaron a una silla.

—Siéntate —dijo Ani—. Respira. No pasa nada, Syl.

Cuando Syl alzó la mirada al rostro de su amiga, no pudo evitar una sonrisa.

—¿Sigues aquí?

—Claro que sí. Soy tu mejor amiga, Syl, ¿o es que te has olvidado?

Syl suspiró.

—No. Pero pensaba que tú sí te habías olvidado de mí, Ani. Creía que las preferías a ellas.

Ani la miró con dureza, luego se dio la vuelta y cerró la puerta. Estaban las dos a solas, como siempre habían estado, salvo que ahora era distinto, muy distinto.

—Mira, Syl, en este momento en realidad no me caes muy bien. Nunca sonríes. Nunca te ríes. Lo detestas todo y a todas, y eres desagradable y maleducada siempre, mientras que yo sólo intento adaptarme un poco, hacer amigas. ¿Es eso tan malo?

—Pero, Ani, ¿cómo puedes soportarlo? Después de todo lo que hemos pasado, después de lo que hizo Syrene. ¿Cómo puedes jugar a la familia feliz con las Hermanas cuando sabes lo que son en realidad?

—De eso precisamente se trata, Syl: no sabemos qué son. Pero no creo que sean tan espantosas, al menos no creo que sean más espantosas que la Resistencia humana. ¿Es Paul malo?, ¿y Steven?

—Oh, no, claro que no —dijo Syl en voz baja y sintió que se le hacía un nudo en el estómago al mencionar a Paul, su Paul, el joven humano de labios esponjosos al que había besado, un beso cuyo recuerdo todavía le producía un cosquilleo, la acaloraba y la hacía sudar cuando yacía sola en la cama por las noches, deseándole con toda su alma.

—Exactamente. Bien, vamos a estar aquí hasta que nos dejen irnos, y eso bien podría ser nunca, nunca jamás, sobre todo si no intentamos encontrar el modo de encajar. Y fuiste tú la que nos presentaste a las dos como voluntarias para venir —prosiguió Ani—. Y, de verdad, no quiero que cada instante de mi futuro previsible sea un horror, pero tú pareces empeñada en que el tuyo sí lo sea.

—Escúchame, Ani...

—No, escúchame tú. Sabemos que hay algo podrido en Syrene, y es posible que algunas de la Hermandad también estén afectadas, pero estamos aquí, y tenemos mucho que aprender, y aprendiéndolo tal vez podamos cambiar las cosas. Aquí hay ilyrias brillantes que quieren enseñarnos, hacernos más sabias y más fuertes.

—Es posible que lo quieran para ti —dijo Syl.

—Bueno, no puede decirse que te hayan impedido aprender, tontuela —dijo Ani—. Pero estás demasiado ocupada escabulléndote por ahí, poniendo tanto empeño en descubrir tu gran conspiración que parece que hayas perdido de vista los detalles cotidianos, las pequeñeces del día a día. Esto es una oportunidad, y yo, para empezar, pretendo aprovechar cuanto pueda de lo que me ofrece. Ojalá tú lo hicieras también, Syl. Ojalá te esforzaras más para llevarte mejor con las demás. Algunas de ellas están bien, como Tanit, por ejemplo, aunque ya sé que te niegas a creerlo, y Dessa también parece sincera. Y aquí estamos atrapadas. Más vale que intentemos que sea una experiencia lo más agradable posible. Si hacemos amigas es más probable que nos consideren una más, ya sabes, y que nos cuenten las cosas directamente. Las Dotadas saben mucho. Y tienen muchos contactos.

—Pero ellas me odian —dijo Syl mirándose las zapatillas, ruborizándose de vergüenza.

—Es porque creen que eres una zorra engreída. Y lo eres.

Syl levantó la mirada a su amiga, dolida, y Ani se rió, pero no lo hizo con desprecio.

—Eres muy inteligente, divertida y leal, y también decidida. ¡Muy decidida! Sólo tienes que relajarte un poco, Syl. Baja la tensión un peldaño.

—Pero hay muchas cosas que hacer, ¡muchas que averiguar!

—¿Y cómo piensas enterarte de nada si te pones a las demás en contra todo el tiempo? Si te abres, es posible que ellas también lo hagan.

Syl sintió que empezaban a correrle las lágrimas por las mejillas. Ani sacudió la cabeza y se agachó hasta acuclillarse, tomando las manos de Syl entre las suyas.

—Por favor, dime que lo pensarás, Syl. Sólo que pensarás en lo que acabo de decirte.

Syl asintió con un gruñido, porque no se veía capaz de hablar sin sollozar como una niña. Ani la miró con firmeza a los ojos, y Syl vio que su amiga también estaba llorando.

—Como te he dicho, no me caes muy bien en este momento, Syl, pero te quiero con todo mi corazón. Siempre te he querido, y siempre te querré. Eres mi verdadera hermana, para siempre. ¿Vale?

Syl asintió.

—Claro —dijo—. Y yo te quiero a ti. Para siempre.

17

La pequeña lanzadera de investigación requisada por Paul y los demás estaba concebida para la exploración de superficie. Aunque podía viajar más allá de la atmósfera, ésa era una función que en realidad sólo se utilizaba en caso de emergencia, cuando no quedaba otra opción y una nave mayor la esperaba, lista para acogerla. Sus provisiones de combustible eran limitadas; sus sistemas de navegación extraplanetaria, poco más sofisticados que asomarse por la ventanilla de la cabina de mando y decidir qué dirección tomar guiándose por las estrellas. Steven pilotaba la lanzadera hacia el *Envion* circunnavegando el pequeño planeta, basándose en lo que recordaba de las coordenadas originales del destructor para devolver la lanzadera a casa.

—Todavía no hay respuesta del *Envion* —dijo Paul.

—Sigue intentándolo —dijo Peris—. Tiene que estar ahí fuera, en alguna parte. —Estaba preocupado, pero trataba de no dejarlo traslucir.

—Deberíamos tenerlo a la vista dentro de unos minutos —dijo Steven.

Los escáneres de la lanzadera eran estrictamente de corto alcance, y el *Envion* todavía no había aparecido en ellos. Lo que Steven observaba en la pantalla eran restos inidentificables, lo cual le extrañaba. No había visto ninguno de esos restos durante el trayecto de descenso a Torma.

—¿Qué es eso? —preguntó Paul al percatarse de los centelleos en la pantalla.

—Podrían ser cualquier cosa —dijo Steven—. Tal vez fragmentos de meteorito.

Se acercaban ya a los objetos. Paul creyó que incluso veía algunos flotando hacia la lanzadera.

—No parecen meteoritos —dijo.

—No —convino Steven—, no lo parecen.

Peris estaba entre ambos. Su vista ilyria era más aguda que la de los humanos y le oyeron respirar sorprendido, casi con dolor.

Y entonces también lo vieron.

Un cuerpo, girando en el espacio.

Un segundo cadáver chocó contra la lanzadera cuando todavía intentaban esquivar el primero. Se acercó desde babor y golpeó contra la ventanilla de la cabina. Paul captó un breve vislumbre de un rostro congelado en su último grito. Llevaba el uniforme de las Brigadas, un par de franjas rojas paralelas en el cuello de su traje de faena. Incluso muerto, Paul reconoció al soldado. Era Lambert, el cabo de la segunda unidad. Paul y él nunca habían congeniado. Lambert era un fanático, un devoto de la causa ilyria. Había algunos humanos como él, hombres y mujeres que sentían que su propia especie les había decepcionado y se alegraban de poder unir su suerte a una nueva raza. Lambert no se había mostrado lo bastante inteligente como para ascender más allá de cabo, y dado su afecto hacia los ilyrios, la mayor parte de su propia unidad apenas le aguantaba. Eso sólo había servido para que se multiplicara el odio de Lambert contra la humanidad. Siempre estaba amargado, siempre cabreado. Pero ahora su rabia había llegado a su fin.

Rizzo y Thula se situaron junto a Peris, y los cinco contemplaron las consecuencias del desastre que hubiera sufrido el *Envion*. El otro cuerpo, el primero que habían divisado, era femenino, pero cuando giró hacia ellos Paul vio que había perdido la mayor parte de la cara. Paul se fijó en que el pelo parecía moreno, lo que significaba que era Stanton o Kotto. Seguramente Stanton. Kotto era más corpulenta, más ancha. A Paul le caían bien las dos.

De repente ya no hubo tiempo para preocuparse por la identidad de los cadáveres. Aparecieron grandes pedazos de restos, algunos mayores que la propia lanzadera. Las pantallas de ésta revelaron la posición del *Envion* instantes antes de que lo tuvieran a la vista, pero todavía no mostraban las dos naves que se mantenían a cierta distancia de la amura de babor del crucero. Los que iban en la lanzadera las vieron con sus propios ojos antes de que los escáneres confirmaran su presencia.

La cubierta de mando del *Envion* había sido arrasada, inutilizando la nave entera. También había dos brechas abiertas a proa y popa de los alojamientos de la tripulación, pero, aparte de eso, el *Envion* seguía más o menos intacto; sus atacantes no lo habían rematado.

Al instante, Steven apagó los motores de la lanzadera. Puede que no hubieran dejado todavía un gran rastro de calor, pero bastaría para llamar la atención sobre ellos si estaban monitorizando la zona. Steven condujo la lanzadera hacia el *Envion* soltando pequeños chorros de aire desde la cabina, ajustando con precisión el rumbo cada vez que lo hacía, intentando ocultarse entre los cuerpos y los restos que se habían desgajado de la gran nave.

—¿Quiénes son? —preguntó Paul.

—Nómadas —dijo Peris.

Sin embargo, los nómadas nunca habían atacado una misión militar o diplomática. Hacer algo así significaba asumir el riesgo de su completa destrucción, aunque llegaran a escapar con vida del primer ataque. Los ilyrios les habrían perseguido hasta el confín del universo como represalia. Además, los nómadas tampoco solían utilizar los agujeros de gusano: sus naves de chatarra habrían acabado destrozadas. Pero ahí, parecía, había dos naves nómadas —supuestamente recién llegadas a través del agujero de gusano, porque no había otra forma de llegar a Torma, ni siquiera desde los sistemas ilyrios periféricos, sin tener que viajar durante siglos— vigilando un destructor militar mutilado.

—Las puertas de la cubierta están selladas —dijo Paul.

—Ya lo veo —dijo Steven—. Voy a situarnos bajo el CAU.

Todas las naves ilyrias iban equipadas con al menos un Conector de Atraque Universal, que consistía básicamente en un agujero sellado en el casco al que otra nave podría sujetarse cuando no era posible un aterrizaje normal en el hangar.

Nadie necesitaba preguntar por qué Steven se enganchaba al *Envion*. Esencialmente, no le quedaba más remedio. Ni el aire ni el combustible de la lanzadera durarían mucho, y menos aún si Steven utilizaba las reservas para desplazarse. A partir de ese momento, el *Envion* era su mejor posibilidad: estaba claro que los asaltantes nómadas no tenían previsto destruirlo. Si ésa hubiera sido su intención, ya lo habrían hecho. Habían disparado contra ciertas secciones del destructor para acabar con la tripulación y las unidades de la Brigada. El paso siguiente de los asaltantes sería subir a bordo, eliminar los restos de resistencia y...

¿Y qué?, se preguntó Paul. ¿Qué pretendían hacer los nómadas con un destructor militar? Había objetivos más fáciles. Además, ¿qué pintaban aquí, tal lejos de Ilyr?

El *Envion* ocupó toda la ventanilla de la cabina, y el ángulo de aproximación de la nave más pequeña variaba constantemente según Steven la guiaba, tanto para esquivar los restos como para que su trayectoria pareciera menos directa, menos artificial. Ya estaban cerca. Tan cerca que Paul veía el CAU en la parte de abajo del *Envion*. Había otro sobre el casco, pero si utilizaban ése habrían quedado expuestos a los nómadas. Además, el CAU inferior estaba más cerca de los alojamientos de la tripulación dañados, lo que les ayudaría a ocultarse entre los escombros.

Thula desplazó un panel del techo de la lanzadera para dejar al descubierto el cierre de su propio enlace del CAU; luego, desplegó hacia abajo la escalera telescópica que les permitiría ascender y pasar por él. Con un poco de suerte, subirían a bordo del *Envion* sin que detectaran su presencia. Si no, una de las naves nómadas posiblemente la haría pedazos sin causar más daños al *Envion*, como el que aplasta una mosca en una mesa.

Steven situó con cuidado la lanzadera bajo el atraque, observando su movimiento en las pantallas, desplazando la pequeña nave hacia la izquierda, luego a la derecha y abajo, hasta que los dos círculos de la pantalla se superpusieron, y entonces ajustó los propulsores y encendió brevemente los motores dándoles sólo el impulso suficiente para enderezarlos. Con suerte, para cualquiera que estuviera observando desde las naves nómadas, el breve rastro de calor no parecería más que un incendio provocado por los daños de los impactos.

Completado el atraque, Paul utilizó la red neuronal de su casco para comunicarse con los sistemas del *Envion* y observó mientras se descargaba un informe de situación en su lente.

—Tenemos aire —dijo—. Los alojamientos de la tripulación, el centro de mando y el comedor se han sellado y aislado del resto de la nave.

Los sistemas del *Envion* estaban diseñados para que, si se producía una fisura en el casco, se aislaran automáticamente las secciones dañadas para evitar más pérdidas de vidas.

—¿Señales de vida?

—Sólo una. Ha activado su baliza de peligro. Es Galton. Se ha refugiado en los alojamientos de los oficiales.

El *Envion* había llegado a Torma con veinte soldados humanos de las Brigadas, dos oficiales ilyrios y su propia tripulación de treinta. Sólo quedaban siete con vida.

—¿Algo más que debamos saber? —preguntó Peris.

—En el hangar hay dos naves —dijo Paul.

—¿Dos?

—Una de las nuestras y una nave civil, la *Dendra*. Recibo dos señales de vida.

Paul miró a Peris.

—Tal vez los nómadas no iban por el *Envion* —dijo Paul—. Tal vez persigan a la *Dendra*.

—Bueno —dijo Peris—, pues tampoco van a llevársela, no sin que luchemos. —Le hizo un gesto a Thula—. Abre.

Mientras Thula abría el conector, Peris se dirigió a Paul.

—¿Y bien?

—¿Y bien... qué? —respondió Paul, sinceramente perplejo.

—Con De Souza fuera de juego, tú eres el oficial humano superior a bordo —dijo Peris.

—Señor, sólo soy sargento.

—Pues ahora eres teniente. Acabo de ascenderte. —Peris se inclinó para acercarse más—. Eres oficial. Empieza a comportarte como tal. Yo puedo dar órdenes a los miembros de una Brigada humana, y ellos las obedecerán, pero a mí no me seguirán. Antes de que nos demos cuenta es posible que estemos luchando por nuestras vidas. Necesitan un líder. Y, ahora mismo, ése eres tú.

Paul se fijó en que los demás se habían quedado callados. Le observaban, curiosos por ver cómo reaccionaba, esperando comprobar si merecía que lo siguieran.

116

—¿Cuáles son las órdenes, teniente? —preguntó Peris.

Como ya le había pasado en Torma, Paul sintió que reaccionaba instintivamente a la situación, como si sus palabras se adelantaran a sus pensamientos.

—Thula, lleva a todos a bordo y déjalos a salvo, luego sella el CAU. Quiero que quede inutilizado. Cuando atraquen tendrán que hacerlo a través del enlace delantero. Rizzo, deja a De Souza en algún lugar seguro y cómodo, luego ve a buscar a Galton. Quiero ver si podemos recuperar alguno de los sistemas del *Envion*.

—¿Y yo qué? —preguntó Peris. No dio la menor pista de si aprobaba o no las decisiones de Paul. Peris había ordenado que el joven humano se hiciera con el mando, y eso había hecho. No iba a desautorizarlo ahora.

—Necesitamos armas terrestres —dijo Paul—. Pistolas, escopetas, lo que haya en la armería. No podemos utilizar armas ilyrias contra ilyrios, ni siquiera contra nómadas. Si nos abordan, tendremos que hacerles frente al modo antiguo.

Peris asintió y fue a ayudar a Rizzo a cargar con De Souza. Paul se volvió hacia Steven.

—En cuanto todos estén a salvo fuera del puerto de atraque, deja que la lanzadera vaya a la deriva, ¿entendido? No queremos que la vean.

—Sí —dijo Steven—. ¿Puedo hacer una pregunta?

—Hazla.

—¿Por qué vamos a dejar que los nómadas atraquen siquiera?, ¿por qué no sellamos los dos conectores?

—Porque —dijo Paul—, si no pueden subir a bordo, puede que simplemente nos destruyan, y eso no sería agradable. Si les dejamos subir, pero les dictamos por dónde entrar y cómo, la ventaja será nuestra. Ésa es la primera razón.

—¿Y la segunda?

—Porque quiero una de sus naves.

18

Tras su confrontación en el aula, las cosas empezaron a mejorar entre Syl y Ani. Las viejas amigas tal vez fueran un poco más formales y envaradas entre ellas que en el pasado, como si algo hubiera cambiado y se hubiera recolocado, ligeramente descentradas, desde su llegada a la Marca. Con todo, una vez más volvían a tropezarse con gusto en sus habitaciones compartidas, y eran amables la una con la otra, tenían cuidado de dejar el baño como les gustaría encontrárselo, y la consideración de ofrecer té o compartir los pequeños viales de licor de cremos que recibían otras chicas en paquetes de comida que les enviaban sus familias y que luego revendían a precios generosamente inflados. A ese respecto, al menos, Syrene había tenido razón: el vino de Ilyr era ciertamente de otro mundo.

Ilyr... A veces Syl contemplaba su planeta desde la ventana, alzándose brillante como una joya, mientras que otras veces parecía partido por la mitad, como una fruta exótica, por el eclipse que producía la sombra de Avila Minor. Ilyr era dorado, pero salpicado de verde y con espirales de color azul, y a través del telescopio del laboratorio de astronomía distinguía los esporádicos destellos brillantes de los violentos relámpagos que caían en la zona alta de la atmósfera del planeta; aun así, era como si se hallara a un millón de kilómetros. Miraba Ilyr en fotografías, lo reproducía en pantallas y leía cuanto podía sobre las estrellas y planetas de esta galaxia, y pese a todo, el orbe resplandeciente seguía siendo un misterio, como un sueño que no podía tocar en la vigilia.

—Me pregunto —le dijo a Ani— si saldremos alguna vez de esta roca y volveremos a ver el lugar del que venimos.

Estaban compartiendo el último cremos, como si brindaran por su nueva tregua.

—¿La Tierra? —dijo Ani, burlándose de su amiga.

—No, boba, Ilyr.

Ani se acercó y se asomó también a la ventana. Miró a Syl de soslayo, con malicia.

—Nunca se sabe —dijo—. Si jugamos bien nuestras cartas, podría ocurrir antes de lo que imaginas. Tanit dice que cada año se celebra en Ilyr un gran baile al que asisten las mejores Novicias. No siempre ha sido así, pero Tanit me ha contado que todo cambió desde que la Hermandad permitió que las Hermanas se casaran.

Syl, que no replicó, se retorció por dentro ante la simple mención del nombre de Tanit. Tanit odiaba a Syl, un sentimiento completa y visiblemente recíproco, aunque Ani se comportara deliberadamente como si no se diera cuenta. Sobre la cuestión de la bella, perversa y majestuosa Tanit parecía escrito que las amigas nacidas en la Tierra estaban condenadas a no entenderse. Ani parecía hipnotizada por la chica y se ruborizaba cuando Tanit le sonreía, o se quedaba inmóvil como una estatua cuando le acariciaba el pelo las raras ocasiones en que compartía una tarea en clase con ella. Sí, la joven ilyria era una polilla inconsciente alrededor de la peligrosa llama de Tanit.

Por norma, Syl procuraba evitar a Tanit y a su pandilla siempre que podía. Con todo, Tanit no se cortaba en empujar a Syl cuando llevaba su bandeja por la cantina, o derramaba zumo sobre su comida, o se burlaba en silencio ante su desnudez junto a las duchas después de las clases de gimnasia, hasta el punto de que Syl se había acostumbrado a cambiarse el equipo sudado en la intimidad de sus alojamientos en lugar de en el vestuario. En clase, Tanit cruzaba comentarios en voz baja con Sarea y Nemein cada vez que Syl respondía una pregunta, mofándose de su acento terrestre, porque el idioma de Syl estaba aliñado con inflexiones del mundo en el que había nacido y por el suave acento escocés que le salía de manera natural. El hecho de que el habla de Ani tuviera el mismo dejo no parecía importarles a Tanit ni a sus acólitas. El objeto de su desprecio era Syl, no Ani. Ahora Syl, por su amistad con Ani, había aceptado retroceder ante una pandilla perversa de niñatas mimadas de dientes muy afilados.

Sin darse cuenta de ello, Ani siguió hablando:

—... y en cuanto al baile, que se llama el Baile del Génesis, a cada debutante se le dan túnicas exquisitas y joyas preciosas para que las luzca, porque al Baile del Génesis sólo asiste lo mejor de la sociedad ilyria. Lo mejorcito —enfatizó Ani. Las palabras que salían de labios de Ani eran claramente las de Tanit, repetidas una por una, porque no sonaban ni de lejos propias de Ani. Con todo, la cara delicada de Ani resplandecía de emoción—. Syl, si tuviéramos suerte, podrían seleccionarnos también.

Syl frunció el ceño.

—¿Por qué?, ¿quién escoge a las que van?

—Syrene, claro. No sé ni por qué lo preguntas.

—¡Syrene! ¿De verdad, Ani? Por favor, dame una razón por la que Syrene nos elegiría a nosotras. No lo haría ni aunque se acabara el mundo.

Ani se contuvo un momento, como si se lo pensara, y pareció avergonzada cuando finalmente respondió:

—Syl, no quiero restregártelo por las narices, pero yo soy de hecho una de las Dotadas, no sé si te acuerdas. Tanit dice que, de todas las Novicias de primer año, Mila y yo somos las que tenemos más posibilidades de ser elegidas, porque somos Novicias Azules. Tanit y las demás Dotadas fueron invitadas el año pasado, claro, pero también Xaron, que por entonces era una de las nuevas, y las otras habían ido también antes, cuando eran Novicias primerizas, como yo. Así que tengo posibilidades muy reales. —Mientras hablaba, con la mirada le pedía en silencio a Syl, suplicándole: *No me lo fastidies.*

—Me alegro por ti, querida, pero yo sigo teniendo cero esperanzas —dijo Syl con amargura, intentando tragarse su frustración. Toda su vida había fantaseado con caminar por su planeta, respirar el aire para el que habían sido creados sus pulmones, sentir la legendaria liviandad de su gravedad que permitía que las plantas y las criaturas del planeta crecieran altas y gráciles. Había visto fotografías y se había sumergido en recreaciones virtuales, pero eso era muy distinto a tocarlo, sentirlo, estar envuelta en su atmósfera tibia con los pies en sus arenas y sus ojos embebiéndose de horizontes exóticos.

Y, claro, una ocasión de tan alto nivel en Ilyr también sería una buena oportunidad para escarbar más hondo. Podría conocer a la flor y nata de la sociedad ilyria, y tal vez adivinar quién era quién y quién sabía qué. Podía hablar con gente influyente, poniendo todas sus habilidades de «Diplomacia Aplicada» a trabajar para relacionarse con ilyrios con poder real, y con aquellos que podrían tener alguna idea de lo que estaba sucediendo. Tal vez también se enteraría de las batallas en otros mundos; tal vez recibiría noticias de la Tierra, y de su padre; tal vez alguien sabría decirle dónde estaba Peris y, por extensión, sabría entonces algo de Paul, y de Steven también, claro, pero los recuerdos de Paul se aferraban como zarpas a su corazón. A veces temía que hubiera muerto, caído en una guerra que no era la suya, lejos de su amado hogar en Escocia, y otras veces fantaseaba con que él la había olvidado o se había enamorado de otra, de una chica humana como él. Y le avergonzaba admitir que en las horas más oscuras de la noche, mientras se sumía en sus sueños mortificantes y confusos con él, no sabía qué sería peor.

—Nunca se sabe —dijo Ani, inconsciente de las cavilaciones de su amiga mientras sorbían las últimas gotas de sus diminutos viales de cremos.

Hubo un tiempo en que Ani había sido capaz de percibir mejor los sentimientos de Syl, pero eso era antes de que ambas se dieran cuenta de la amplitud de los poderes psíquicos de Ani, y antes de que Syl descubriera su propia fuerza secreta y aprendiera a cerrar su mente a aquellos que deseaban acceder a sus pensamientos. Curiosamente, Ani no había percibido la desconexión.

Juntas contemplaron a través del cristal cómo Ilyr se hundía detrás del horizonte dejando sólo un cielo saturado de los destellos oscuros de un millón de soles remotos.

—Umm —murmuró Syl.

—Syl, te lo digo de veras, es posible. ¿Por qué no ibas a venir al baile? Tanit tiene cierta ascendencia sobre Syrene, yo soy una de las Dotadas y tú eres mi mejor amiga. Tal vez Tanit podría ayudar a que Syrene cambie de opinión si se lo pido. Pero tienes que ser agradable con ella. Amable.

Syl se rió a su pesar.

—Ani —dijo—, si Tanit tiene de verdad la menor influencia sobre Syrene, y si se entera de que quiero ir al Baile del Génesis, puedes estar segura de que tu amiga me pondría la última en la cola de todos los mundos para ser invitada. No, seguiré aquí, junto a la chimenea, abrazando mi calabaza y limpiando mis zapatillas de cristal, y ya me contarás cómo ha ido cuando tu carruaje te traiga de vuelta a casa.

Ani también se rió.

—Oh, pobre Cenicienta. Entonces, yo ¿quién soy?, ¿una fea hermanastra?

—Bueno, no tan fea...

—Gracias..., eso creía.

—Puede que sólo un poco prosaica. Sencilla, incluso.

—Cállate, Syl.

—Me callaría si tuvieras más cremos.

—Dios, eso me gustaría a mí. Pero nunca se sabe: un hada madrina podría agitar su varita mágica y...

Syl sonrió, pero tenía que admitir para sí que Ani había plantado una semilla. Tal vez lo había enfocado todo de la manera equivocada, y había llegado el momento de fingir que quería estar aquí y hacer nuevas amigas. O, al menos, no tantas enemigas.

Pero no Tanit. No, antes reventaría que hacerle la pelota a esa zorra.

19

Galton, atrapado en el *Envion* y firmemente convencido de que iba a morir solo, se tranquilizó al ver a Paul y los demás después de que Rizzo se las apañara para convencerle de que no disparara cuando les oyó acercarse. También aclaró hasta cierto punto cuál era la situación de la *Dendra:* sus ocupantes ni siquiera habían tenido tiempo de desembarcar cuando aparecieron los nómadas, y el comandante Morev había ordenado que permanecieran en su nave hasta que fuera seguro salir. Para que le obedecieran había sellado todas las salidas desde el hangar.

Los supervivientes a bordo del *Envion* contaban con una ventaja sobre los nómadas: todas las naves militares y diplomáticas disponían de una potente protección interior diseñada para repeler el escaneado, de manera que los nómadas no podrían saber cuántos individuos seguían con vida en el *Envion*. Si los atacantes eran inteligentes —y el hecho de que hasta el momento se hubieran mantenido a distancia de la nave dañada indicaba que no sólo eran listos sino también cautos—, darían por supuesto que todavía quedaban fuerzas hostiles en la nave y que cualquier tentativa de abordarla implicaría combatir. Sin duda, imaginaban que se les avecinaban problemas. Simplemente no se hacían una idea de la magnitud de éstos.

Paul sabía, no obstante, que, aunque no hubieran inutilizado uno de los puertos de atraque, los nómadas probablemente habrían concentrado el abordaje en el puerto superior, el más cercano a la popa, porque éste era el más próximo no sólo al área del hangar sino también al Centro de Control Secundario. Con la cabina de mando destruida, todos los sistemas se derivaban al CCS. Desde ahí, cualquiera que siguiera con vida a bordo del *Envion* podía manejar los controles ambientales así como las armas que todavía funcionaran. El *Envion* no habría caído en manos de los nómadas hasta que se hubieran adueñado del CCS.

Paul observó cómo Peris abría la armería, porque sólo los ilyrios tenían acceso sin restricciones a las armas terrestres.

—¿Te has fijado? —dijo Peris—. Parece que soy el único ilyrio que queda con vida a bordo de esta nave.

—¿Y?

—Sería fácil, en el fragor de la batalla, que perdiera la vida. Si consiguieras hacerte con una de esas naves nómadas, podrías intentar huir.

Paul le sostuvo la mirada.

—No voy a matarte, Peris. Ni yo ni ninguno de los otros. Y no vamos a intentar escapar. Los ilyrios no pararían hasta alcanzarnos.

—Los ilyrios ni se enterarían. Hay cuerpos flotando en el espacio. Cuando llegue un equipo para investigar lo que ha ocurrido, será prácticamente imposible saber quién murió y cómo.

—Hablas como si quisieras que huyéramos.

—Intento pensar como pensarías tú.

—Con el debido respeto, no tienes ni idea de cómo pienso.

Un zumbido resonó en sus comunicadores, que cobraron vida. Era Steven.

—Una de las naves nómadas ha iniciado su aproximación. Viene directa hacia el puerto de atraque superior, como habías dicho. Tiempo Estimado de Llegada, TELL: siete minutos.

—¿Y la otra?

—Ha empezado a volar en círculos.

—Estará monitorizando nuestros sistemas de armamento —dijo Peris—. A la menor señal de que nuestro cañón pesado o nuestros torpedos se activen, nos disparará.

—Por eso nos mantendremos alejados del armamento de la nave. Recoge esas armas personales y toda la munición que puedas cargar.

Paul volvió a encender su comunicador.

—Galton, ¿estás en tu posición?

—Sí, listo.

Galton se encontraba en el CCS. Tenía una misión que cumplir en cuanto los nómadas subieran a bordo, y luego se uniría a la lucha.

—¿Steven?, ¿Rizzo?

Dos voces confirmaron que estaban preparadas.

—Acordaos —dijo Paul—. Dejad que se acerquen. Sabemos adónde van.

Dados los daños sufridos por la nave y las secciones selladas, los nómadas estaban obligados a dirigirse a la derecha en cuanto entraran, a desplazarse hacia la popa. Eso, en cualquier caso, convenía a los propósitos de los nómadas si querían llegar a los hangares y al CCS. Un único pasillo se dirigía a la popa alargándose casi cien metros. Ahí les tenderían la trampa.

—¿Thula?

La tarea de éste era la más peligrosa. Su objetivo era asaltar la nave nómada.

—Listo, teniente —respondió la voz de Thula por el enlace de comunicaciones.

Paul creyó detectar un matiz burlón en el uso que hacía Thula de su nuevo rango, pero no se lo tomó como algo personal.

—Tú tienes que decir: «Sí, señor; sí, mi teniente».

—Procuraré recordarlo, teniente, sí, mi señor.

Peris salió de la armería, llevando todo el armamento y munición que podía. Paul tomó dos de las escopetas, introdujo un cargador de diez balas en una y cargó un cartucho. Añadió cuatro cargadores más y una caja de balas del calibre 38 para su revólver.

—¿Estás seguro de que no pretendes empezar una guerra por tu cuenta? —preguntó Peris.

Le miraba con malicia, y Paul se preguntó si, después de todo, Peris conocía mejor sus pensamientos de lo que ambos preferirían admitir.

—Si lo hago, tú serás el primero en enterarte.

—Como ya he indicado, eso es lo que me preocupa.

Peris bajó la mirada a sus pies. Había descartado el calzado militar de su uniforme, siguiendo las órdenes de Paul, y ahora llevaba pesadas botas antigrav, como todos los demás.

—Es todo un plan —dijo Peris.

—Si funciona.

—Si no, nadie lo sabrá nunca. Suerte.

—Lo mismo digo.

Se separaron en el pasillo principal; Paul fue hacia la derecha; Peris, hacia la izquierda. La voz de Steven restalló en el oído de Paul.

—TELL: dos minutos.

—Los oiremos cuando se conecten —dijo Paul—. Silencio de radio.

El auricular enmudeció. Paul corrió a ocupar su posición. Rizzo había bajado una escala para él. Subió, la recogió tras llegar arriba y recolocó sin ajustar del todo el panel del techo. A través de su rejilla veía pasillo abajo. El techo tenía tres paneles a lo ancho. Paul se colocó en el del extremo de la derecha, dejando a Rizzo el de la izquierda. Cuando llegara la lucha no quería que ninguno de los dos se colocara en la línea de fuego del otro. Paul lanzó a Rizzo una escopeta y dos cargadores.

—Nunca he matado a un ilyrio —dijo Rizzo.

—¿No?

—Tú sí, ¿verdad?

—Sí.

—¿Te gustó?

—No me acuerdo.

Rizzo se rió.

—Mentiroso —dijo—. Pero yo sé que me gustará.

Un sonido metálico recorrió la nave como un eco, acallando a Rizzo. Había sido un tono ominoso, como el de una gran puerta al cerrarse sellando los destinos de cuantos quedaran atrapados dentro.

Los nómadas habían atracado.

Thula fue el primero en atisbarlos. Como los demás, estaba escondido en el techo, y miraba hacia abajo desde los paneles. Iban vestidos como nómadas, con ropa que habían arrebatado tanto a militares como a diplomáticos y a civiles sin distinción; llevaban los rostros ocultos con máscaras de protección salpicadas de huellas de disparos y recubiertas de bufandas y turbantes, pero se movían con la precisión de soldados experimentados, y sus armas parecían limpias y en buen estado. Tal vez no fuera muy sorprendente su disciplina —después de todo, los nómadas contaban con desertores militares en sus bandas, y bien podrían haber confiado la captura final del *Envion* a gente con formación—, pero el verlos comunicándose en silencio mediante señales manuales y moviéndose cautelosamente por la nave, solapándose en el avance de manera que un miembro del grupo —o «timón», como habían aprendido a llamarle en la instrucción— daba cobertura mientras el siguiente avanzaba, inquietó a Thula. Éste se había pasado casi toda su vida combatiendo: persiguiendo y matando tanto a los invasores ilyrios como a los depredadores humanos que vagaban en bandas por su país, violando y matando a voluntad. Sabía diferenciar a unos aficionados de unos verdaderos profesionales, y tenía la sensación de que estos intrusos de nómadas sólo tenían el nombre.

Doce, trece, catorce: Thula los contó y esperó, pero ninguno más salió del puente de atraque. Uno de ellos abrió el panel de control de la puerta más próxima, cortó un par de los cables interiores y los derivó a través de una pequeña caja negra.

Muy inteligente, pensó Thula. Estaban anulando los sistemas de las puertas para asegurarse de que no quedarían encerrados, por si todavía había alguien con vida a bordo. Pero Paul ya lo había previsto. No les salvaría.

Ahora, todos menos dos de ellos se encaminaron hacia la popa de la nave, y el par que quedó atrás se hizo cargo de la vigilancia del puerto de atraque. ¿Cuántos más habría en su nave?, se preguntó Thula. La nave nómada le resultaba desconocida, pero calculó que habría al menos un piloto, tal vez también un copiloto. Lo que sumaban cuatro en total. Tendría que moverse rápido en cuanto empezara el tiroteo. No podía dejar que la nave nómada se desacoplara si, de alguna manera, los nómadas conseguían llegar al CCS. Lo último que querían Paul y los demás era que los nómadas se adueñaran del CCS y tuvieran además a su nave orbitando a salvo el *Envion*.

Thula metió los dedos de la mano izquierda a través de la rejilla y asió el metal. En la mano derecha sostenía su pistola. Una gota de sudor le cayó por la frente y le bajó por la nariz. La recogió con la lengua y notó su sabor salino. Le recordó el gusto de la sangre. Respiró hondo, tranquilizándose.

Cuatro.

Tenía que neutralizar a cuatro.

Los nómadas enfilaron la sección del pasillo que Paul había señalado como cajón de la matanza. Paul los vio antes de oírlos y le sorprendió lo silenciosamente que se movían, pero también lo tranquilizó. Significaba que llevarían botas estándar y no las antigravs con las que había equipado a su pequeña fuerza.

Vamos, dijo para sus adentros, acercaos.

Los nómadas, como si intuyeran una encerrona, se detuvieron. Hasta ese momento no habían encontrado ninguna resistencia y sin duda les tentaba presuponer que toda la tripulación del *Envion*, junto con las tropas de las Brigadas que transportara, había muerto.

Pero los nómadas no habían dado nada por supuesto. La cautela con la que se aproximaban era buena prueba de ello. Paul contó doce nómadas. Ocho habían entrado ya en la caja de la matanza y cuatro permanecían fuera, pero Paul los quería a todos dentro. Entonces se levantó una mano: la señal para que siguieran avanzando. La primera fila de cuatro se adelantó, la segunda los cubría, los últimos cuatro entraron por fin en la caja.

Casi, ya casi estaban...

Otra pausa. Ahora todos habían entrado en la caja, pero Paul necesitaba que los cuatro últimos se apartaran un poco más de la puerta.

El último solapamiento: el segundo grupo de cuatro avanzó, el tercer grupo le siguió.

Estaban dentro.

—¡Ahora! —dijo Paul activando su comunicador, y todos lo oyeron.

Thula, junto al puerto de atraque.

Steven y Peris, en un extremo de la caja.

Rizzo, al lado de Paul, en el otro extremo.

Galton, sentado en la pequeña sala de control secundaria, se encorvó sobre la consola principal.

Y los nómadas: también le oyeron porque sus propios comunicadores escaneaban todas las frecuencias, alertas a cualquier posible transmisión desde el interior de la nave. Ya estaban preparándose para repeler el ataque, con reacciones perfeccionadas a lo largo de años de instrucción, cuando Galton dijo en voz baja una breve oración y pulsó un interruptor.

Y la gravedad artificial del *Envion* dejó de funcionar.

Cuando acabó el tiroteo, Paul lo consideró no tanto una emboscada como una masacre. No importaba el hecho de que los nómadas, casi con toda seguridad, los hubiesen matado a ellos sin pensárselo dos veces. No importaba que hombres y mujeres a los que él había conocido como amigos, rivales y compañeros de armas hubieran acabado flotando muertos en el espacio por los disparos de esos intrusos. Lo que los demás y él les hicieron a los nómadas fue una matanza, pura y dura.

Pero todo eso lo pensó más tarde. Por el momento, lo único en que pensaba Paul era en matar.

Matar.

Sobrevivir.

Vengarse.

En cuanto se desactivó el sistema de gravedad artificial, los nómadas se encontraron flotando en el pasillo, entrechocándose unos con otros y golpeándose contra el casco, boca abajo y girados. Dos ya habían perdido las armas cuando se retiraron las rejillas del techo y cuatro figuras con blindaje completo aterrizaron pesadamente en el suelo, dos a cada extremo del pasillo, con botas antigrav que los sujetaban magnéticamente a los paneles del suelo.

Empezó el tiroteo. Paul notó el retroceso cuando la primera bala explosiva salió de su escopeta y una esfera de humo se expandió desde el cañón del arma. Tendría que haberlo empujado hacia atrás a una velocidad de aproximadamente un metro por segundo, pero las botas lo mantenían anclado, así que sólo la parte superior de su cuerpo reaccionó al disparo de la escopeta, y ya se lo esperaba. La bala alcanzó el torso del nómada más próximo y glóbulos de sangre ilyria salieron flotando como burbujas de la herida. Paul cargó y volvió a disparar, y esta vez alcanzó a un nómada en la pierna derecha. Era consciente del ruido de los disparos de otras armas y de las heridas que infligían, de las que brotaba sangre como grandes flores rojas, esparciendo pétalos oscuros. Uno de los nómadas empezó a disparar pulsos a ciegas, pero el primero dio en el techo y el siguiente alcanzó a uno de sus propios camaradas, y al instante murió y ya no pudo seguir disparando.

Paul había dejado de pensar. Lo único que tenía en la cabeza era disparar, disparar y matar.

Y a él se le daban muy bien ambas cosas.

20

La misión de Thula consistía en abrirse paso más allá de los dos guardias, entrar en el puerto de atraque y asegurar el enganche de la nave nómada. Una vez dentro de ésta, no podría utilizar su escopeta: el riesgo de dañar equipo vital era demasiado alto, y necesitaban la nave intacta. También tendría que moverse rápido, porque el equipo de abordaje de los nómadas sin duda monitorizaba todas las comunicaciones en el *Envion,* y cuando Paul dio la orden de ataque, los nómadas la oirían a la par que aquellos a quienes iba dirigida.

Por esa razón, Thula ya estaba en movimiento cuando llegó la orden. En lugar de levantar la rejilla del techo, simplemente la había dejado caer, porque la había quitado antes y la mantenía en su sitio hasta que llegara el momento de pasar a la acción. Disparó al primer guardia en el instante en que los pies del nómada perdían el contacto con el suelo. El segundo nómada se encontró boca abajo pero cara a cara con Thula al morir. Thula vio su propio reflejo en la máscara de protección del nómada antes de que su arma hablara y la imagen se perdiera en el torbellino de fuego y humo.

En cuanto se dejó caer, Thula se quitó las botas antigrav. Se movía más rápido sin ellas, y la rapidez determinaría el éxito o el fracaso de su cometido. Apartó uno de los cadáveres flotantes mientras las burbujas de su sangre reventaban sobre su piel y se impulsó para entrar en el puente de atraque. Era un túnel circular, al final del cual veía la puerta abierta de la nave nómada.

Ésta estaba en desventaja. En cuanto otra nave se enganchaba a una del Ejército, los sistemas militares anulaban su propio atraque. Se hacía para asegurar que todas las puertas de atraque se sellaran antes de que una nave enlazada se soltara, porque lo último que querría el comandante de una nave era que su tripulación fuera absorbida y expulsada al espacio por una puerta hermética debido a que alguien había desenganchado incorrectamente un vehículo espacial atracado. Sólo accediendo a la sala de control secundaria podían los nómadas soltar su nave, así que aunque la tripulación nómada intentara huir al oír la orden de Paul y el tiroteo subsiguiente, no podría hacerlo. Thula los tenía en sus manos.

Había recorrido la mitad del puente cuando apareció un nómada en la puerta de su nave. También flotaba, pero había encontrado un agarre al que aferrarse. El nómada llevaba casco, pero no blindaje corporal, y sostenía una pistola de pulso en la mano. La levantó para disparar, pero sus reacciones eran demasiado lentas. Cuando hubo apuntado el arma, la bala de Thula ya estaba enterrada en su pecho.

Se movió con mayor celeridad hasta que alcanzó la puerta. Era el momento más peligroso, el momento en que todo podía perderse. Pero Thula estaba preparado: sacó una pequeña granada del bolsillo, la armó y la arrojó dentro. Flotó casi con delicadeza y entró en la cabina de mando de la nave nómada, dando vueltas en el aire. Thula apartó la cara, cerró los ojos y se tapó los oídos con los brazos.

Al cabo de unos segundos, la granada aturdidora estalló, cegando y ensordeciendo temporalmente a cualquiera que estuviera dentro de la cabina de mando nómada sin dañar su equipo. Los propios oídos de Thula pitaban cuando se impulsó hacia atrás a través de la puerta, con un cuchillo en la mano. Sólo vio a un nómada, con el cuerpo acomodado detrás de la silla del piloto. Thula se abalanzó sobre él y el nómada se movió, impulsándose hacia arriba, con un arma en la mano. Disparó. El tiro no dio a Thula, pero éste sintió la vibración del pulso al pasar junto a su oreja izquierda. Debía de ser una carga de baja potencia, porque Thula no oyó ninguna explosión a sus espaldas provocada por el tiro fallido. Un pulso a plena potencia podría haber abierto un orificio en el casco: como Thula, el nómada no quería arriesgarse a dañar la nave.

Thula se le había echado encima antes de que el nómada pudiera volver a disparar. Le arrancó el arma de la mano y ambos se enzarzaron en una pelea dentro de los estrechos confines de la cabina, como bailarines que ejecutaran una serie de movimientos que sólo podían tener un final. La ventaja inicial era de Thula, porque tenía un cuchillo, pero el nómada luchaba con ferocidad. Thula habría preferido capturarlo con vida para interrogarlo, pero el nómada estaba decidido a matar a su oponente. Thula lo vio en sus ojos y lo sintió en la fuerza de las patadas que le lanzaba el nómada mientras sus manos se enganchaban. Su rival era extremadamente fuerte: la tez de un dorado intenso, la carne de su cuello con restos de quemaduras y cicatrices. Incluso con el cuchillo, Thula notó que iba perdiendo ventaja. Era tan alto y fuerte como muchos ilyrios, pero éste, lo sabía, era un luchador entrenado. En un mano a mano, un ilyrio como éste le vencería.

Pero había una oportunidad, y Thula la aprovechó por instinto. Soltó el cuchillo y dejó que flotara. También por instinto, el nómada alargó su mano hacia él. Al hacerlo, Thula se separó de un empujón. El nómada tomó el cuchillo por la hoja y se dispuso a utilizarlo, pero para entonces Thula se había hecho con el arma de pulso del ilyrio. Su dedo ya apretaba el gatillo cuando, de repente, se dio cuenta de que el pulso tendría el bloqueo de ADN. No podía dispararse contra un ilyrio.

Thula estaba muerto.

Pero no murió. El pulso disparó y alcanzó de lleno al nómada en el pecho, destruyendo sus órganos internos. Grandes burbujas de sangre salieron a borbotones de su boca y flotaron en el aire.

Y Thula contempló atónito cómo el nómada perdía la vida.

La cubierta de mando secundaria era como una visión de pesadilla de un matadero. Los cadáveres flotaban, golpeándose suavemente contra el casco y entre ellos, glóbulos de sangre de los fallecidos se unían y se separaban como amebas, y sus identidades biológicas parecían combinarse incluso mientras sus despojos vacíos giraban en extrañas órbitas.

—Galton —dijo Paul.

—Adelante.

—Restablece la gravedad.

—Gravedad restablecida.

Los cadáveres cayeron y la sangre llovió sobre la cubierta.

Steven echó a correr en cuanto Paul dio la orden de restablecer la gravedad; fue sellando las puertas de partición a medida que pasaba y dejó la carnicería a sus espaldas. Steven había combatido a los ilyrios en la Tierra, había matado a miembros de la Securitat durante la cruenta defensa final del Castillo de Dundearg, pero entonces había sido distinto, casi como un juego de ordenador. Había disparado, y los blancos habían caído, apenas había visto sangre. Pero la trampa que habían tendido a los nómadas... Steven nunca había visto tanta sangre, y los cadáveres flotantes hacían que la escena en conjunto resultara todavía más espantosa, más macabra. Aun así, se había emocionado durante la lucha, y no había tenido mucho miedo.

Pero había que seguir matando.

En cuestión de minutos estaba en el muelle de atraque, pasando por encima de los cadáveres de los nómadas que había matado Thula. Selló la última puerta.

—Galton —dijo—, preparado para separación.

—Preparado.

Steven llegó a la puerta de la nave nómada cuando Thula sacaba a rastras al segundo de los pilotos muertos, con el que se había peleado cuerpo a cuerpo.

—¿Estás bien? —preguntó Steven.

—Creo que sí. Pero lo maté con un pulso —dijo Thula.

—¿Cómo? Se supone que todos están bloqueados.

Thula le enseñó el arma a Steven.

—Nunca había visto una como ésta —dijo Steven—. Es más elegante, más moderna.

—Pues espera a ver su nave.

Steven entró en la cabina de mando y vio las consolas relumbrantes, los instrumentos resplandecientes. La nave era más avanzada y estaba mejor equipada que las mejores naves militares en las que había volado. Los únicos nómadas con los que la Brigada se había topado hasta ahora volaban en cacharros oxidados, que se mantenían en funcionamiento con piezas de desguace. Ni en sueños imaginarían adquirir naves como ésta.

—¿Qué coño es esto? —dijo Steven.

Un crepitar de comunicación salió de la consola. La voz hablaba ilyrio, pero Steven no llevaba el casco con el traductor integrado. A diferencia de Paul, todavía no estaba tan familiarizado con el idioma. Con todo, no hacía falta ser un genio para captar el sentido. Alguien de la otra nave nómada tenía ganas de saber qué ocurría. Si no recibía pronto una respuesta, era posible que la otra nave quisiera minimizar sus bajas y huyera o, peor, concluyera correctamente que había fracasado la misión del grupo de asalto y empezara a abrir fuego.

Thula entró en la cabina de mando.

—¿Sabes pilotarla? —le preguntó a Steven.

—No tengo que pilotarla. Sólo darle la vuelta y disparar.

—Vale, ¿y eso sabes hacerlo?

—No lo sé. Pero pronto lo averiguaremos, ¿no?

Steven ocupó el asiento del piloto y pulsó el botón que activaba la red neuronal. Todas las naves ilyrias tenían una, sólo como recurso en caso de daños de un Chip implantado. La red, que se asemejaba a un solideo blanco, rotó hacia arriba y se depositó sobre la cabeza de Steven. No estaba protegida, lo que era una suerte. De otro modo, Steven se habría visto obligado a *hackear* el sistema de armas, y no disponían de tiempo para eso.

—¿Galton?

—Preparado.

—Muy bien, vamos a cerrar la puerta de la cabina. Cuenta atrás: tres, dos, uno. ¡Separación!

En el centro de control secundario, Galton realizó una revisión final de las puertas para asegurarse de que quedaban completamente selladas, para después apagar el mecanismo de atraque que enlazaba la nave nómada al *Envion*. La nave se separó con una sacudida y Steven tomó los controles. Su primer contacto fue demasiado brusco y la hizo girar con tanta fuerza que tiró a Thula al suelo.

—Si sobrevivimos, te daré un par de hostias por lo que acabas de hacer —le dijo a Steven.

—¿Quieres pilotar tú?

—Lo haría mejor.

Steven no le hizo ni caso y pidió una imagen general a la red neuronal. Apareció en la ventanilla de la cabina. Los movimientos de sus pupilas le llevaron a los sistemas de armas justo cuando la segunda nave nómada aparecía a lo lejos. Se movía lentamente y en círculos alrededor del *Envion;* la tripulación no debía de saber muy bien cómo reaccionar al repentino desatraque de la nave asaltante. Todavía intentaban comunicarse con él, pero incluso con la red neuronal en su sitio, Steven no se hacía más idea de lo que decían. Como los Chips ilyrios, las redes neuronales necesitaban cargarse con idiomas para que la herramienta de traducción funcionara, y la mayoría de las naves ilyrias no se tomaban la molestia de cargar su propia lengua, por razones obvias. Sólo los equipos utilizados por los combatientes de las Brigadas y las otras razas conquistadas, como los agrones y los galateanos, estaban programados con una carga de idioma ilyrio.

—No tardarán mucho en averiguar lo que está pasando —dijo Thula mientras ocupaba el asiento del copiloto y se ponía el cinturón, sólo por seguridad.

Steven verificó el armamento de su nueva nave: cañón delantero, lateral, trasero, y cuarenta y ocho torpedos, con lanzadores a cada lado de la cabina de mando. La nave nómada podría haber sido construida para enfrentarse a los agujeros de gusano, pero no cabía duda de que era, antes que nada, un arma de guerra.

—Creo que ya se han hecho una idea —dijo Steven.

La segunda nave nómada empezó a girar hacia ellos de manera que ofreciese el menor blanco posible y que, a la vez, le permitiese apuntar su inmenso cañón delantero. Pero Steven, aparte de unos insignificantes ajustes en los controles, se limitó a dejar que su propia nave fuese a la deriva.

—Vamos —murmuró—, vamos...

La nave nómada era una silueta resplandeciente en su lente, que se encogía en sí misma al girar.

Quizá no estén seguros del todo, razonó Steven; se preguntarán si, por una de esas casualidades, algún miembro del equipo de asalto ha sobrevivido y se las ha apañado para soltar la nave; se preguntarán si están heridos o si se ha caído el sistema de comunicaciones;

se preguntarán si había algún modo de salvar lo que a todas luces era una nave muy cara...

Si..., si..., si...

—¡Ahora! —dijo Steven.

Pulsó los propulsores de la nave. Ésta se aceleró tan repentinamente que lo aplastó contra el asiento, y oyó que Thula gritaba una oración a un dios sin nombre. Steven se situó en paralelo a la otra nave, de manera que sus lados de babor quedaban enfrentados, y entonces giró rápidamente a babor. La maniobra pilló por sorpresa a los nómadas, que de repente quedaron expuestos por entero al cañón de Steven. Éste ni siquiera esperó a estar en posición para empezar a disparar. Sus primeros disparos pasaron lejos de la popa de los nómadas, pero la siguiente descarga la alcanzó de lleno, desgarró su casco y la penetró mientras Steven se colocaba en perpendicular a la nave. Ahora los nómadas respondían al fuego, pero, debido al daño sufrido, disparaban al tuntún mientras que Steven apuntaba concentrando su fuego. Dejó que su nave siguiera girando hacia babor, y cuando la cabina de mando nómada entró en el campo de visión de sus mirillas, disparó dos torpedos. Thula y él vieron cómo se dirigían a la nave nómada y hacían blanco.

La proa de la nave nómada se desintegró, la popa se separó y quedó casi en vertical. Steven vio formas entre los restos.

Cuerpos. Más cuerpos.

Y entonces explotaron los motores de los nómadas, y de la nave no quedó más que el recuerdo.

—Por nuestros amigos —dijo.

—Por nuestros amigos —repitió Thula como un eco.

Steven pulsó los propulsores y se encaminaron de vuelta al *Envion*.

21

Una vez que la nave nómada hubo atracado sin problemas en el *Envion,* Paul ordenó a su unidad —todavía la consideraba «su» unidad— que se reuniera en el hangar, donde esperaba la misteriosa *Dendra.* Rizzo fue la última en llegar. Tenía en las manos rastros de sangre reciente, parte de la que cual le había manchado la tez. Paul pensó que había estado llorando, aunque no recordaba haber visto llorar jamás a Rizzo. Por alguna razón, se le antojaba improbable, por no decir imposible.

—De Souza ha muerto —dijo—. Debió de morir durante el combate.

Paul oyó que Steven soltaba un taco, y una imagen del rostro reprobador de su madre centelleó en su cabeza. Oh, cómo le gustaría que la amable y recta señora Kerr no se enterara jamás de estas matanzas y muertes. De todas maneras, sin duda el lenguaje cada vez más grosero de su hijo sería la menor de sus preocupaciones. Paul también soltó un juramento porque todos respetaban y admiraban a De Souza. Él los había cuidado, nunca había favorecido a nadie. A Paul le habría gustado que hubiera habido alguien a su lado cuando murió. De Souza había merecido algo mejor que morir solo.

Paul se volvió hacia las puertas del hangar y llamó a Galton, que seguía en el centro de control secundario. Con tantos sistemas del *Envion* caídos, la única forma de asegurarse de que todo funcionaría era dejarlo en manos de Galton.

—¿Tienes una lectura de la atmósfera del hangar, Galton?

—Está limpia, o tan limpia como suele estarlo.

Ya era algo. Significaba que la sección del casco del hangar no había resultado dañada en su integridad y que su atmósfera era respirable. Podían entrar sin ponerse los trajes. Por desgracia, las cámaras de vigilancia de toda la nave ya no funcionaban y la pantalla que había junto a la puerta de entrada, que normalmente habría mostrado una imagen de lo que había al otro lado, estaba en blanco. Cuando entraran en el hangar, avanzarían sin la menor idea de lo que podría estar aguardándoles.

—¿Y la iluminación? —preguntó Paul.

—Parece que la mayor parte se apagó con las cámaras. Creo que contaréis con alumbrado de emergencia; aun así, estaréis bastante a oscuras ahí dentro.

Malo. Lo último que quería Paul era abrir esas puertas y recibir el fuego de atacantes desconocidos que podían verles sin ser vistos.

—¿Puedes introducirme en su sistema de comunicaciones?

—Puedo intentarlo.

Mientras Paul esperaba, intentó imaginar cómo lo que había empezado como una sencilla misión para comprobar el estado de unos científicos e ingenieros a los que se les había estropeado la radio había acabado con un destructor gravemente dañado, la pérdida de la mayor parte de dos unidades, un tiroteo, la destrucción de una nave nómada y la captura de otra, y la aparición de una especie basada en el silicio desconocida hasta entonces y ciertamente hostil. Ah, sin olvidar el descubrimiento de una torre abandonada por otra civilización alienígena, sobre la que nadie se había molestado en informar a los bobos reclutas humanos. Era posible que las cosas todavía pudieran empeorar, pero, aparte de la muerte de todos los que quedaban a bordo del *Envion*, le costaba imaginar cómo.

Paul oyó un crepitar en su oído.

—Tengo un canal abierto, y sus sistemas han respondido —dijo Galton—. Ahora puedes hablar con ellos.

—Llamando a la nave de nuestro hangar —dijo Paul—. Soy el teniente Paul Kerr, oficial militar superior a bordo del *Envion*. Esta nave está ahora bajo control de la Brigada. Ordeno a todos los ocupantes de su nave que desembarquen... *desarmados,* y se tumben boca abajo en la cubierta. Están siendo monitorizados. No obedecer esta orden se interpretará como un acto hostil. Respondan.

La respuesta llegó casi al instante.

—Soy el consejero Baldus Tiray, del Consejo de Gobierno ilyrio. ¿Cómo podemos estar seguros de que no se trata de una trampa?

Peris miró a Paul.

—¿Puedo? —preguntó.

—Adelante —dijo Paul fijándose de nuevo en que Peris estaba resuelto a no cuestionar su autoridad.

—Consejero Tiray —dijo Peris—. Soy Peris, de la Casa Gaul, anteriormente miembro del Estado Mayor de Lord Andrus. Nos vimos en una ocasión, hace mucho tiempo.

Hubo una pausa.

—Me acuerdo. Está muy lejos de la Tierra, Peris.

—Y usted de Ilyr. ¿Cuántos son?

—Dos. Sólo mi asistente, Alis, y yo.

—Entonces me gustaría confirmarle la veracidad de la información que le ha dado el teniente Kerr. El *Envion* está bajo control militar, pero está muy dañado y será necesario evacuarlo. Por razones de seguridad, le aconsejo que cumpla la orden del teniente: deje las armas, desembarque y pónganse tan cómodos como sea posible sobre la cubierta.

Otra pausa. Paul casi se imaginaba a Tiray y a Alis deliberando. Si estuviera en su lugar, él también actuaría con cautela. No costaba mucho imaginarse a Paul y a Peris con un grupo de nómadas apuntándoles a la cabeza y obligándoles a convencer a los supervivientes para que salieran de la lanzadera.

—Nos entregamos —dijo Tiray por fin—. Vamos a salir. Verán que vamos desarmados y mantendremos las manos en alto hasta que estemos sobre cubierta.

—Les estaremos observando —dijo Paul.

—Sí, mirando a una pantalla en blanco —murmuró Thula.

—¿Cuándo te volviste un amargado? —dijo Paul.

—En algún momento de hoy mismo, entre la hora que me levanté y ahora.

—Debes tener más fe en la gente. Y para ayudarte a que la desarrolles, puedes ser el primero en entrar en el muelle del hangar conmigo.

Thula suspiró profundamente.

—Me parece que ya no quiero tenerte de teniente.

—Tomo nota.

Paul se dirigió a Steven y Rizzo.

—Vamos a entrar. Cubridnos desde aquí. Si veis algo que no os gusta, tenéis mi permiso para dispararle.

—A mí no me gustas tú —le dijo Thula a Paul mientras cargaba su arma—. ¿Significa eso que puedo dispararte?

—Tú me quieres y me respetas como a un hermano —dijo Paul—, ¿preparado?

Colocó el dedo ante del botón de apertura de la puerta.

—Nunca he tragado a mi hermano —dijo Thula—. Preparado.

Paul pulsó el botón y la puerta se abrió. Thula y él se asomaron a través del hueco y vieron dos figuras tumbadas sobre la cubierta en una franja de luz que se proyectaba desde la lanzadera abierta. Una iluminación naranja de emergencia parpadeaba desde las paredes.

—No dejes de apuntarles —dijo Paul—. Subiré a la lanzadera.

Entraron rápidamente. Thula se quedó quieto y en pie junto a las dos figuras postradas mientras Paul recorría poco a poco el casco de la lanzadera. Vio que los puestos del piloto y del copiloto estaban vacíos, pero desde su perspectiva no podía ver la parte inferior del interior de la nave. Quedaría expuesto si pasaba por delante de la puerta abierta, pero no tenía otra opción. Retrocedió, con la escopeta apoyada al hombro lista para disparar.

La lanzadera estaba vacía.

Paul se relajó, tal vez por primera vez desde que habían avistado el *Envion* dañado. Le dolían la espalda y los hombros. Quería cambiarse de uniforme y lavarse para limpiarse la sangre y la suciedad, pero la posibilidad de darse una ducha era más bien remota.

—Steven, Rizzo —dijo—, la lanzadera está despejada, pero ayudadme a revisar el hangar.

Paul no quería correr riesgos, no cuando faltaba tan poco para estar a salvo, todo lo a salvo que se podía.

Steven y Rizzo entraron y, juntos, los tres jóvenes humanos comprobaron que no había nadie oculto en las sombras del muelle de atraque. Cuando acabaron regresaron junto a Thula, que seguía apuntando con un arma a los dos ilyrios tumbados en cubierta. Seguían boca abajo, vestidos con trajes de vuelo holgados, y se entrelazaban las manos por detrás de la nuca. Paul ordenó a Steven que los registrara. Cacheó al primero, no encontró nada; luego, pasó al segundo. Había realizado la mitad del cacheo cuando se detuvo, perplejo.

—Se llaman pechos —dijo una voz femenina desde el suelo—, y te agradecería que apartaras las manos.

Como si se hubiera escaldado, Steven dio un salto hacia atrás. Thula le miró divertido.

—Iba a preguntarte si habías encontrado algo —dijo Thula—, pero me parece que ya sabemos la respuesta.

—Pueden levantarse —dijo Paul a los ilyrios.

Peris se adelantó para ayudar al varón, el tal Tiray. Paul le ofreció la mano a la chica, Alis. Vio que era pequeña para tratarse de una ilyria, con unos ojos estrechos y dorados.

—¿También tú quieres sobarme? —preguntó ella.

Paul no sabía si todo aquello ocultaba alguna trampa, pero al instante decidió que la respuesta correcta era no, y así se lo dijo a ella. Alis aceptó la mano y él la ayudó a ponerse en pie.

—Consejero Tiray —dijo Peris—, éste es el teniente Kerr.

—Tenemos que hacerle muchas preguntas... —dijo Paul, pero una voz que le llegó por su unidad de comunicación le impidió decir nada más.

—Tendrán que esperar, teniente —dijo Galton—. Están cayendo uno detrás de otro rápidamente todos los sistemas que funcionaban. Es un milagro que el *Envion* haya resistido tanto. Me queda el tiempo justo para enviar un dron pidiendo auxilio al agujero de gusano antes de empezar la evacuación.

—¡No! —exclamó Tiray—. No debe hacerlo.

—Estamos en una nave que se está apagando, lejos de casa —dijo Paul—. Las normas nos obligan a informar a las autoridades militares de lo que ha ocurrido aquí.

—Si lo hace, atraerá a más de ellos contra nosotros —dijo Tiray.

—Tiene razón —añadió Alis—. Vendrán más.

—¿Más? ¿Más que?, ¿nómadas? —preguntó Paul.

—No creo que fueran nómadas los que nos atacaron —dijo Tiray—. Y me parece que ustedes tampoco lo creen.

Se oyó un fuerte gemido en las profundidades de la nave, como si el *Envion* gritase de dolor.

142

—Teniente —era Ganton de nuevo—. No bromeaba cuando utilicé la palabra «rápidamente». Tenemos un verdadero problema. El casco se está desgarrando.

—Por favor, teniente —dijo Tiray—. Le estoy pidiendo que no envíe todavía una llamada de auxilio. Si no me queda más remedio, le *ordenaré* que no lo haga.

—¿Ordenarme? —dijo Paul—, ¿con qué autoridad?

—Con la autoridad del Consejo de Gobierno de Ilyr, que especifica que los representantes civiles reciban todas las atenciones que requieran por parte del personal militar y consular, entre ellas el uso de naves, equipo y cualquier recurso considerado necesario para la realización con éxito de una misión gubernamental. Artículo 15.21, creo.

Paul miró a Peris.

—Tiene razón —dijo Peris, aunque tuvo el detalle de no parecer que se alegraba por ello.

—Pero no quiero recurrir al artículo 15.21 —prosiguió Tiray—, así que se lo ruego, teniente: sáquenos de esta nave, escuche lo que tengo que contarle y luego decida cuál es el proceder más conveniente. Pero, por el momento, le garantizo que si se envía un mensaje de auxilio a través del agujero de gusano, la respuesta que recibiremos no será un rescate.

Paul se pasó los dedos por el pelo. Muy bien, no estaban muertos, pero, sin saber cómo, su situación había empeorado. De no estar presente, no se lo habría creído.

—Muy bien —dijo—. Galton, ¿de cuánto tiempo disponemos?

—Veinte minutos, pero preferiría estar fuera en un cuarto de hora.

Paul dio órdenes a Rizzo y a Steven para que recogieran toda la comida, agua y medicinas que pudieran encontrar, y que lo llevaran a la nave nómada, mientras que Thula y él volvían a la armería. Peris se quedó vigilando a Tiray y a Alis.

—Nos vamos en diez minutos —les dijo Paul a todos—. Galton, acaba lo que tengas que hacer y luego vete a esa nave.

—Entendido, teniente.

Paul y Thula se encaminaron a la armería, pero cuando quedaron fuera de la vista de los demás, Thula empujó a Paul a un lado y le enseñó el arma de pulso que había encontrado en la nave nómada.

—No está bloqueada —dijo—. La he utilizado para matar a uno de esos nómadas o lo que sean.

Paul asió el arma, lo puso a su potencia más baja y disparó. El tiro alcanzó a uno de los cadáveres que había sobre cubierta, haciendo que se estremeciera ligeramente.

—¿Quién lo sabe?

—Sólo Steven, y le he dicho que no diga nada.

—Ayúdame a recoger todas las armas que podamos de los caídos, ya sean pistolas o rifles, luego busca una caja y guárdalas dentro. La sellaremos, la almacenaremos con la demás artillería y la ocultaremos en el depósito de carga de la nave nómada. Ni una palabra de esto a nadie, ¿entendido? Y, hagas lo que hagas, no dejes que Peris vea la caja.

Paul dejó a Thula trabajando. Algo útil había salido de todo este caos y derramamiento de sangre.

Habían avanzado un pequeño paso hacia su represalia contra los ilyrios.

22

Como ocurría con frecuencia, Ani y Syl se sumieron en un silencio tranquilo y tomaron sus respectivos libros como si obedecieran a un mismo pensamiento. Syl sonrió para sí mientras observaba cómo su amiga fruncía el ceño sobre un denso tomo titulado *La ciencia de la mente. Volumen 1.* Los otros cinco volúmenes estaban amontonados al lado, sobre el sofá, acumulando polvo, como si se burlaran. A Ani nunca le había interesado especialmente la lectura; sin embargo, cuando llegaron a este lugar saturado de conocimiento, su carencia de información básica durante sus primeras clases le había hecho pasar vergüenza, sobre todo porque las Dotadas la observaban..., siempre estaban observándola. Así que, sin duda, se había propuesto poner remedio a las lagunas de su educación inundándolas con todos los detalles a su alcance.

La propia Syl leía un anticuado pero curiosamente atractivo libro de historia que días atrás había encontrado en la biblioteca más grande del Duodécimo Reino. Se titulaba *Los pioneros interplanetarios.* El volumen, grueso aunque de pequeño formato, estaba tirado detrás de un rimero de libros confeccionados a mano y encuadernados en cuero que le habían mandado ordenar alfabéticamente como parte de sus tareas. Como en cualquier biblioteca, incluso un archivo tan exclusivo como el de la Marca sufría también los descuidos de sus lectoras, que sacaban los volúmenes de un tirón, con prisas, y luego los devolvían a las estanterías de cualquier manera, sin prestar mucha atención a su orden.

Syl había extraído el ajado libro de su escondrijo, sacudiendo la cabeza ante el descuido de quienquiera que lo hubiera tirado allí. Lo abrió distraídamente y lo hojeó buscando la primera página, pero pronto la había absorbido y se había olvidado del trabajo pendiente a su alrededor porque se leía como un relato de aventuras, aunque de hecho era una historia auténtica de las primeras misiones de exploración ilyrias más allá de su planeta, que eran o valerosas o insensatas, dadas las toscas y peligrosas naves en las que las emprendieron. Y esos relatos le interesaban porque, seguramente, el organismo que había encontrado en la Tierra, el morador parásito de un cráneo ilyrio, no era de este mundo, no era del mundo de Syl.

Se había quedado allí, leyendo, hasta que una Hermana le llamó la atención y le hizo un gesto con la cabeza hacia las estanterías desordenadas. A regañadientes, Syl había dejado el libro aparte, pero se lo llevó cuando la liberaron de sus tareas, junto con otros libros sobre las primeras exploraciones. Eso le gustaba de la lúgubre y vieja Marca: había una reserva de libros aparentemente ilimitada, incluso ahí, en las bibliotecas de las Novicias. El conocimiento era valorado y a las estudiantes se las animaba a leer aún más en su tiempo libre.

En eso, al menos, Syl se alegraba de obedecer.

Al cabo de un rato, Ani cerró de golpe su libro deliberadamente.

—¿Tienes hambre? —preguntó a Syl.

—Sí, supongo.

—¿Vamos a cenar?

—Te veo allí. Tengo que llevar un montón de ropa a la lavandería o mañana no tendré qué ponerme. Ya he llevado esta túnica dos veces.

—Serás cochina. Imagínate lo que diría Althea.

Las dos miraron hacia la diminuta cocina con el fregadero atestado de tazas sucias y se rieron.

—A lo mejor una de nosotras tendría que encargarse de eso esta noche —dijo Ani.

—Sírvete cuando quieras —dijo Syl.

—O a lo mejor no —dijo Ani—. Bueno, nos vemos allí.

La lavandería estaba vacía. La silenciosa maquinaria había sido limpiamente incrustada en la roca tallada. Como únicos accesorios, un par de banquetas duras y un solitario calcetín, que yacía olvidado en el suelo. Syl se acercó a la lavadora más grande y estaba sacando las túnicas blancas y amarillas claras de su bolsa cuando oyó un tintineo en el suelo.

Algo afilado se había caído sobre su zapatilla mullida.

—¿Qué...?

Amontonó la ropa a un lado y bajó la mirada. A sus pies había un elegante manojo de llaves, delgadas y brillantes como agujas caídas. Perpleja, se inclinó para recogerlas. ¿De dónde habían salido? A todas luces, de dentro de su colada, pero ni ella ni Ani necesitaban un juego de llaves como ése.

Tardó un momento en ubicarlas, y entonces, como si la iluminara un relámpago, lo entendió: eran las llaves que Cale le habían mandado a buscar y que tenía Elda. El recuerdo regresó a su mente borroso, como una pobre copia de la realidad. Sí, había habido llaves, claro que las había habido: Oriel le había dado un manojo de llaves para que se las devolviera a Cale, y después había intentado abrir la mente de Syl.

Y Cale le había preguntado el día siguiente si las había encontrado, mientras Oriel seguía inconsciente en la enfermería, pero todo el incidente estaba envuelto en una bruma, como desenfocado o líquido tras el duelo mental, y Syl no había sido capaz de acordarse de ninguna llave. La cuestión de las llaves era sólo uno más de los numerosos detalles inquietantes que rodeaban la desaparición de Elda. Por los rumores que le habían llegado, Syl sabía que Cale y muchas de las Hermanas creían que Elda estaba oculta en alguna de las secciones más antiguas de la Marca. No sería la primera vez que una Novicia —también alguna Hermana de mayor rango— se había retirado a esas profundidades, por la razón que fuera: quizá una pelea con otra Hermana, o al sentirse acosada, o incluso por haberse vuelto loca. No faltaban los lugares donde esconderse en el antiguo laberinto. Ésa era una de las razones por las que se habían instalado puertas de seguridad.

Así que Cale debía de haber concluido que Elda se había llevado las llaves cuando se fue —«maldita jovencita estúpida»—, y así se había dado por zanjado el asunto. Pero ahora ahí estaban, en el suelo.

Syl las recogió y el corazón le latía con fuerza por la emoción y el miedo. Miró a su alrededor con nerviosismo para asegurarse de que nadie la había visto, y aferró con fuerza el manojo mientras se lo metía en el bolsillo; entonces apoyó la espalda en la pared y respiró lenta y controladamente para tranquilizarse mientras reflexionaba acerca de lo que había estado a punto de hacer, la oportunidad que había estado a punto de escapársele: el ciclo de lavado seguramente habría destruido los códigos electrónicos de las llaves que iban dentro de cada aguja.

Una y otra vez, Althea la había martilleado con la importancia de comprobar los bolsillos antes de lavar la ropa, pero desde que se había ido su institutriz, había perdido la costumbre. Syl se dejó caer sin fuerzas en la banqueta más próxima, agachó la cabeza, se pasó los dedos por el cabello y se lamió el sudor de los labios. Era posible que las llaves sólo abrieran armarios, pero incluso los cajones y los armarios podían guardar secretos, sobre todo si estaban cerrados con llave.

Y secretos era precisamente lo que Syl buscaba.

—Dios mío —dijo en inglés, como hacían a veces los miembros humanos del personal en el Castillo de Edimburgo. Sonrió para sí y pensó en la Tierra. Pensó en su padre; en su asesora de seguridad, Meia, que había resultado ser mucho más que una asesora; en Althea; y en Paul, siempre en Paul, y en todo lo que había salido mal y en todo lo que había jurado que haría.

Y se acordó también de los humanos que luchaban en la Resistencia, y de los dioses terrestres, los viejos dioses de los que había hablado el desertor ilyrio Fremd, los dioses que, afirmaba, formaban parte de la tierra y del cielo y de todo el mundo natural. En circunstancias normales, ella se habría burlado de esas supersticiones, pero ahora mismo sentía que tenía que dar las gracias a alguien —o a algo— por haber tenido tanta suerte. Sacudió la cabeza, asombrada, mientras el corazón le latía todavía con fuerza al agacharse para acabar de cargar la ropa en la lavadora, no sin revisar cuidadosamente todos los demás bolsillos.

Mientras su ropa chapoteaba y daba vueltas en la lavandería, Syl fue al comedor. Ani se había sentado a una mesa situada en el rincón más alejado, en compañía de la repelente pequeña Novicia Azul Mila, pero Syl quería estar sola, para pensar, así que se llenó silenciosamente un plato, se sentó aparte, procurando no llamar la atención, y comió un guiso razonablemente sabroso hecho con unas verduras originales de Ilyr. La comida que servían en el comedor de las Novicias era la típica de las Nairenes: nutritiva y saludable pero también insípida, pues la comida se consideraba básicamente un combustible en la Marca —funcional y necesaria, ni más ni menos—, así que tendía a mostrar un aspecto preocupante, como el de una res cocinada tras ser atropellada hacía unos días. Durante la mayoría de las comidas, Syl fantaseaba sobre ridiculeces: patatas fritas con abundante sal y vinagre, las salchichas rebozadas que servían en el café que había junto a la Milla Real, una crujiente manzana roja, el té tomado con un chico encantador en la cocina, un vaso de leche de vaca, de una vulgar y corriente vaca terrestre, cuyo simple concepto habría hecho que las Novicias que la rodeaban sintieran náuseas. Otra vez.

—¡Imaginaos! —había chillado una de ellas cuando Syl había pedido leche para su té cuando llegó—. Imaginaos... ¡Beber jugos que han extraído bombeando de las tetas de un alienígena!

Se habían reunido a su alrededor preguntando qué más comían Syl y Ani en la Tierra, con los ojos abiertos como platos y más que dispuestas a sentirse asqueadas al oír hablar de hamburguesas, queso, sushi, e incluso de la *haggis*. Ani incluyó las *haggis* como una broma, aunque ninguna de las dos había probado siquiera esas morcillas, y obtuvo la reacción que había esperado. Divertida, le había dado un codazo a Syl.

—¿A qué sabe?

—¿Cómo pudiste tragártela siquiera?

—¿Y una hamburguesa es una vaca machacada? ¡No!

—¿El queso se hace con los jugos fermentados de la vaca?

—Leche..., ¡qué asco!

—¿A qué huele la leche?

Mila había aparecido, se situó entre Syl y Ani y se inclinó para olisquear teatralmente a Syl.

—Oooh, tú hueles raro —dijo—. A lo mejor es por la leche.

Hablaba ilyrio y su pronunciación de la palabra «leche» era totalmente incorrecta —decía «lelle»—, pero eso no disuadió a las otras chicas que las rodeaban de ponerse a olisquear a Syl arrugando la nariz. Ani fue apartada poco a poco hasta que quedó a un lado con Mila, desconcertada mientras el mar de túnicas amarillas transformaban a su mejor amiga en una isla.

—Oh, sí que hueles raro.

—Venid a olerla. Es curioso.

—Entonces, ¿es así como huele la leche?

Xaron había aparecido al otro lado de Ani —como una versión asombrosamente parecida de su más robusta hermana menor— y había esbozado una sonrisa desagradable hacia Syl por encima del mar de cabezas de las otras Novicias, a la vez que asentía dando su aprobación.

—Sí. Huele mucho, es verdad —dijo Mila en voz alta, buscando con la mirada la aprobación de su hermana mayor.

—Apesta —convino Xaron.

—No, no huele —se quejó Ani—, y si ella huele, yo también debería.

Pero las otras chicas de túnicas azules se acercaron también formando una barrera alrededor de Ani, protegiéndola de los insultos. En esto, Syl estaría sola.

Por desgracia, el apodo había arraigado —Syl «la Apestosa»— y todavía lo susurraban o de vez en cuando lo decían entre risitas en su presencia, aunque los débiles olores terrestres que le parecían tan extraños a las demás se habían disipado hacía mucho. Pero esta noche no importaba, y ni siquiera se fijó en los cansinos y nada imaginativos murmullos de las otras sentadas a la mesa que la llamaban Apestosa cuando se dejó caer despreocupadamente en la otra punta, porque Syl sentía el tesoro que llevaba en el bolsillo, el manojo de llaves que tenían el potencial de abrir un nuevo mundo entero a su exploración y descubrimiento, unas llaves livianas como una pluma pero que estaban cargadas de todas sus esperanzas. ¿Por dónde empezaba?, ¿cuándo?, ¿cómo?

Se comió deprisa el resto de la comida, sin paladearla apenas, luego fue casi corriendo a la lavandería, sacó su ropa limpia de la máquina y amontonó descuidadamente las túnicas y sábanas cálidas que despedían un olor dulzón.

No podía actuar precipitadamente. Tenía que pensar, plantearse sus opciones, tomar las decisiones adecuadas. Empezaría su búsqueda otro día, un día más oportuno, y entonces vería hasta dónde la llevaban esas llaves, más allá de los Reinos Duodécimo y Decimotercero. Pronto se enfrentaría de nuevo a la Hermandad.

23

Ahora estaba claro que los asaltantes que habían llegado a través del agujero de gusano eran algo más que nómadas. Paul y Thula se tomaron su tiempo para registrar a los muertos en un intento de encontrar algunas marcas o documentos identificativos, pero no llevaban nada. Como los soldados de todas partes, los ilyrios tenían la manía de ornamentarse la piel, a menudo con detalles de campañas o los nombres de sus unidades, pero los cadáveres que habían caído a bordo del *Envion* estaban tan desprovistos de ese tipo de marcas como el día en que nacieron.

—Mira —dijo Thula señalando con el dedo una serie de diminutas cicatrices en la cabeza de uno de los ilyrios muertos. Era una nómada, tenía el cuero cabelludo rapado casi por entero, con la salvedad de un mechón de pelo en la coronilla, peinado en una especie de coleta. Había sido fuerte y musculosa. Pero eso no había evitado que la matara una bala.

—¿Qué es? —preguntó Paul.

—Cicatrices de láser, creo. Me apostaría algo a que, hasta hace poco, esta ilyria tenía el cuero cabelludo tatuado.

Paul examinó las marcas y se dio cuenta de que había visto, sin darles la mayor importancia, cicatrices semejantes en los otros.

—Se las borraron, por si alguno de ellos moría o era hecho prisionero —dijo.

—Exactamente.

Thula metió la mano en una mochila que tenía junto a los pies y sacó un escáner manual, de los que se utilizan para diagnosticar heridas internas.

—¿Qué vas a hacer con eso? —preguntó Paul.

—Otra apuesta contigo.

—A saber...

—Que a todos les han quitado los Chips.

Thula activó el escáner. No le hizo falta escanear a todos los caídos para ganar la apuesta: cuando los tres primeros dieron resultado negativo, Paul le dio la razón. Los Chips servían tanto para transmitir como para conservar datos esenciales sobre sus portadores. Eran como unas huellas dactilares individuales; habría tenido poco sentido eliminar todas las demás marcas identificativas y dejar los Chips en su sitio.

—¿Quieres aventurar una suposición acerca de quiénes eran?

—Tú primero —dijo Thula—. Para eso eres el oficial.

—Fuerzas del Cuerpo Diplomático, no del Ejército. Es difícil conseguir que unos soldados se vuelvan contra los suyos.

—Pero nosotros no somos militares ilyrios. Somos tropas de las Brigadas, carne de cañón humana.

—Aun así, el *Envion* era una nave militar, con tripulación militar.

—Vale, se acepta la hipótesis —dijo Thula—. Pero veo tu Cuerpo y pongo la Securitat sobre la mesa.

—Explícate.

—Es una sensación, no más que eso. Pero el Cuerpo siempre utiliza a la Securitat para el trabajo sucio. Si se trata de tortura, engaño, asesinato, habría huellas de la Securitat por alguna parte.

—Muy bien, entonces: Securitat, pero no sus mejores fuerzas. Nos ha resultado demasiado fácil acabar con ellos.

—No esperaban enfrentarse a militares, humanos o ilyrios —dijo Thula—. Simplemente perseguían a un político. No necesitas a los combatientes más curtidos para matar políticos. Y estaban trabajando sin Chips. Tras años de depender de la información que éstos les daban, seguramente estos securitats estaban un poco oxidados.

Tenía sentido, pero, bien pensado, casi todo lo que decía Thula tenía sentido.

—¿Estás seguro de que no quieres ser nuestro teniente? —preguntó Paul.

—El rango queda por encima de mi nivel salarial. Además, me gusta estar en una posición desde la que puedo echarles la culpa a otros si todo se va a la mierda.

—¿Así que sólo eres un machaca?

—Ése soy yo.

El *Envion* gimió de nuevo, pero esta vez también, cuando el metal empezó a separarse del metal, se oyó un chirrido desde las profundidades de sus entrañas. La nave emitía sus últimos estertores.

—Bueno, machaca, apartemos esas armas de pulso sin bloqueo antes de que los dos acabemos regresando a casa flotando.

Thula amontonó las cajas de pulsos en una plataforma de transporte, junto con otras pistolas, granadas y munición que había recogido Paul, y se dirigió hacia la nave nómada. Paul echó un último vistazo a los ilyrios muertos, ahora sin sus máscaras de protección ni buena parte de su ropa. Si eran securitats, más valía no pensar en qué tipo de venganza querrían aplicar sus superiores a los responsables de sus muertes, justificadas o no. Paul se alegraba de haber hecho caso al consejero Tiray y no haber mandado un mensaje de auxilio a través del agujero de gusano. Sólo esperaba que las dos naves nómadas no hubieran tenido tiempo de enviar sus propios mensajes.

Cuando Paul llegó a la nave nómada, Galton estaba sentado al lado de Rizzo, los dos abstraídos en sus propios pensamientos. Rizzo estaba encariñada con De Souza, puede que algo más que encariñada. Paul ignoraba si habían mantenido una relación, pero creía que Rizzo estaba un poco enamorada del difunto teniente. En cuanto a Galton, ahora que había acabado la lucha y se disponían a abandonar el *Envion,* tenía tiempo para pensar en Cady. La expresión de su semblante era indescifrable mientras miraba desde la ventanilla a Torma, el mundo en que su amante yacía enterrada. Paul le puso suavemente la mano en el hombro, un intento de consuelo que Galton apenas si notó. Tenía las mejillas húmedas. Paul le dejó con su duelo.

Mientras tanto, Peris y Tiray estaban enzarzados en una discusión en voz alta con Steven sobre la tecnología de la nave nómada.

—Caballeros —dijo Paul interrumpiéndoles—, tal vez sería mejor continuar el debate una vez nos hayamos soltado del *Envion.*

Steven levantó la mirada hacia su hermano, mientras Peris y Tiray se apartaban sin queja alguna. El tono de Paul, aunque educado, no admitía réplica. Estaba cambiando, asumiendo su nuevo papel como teniente. En la Tierra, cuando combatía a los ilyrios, Paul había sido preparado para el liderazgo por los comandantes de la Resistencia, y él había aceptado toda la responsabilidad que le habían encomendado. Pero esto era distinto. Se hallaban lejos de casa, eran reclutas forzosos en un ejército ajeno y casi recién salidos de una instrucción básica, pero en sus peores momentos —con sus camaradas muertos o agonizando, su nave dañada, una fuerza muy superior lista para atacarles—, Paul había sido capaz de devolverles la confianza, había forjado con ellos una nueva unidad de combate, y cuantos habían querido matarles habían muerto. Steven lamentaba la pérdida de De Souza, pero también agradecía que sus heridas hubieran permitido el ascenso de Paul, porque Steven no creía que De Souza hubiera manejado la situación tan bien como su hermano.

Su mirada fue más allá de Paul hasta fijarse en Alis, la asistente de Tiray. Tenía algo que le resultaba familiar, algo que no sabía ubicar. Parecía muy joven, pero era hermosa de un modo contundente, como una estatua modelada en oro. Había intentado disculparse por haberla tocado, pero la disculpa había resultado tan torpe y embarazosa como la ofensa original. Mientras Steven tartamudeaba, Alis se había limitado a observarle con su mirada ilyria, sin parpadear, con la cabeza ligeramente vuelta hacia un lado, como un pájaro escuchando a un gusano que intenta persuadirlo con palabras para que no lo devore.

La nave nómada se estremeció cuando algo se encendió en el corazón del *Envion*. Un fuego floreció brevemente en una de las cubiertas inferiores antes de que el casco se resquebrajara y las llamas se extinguieran. El estallido distrajo a Steven de Alis.

—Sácanos de aquí —ordenó Paul.

—Sí, señor —respondió instintivamente Steven, y entonces se dio cuenta de que le estaba hablando a su hermano—. Quiero decir...

Steven se calló y se lo pensó.

—Sí, señor —repitió y, en el reflejo del cristal de la cabina, creyó distinguir a Paul sonriendo.

Sin embargo, ya se preparaba para desatracar la nave nómada cuando empezó a sonar una alarma. Paul se dio la vuelta y vio que Galton, sin que nadie se fijara en él, se había levantado de su asiento y había abierto la puerta del conector.

—¡Galton! —gritó Paul—. ¿Qué estás haciendo?

—Lo siento —dijo Galton—. No puedo irme de aquí.

Pasó por la puerta y entró en el conector. Antes de que Paul pudiera reaccionar, la puerta se había vuelto a cerrar, y a los pocos segundos sintió y oyó cómo la lanzadera se separaba del *Envion*.

—Es Galton —dijo Steven—. Nos ha separado desde dentro. ¿Quieres que intente atracar de nuevo?

Y en ese momento, Paul tomó la decisión más difícil que había tomado hasta entonces.

—No —dijo—. Dejad que se vaya.

A veces, pensó, el dolor era simplemente demasiado intenso para que una persona pudiera soportarlo.

Se acercó a una de las ventanillas del casco y vio a Galton mirándole a su vez desde el área de observación. Paul levantó la mano como despedida y creyó ver que Galton le respondía antes de darse la vuelta. La nave nómada se distanció del *Envion,* que fue empequeñeciéndose, con la gran masa amarilla de Torma al fondo. Paul sintió una intensa punzada de tristeza mientras contemplaba los últimos instantes del *Envion,* con la última imagen de Galton todavía fresca en su mente, y recordaba los rostros de los que habían servido en el destructor, perdiendo sus vidas al cumplir con su deber, y cómo la nave se había mantenido entera el tiempo suficiente para que ellos pudieran escapar, como si hubiera querido que sobrevivieran. Pero también esperaba que el recuerdo de la matanza de los asaltantes desapareciese con la nave.

Una gigantesca explosión destrozó el destructor, resquebrajándolo por completo. Con dos mitades separadas y casi a cámara lenta, los restos empezaron a caer hacia la superficie de Torma, esparciendo los escombros a medida que caían, los fragmentos se transformaban en estrellas brillantes en la atmósfera del planeta, y entre ellos iba Galton, que descendía para unirse a su amor perdido.

Contemplaron la desaparición del *Envion* en silencio. Sólo cuando lo perdieron de vista, Alis abordó a Paul para preguntarle si podía ocupar el asiento del copiloto. Paul aceptó. Parecía buena idea que Steven contara con ayuda.

—¿Qué rumbo? —preguntó Steven.

—De momento aléjanos del agujero de gusano —dijo Paul—, mientras intento que alguien me explique cómo hemos acabado en este lío.

La *Nómada* —porque, a falta de un nombre mejor, así fue como decidieron bautizar a su nueva nave— era una maravilla tecnológica. Cuando Paul se dirigió hacia el fondo, desde la cubierta de vuelo pasando por varios compartimentos de la tripulación hasta el área de motores, oía a Peris y a Tiray asombrándose mientras intentaban averiguar dónde había sido construida, y por quién. Cuatro o cinco pantallas virtuales se superponían delante de los dos ilyrios mientras examinaban los sistemas de armas, los controles de vuelo y los motores. Paul les observó en silencio durante un rato, hasta que finalmente se hartó de oír cómo elogiaban una nave que había sido en parte responsable de la reducción a escombros de un crucero y a cenizas y cadáveres flotantes de su tripulación, y tosió ruidosamente.

—Teniente —dijo Peris con ojos brillantes—, es asombroso. Nosotros estamos a décadas de poder fabricar una nave como ésta.

—Con ese «nosotros» —dijo Paul— supongo que se refiere al Ejército, ¿verdad?

Los dos ilyrios captaron la indirecta al instante porque ya habían tenido la misma idea.

—Por supuesto —dijo Peris—. Esto debe de ser obra del Cuerpo Diplomático, pero ¿de dónde sale esta tecnología? Quiero decir que nosotros contamos con nuestras propias divisiones de investigación que trabajan en sistemas de construcción y propulsión avanzados, pero, aunque fueran ciertos los rumores que corren por ahí, ni siquiera nos acercamos al desarrollo de un motor de fusión de esta complejidad. La *Nómada* tiene apenas una décima parte del tamaño del *Envion,* pero su motor es al menos el triple de potente. Esta nave es veloz, resistente, y va equipada con armas que pueden derribar a un destructor militar. No debería existir, pero aquí está.

—Y ha venido persiguiendo al consejero Tiray —dijo Paul.

Volvió Thula y se puso a su lado. Ahora había dos humanos y dos ilyrios. Paul miró de soslayo a Peris, que seguía pegado a Tiray, ambos mirando a su alrededor asombrados. Faltaba por ver a quién era leal Peris, si tenía que elegir entre los ilyrios y la unidad.

—Necesitamos respuestas —prosiguió Paul—. Thula y yo hemos examinado los cadáveres de los asaltantes en el *Envion*. Les habían eliminado de la piel toda marca identificativa y extraído los Chips de los cráneos. No es una cirugía fácil, ¿verdad que no, Thula?

Thula le dio la razón.

—Por lo que me han contado, los verdaderos nómadas desactivan sus Chips, pero no se abren el cráneo para extraérselos de la corteza cerebral.

—Así es —dijo Paul—. Bien, si ensamblamos todas estas piezas, lo que tenemos es una especie de nave secreta del Cuerpo remodelada para que parezca un trasto nómada, que transportaba combatientes entrenados (creemos que securitats, dada la naturaleza sucia del trabajo) que perseguían a un político ilyrio y tenían tanto interés en él como para estar dispuestos a asaltar un destructor militar y matar a cuantos iban a bordo.

Tiray pareció dolido.

—Teniente —dijo—, usted no es el único que ha perdido a amigos y colegas. ¿Sabe lo que hay al otro lado de ese agujero de gusano? Se lo diré: los restos de una nave llamada *Desilus,* con una tripulación de veinte ilyrios, entre ellos mi propio hijastro. La *Desilus* iba a ser la nave de mi misión, pero cuando llegué a ella, todos los tripulantes estaban muertos, y la *Desilus* se parecía al *Envion* tal como lo hemos visto en sus últimos momentos. Sólo gracias a un milagro Alis y yo hemos podido atravesar sin daños el agujero de gusano.

Paul lo miró con frialdad, porque había sido la llegada de Tiray lo que había traído la perdición del *Envion*.

—Tendrá que perdonarnos, pero nos cuesta considerar su llegada como un milagro —dijo Paul—. Según mis últimas noticias, los milagros tienen que ver con levantar a los muertos de sus tumbas, no con enviar a los vivos a su lado. Su milagrosa fuga atrajo a los asaltantes contra nosotros, lo que nos lleva de nuevo a la pregunta principal: ¿por qué es usted tan importante?, ¿qué querían de usted?

Tiray miró a Peris. A todas luces, le incomodaba ser interrogado por un humano; más aún, le fastidiaba. Paul se preguntó a cuántos humanos habría conocido Tiray hasta ahora: algunos miembros de las Brigadas vistos desde lejos, tal vez, pero a nadie más. Estaba claro que Tiray esperaba que Peris interviniera en su nombre. Bien, pensó Paul, ahora veremos qué pasa.

—Consejero Tiray, por favor, responda al teniente —dijo Peris.

En circunstancias más agradables, Paul le habría vitoreado: Peris era un soldado, y los soldados siempre permanecen unidos, sobre todo cuando se enfrentan a políticos.

—Se trata de una situación muy delicada —dijo Tiray—. Puede que haya muchas vidas en juego, tal vez incluso corra peligro el futuro del Imperio. —Se había dirigido a Peris, pero ahora se volvió y centró su atención en Paul—. No pretendo ofenderle, teniente, pero usted es humano y yo, ilyrio. Usted lucha en las Brigadas ilyrias, pero no estamos en el mismo bando.

Antes de que Paul pudiera replicar, Peris intervino.

—Yo tendría presente que, dados los acontecimientos recientes, ahora sí que estamos en el mismo bando —dijo—. En cuanto al teniente, sospecho que conoce mucho más a fondo a los ilyrios y lo que significa nuestra Conquista de lo que ha querido revelar, incluso a mí.

Paul le miró y, no por primera vez, comprendió lo inteligente y listo que era el viejo soldado ilyrio. ¿Cuánto había aprendido Peris en la Tierra?, ¿cuánto sabía? Después de todo, había luchado al lado de la jefa de seguridad de Lord Andrus, la letal e inescrutable Meia, y Meia parecía saberlo casi todo.

—¿Y el otro? —preguntó Tiray ahora haciendo un gesto hacia Thula.

—Es mi sargento —dijo Paul—. Confío en él plenamente.

—¿Que soy tu sargento? —preguntó Thula—, ¿desde cuándo?

—Desde ya.

—¿Y confías en mí plenamente?

—Casi.

—Estoy conmovido.

Tiray los observó, desconcertado. Ésa no era la forma en que los oficiales ilyrios se comportaban con sus subordinados. Pero Tiray parecía haberse resignado a responder la pregunta de Paul. Al final, no le quedaba más remedio si quería contar con la ayuda de Paul. Tiray podía citar todas las leyes ilyrias que quisiera, pero sabía que, si así lo decidían, los humanos podían echarlo por la puerta del compartimento estanco —y también a Peris, dado el caso—, y nadie sabría nada. No conocía lo bastante a Paul para poder confiar en que no recurriría a una acción así.

Tiray se metió la mano en los pliegues de su túnica y extrajo una pequeña unidad USB. Los ilyrios raramente utilizaban métodos de almacenamiento tan primitivos. De hecho, Paul no había visto ninguna desde que salió de la Tierra.

—Esto es lo que buscaban nuestros perseguidores —dijo Tiray—. Y nada les detendrá hasta que se hagan con él.

24

Syl se moría de ganas de acabar su libro, porque seguía leyendo las fascinantes páginas de un volumen sobre las primeras exploraciones ilyrias, y le faltaba poco para terminarlo: sólo un mundo más por descubrir. Pero entonces, bruscamente, el libro se interrumpía. Syl volvió la página y ya estaba: desde la última línea de suspense de un capítulo a la nada; sólo la guarda posterior, decorada intrincadamente al estilo antiguo; tal vez era una guarda valiosa, pero sin una palabra más. No se ponía fin al relato, pese a las promesas de los capítulos previos de que se llegaría a este último mundo, inexplorado, que giraba como un pequeño y grueso ópalo en el espacio, remoto e incognoscible. Pero tenía agua, tenía una atmósfera estable, tenía posibilidades de todo, entre ellas posibilidades para la vida.

Miró más de cerca y vio que alguien había desfigurado el libro. No, «desfigurado» no era la palabra apropiada: las últimas páginas habían sido cuidadosamente seccionadas, con un corte muy pegado al lomo del volumen.

Irritada, Syl arrojó el libro a la otra punta de la habitación.

Debió de quedarse adormilada, porque el estrépito de su amiga al entrar por la puerta la despertó con un sobresalto.

—¡Syl! ¡Lo he hecho! ¡Lo he hecho!

Ani, risueña, se inclinó y besó con fuerza a Syl en la coronilla de su cabeza adormecida.

—¡Por fin lo he hecho!

—¿Que has hecho qué?

—Oh, Syl, ¡ha sido increíble! Ojalá lo hubieras visto. —Ani miró hacia atrás, a la puerta abierta como si esperara que alguien apareciera tras ella—. Da igual, quería contártelo. Quería que lo supieras. —Se le escapó un gritito de alegría y empezó a girar en un círculo de puro emocionada que estaba—. ¡Oh, Syl! No me lo puedo creer.

—Todavía no me has contado qué ha pasado, tonta —dijo Syl, sonriendo mientras se incorporaba.

Ani volvió a mirar hacia la puerta y respiró hondo. La sonrisa era tan amplia que parecía que le iba a dividir la cara por la mitad.

—¡He quemado a Thona! ¡He calentado su plato!

—Oh, Ani, ¡eso es genial!

Syl se levantó y abrazó a su amiga, lo que resultó bastante difícil porque Ani estaba bailando, sumida en el deleite absoluto que le producían sus progresos.

—Thona gritó, asustada. Todo el mundo dejó lo que estaba haciendo y se volvió hacia mí, y Thona me miró en completo silencio durante tanto tiempo que pensé que me había metido en un lío, pero entonces empezó a reírse. Y en ese momento todas empezaron a aplaudir: Tanit, todas los Dotadas, e incluso algunas de las Hermanas plenas. ¡Por mí!

Syl se rió y también dio palmadas.

—Y no ha sido una excepción, porque Thona ha dicho que volviera a intentarlo, y lo he conseguido. ¡Otra vez, Syl! Lo he hecho dos veces, y la segunda me ha parecido ya natural.

Syl abrió la boca para felicitar a su amiga, pero antes de que pudiera hacerlo oyeron voces que se acercaban por el pasillo.

—Oh, son ellas —dijo Ani con inquietud—. Syl, Tanit y las demás chicas vienen a celebrarlo. Lo siento. Se han empeñado; han dicho que siempre celebran los progresos importantes.

Se calló porque Tanit había aparecido en el umbral, alta y hermosa, rebosante de salud y resplandeciente de privilegios, pero con una expresión en la cara que parecía tallada en hielo. Las otras se arracimaron detrás de ella, asomándose por encima de sus esbeltos hombros mientras ella les impedía la entrada.

—Ah —dijo Tanit. Desplazó la mirada de Ani a Syl y sus preciosos labios se fruncieron—. Me ha parecido oler algo. No te preocupes. Nos vamos.

—No, por favor, quedaos —dijo Ani, y Syl vio el pánico que recorrió fugazmente el rostro de su amiga, la angustia de lealtades que se dividían mientras pasaba la mirada de Tanit a Syl y de ésta a la primera. Tanit simuló que estaba un poco decepcionada y se dio la vuelta como si se dispusiera a marcharse.

—Más tarde, Ani.

—Tanit..., no te vayas. Yo...

Ani se volvió hacia Syl, implorándole y, con una punzada en el pecho, Syl captó la indirecta.

—Me iré a mi habitación —dijo en voz alta.

—Gracias —murmuró Ani, que parecía afligida.

Tanit volvió a darse la vuelta, esta vez con una sonrisa triunfante en los labios.

—Genial —dijo sin mirar siquiera a Syl—. Y Ani, ¡mira lo que tengo! ¡Hemos traído cremos!

Con un chillido juvenil corrió hasta Ani blandiendo una jarra asombrosamente grande del preciado vino, y abrazó con la otra mano a la Novicia más joven, que le devolvió la sonrisa como si acabara de entregarle las estrellas del cielo. Las otras la siguieron, chillando y riéndose, y Ani fue tragada por el grupo y se perdió de vista en un mar de azul.

Syl se dirigió silenciosamente a su dormitorio y cerró de un portazo, pero nadie pareció prestarle atención.

Syl yacía indiferente en su cama, concentrada en no hacer caso, o al menos en intentarlo, a lo que se estaba convirtiendo claramente en una verdadera fiesta al otro lado de la puerta. Había empezado con las demás rogándole a Ani que practicara su recientemente adquirida habilidad con ellas, y estaba claro que lo había conseguido porque había oído gritos de «uf» seguidos de vítores y aplausos. Syl gruñó para sus adentros, pues seguramente Ani se daba cuenta de que las demás habían bajado la guardia y simplemente la dejaban jugar con sus mentes.

Por último, todo había degenerado en burlas, bromas y cotilleos, y luego un montón de gritos superpuestos, carcajadas obscenas, y a veces las voces se perdían en murmullos salpicados de risotadas. Y por encima de la celebración, Syl oía de vez en cuando la voz de Tanit, que resonaba nítida y cortante como un cuchillo raspando hielo, dominante e imperiosa, hasta que finalmente Syl ocultó la cabeza bajo la almohada y gritó mudamente hacia el colchón.

Al cabo de un rato Syl sacó las llaves de Cale y las estudió cuidadosamente una vez más. Ya había llegado a la conclusión de que no todas eran ciertamente llaves de armarios, como había temido al principio. Al menos dos de ellas eran más grandes, semejantes a las que Ani y Syl habían recibido para sus propios alojamientos, pero una tenía una fija franja roja alrededor de la punta. Syl nunca había visto una llave así. La rozó levemente. Una de las grandes bien podría ser la de los alojamientos privados de Cale, pero esta otra también debía de ser importante. Eso indicaba la franja roja, el intenso matiz rojo que era la marca de la Hermandad.

Mientras le daba vueltas a todas las posibilidades, Syl escondió el manojo. Después encendió sus velas, porque se había acostumbrado a la oscuridad y detestaba la fría iluminación del techo de la Marca. Muchas de las chicas utilizaban cristales refulgentes en lugar de velas, regalos de sus afectuosas familias de Ilyr, y las piedras proyectaban suaves arco iris sobre las paredes. Alguien —¿una de las Dotadas?, ¿Tanit?— le había regalado una de esas piedras a Ani, que la había colocado cuidadosamente en su pequeño salón para que ambas pudieran disfrutar de su fulgor. Syl prefería que no lo hubiera hecho. Sí, era bonita, pero también lo era Tanit, y Syl no quería nada que se la recordara en su alojamiento, si podía evitarlo, aunque esta noche obviamente no era algo que estuviera en sus manos.

Fuera como fuese, las velas le recordaban a su casa, a Edimburgo, donde su padre siempre tenía sus candelas encendidas en las comidas formales. Se lo imaginó ahora, y se preguntó si él pensaba alguna vez en ella, si algo del ilyrio al que había amado sobrevivía todavía en su interior. Se puso boca arriba y contempló los charcos de sombras que parpadeaban en el techo. Pronto. Tendría que probar las llaves pronto. Unas mariposas aletearon nerviosas en sus entrañas. Tal vez no podría cambiar el mundo, o los mundos, pero

164

quizá sí podría averiguar qué le había hecho Syrene a su padre. Lo único que le hacía falta era valor, y un plan.

Al cabo de un rato llamaron a la puerta, tan débilmente que al principio Syl creyó que había confundido el sonido, pero lo oyó de nuevo, educado pero insistente: toc, toc, toc.

—¿Sí? —dijo en voz baja.

La puerta se abrió apenas una rendija, dejando que el ruido del salón entrara a raudales y a todo volumen. Los ojos oscuros de Dessa se asomaron por el hueco.

—¿Syl? —dijo.

—¿Qué?

Syl intentó concentrar hasta el último grado de su malestar en esa única palabra, y Dessa se mordió el labio.

—¿Puedo entrar?

—¿Por qué?

—Tengo esto para ti.

Dessa abrió la puerta un poco más y se deslizó dentro, cerrando silenciosamente tras ella. Syl se envaró, pero en las manos de Dessa se equilibraban dos copas de cristal de vino de color granate. Syl podía oler su matizada intensidad desde donde yacía.

—Ten. Para ti —dijo Dessa sonriendo vacilante al acercarse. Dejó la copa en la mesita de noche de Syl—. Es cremos —añadió sin que hiciera falta—, el mejor cremos. Pero, claro, Tanit siempre tiene lo mejor de todo.

Syl alzó la mirada hacia ella, y lentamente se enderezó, se giró de manera que le daba la espalda a la pared y sus largas piernas quedaron estiradas a lo ancho de la cama, con el cuidado de no apartar la mirada de Dessa. Dessa le devolvió la mirada con decisión.

—¿Por qué me traes algo, sobre todo este cremos? —preguntó Syl.

Dessa se asomó a la diminuta ventana de Syl y suspiró con un tono bastante dramático, dando a entender que sentía que la juzgaba erróneamente.

—Porque pensé que te sentirías excluida —dijo—. Y me pareció que podrías querer una amiga.

—No seas absurda. Todas me odiáis.

—No, no es verdad —se quejó Dessa—. Yo no te odio. Ni siquiera te conozco, y tú tampoco me conoces a mí. Sería una estupidez que nos odiáramos.

—Bueno, yo ya tengo bastantes amigas —dijo Syl, pero sus palabras sonaron falsas incluso a sus propios oídos.

Dessa sonrió con gracia.

—Oh, Syl —dijo, y se sentó en la cama como si ya estuviera decidido: serían amigas. Syl se apartó, removiéndose incómoda, pero Dessa no pareció percatarse—. De verdad quería hablar contigo. A veces pareces terriblemente triste y perdida, y estoy segura de que te has dado cuenta de que ahora Ani pasa más tiempo con nosotras que contigo.

Syl tomó aire con irritación. El comentario había estado muy cerca de dar en el blanco.

—No lo hace intencionadamente, claro —dijo Dessa, apresurándose, desesperada, a retirar cualquier ofensa que pudiera haber intuido su interlocutora—, pero es algo que está en la naturaleza de su día a día. Las Novicias Azules pasan mucho tiempo estudiando juntas. Ahora ésa es la pauta de la vida de Ani. Es una de nosotras. Pero tú debes de echarla mucho de menos.

Syl no respondió. La habitación se sumió en la quietud y siguieron sentadas en silencio, oyendo la fiesta al otro lado de la puerta. Dessa dio unos sorbos a su cremos. Syl ni se percató, manteniendo la mirada fija en la pared. Al cabo de un rato, Dessa tomó la otra copa y se la tendió hacia Syl. La luz de las velas se reflejó en ella y una cascada de estrellas rubíes cayó por el techo.

—¿No te echarán en falta? —dijo Syl ignorando el ofrecimiento.

Dessa se encogió de hombros con tristeza.

—Lo dudo. Ahora tienen a Ani, y ella puede hacer lo mismo que yo. ¿Sabes?, nublar las mentes no es nada especial y yo nunca les he importado mucho. Lo que les importa es lo que puedas hacer por ellas.

En ese momento Syl se dio la vuelta y miró a la chica con curiosidad, fijándose en su pelo, del color del plomo líquido, y en sus ojos tan oscuros y violetas como el cremos que sostenía en la mano. Dessa le devolvió la mirada y sonrió con tristeza.

—Entonces, ¿por qué las detuviste aquel día, con Elda? —preguntó Syl—. Porque fuiste tú, no lo niegues.

Siguió una larga pausa antes de que Dessa respondiera.

—Toma —dijo finalmente empujando la copa y poniéndola en manos de Syl—. Tendrás que sostener esto un momento, debo enseñarte algo. Tal vez entonces lo entenderás.

Syl observó cómo Dessa se subía la manga de la túnica y descubría una pulsera ancha de color crema que llevaba alrededor de la muñeca. Se la quitó y la sostuvo ante la luz de las velas; Syl se quedó boquiabierta porque, tallada en la pulsera de marfil, había una hilera de elefantes que se cogían las colas con las trompas, uno detrás del otro.

—¿Es de la Tierra? —preguntó tocándola con reverencia, pese a no querer hacerlo.

Syrene le había quitado todas sus pertenencias antes de llegar a la Marca. Los únicos objetos terrestres que se les permitieron a Syl y a Ani fueron los que les había dado la Bruja Roja en persona: jabón y sábanas, que no eran demasiado representativos del planeta en su sentido más real y genuino.

—Claro.

—Pero ¿cómo?, ¿has estado allí?

—No —dijo Dessa—. Ojalá. Pero cuando era más pequeña y todavía iba a la escuela en Ilyr, había una chica en mi clase que se llamaba Galai. Ya sé que es un nombre feo, pero la pobre Galai tampoco era muy agradable a la vista.

Observó a Syl y esperó.

—Una rosa con cualquier otro nombre también olería dulce —dijo Syl sin mucha convicción, a falta de otra respuesta.

—¿Perdón? —preguntó Dessa.

Syl negó con la cabeza.

—Sólo era Shakespeare. No te preocupes. ¿Qué me decías?

—Sí, la buena de Galai: la conocía desde que éramos niñas porque nuestros padres eran amigos, y yo pensaba que era un poco tonta, pero también una criatura buena y leal, aunque nadie lo sabía. Ni siquiera se tomaron la molestia de averiguarlo. El caso es que este brazalete era suyo. Su tío sirvió en la Tierra y se lo trajo de regalo. Estaba tremendamente orgullosa de él...

Enmudeció, con la mirada perdida en la lejanía, y el labio inferior le tembló.

Syl tosió, incómoda, y Dessa lo interpretó como un empujoncito para que continuara.

—Galia está muerta, Syl. Se suicidó. Algunas compañeras de clase la acosaron tanto que se quitó la vida. Y yo no impedí que la molestaran, que le hicieran daño. Tenía miedo de caerles mal, así que ni siquiera lo intenté.

Habían asomado lágrimas en esos ojos intensamente violetas, y Syl apartó la mirada.

—Lo siento —dijo, y lo decía sinceramente.

—Yo también —dijo Dessa, volviéndose a colocar el brazalete en la muñeca y haciéndolo girar con afecto—. Su madre me lo dio después del funeral. Dijo que yo era la única amiga de Galai y que ella habría querido que yo me lo quedara. Pero la verdad es que yo no era amiga de Galai. Aparté la mirada, pero he jurado que no volvería a apartarla nunca más.

Su voz se quebró en un pequeño chillido, y meneó la cabeza irritada. Luego, dio un trago de su bebida como si quisiera engrasar sus cuerdas vocales.

—Entiendo —dijo Syl. No sabía qué más decir, así que dio un sorbo de su propia copa, y el líquido se deslizó como terciopelo dulce por su garganta mientras Dessa recuperaba el hilo de la historia.

—En cualquier caso, ahora llevo siempre la pulsera, para acordarme de Galai y de mi promesa. Y por eso ayudé a Elda, que es...

Con un estrépito, la puerta se abrió de par en par y Tanit apareció ante ellas.

—¡Dessa! —gritó—. ¿Qué haces aquí?, ¿y por qué estás hablando con *ella*?

La pareja sentada en la cama la miraba, mudas de la sorpresa. Entonces Tanit vio lo que Syl sostenía en la mano.

—¿Y por qué le has dado *mi* cremos? —gritó.

Retrocedió hacia Syl y le arrebató la copa de las perplejas manos con tal fuerza que arrancó el cáliz del tallo y derramó el contenido sobre la ropa blanca de la cama y por el brazo de Syl, como salpicaduras brillantes de sangre.

168

—Vuelve a la fiesta, Dessa —ordenó Tanit—. Inmediatamente.

Agitó la copa rota hacia Dessa, que se levantó obediente y salió corriendo de la habitación, culpable como un perro al que hubieran pillado robando comida del plato de su amo. Pero antes de que la puerta se cerrara de golpe tras ella, dedicó a Syl una leve sonrisa traviesa por encima del hombro, y Syl se quedó mirándolas, confusa, con los dedos viscosos todavía alrededor del tallo de la copa rota.

25

El dispositivo USB que había custodiado Tiray podía insertarse en uno de los puertos de la *Nómada* para acceder a la información, pero él se mostró reacio a permitirlo. Si utilizaba el sistema de ordenadores de la nave, toda la información que contenía el dispositivo quedaría almacenada automáticamente en él, y eso significaba que otros podrían acceder, tanto directa como remotamente. Así que Tiray llamó a Alis, que sacó una unidad con pantalla portátil de su mochila y Tiray la utilizó para abrir los contenidos del dispositivo.

Lo que apareció ante ellos parecía al principio una imagen de microorganismos tubulares: *E. coli*, tal vez, el tipo de desagradables pequeñas criaturas que podían enfermar gravemente a una persona. Sólo cuando cifras y coordenadas aparecieron al lado y la imagen empezó a rotar, Paul supo lo que eran.

—Agujeros de gusano —dijo.

Paul estaba al tanto de que los ilyrios habían descubierto montones de agujeros de gusano y que estaban situando nuevos en los mapas cada día, pero no tenía ni idea de cuántos habían registrado ya. Ahora descubría miles y miles de ellos, algunos tan cercanos entre sí, al menos en términos de la inmensidad del universo, que casi se superponían. Con ese nivel de información al alcance, el sistema de navegación de una nave tardaría sólo unos instantes en calcular la forma más rápida de ir de una galaxia o de un sistema solar a otros —por remotos que fueran— utilizando una combinación de agujeros de gusano. En términos terrestres, sería como viajar de Edimburgo a Londres a través de Shanghái y Alaska, y llegar antes de que un viajero en coche hubiera tenido tiempo de entrar en la autopista.

—Pero ¿esto no es de dominio público? —preguntó Peris.

—Una parte sí —dijo Tiray—, aunque ni siquiera yo era consciente de lo amplia que era la red. Pero un agujero de gusano en particular fue una revelación. —Agitó la mano y un sistema estelar se iluminó en la esquina superior izquierda—. Éste es el sistema Arqueón.

—Nunca he oído hablar de él —reconoció Peris—, y llevo la mayor parte de mi vida estudiando la Conquista.

—Eso es porque Arqueón no aparece en el registro general ni en ninguno de los mapas de agujeros de gusano existentes.

—¿Por orden de quién?

—La División Geográfica del Cuerpo Diplomático es la responsable de todos los mapas —dijo Tiray—. No obstante, sospecho que incluso pocos de ellos están al tanto de la existencia de Arqueón. Éste es el mapa más avanzado al que hemos podido acceder, pero si borrara todos los agujeros de gusano excepto los más antiguos y los sistemas cartografiados a los que dan acceso...

Otra agitación de las manos, sus dedos manipularon las imágenes y entonces...

Casi todos los agujeros de gusano se desvanecieron, dejando sólo doce en pantalla. Una ruta enrevesada conectaba la galaxia de Ilyr a Arqueón.

—Éstos son los primeros agujeros de gusano —dijo Tiray—, los que reveló la Hermandad a Meus, el Unificador de Mundos, apenas unos días antes de morir, y cuya localización se creía perdida durante la guerra civil posterior.

La muerte de Meus había dado lugar a la guerra civil, una guerra que se alargó un siglo entre militares y diplomáticos; sus heridas nunca habían cicatrizado del todo. Las circunstancias de la muerte de Meus seguían sin aclararse. La versión oficial era que Meus murió en un incendio accidental en su casa, pero alguien dijo que había muerto, asesinado, antes de que el incendio se declarase. Y Meus no había sido muy amigo del Cuerpo Diplomático: procedía de una familia militar y, durante su gobierno, el poder de los diplomáticos se había visto considerablemente reducido.

—Pero parece que, al final, no se perdieron —dijo Peris.

—No —dijo Tiray—. Estaban ocultos.

—¿De dónde ha sacado este mapa? —preguntó Paul.

—Eso no puedo revelárselo —dijo Tiray—. Baste decir que hay quienes, incluso entre los miembros del Cuerpo Diplomático, creen que en el corazón del Imperio ilyrio radican las tinieblas, y que hay que arrancarlas de raíz. La fuente de esas tinieblas puede hallarse en el sistema de Arqueón, si no, ¿por qué se habría ocultado su existencia durante tanto tiempo?

Paul agitó la mano derecha, recuperando la multiplicidad de agujeros de gusano del mapa. Se adelantó para situarse en medio de ellos. Las afiladas cifras y letras ilyrias flotaban por encima de su cabeza y los planetas orbitaban alrededor de soles ante sus ojos. En un gesto instintivo, se llevó la mano al cuello y tocó la cruz de plata que colgaba allí. Tal vez esto era como ser Dios, pensó, una conciencia errante recorriendo el universo, ante cuyos ojos los soles no eran más grandes que diminutas piedras preciosas, y sistemas enteros parecían meramente un poco de polvo.

—¿Y cómo descubrió la Hermandad todos estos agujeros de gusano? —preguntó.

—No lo han explicado —respondió Tiray—, y no lo harán. Afirman que proceden tan sólo de sus muchos años de intenso estudio.

—Pero ¿de estudio de *qué?*

Paul miró a Tiray, pero éste se limitó a encogerse de hombros.

—No es el primero que lo pregunta. Pero Arqueón podría tener la clave.

Paul volvió a examinar el mapa estelar. Para sus adentros, leyó los nombres de los sistemas: Faledon, Tamia, Graxis...

—¿Qué es esto? —preguntó.

Había llamado su atención una zona de oscuridad en el extremo de uno de los agujeros de gusano. Los ilyrios habían empezado la ciclópea tarea de situar en los mapas cada sistema que los agujeros de gusano les descubría; todos, salvo ése. Estaba señalado sólo con una palabra, *Derith,* el término ilyrio para «Desconocido».

—La División Geográfica no ha podido trazar el mapa de ese sistema —dijo Tiray—. Han entrado drones, pero no han salido.

—¿Tiene idea de por qué?

—¿Quién sabe? —dijo Tiray—. Puede haber un cinturón de asteroides en la boca del agujero de gusano, o una estrella colapsándose. Sólo hemos trazado mapas de una diminuta fracción del universo, pero hemos descubierto que está más vacío y, a la vez, es más peligroso, de lo que habríamos podido imaginar. Estamos encontrando anomalías que no podemos explicar, ni, menos aún nombrar.

Tiray señaló con uno de sus largos dedos la garganta de Pau, donde éste seguía tocando la cruz con la punta de los dedos de la mano derecha.

—Veo que lleva un símbolo de fe.

—Sí.

—Bueno, de existir, me refiero a un dios por falta de un término mejor, él creó el universo y luego se olvidó de acabarlo. Dejó mundos vacíos, tanto habitables como inhabitables, y sembró de trampas el espacio para matar a los incautos.

—O a los curiosos —dijo Paul.

Habló sin pesar, con la mirada fija en ese último agujero de gusano.

Derith. Desconocido.

Tiray volvió a hablar, sacándole de sus pensamientos.

—Teniente —dijo—. Quiero que me lleve a Arqueón. Quiero ver qué hay allí.

Derith. La palabra resonó como un eco profundo dentro de Paul. No sabía por qué, pero ese espacio vacío en la carta estelar parecía casi llamarle. Sólo con un gran esfuerzo pudo volver a concentrar la mirada en Arqueón. ¿Qué era lo que había dicho Tiray?, ¿algo sobre unas tinieblas en el corazón del Imperio ilyrio? Sí, al menos eso era cierto, sin duda, pero tal vez no se encontraba tanto en el corazón como dentro de su conciencia, porque parte de ella adoptaba la forma de un organismo alienígena enroscado alrededor de un bulbo raquídeo. Lo sabía por los últimos días que había pasado en la Tierra. Paul se volvió lentamente hasta que encontró Ilyr, y alargó la mano para reseguir con el dedo la imagen del planeta, el origen de su enemigo, el origen de su amor.

De Syl.

Dios, pensó Paul, ¿cómo habían podido complicarse tanto las cosas?

Peris lo observaba, esperando que Paul tomara la decisión. Si la Hermandad había encontrado el sistema de Arqueón, y ellas y sus aliados en el Cuerpo Diplomático se habían confabulado para mantenerlo oculto, es que merecía la pena investigarlo. La otra opción era simplemente dirigirse a la base ilyria más cercana para dejar a Tiray y a su extraña asistente con sus gentes. Pero si Tiray estaba en lo cierto, se verían obligados a luchar para llegar hasta allí, porque, en el otro extremo del agujero de gusano más próximo, estarían esperándoles más cazadores disfrazados como nómadas. Así que no podían volver atrás, y tampoco podían quedarse donde estaban. Tarde o temprano alguien acudiría en su busca y descubriría lo que les había sucedido a las dos naves nómadas, del mismo modo que, en algún momento, los militares empezarían a preguntarse por qué el *Envion* no había mandado drones de comunicación; aunque Paul apostaría una fuerte suma a que, quienquiera que fuese el que había mandado a esos nómadas, ése sería el primero en aparecer por el agujero de gusano.

Paul se volvió hacia Thula.

—Copia este mapa y pásaselo a Steven —dijo—. Dile que trace una ruta al sistema de Arqueón.

26

En cuanto tomó la decisión, Paul sintió que se le venía encima una ola de agotamiento que acababa rompiendo contra él. También la vio en los demás. Habían tenido que luchar por sus vidas casi sin descanso desde que aterrizaron en Torma y los que aguantaban en pie apenas podían mantener los ojos abiertos. Rizzo ya se había quedado dormida en una silla, e incluso los extraños ojos que se asemejaban a los de un geco de los ilyrios delataban su cansancio y sus membranas nictitantes se hacían visibles cuando el sueño los vencía por momentos.

Thula se sentó al lado de Rizzo, cerró los ojos y se quedó dormido como un tronco, pero Paul se resistió al impulso de imitarles. Fue a ver a su hermano a los controles de la nave. Steven y Alis parecían haber superado parte de la incomodidad inicial causada por el cacheo del chico y en esos momentos realizaban una comprobación completa de las posibilidades técnicas de la *Nómada*. El rostro de Steven se veía iluminado con el deleite del descubrimiento, y la fascinación de Alis por la nave parecía casi a la altura de la de su hermano. De todos los de a bordo, sólo estos dos no parecían exhaustos.

—¿Cómo estáis? —preguntó Paul.

—Esta nave es increíble —dijo Steven.

—Sí, eso dicen todos. Mi pregunta es: ¿cuánto tiempo más puedes aguantar sin descansar?

—¿Descansar? —repitió Steven como si Paul acabara de sugerir que canjeara la *Nómada* por un Toyota usado con un dueño cuidadoso—. Mira, si me emocioné cuando me dieron mi primera lanzadera...

Sí, ya, pensó Paul, y fíjate cómo acabó.

—... pero ésta es otra cosa. Tendrás que arrancarme el control de las manos frías y muertas.

—Bueno, esperemos no tener que llegar a tanto —dijo Paul con tono seco—. ¿Cuánto falta para que alcancemos el primer agujero de gusano?

—Si aumento la velocidad, unas veinte horas. Después, quedarán un par más de agujeros virtualmente en nuestras puertas. ¿Todavía te preocupa que nos persigan?

—Vienen, eso es seguro —dijo Paul—, y se presentarán en una nave parecida a ésta.

—¿Puedo hacer una sugerencia? —dijo Alis, que hablaba por primera vez.

Paul enarcó una ceja.

—Adelante.

—El rumbo inicial que hemos trazado hasta Arqueón era el más directo, pero si tomáramos una ruta un poco más sinuosa, podríamos quitarnos de encima a cualquier perseguidor.

Paul se lo pensó un momento, luego negó con la cabeza.

—Hemos de suponer que saben que estamos al tanto de la existencia de Arqueón, si no, ¿por qué os habrían perseguido al Consejero Tiray y a ti? Si tardamos demasiado en llegar a Arqueón es posible que les demos la oportunidad de que se nos adelanten y nos aniquilen al llegar, y podríamos salir del último agujero de gusano sólo para que nos hagan pedazos. No, ahora contamos con cierta ventaja, y tenemos que aprovecharla. Pisa el acelerador o lo que sea que hagáis con estas máquinas y llévanos allí rápido.

Alis no discutió. Eso estaba bien. Paul no estaba de humor para más discusiones, sobre todo con esta pequeña ilyria.

—¿Y tú qué tal? —le preguntó—, ¿te encuentras bien?

—Estupendamente.

—Bien, dado que vosotros dos sois los únicos a bordo cualificados para pilotar esta nave, necesito que al menos uno de los dos esté fresco y alerta en todo momento. Steven, te quiero dormido dentro de media hora, tanto si te parece que lo necesitas como si no. Descansa cuatro horas, luego descansas tú, Alis. ¿Entendido?

—Sí, señor —dijo Steven.

A Paul le pareció que le respondía como un niño malhumorado cuyo padre lo enviaba a la cama justo cuando la película que estaba viendo empezaba a ponerse interesante. En otra vida, claro, eso era exactamente lo que habría sido Steven: un adolescente que iba al instituto, que estudiaba para los exámenes, que comía en la mesa de la cocina con su hermano y su madre, y pensaba en chicas, dinero, videojuegos, y en su futuro, pero la llegada de los ilyrios lo había alterado todo. De manera que, aunque todavía no había cumplido los dieciséis, estaba luchando y matando a años luz de su hogar. Lo que preocupaba a Paul era que Steven no parecía mostrar signos de traumas ni de remordimientos por lo que se había visto obligado a hacer. Oh, todavía echaba de menos a su madre, eso sí lo veía Paul. Había oído llorar a su hermano varias veces aquellos primeros meses, y todavía se sumía en una profunda tristeza cada vez que mencionaban su nombre, pero empezaba a curtirse. Según Peris, apenas había dejado traslucir ninguna emoción cuando tendieron la emboscada a los asaltantes, y les había disparado sin misericordia. Paul pensó que su hermano podría estar convirtiéndose en un combatiente mejor que él mismo.

Dejó a Steven y a Alis trabajando, pasó silenciosamente al lado de Thula y Rizzo, y vio que Tiray se había tumbado entre dos sillas, con los ojos ligeramente nublados mientras dormía. En el pasado, esos ojos le habrían erizado el vello a Paul, pero Syl lo había cambiado. Syl le resultaba encantadora, y parte de la atracción que le producía la belleza alienígena de la chica se había transferido a su percepción del resto de los de su especie. Ya no podía odiarlos tanto como antes.

Aun así, podía intentarlo.

Peris le esperaba en la sala de reuniones.

—Tienes que dormir, y pronto —le dijo a Paul—. Luego tendrás que estar espabilado. Ellos confían en su teniente.

—¿Y tú?

—Yo también dormiré, en cuanto hayamos hablado.

Paul se sintió tentado de apoyarse en el casco de la nave, o incluso de sentarse, pero temía que si lo hacía no podría mantenerse despierto. Optó por quedarse de pie.

—¿Qué es lo que sabes? —le preguntó a Peris.

—Podría hacerte la misma pregunta.

—Lo digo en serio, capitán —dijo Paul, porque ése era el rango de Peris cuando salieron de la Tierra—, ¿por qué dejaste el servicio del gobernador para venir a las Brigadas?, ¿por qué preferiste permanecer al lado de mi hermano y de mí?

Durante todos los meses que habían pasado juntos, desde el ingreso, pasando por la instrucción y ahora su primera misión, Paul nunca había encontrado el momento propicio, o el valor, para plantearle esa pregunta a Peris.

—Porque Meia me pidió que os protegiera. Porque me dijo que el destino de los ilyrios bien podría estar vinculado al vuestro, y mi primera lealtad es para con mi propia especie, incluso por delante del gobernador Andrus.

—¿Es eso todo lo que dijo?

—Sí.

—¿Y tú la creíste?

—Sí.

—¿Por qué?

—Yo confiaba en ella y...

Por primera vez, Peris apartó la mirada.

—¿Y?

—Después de tomar mi decisión, debo confesar que tuve mis dudas. Me arrepentí. Habría sido más fácil permanecer en Edimburgo. Estaba preocupado por el gobernador Andrus porque se quedaba rodeado de enemigos. Casi me planteé recurrir a él y pedirle que me reclamara a su lado. Incluso llegué a visitarle en sus cámaras, pero...

Hizo una pausa. Paul nunca había visto tanto desconcierto, tanto dolor, en el rostro de Peris. El viejo soldado siempre parecía confiado, seguro de sí mismo. Pero no en ese momento, no mientras hablaba del gobernador ilyrio a quien había servido lealmente durante tanto tiempo.

—El gobernador ya no era el mismo —prosiguió Peris por fin—. Había cambiado. No puedo explicar cómo me di cuenta, ni siquiera sé la naturaleza exacta de su transformación, pero me parecía absurdamente satisfecho para tratarse de alguien que estaba a punto de perder a su hija y entregarla a su enemigo. No era el Lord Andrus al que yo había jurado lealtad, y no estaba solo en su alojamiento. La Syrene, la bruja Nairene, estaba a su derecha y parecía que algo de lo que ardía oscuramente en ella, ardía también ahora en él. Es la única forma que se me ocurre de describirlo. Y por eso me fui y ni siquiera me volví a mirar atrás.

Era el turno de Paul. Escogió sus palabras con cuidado. Creía a Peris, pero no quería poner en peligro a todos los miembros de la Resistencia que sabían lo que había pasado en las entrañas del Castillo de Dundearg, así que no dio nombres. Simplemente le contó parte de la verdad: que ciertos miembros del Cuerpo Diplomático parecían portar un organismo alienígena en sus cráneos, un parásito de origen desconocido, y parecía que lo hacían voluntariamente; que Meia había encontrado pruebas de que la siniestra División de Desarrollo Científico de los diplomáticos estaba llevando a cabo experimentos con humanos, entre ellos la implantación de organismos similares, y no sólo en humanos sino también en otras especies animales, pero que esos implantes parecían haber fracasado. Por último, dijo que Meia había visto cadáveres humanos abiertos en canal, como bolsas de fertilizante para cultivos, y unos zarcillos que parecían anémonas brotando de sus entrañas.

Paul dejó de hablar, pero Peris permaneció también en silencio, asimilando todo lo que había escuchado. Parecía conmocionado por las revelaciones sobre la capacidad para la crueldad de su propia raza.

—¿Crees que Tiray lo sabe? —preguntó Paul.

—Tiray es un político —respondió Peris—. Viven para los secretos, más aún que la mayoría de los ilyrios. Yo diría que no lo sabe o, al menos, no tiene la certeza; si lo supiera, no habría asumido el riesgo de una misión a Arqueón. Pero, Paul...

A Paul le sorprendió que Peris utilizara su nombre de pila. Hasta ahora, Peris sólo se dirigía a él por su rango o su apellido.

—... lo que sabes te coloca en una posición muy peligrosa. ¿Está Steven al tanto de todo esto?

Paul asintió.

—Ten cuidado con Tiray —le advirtió Peris—. Hasta ahora no lo había tratado personalmente, pero Lord Andrus siempre le respetó. Sin embargo, Tiray tiene sus propias razones para esta investigación, ¿y quién sabe adónde podría llevarnos todo esto? Puede que a Tiray no le haga gracia que un humano conozca los secretos más infames del Cuerpo y, por extensión, de los ilyrios. Se ha asesinado por menos.

—¿Y qué me dices de ti? —preguntó Paul—. Has dicho que tu primera lealtad es para con los ilyrios. ¿Matarías por mantener ocultos esos secretos?

—No —dijo Peris—, mataría por hacerlos públicos.

—En ese caso tendremos que confiar el uno en el otro.

—Sí —dijo Peris—. Confiarás en que no te delate por lo que sabes, y yo confiaré en que no utilices contra mí ninguna de esas armas de pulso que has ocultado en la bodega de carga.

Paul se quedó de piedra. Pero Peris no dijo nada más. Simplemente se tumbó en un sofá, volvió la cara hacia el casco de la nave y se durmió.

27

El séquito de Dotadas de Ani pasaba bastante tiempo por sus alojamientos desde aquella primera velada, merodeando por el salón mientras Syl se refugiaba en su habitación. Dessa sonreía con calidez a Syl cuando se juntaban todas, pero después se iba. En la tercera visita, cuando Syl se escabulló casi a hurtadillas de su habitación para ir al lavabo, Dessa la esperaba delante de la puerta.

—Hola, Syl —dijo casi con timidez cuando salió.

—¿Qué hay? —dijo Syl.

—¿Cómo estás?

Syl dirigió una mirada a las visitantes.

—Pues mejor que bien, gracias. Sí, genial.

—Siento que sigamos invadiendo tu espacio —dijo Dessa. Sus grandes ojos violetas parecían apenados.

—¿Por qué habéis venido todas otra vez? —dijo Syl.

—Bueno, en realidad se trata de una especie de tradición. Cada vez que una de las Novicias Azules realiza un avance importante, lo celebramos con ellas en sus alojamientos.

—¿Me estás diciendo que Ani ha realizado tres grandes progresos?

Syl no lo sabía, y le sorprendió y dolió que Ani no se lo hubiera contado.

—Bueno, en realidad sólo ha hecho dos. El segundo ha sido hoy: ha nublado dos mentes a la vez. Ha hecho que dos tutoras notaran los platos calientes a la vez. No muchas de las que poseen el don de nublar lo consiguen tan rápido.

Syl sonrió para sus adentros; eso no era un gran avance por lo que a ella se refería. En lo que ahora parecía ya otra vida, cuando Ani y ella habían rescatado a los chicos humanos de las celdas del

Castillo de Edimburgo, Ani había hecho creer a dos guardias que Syl era nada menos que Vena, Vena «la Mofeta», la perversa securitat de franjas plateadas a quien más odiaban. Visto en retrospectiva, aquél había sido el punto culminante de varios días espantosos.

Dessa le devolvió la sonrisa, claramente convencida de que se había establecido una corriente de simpatía.

—Es asombroso, ¿verdad?

—Sí. Pero habéis venido tres veces, no dos —dijo Syl.

—Bueno, la última vez fue por Mila. —Dessa tuvo el detalle de parecer avergonzada—. Sí, ya sé, ya sé. Mila y Xanon también tienen habitaciones grandes y bonitas, como la tuya, y tendríamos que haber ido allí. Pero la institutriz de Mila vino con ella cuando entró en la Hermandad. Un poco como vosotras dos. Sólo que la vuestra se ha ido, ¡qué suerte! ¡Libertad! ¡Una habitación de más!

—Sí. Menuda suerte.

—Y, sinceramente, la institutriz de Mila es una pesada.

—Entiendo. Pues nada, pasadlo bien.

Dessa siguió a Syl de vuelta a su habitación.

—En realidad estoy un poco harta. ¿Te apetece compañía? —preguntó.

—Estoy ocupada.

—Bueno, a lo mejor la próxima vez, ¿no?

Syl se sintió un poco culpable al mirar el semblante serio y dolido de Dessa, y recordó la promesa que le había hecho a Ani, la de que intentaría ser más amigable. En cualquier caso, Dessa no parecía tan terrible.

—Sí, tal vez la próxima vez. Nos vemos, Dessa. Gracias —dijo.

La sonrisa de Dessa brilló como el filamento de una bombilla mientras Syl cerraba la puerta del dormitorio.

El tiempo pasaba despacio esa tarde y Syl se aburría encerrada en su pequeña y triste habitación. Nerviosa, no sabía qué hacer. Por un instante pensó en salir a explorar, pero hacerlo después de las clases parecía una tontería porque todas las profesoras habían vuelto al Decimocuarto Reino, y era ahí adonde deseaba acceder. No, sería preferible ir durante las clases.

Aun así, sentía un cosquilleo en las piernas, y la preciosa intimidad de su habitación empezaba a resultarle tan asfixiante como la celda de una cárcel, con su ventanilla que filtraba la promesa de un millón de otras realidades, ninguna de las cuales estaba a su alcance ni podía ser tan claustrofóbica como esta vida que se veía obligada a llevar en el dominio enclaustrado de la Hermandad de Nairene. Necesitaba estirar las piernas, correr, escapar, sentirse libre.

Y las celebraciones seguían en la habitación al otro lado de la puerta. ¿Se marcharían alguna vez Tanit y sus acólitas?

Syl se puso en pie y se desperezó; caminó por la habitación y se imaginó que volvía a pasear a grandes zancadas por las Highlands, ascendiendo las laderas empinadas bajo el viento y la lluvia, gritando al saltar en un lago de aguas heladas y luego entrando en calor junto a una hoguera humeante, cocinando trozos de pescado atravesados con una vara, con la espalda fría y el pelo mojado goteándole por la columna mientras que la parte de delante de su cuerpo estaba cálida como una tostada y sus mejillas sonrosadas por el calor.

Aquí, en esta miserable madriguera de conejos, el clima no cambiaba, el tiempo no enloquecía inesperadamente: la temperatura estaba impecablemente controlada por monitores ocultos que realizaban mínimos ajustes durante el día y la noche. Cuanto te acostabas, los sensores leían tu temperatura corporal y ajustaban las condiciones de la habitación buscando el máximo confort, añadiendo humedad o eliminándola, enfriando el ambiente o caldeándolo. Las áreas comunes tenían un único nivel de temperatura: agradable. Todo era una burbuja de sensaciones de bienestar: un clima perfecto sin las molestias de tener que ponerte o quitarte un abrigo. Incluso las duchas seleccionaban automáticamente la temperatura del agua. Los sensores decidían cuál era la mejor, qué haría sentir más cómodo un cuerpo ilyrio, pero nada sabían del joven espíritu ilyrio.

Cuando llegaron, Syl había anhelado volver a sentir la furia de los elementos en su rostro, y a medida que pasaban los meses descubrió que sólo se intensificaba su deseo del lacerante viento frío que tanto había detestado en Edimburgo cuando soplaba alrededor del castillo en invierno, agrietándole los labios y cortándole los dedos como si fueran una fruta hinchada. Pensaba a menudo en el suave sol de abril, en la lluvia de noviembre cayéndole sobre la cara vuelta hacia arriba, en los copos de nieve deslizándose por el cuello de su abrigo y posándose en su pelo en enero. Habría dado lo que fuera por sentir otra vez la gelidez de aquel lago quebradizo mordiéndole la piel, como cuando salpicaba a Paul, y la piel de éste empapada al lado de la suya; lo que fuera por sentir de nuevo la carne de gallina por el dolor y el placer.

Fue entonces cuando Syl tuvo una pequeña revelación. Ya era de noche, y eso significaba que el gimnasio también estaría vacío. Durante las clases de gimnasia, de vez en cuando nadaban en la preciosa piscina con forma de riñón que había bajo una cúpula de cristal reforzado, pero durante el día el agua que las rodeaba estaba siempre tibia, sus gotas relajantes envolvían a las bañistas con la suavidad de un útero. Syl había llegado a detestar aquella piscina.

Pero por la noche, cuando el gimnasio estaba cerrado, cortaban la energía, igual que en los pabellones de las aulas, porque la energía era una mercancía preciosa en esa luna yerma que era Avila Minor. ¿Implicaba que las aguas cálidas y casi viscosas habrían perdido parte de su calor ahora mismo? Y tendría todo el espacio para ella sola. Podría nadar desnuda y secarse con la toalla de su taquilla antes de volver, y nadie se enteraría. Y tal vez, como regalo adicional, Tanit y las demás se habrían marchado por fin cuando regresara.

Buscó en su cajón la llave de su taquilla y una pequeña vara luminosa —porque el gimnasio estaría a oscuras y los vestuarios más oscuros todavía— y, con las llaves y la vara en el bolsillo, a buen recaudo e invisibles, Syl respiró hondo y salió a grandes zancadas.

Nadie saludó a la impávida Syl al salir a toda prisa, con la nariz bien alta. Tanit, Sarea y Nemein, que se habían envuelto en cojines por el suelo y cotilleaban con Ani, no prestaron la menor atención a la intrusa. Al menos, Ani estaba de espaldas, de manera que no sufrió la mortificación añadida de verse desairada por su mejor amiga o, peor aún, compadecida por ella. Syl prefería volver a enfrentarse con Tanit que ver de nuevo esa expresión comprensiva y afligida en la cara de Ani. Mientras tanto, en la otra punta de la habitación, Dessa estaba enzarzada en una intensa discusión con las hermanas Xaron y Mila. Estaba apoyada en la puerta de la pequeña cocina y tampoco vio a Syl.

184

Sólo la vio salir Iria, la de rasgos fríos e ilegibles. Iria nunca había acosado a Syl, pero tampoco la había ayudado, porque Iria se limitaba a observar y esperar, con una mirada astuta. Ani dijo que Iria era clarividente, pero se había enfadado y no quiso dar más explicaciones cuando Syl le había preguntado —bueno, sí, burlándose— por qué, en ese caso, Iria siempre estaba preguntando qué había para comer mientras hacía cola en la cantina, y luego se quejaba del menú.

Cumpliendo las expectativas de Syl, en el gimnasio, de noche, hacía más frío que en los pasillos que conducían hasta él; la tenue iluminación bajo el agua proyectaba un resplandor azul alrededor de la caverna vacía. La piscina estaba a oscuras y en calma cuando Syl introdujo la mano en el agua para probarla, y sí, también estaba más fría de lo habitual, aunque todavía distaba mucho de las aguas gélidas del lago de agua dulce que guardaba en su memoria. Con todo, le pareció una maravilla disponer de todo el espacio para su exclusivo disfrute y rápidamente se quitó la túnica por la cabeza, la tiró al suelo y se metió en el agua. Durante un instante se le puso la carne de gallina, sintió un cosquilleo por todo el cuerpo y sonrió, deleitándose con las sensaciones, disfrutando de la sorpresa del agua fría entre sus muslos, contra su vientre, bajo sus axilas. Inspiró profundamente y se sumergió; se sentó en el fondo de la piscina, y alzó la mirada a través del agua ondulante hacia el cielo distorsionado. Todo estaba sumido en un silencio absoluto, una rareza en la Marca, pues las bibliotecas y los corredores siempre resonaban con el eco de pasos amortiguados y voces susurradas, incluso en las horas más oscuras de la noche.

¿Por qué no se le habría ocurrido antes?, se preguntó Syl.

Después se escabulló a toda prisa, goteando, hasta los vestuarios. Temblaba. Se había olvidado de coger la toalla y en ese momento se acordó de que quedarse helado no era nada agradable.

Al lado de las taquillas estaba oscuro. El agua formó un charco a su alrededor mientras manoseaba la cerradura, abría la puerta y se topaba con un hedor a humedad y ropa sin lavar. La apartó y agarró su toalla mohosa, pero, al hacerlo, algo cayó de ella y fue a parar encima de la pila de ropa sucia del suelo de la taquilla. Parecía una especie de pequeño paquete. Syl se inclinó para recuperarlo y le dio cuidadosamente la vuelta entre los dedos. Aunque era un sobre liviano, notó que algo duro presionaba el pergamino, y delante leyó su nombre, escrito claramente, con una letra nítida y rizada.

Llena de curiosidad, se sentó en un banco, abrió el paquete y sacó una carta doblada de dentro, pero las palabras en la hoja de cuaderno eran todavía más vagas que las del sobre, como si estuvieran escritas en un susurro. Perpleja, Syl activó la vara luminosa, bañando el mensaje en una luz suave.

«Querida Syl Hellais», comenzaba, con una formalidad anticuada.

Pronto me marcharé y quiero agradecerte tu amabilidad conmigo. Sé que tu consideración no te convierte en mi amiga, pero significó mucho para alguien como yo.

Aun a riesgo de sobrepasar los límites de nuestra relación, ¿podría pedirte un último favor?

Te ruego que guardes el amuleto aquí incluido y que, en cuanto puedas, se lo entregues a mi madre. Su imagen está grabada en la pieza. Se llama Berlot Mallori y vive en Tannis Inferior. Te suplico que no le confíes el amuleto a ninguna otra persona. Mi madre lo tiene en mucho aprecio.

Muy agradecida.

Te deseo una larga vida, Syl Hellais.

Atentamente,

Elda Mallori

Nadie había podido explicarse todavía la desaparición de Elda, pero cualquier pregunta sobre su posible paradero era cortada en seco por Oriel y las demás Hermanas plenas. Algunas Novicias murmuraban que había sido devuelta a escondidas a su familia en Ilyr porque la chica no servía para nada a la Hermandad. Pero, a juzgar por el contenido de la carta, parecía que Elda se las había apañado para salir de la Marca de algún modo, aunque a todas luces no lo había hecho para volver con su familia en Ilyr. Syl releyó la nota, perpleja, luego agitó el paquete en la palma de la mano. Un medallón muy ordinario, deslucido y marrón, cayó al suelo atado a una correa de cuero delgado y duro.

Sin embargo, qué joya más extraña y fea era; plana, fría y completamente carente de ornamentación, ni siquiera era una obra de orfebrería llamativa. Tallado con láser sobre la apagada superficie de metal había un grabado de una mujer, supuestamente la madre de Elda, de rasgos afilados y ojos iracundos. El grabado no era tampoco laborioso; simplemente, un retrato que un joyero novato habría labrado copiando una imagen y utilizando una tecnología informática ya anticuada. Frunciendo el ceño, Syl pasó la punta de la uña por la ranura que abría el medallón, convencida de que su verdadero valor residiría dentro, pero se abrió fácilmente, como una almeja, gracias a una bisagra, y no le ofreció nada más que una superficie metálica marrón y lisa. No había ni un recuerdo, ni un mechón de cabello, ni una imagen, y menos aún una frase de cariño. Syl lo cerró y le dio la vuelta en la mano. Tenía varios garabatos en el dorso. Acercó la vara luminosa.

—A-R-Q-U-E..., arque ¿qué?, ¿Arqueón? Bueno, eso no significa absolutamente nada —murmuró.

Bien mirado, nada de todo aquello tenía sentido. Aun así, tenía que haber alguna razón para que Elda deseara tan desesperadamente que esta baratija tan poco atractiva volviera a su madre. Qué chica más rara.

Sin haber averiguado nada, Syl guardó la nota y el amuleto de Elda en el sobre, se vistió, se secó el pelo con la toalla, se metió el delgado paquete en el bolsillo y se encaminó de vuelta a sus alojamientos.

Tanit y su pandilla se habían marchado por fin y sólo estaba Ani, canturreando animadamente para sí mientras recogía los vasos y volvía a poner los cojines en el sofá. Esbozó una tierna sonrisa cuando entró su amiga.

—Muchas gracias, Syl. No sabes cuánto te agradezco que permitas la visita de Tanit y las demás. Sé que ellas lo agradecen también.

—¿De verdad? —Syl se rió y tiró su toalla húmeda sobre la mesa, agitando una mano con desdén—. No te preocupes, Ani, no es nada. Pero ha pasado una cosa mucho más curiosa.

Ani la miró con cautela, luego se llevó un dedo a los labios. Syl frunció el ceño y Ani hizo un gesto hacia el baño. Syl comprendió inmediatamente.

—¿Y qué es lo que ha pasado, Syl? —dijo Ani en voz alta, con un fingido tono cantarín, mientras no dejaba de mirar a la puerta cerrada.

—Oh, bueno, en realidad nada.

Se oyó un frufrú de telas al rozarse dentro del baño, luego la cerradura giró rápidamente y apareció Tanit. Estudió a ambas durante interminables segundos, fijándose en la túnica mojada de Syl y en la maraña empapada de su cabello, y chasqueó la lengua.

—Mi querida Ani, dulce criatura —dijo, aunque no dejó de mirar a Syl, evaluando el impacto de sus palabras—. Creo que tu continuada lealtad a tu amiga es una demostración de tu bondad, pero llega un momento en que hay que decir basta. Ella no es como nosotras, y me temo que va a ser tu ruina. Estás destinada a ascender en las filas de la Hermandad, más de lo que tu amiga imagina, y te verás obligada a dejarla atrás más pronto que tarde. Más vale que lo hagas ahora y que no prolongues la situación. Tómatelo como si le hicieras un favor.

—Oh, muérete, Tanit —dijo Syl sin poder contenerse, pero inmediatamente se arrepintió, porque algo parecido a una sonrisa triunfal había asomado fugazmente en la cara de la chica mayor. Entonces Tanit se limitó a sonreír comprensivamente a Ani y meneando con gracilidad los dedos a modo de despedida, se marchó. Ani la miró salir, con aflicción, antes de volverse hacia Syl, claramente irritada.

—¿Muérete...? ¿Acabas de decirle a la Novicia más importante que se muera? No haces más que empeorar las cosas. —Negó con la cabeza, con una mezcla de decepción y frustración—. En fin, ¿qué era lo que querías contarme? ¿Y dónde has estado, y por qué vienes toda mojada?

Syl miró fijamente a Ani un momento, planteándose sus opciones mientras el amuleto de Elda le quemaba en el bolsillo.

—Nada importante —dijo por fin—. Estoy arruinando tu vida, ¿te acuerdas?

—Oh, Syl, lo siento, ella no debería haber dicho eso —dijo

Ani—. En serio, lo siento. Cuéntame lo que ibas a decirme, por favor.

—No es nada.

—No puede ser.

Syl pensó en la joya barata y lo que le había desvelado o, más bien, lo que no le había desvelado. Arqueón: sonaba como una promesa.

—Bueno, me fui a nadar, eso es todo —dijo, irritada—. Me recordaba a Escocia. Me recordaba la época en que íbamos a nadar al lago. Con nuestros amigos. ¿Te acuerdas alguna vez de ellos? Tanto da, no me importa. Estoy cansada. Voy a acostarme. Que duermas bien, Ani.

Salió del salón y cerró la puerta con fuerza; entonces puso el sobre que contenía el medallón y la carta de Elda al fondo del cajón, reordenando el lío que tenía allí de manera que quedara oculto a cualquier fisgón casual. Lo último que le convenía era que se hiciera público otro vínculo que la relacionara con Elda.

Ani vio desaparecer a Syl en su pequeño dormitorio, con el pelo brillante como nudos de alambre cobrizo, los hombros erguidos y firmes, y se sintió desgarrada y crispada por dentro, llena de frustración y dolida. ¿Cómo podía Syl pensar siquiera que se había olvidado de todo aquello? Pero ya no estaban en la Tierra, y puede que nunca volvieran a ver el planeta azul. Así de simple, tenían que sacar el mayor partido del lugar donde se encontraban.

¿Y acaso Ani no le había suplicado a Syl que pusiese más empeño? Pues ahí estaba. El segundo mayor progreso de Ani. Era una ocasión que debería ser motivo de alegría y celebración —y Tanit en particular había hecho que Ani se sintiera como una reina tras su éxito, abrazándola, besándole la frente como si la bendijera—, y había tenido que ser precisamente Syl, su amiga más antigua, la que lo empañara todo. De algún modo, Syl había conseguido que sólo se hablara de Syl.

—Típico de ella —murmuró Ani y fue a acostarse, resuelta a no echarse a llorar.

28

En la oscuridad por encima de Torma, el agujero de gusano floreció.

La nave que emergió multiplicaba varias veces el tamaño de las dos naves que habían perseguido a Tiray, pero lucía el mismo disfraz, como un ricachón vestido con ropas de pobre. Entró en órbita alrededor de Torma y de su panza salió un trío de drones esféricos, dos de los cuales descendieron inmediatamente a la superficie del planeta mientras el tercero empezaba un escaneado de los restos que habían quedado lejos, lo bastante como para que no los atrajera la fuerza de gravedad del planeta. El dron encontró metales, cristales y cadáveres, detalles de todo lo cual transmitió a la nave nodriza antes de regresar.

Mientras tanto, sus dos gemelos sobrevolaban el paisaje tórmico, buscando, escaneando. Encontraron lo que quedaba del *Envion* esparcido entre las arenas, y, más allá, los restos de una segunda nave de construcción más avanzada. Los drones redujeron su velocidad y empezaron a llamar electrónicamente: mandaban señales, escuchaban, mandaban más señales. Finalmente, desde debajo de una duna en la que había quedado enterrado un fragmento del casco, llegó la respuesta que esperaban. Un dron tomó tierra, empezó a excavar y un observador ajeno casi habría creído que hacía gestos triunfales cuando una de las garras del dron emergió de la arena sosteniendo un bloque de metal reluciente del tamaño de un paquete de cigarrillos.

Había encontrado la caja negra de la nave nómada.

El dron se encaminó de vuelta a la nave nodriza, con la caja negra cuidadosamente guardada en su compartimento principal; sin embargo, el último dron prosiguió su exploración de Torma. Localizó el antiguo emplazamiento de la base de perforación, que ya no era más que un inmenso cráter que empezaba a llenarse de la arena que arrastraba el viento. Exploró metódicamente los alrededores, cubriendo cuadrícula tras cuadrícula, hasta que llegó a la gran roca —mitad formación natural, mitad construcción antigua— que se alzaba entre las dunas. Ahí el dron se fijó en las marcas chamuscadas que habían dejado los motores de una lanzadera. Se detuvo ante la fachada de la piedra y la escaneó de arriba abajo, luego se quedó suspendido, como a la espera de instrucciones. Una señal llegó al ordenador principal del dron, la última señal que recibiría, y, del mismo modo que su compañero había irradiado una sensación de triunfo al desenterrar la caja negra, también éste pareció moverse despacio, como a regañadientes, para cumplir su última orden. Entró por un óvalo en la fachada de roca, con sus luces rojas de posición parpadeando tristemente en la oscuridad, hasta que las luces, y él, se perdieron de vista.

Unos segundos más tarde, el dron explotó y la gran columna de piedra dejó de existir.

29

La biología ilyria era una de las clases que siempre habían interesado a las chicas Terrinatas porque, aunque eran capaces de identificar a algunas de las criaturas más conocidas de su planeta, todavía les quedaban por descubrir cosas asombrosas y totalmente nuevas para ellas. La Hermandad se enorgullecía del alto nivel de sus clases, y eso implicaba que, de vez en cuando, en las de biología, un animal que había caminado, nadado o volado en Ilyr, donde había muerto, era transportado a la luna desde el planeta. Lo llevaban a los laboratorios para solaz y educación de la élite de jóvenes ilyrias que esperaban ser aceptadas algún día en la orden.

Hoy, la tutora de biología, Amera, estaba ante las Novicias, muy satisfecha de sí misma. Era una Nairene jovial, con el cabello teñido y muy corto, como les gustaba a las Hermanas plenas, creciéndole sin ninguna gracia, como un glaseado rosa que se le formara en el cuero cabelludo. Llevaba puesto un mono de laboratorio rojo, equipado con todo tipo de artilugios y sensores, que ella manejaba con destreza y entusiasmo. Amera era una de las favoritas incuestionables de la mayoría de las Novicias porque destilaba simpatía; ni siquiera Syl podía evitar que le cayera bien.

—Hermanitas —dijo Amera, pues ése era el término cariñoso con el que se dirigía a las jóvenes a las que enseñaba—, hoy tengo un espléndido regalo para vosotras..., espléndido y aterrador.

Simuló que se estremecía y la clase se rió cuando blandió un bisturí hacia la mesa que tenía delante. Sobre él reposaba un bulto tosco, del tamaño aproximado de una oveja, completamente envuelto en plástico.

—Oh, callaos —dijo Amera—. No lo despertéis ahora. Pero ¿qué puede ser? ¿Quién quiere hacer los honores?

Miró a su alrededor y varias estudiantes se empujaron para llamar su atención, ansiosas por quedar bien. Ella señaló a Mila, riéndose entre dientes, y dijo:

—Desviste a nuestro sujeto, si eres tan amable.

Mila se adelantó con brusquedad y apartó el plástico, pero no fue lo bastante rápida ni lo bastante fría para evitar el aterrorizado «¡Oh!» que escapó de sus labios. Dio un paso atrás rápidamente y palideció: sobre la mesa yacían los restos intactos de lo que parecía un artrópodo pasmosamente grande y obscenamente feo, que tenía, por si fuera poco, unas pinzas afiladas como navajas y una mandíbula enorme y abierta. Parecía un gran ciempiés, pero infinitamente más aterrador.

—¿No te gusta? —se burló Amera—. Sólo es una cría de cascido, una de las criaturas únicas que pueden encontrarse aquí, justo al otro lado de la puerta de nuestra querida Avila Minor.

—Es asqueroso —dijo alguien.

Amera se dio la vuelta, ofendida.

—Eso —dijo— es hablar sin pensar. ¿No entendéis la importancia de esta bestia? Deberíais estar agradecidas de que el cascido viva, porque su simple existencia fue crucial para la supervivencia de la Marca en esta luna durante los primeros años, y hasta hoy su aterradora reputación, su adaptación sin parangón y su insaciable apetito carnívoro han mantenido a raya a los que quisieran venir y acabar con nosotras. Éste, hermanitas, es nuestro formidable perro guardián; no ladra, pero tiene un mordisco muy, pero que muy desagradable.

Señaló las desproporcionadas mandíbulas, su coraza blindada y nudosa, de aspecto quitinoso, sus patas articuladas como de insecto y el cepillo de antenas, de una delicadeza que llamaba la atención en un bicho así, que le recorría la cabeza.

—El cascido no ve. ¿Por qué?

—Porque sólo se alimenta de noche —dijo una Novicia.

—Justamente. Como ya sabemos, ningún ser vivo se alimenta durante el día en nuestra árida roca. Cualquier criatura que se aventurase a salir al calor se abrasaría y moriría. No, el cascido ha evolucionado perfectamente para sobrevivir en terreno inhóspito, en la oscuridad impenetrable de la noche.

Habló con pasión de sus otros rasgos evolutivos, señalando con admiración diversas peculiaridades de su anatomía, abriéndole la boca, levantándole las patas para dejar al descubierto su vientre más blando, sus órganos excretores, y poco a poco sus estudiantes se fueron acercando y la repulsión se fue transformando en fascinación.

—Pero lo más asombroso de todo es que el cascido, hasta donde sabemos, no tiene un tiempo de vida limitado. Se cree que algunos de los ejemplares que habitan en Avila Minor son anteriores a la creación de la Marca. De hecho, se supone que entre los cascidos más mayores que pasean al otro lado de nuestros muros en este mismo momento hay varios que protegieron involuntariamente a las Cinco Primeras cuando escaparon a esta luna.

El comentario dio lugar a un alboroto de cháchara emocionada. Amera sonrió, sintiéndose a todas luces en su elemento. Las dejó charlar atropelladamente unos instantes, y luego alzó las manos. Las estudiantes se callaron.

—El estudio del organismo en su hábitat se ha visto comprensiblemente limitado por las condiciones tan duras de su hogar... y por su tendencia a devorar a cualquiera lo bastante tonto para ponerse al alcance de sus mandíbulas. Además, pocas veces encontramos un cadáver entero, porque los de su especie suelen consumir rápidamente sus restos. Este, en concreto, fue hallado muerto cerca de una de nuestras puertas de servicio; muerto e intacto. Por eso, hermanitas, podemos considerarnos particularmente afortunadas, pues se nos ha concedido un permiso especial para diseccionar este notable cascido aquí mismo, ahora mismo, y, dada la excepcionalidad de un acontecimiento así, vamos a ser honradas con la presencia de las Hermanas Intermedias.

En ese momento, la puerta se abrió y las Hermanas Intermedias, como una oleada ondulada de túnicas verdemar y aires de superioridad, entraron en la sala sonriendo graciosamente a las jóvenes Novicias. Entre ellas, Syl se fijó en un puñado que lucía un ribete titilante azul en sus ropas, y se preguntó si eso significaba que algunas de las Hermanas Intermedias poseían también habilidades psíquicas y si, por tanto, se contaban entre las Dotadas. Como confirmando sus sospechas, las pocas elegidas se adelantaron hasta ocupar las mejores posiciones, sin que nadie se opusiera, aunque eso implicó impedir la visión de alguna de las ilyrias más pequeñas, algún pisotón de dedos de pies y algún grito de queja contenido. Las mayores de las Novicias de túnicas azules —Tanit, Sarea, Nemein y Dessa— se acercaron con empujones a las mayores de su clase, y las Hermanas Intermedias que estaban al lado se apartaron casi con indulgencia para permitir que las Dotadas más jóvenes se unieran a las otras. Poco a poco, todo el mundo fue reubicándose y acomodándose, aunque muchas de las Novicias de túnicas amarillas no dejaban de mirar a hurtadillas a las serenas Hermanas Intermedias con lo que sólo podría describirse como un temor reverencial.

—Bienvenidas, Hermanas Intermedias —dijo Amera esbozando una cálida sonrisa—. Parece que fue ayer cuando os tenía en mi clase y aquí estáis otra vez, en el umbral de convertiros en Hermanas plenas. No podría sentirme más orgullosa. Sé que las Novicias se sienten enormemente honradas de teneros entre nosotras. Bien, empecemos. Estamos aquí para diseccionar a este noble cascido y tal vez averiguar la causa de su muerte prematura.

Recurriendo a la fuerza bruta y un montón de gruñidos, Amera puso al cascido boca arriba dejando las patas al aire, como un escarabajo. Una por una, fue llamando a las Novicias e invitándolas a adelantarse y hacer diversos cortes en el cuerpo: en las articulaciones, en el corazón fibroso, en sus órganos reproductivos.

—¡Es un chico! —exclamó Amera y todas se rieron.

A Syl se le permitió abrir el aparato respiratorio de la criatura, que lanzó una vaharada nauseabunda de gas fétido a su cara. El accidente fue recibido con desagradables risitas, y Syl clavó una mirada resentida en Amera, convencida de que la había elegido para eso a propósito, pero la tutora pareció sinceramente consternada.

—No sabes cuánto lo siento, hija. No lo sabía —dijo Amera y rodeó a Syl con el brazo.

—¿Cómo te llamas?, Syl, ¿no? —Un vago reconocimiento asomó en sus ojos, pero pareció decidida a seguir con las preguntas—. Ah, sí, la Terrinata. Ven, ponte a mi lado. Te mereces una posición en primera fila por las molestias.

Gradualmente, el cascido fue desmembrado hasta llegar a sus

entrañas abotargadas y ennegrecidas, hinchadas y duras como un gran globo.

—¡Ajá! Lo que yo pensaba —dijo Amera, oprimiendo el estómago con el dedo enguantado—. Fijaos en esta distensión, en el color oscuro. Sospecho que este pobre bicho se comió algo que no debería y se envenenó. Por lo general, los cascidos son más inteligentes: sólo consumen las partes de las piezas que cazan que pueden comerse y dejan los restos tóxicos para que dispongan de ellos los organismos bacterianos. ¿No os parece inteligente la biología? Pero este cascido parece que no lo fue tanto. Y el envenenamiento fue precisamente la razón por la que no lo devoraron los carroñeros, porque los cascidos tienen un sentido de la supervivencia muy desarrollado y serían muy reacios a ingerir materia tóxica. —Asintió alegremente y buscó una máscara—. Sería mejor que dierais un paso atrás, queridas. Haré yo misma la siguiente incisión, porque espero que haya secreciones además de la putrefacción con el hedor que la acompaña. ¿Preparadas?

Syl se hizo a un lado mientras Amera practicaba una incisión limpia en el vientre del cascido, una tarea que le deleitaba visiblemente. Limo amarillo, gelatina negra y trozos inidentificables de materia orgánica se derramaron sobre la mesa, sin caer al suelo gracias al depósito hondo de la mesa de laboratorio metálica. Un escalofrío de repulsión colectiva recorrió la sala, pero Amera, impertérrita, introdujo la mano entera en la grieta que había abierto y palpó buscando la fuente del envenenamiento.

—Lo tengo —dijo mientras sacaba lentamente su mano enguantada.

Pero entonces algo se quedó pegado en el interior del bicho y se vio forzada a dar un último y potente tirón para soltar lo que fuera que acabara de encontrar. Su brazo salió disparado por el tirón y siguió un instante de silencio conmocionado. Entonces empezaron los gritos. Lo que Amera había sacado era inequívoca e indiscutiblemente una mano ilyria, que acababa en el muñón deformado de un antebrazo. Los dedos se agitaban sueltos como si las falanges hubieran sido destrozadas, pero, aparte de ese detalle, la piel seguía inmaculada, lisa y perfecta, si no fuera por la capa de flujo claro, que sólo parecía multiplicar el terror de todo aquello.

Syl se quedó petrificada, observando conmocionaba cómo Amera se daba cuenta de qué era lo que sostenía y al momento lo soltaba, horrorizada, sobre la mesa junto al cascido destripado. El brazo cayó con un ruido sordo justo delante de Syl y, aun así, ésta siguió inmóvil, incapaz de apartar la mirada de lo que sabía que nunca se le borraría de la memoria. Se fijó en la delgada muñeca, envuelta en un puño de tela negra ceñida que parecía de gasa, y en la articulación, destrozada allí donde la extremidad había sido amputada del cuerpo. La mano era dorada y femenina, pero también estaba deformada y retorcida de una forma antinatural. Syl distinguió las uñas melladas en aquellos dedos gelatinosos, dedos que se combaban hacia dentro como en una súplica, o como si intentaran asir algo. Vio la suciedad bajo las medias lunas de las uñas, e imaginó que la víctima las había clavado aterrorizada en el suelo del mundo del que la estaban arrancando, y vio también una hilera de pequeñas ampollas sin reventar que dibujaban una marca roja en la palma, una herida que se parecía mucho a una quemadura, y muy similar a su vez a la que había visto que Tanit provocaba en la mano de una pobre Novicia fregona.

Entonces lo supo.

Se dio la vuelta, pues había comprendido por fin por qué Elda había desaparecido sin dejar rastro. La pobre Elda había caído para siempre en las mandíbulas de esta repulsiva criatura de la noche.

Y también comprendió que el amuleto que Elda había confiado a la custodia de Syl era sin duda algo más que una mera baratija sentimental.

30

Nadie hablaba de otra cosa que no fuera el horror del hallazgo. Amera dejó sus funciones, supuestamente demasiado trauma-
tizada para seguir instruyéndolas. Se suspendieron las clases, los
rumores corrieron y las historias que se contaban eran cada vez más
intrincadas y absurdas, a veces hasta fantásticas: la mano tenía sólo
tres dedos y pertenecía a un alienígena; la mano no era más que
una imitación hecha de goma; la mano pertenecía a Syrene, que llevaba ausente más de lo que nadie recordaba. Aparte de Syl, hubo
quien empezó a preguntarse si no sería la mano de Elda, y, de ser
así, ¿por qué Elda había salido sola y sin protección?, ¿fue un sui-
cidio?

Pero Cale finalmente cortó en seco las habladurías. Convocó una
reunión improvisada de todas las Novicias y las Hermanas Intermedias. Se congregaron en la sala de exámenes, porque era la más
grande del Duodécimo Reino, una montaña lunar vaciada, con altas ventanas que absorbían la negrura y la luz de las estrellas lejanas.
Nadie había pedido que se encendiera el alumbrado principal, de
manera que la reunión se celebró a la luz de las velas y las sombras
cubrían las paredes. A Syl le pareció lo más apropiado, como si estuvieran celebrando una vigilia por su Hermana fallecida.

—Silencio —dijo Cale. Su voz resonó como un eco por la caverna y en su rabia no había nada simulado—. Os hablo ahora en
nombre de la Granmaga Oriel, que todavía está convaleciendo de
su reciente enfermedad —prosiguió—. Y aun así, cuando debería
estar recobrándose en absoluta tranquilidad, los rumores de estos dos
Reinos han llegado hasta ella y han perturbado su paz. Por eso estáis
aquí. Estoy convencida de que habéis adivinado que os he convo-

cado a todas por el incidente sucedido en el laboratorio de biología. Sinceramente, nos avergüenza vuestra conducta, Novicias y Hermanas Intermedias. Estoy avergonzada.

Los murmullos dieron paso al silencio a medida que las estudiantes asimilaban las palabras.

—En la Hermandad de Nairene, esta querida orden en la que todas vosotras esperáis entrar algún día, nos enorgullecemos de atenernos a los hechos, no de hacer caso a los cotilleos; nos enorgullecemos de la verdad y el conocimiento y la búsqueda perseverante consiguiente, y también tenemos a gala no fiarnos de especulaciones sin fundamento. Pese a todo, nos ha llamado la atención que los pasillos estén inundados con el tipo de murmuraciones vanas y escandalosas que tanto aborrecemos. Eso acabará inmediatamente. Voy a poner fin a vuestras especulaciones indecentes con la verdad.

Un frufrú de túnicas recorrió la sala, pero Cale no le hizo ni caso.

—Nuestra división científica ha analizado la extremidad encontrada en el vientre del cascido y, mediante una identificación genética, hemos determinado que son los restos de una insurgente de nuestra propia raza, sí, de una ilyria, aunque obviamente no pertenece a nuestra amada Hermandad. Valga esto para recordarnos algo que nunca debemos olvidar: que en el mundo exterior, mejor dicho, en los mundos exteriores, hay quienes pretenden la ruina de nuestra honorable orden.

Siguieron gritos de indignación, que Cale acalló con una mirada y un gesto impaciente de las manos.

—La insurgente llegó a Avila Minor por la noche con la intención de infiltrarse en la Marca: nuestros sistemas automatizados encontraron hace algún tiempo huellas de un alunizaje no autorizado. Las perversas intenciones de la insurgente quedan demostradas por el hecho de que ella, sí, ella, porque nuestra enemiga era una chica, vestía un trajeoscuro para ocultar su rastro de calor: algunas de vosotras puede que os fijarais en los restos de la tela en la extremidad amputada. La insurgente fue destrozada por los protectores naturales de la Marca, los antiguos cascidos, antes de que pudiera llegar a las puertas. Por lo que estamos agradecidas. Por desgracia, uno de los cascidos más jóvenes se tragó también un trozo del trajeoscuro y las sustancias químicas del tejido lo envenenaron. Se han hallado más restos del trajeoscuro sobre la superficie lunar y en la actualidad se están analizando con la esperanza de identificar el origen de este acto de terrorismo. Y aquí se acaba el asunto. Que sirva de lección para nuestros enemigos. —Buscó a Syl con la mirada, aunque ésta no estaba segura de que lo hiciera intencionadamente—. En cuanto a los ridículos rumores de que la extremidad pertenecía a Elda Mallori, tened la seguridad de que se encuentra bien y a salvo. La mayoría de vosotras os habréis dado cuenta de que no cumplía con las condiciones para pertenecer a nuestra orden. Por eso no fue ninguna sorpresa que la encontrásemos oculta en los Reinos interiores de la Marca, y seguidamente fue devuelta discretamente a Ilyr. Por desgracia, su rechazo supuso cierta deshonra para su familia, y Elda posteriormente optó por irse a una de las colonias de los mundos exteriores. Esperemos que allí encuentre la felicidad y la paz. Sinceramente, Novicias, esperaba un poco más de inteligencia por vuestra parte. Pensadlo: ¿de dónde iba a sacar la pobre Elda un trajeoscuro?, ¿y para qué iba a ponerse un atuendo así?

Sí, es verdad, ¿para qué?, pensó Syl mientras Cale ponía fin a la reunión. ¿Para qué?

Syl se sentó en la cama de su habitación, que había cerrado con llave, y una vez más sacó el amuleto de Elda, como había hecho durante las noches anteriores. Lo sopesó en las manos, notando la tosquedad del grabado. Trató de forzar la bisagra y sacudió el pequeño objeto, pero nada sucedió, no se abrió ningún compartimento secreto, nada. Volvió a mirar los extraños garabatos del dorso. ¿Arqueón? Acarició las letras, preguntándose de nuevo qué habrían significado para Elda, luego estudió cuidadosamente el semblante adusto de la madre, como si pudiera leer los pensamientos de Berlot Mallori o descifrar los secretos que quizá ocultaban aquellos ojos severos. Al cabo de un rato, Syl se puso el medallón de Elda alrededor del cuello, donde quedó en contacto contra su piel. Entonces redactó a mano una lista de preguntas —podría haber utilizado su tableta, pero sabía que el sistema informático de la Hermandad podía acceder a cuanto se grabara en el dispositivo de una Novicia, y prefería guardar sus pensamientos para sí—, pero cada pregunta suscitaba otras nuevas.

Preguntas sobre Elda

1) ¿Quién era Elda en realidad?
   ¿Una espía? Pero ¿para quién espiaba? Y, si estaba contra la Hermandad, ¿estaba en el mismo bando que yo? ¿Hay más ilyrios investigando también a la Hermandad?, ¿quiénes son?
2) ¿Arqueón?, ¿es una persona?, ¿un lugar?, ¿un objeto?, ¿tiene alguna importancia?
   Debe de tenerla, al menos la tenía claramente para Elda, y Elda está muerta. Pero ¿por qué? Investigar en bibliotecas.
3) ¿Dónde consiguió Elda un trajeoscuro?
   Supuestamente se lo proporcionaría quienquiera que fuera la persona para la que trabajaba. Pero llevaba aquí cuatro años, ¿fue una infiltrada desde el principio?, ¿había más infiltradas?
4) ¿Qué hacía Elda fuera de la Marca?
   ¿Se marchaba?, ¿pasaba información?, ¿había salido, jeje, a fumarse un cigarrillo?
5) ¿Por qué no la ocultó el trajeoscuro de los cascidos? ¿¿¿???
6) ¿Por qué tenía los huesos de la mano tan aplastados que parecían de goma? ¿¿¿???

Eran las dos últimas preguntas las que más inquietaban a Syl porque los trajeoscuros ocultaban los rastros de calor, y con ellos el movimiento, y ella sabía de primera mano lo eficaces que eran: ¿acaso no la habían ocultado perfectamente cuando estaba en fuga por las Highlands escocesas? Con una punzada de dolor recordó que Paul le había dado un trajeoscuro, que se había tensado hasta ceñirse a ella como si la envolvieran serpientes, y también recordó que él le había dado un viejo suéter y un impermeable para que se los pusiera por encima, lo amable que había sido con ella cuando los demás humanos se habían mostrado insensibles, incluso crueles. Y, mientras huían, ni siquiera la tecnología más avanzada de las naves de los diplomáticos que los perseguían había podido detectarlos...

Así que si Elda llevaba un trajeoscuro, ¿cómo iba a localizarla un primitivo cascido mientras se escabullía por la superficie nocturna de la luna? Tal vez había sido muy ruidosa, pero parecía poco probable, dadas las molestias que obviamente se había tomado para abandonar la Marca en secreto. En cualquier caso, la Elda que Syl había conocido era una maestra en pasar inadvertida y moverse silenciosamente. Syl sintió cierto asombro y admiración por ella, o por esta nueva imagen que estaba forjándose de Elda y de lo que hubiera tramado durante tanto tiempo. Sin embargo, estaba claro que el plan no había salido como ella esperaba.

Releyó la quinta pregunta, mientras tamborileaba con el dedo encima de ella: bien, ¿por qué el trajeoscuro no había ocultado a Elda de los cascidos? La única explicación que tenía sentido era que estaba roto, dañado. Tal vez se lo había desgarrado en la huida. Tenía que ser eso. Pero ¿de qué huía?

Y eso llevaba a Syl a la pregunta que le daba más vueltas en la cabeza. ¿Por qué estaban destrozados los huesos de los dedos de Elda, si la piel de la mano permanecía intacta? La imagen permanecía indeleble en su memoria: la piel dorada, los dedos blandos, maleables como caramelo fundido. Era como si el esqueleto se hubiera transformado en escombros y cada dedo hubiera sido reducido a trozos de articulaciones y fragmentos, y luego metidos todos dentro de un guante de piel. También estaba el desgarro en el punto en que la extremidad había sido arrancada del resto del cuerpo; allí los huesos sobresalían del muñón cual astillas blancas, como si alguien hubiera echado puñados de palillos de dientes dentro de su antebrazo. Pero los cascidos tenían pinzas afiladas y cortantes, mandíbulas poderosas que parecían machetes y que sin duda habrían rebanado limpiamente el hueso, sin reducirlo a astillas más finas que una paja. La incongruencia de ese detalle la agobiaba; sentía una especie de cosquilleo en el cerebro; sabía que tenía que recordar algo, no sabía qué.

Escondió sus notas junto a las llaves y se fue a comer.

Esa noche, cuando Syl empezaba a sumirse en el sueño, se le ocurrió una cosa.

202

—¡Oh!

Se incorporó en la cama, se sentó, encendió la lámpara, sacó su lista oculta y añadió una pregunta más.

7) **Si Elda estuvo espiando aquí durante cuatro años, ¿QUÉ DES-CUBRIÓ?**

Al volver a guardar la lista, el amuleto de Elda se soltó y rebotó en su brazo. Ella lo acarició como si fuera un talismán antes de volver a poner a buen recaudo su creciente colección de secretos.

Esa noche soñó con mundos oscuros, y a cada uno de ellos le ponía el nombre de «Arqueón».

31

—Me voy a la biblioteca —le dijo Syl a Ani al salir de su habitación la mañana siguiente. Ani tenía los ojos adormilados y todavía estaba en pijama, pero se quedó de piedra, horrorizada.

—¡Oh, no! No me habré olvidado de hacer algún trabajo, ¿verdad? —preguntó.

—No. Sólo quiero buscar algo.

—Ah, ¡menos mal! Sí que estás interesada. ¿De qué se trata?

Syl recorrió la habitación con la mirada y luego cerró la puerta que daba al pasillo exterior.

—Lo que había dentro del cascido eran los restos de Elda, Ani. No me cabe la menor duda. Reconocí la última quemadura que le hizo Tanit.

Ani esbozó una mueca. Detestaba que le recordaran la violencia que las Novicias de túnicas azules podían exhibir despreocupadamente.

—No, Syl. No es posible. Lo dijo Cale.

—¿Y qué iba a decir Cale?, ¿que una Novicia había sido atacada no se sabe cómo por un cascido? Para empezar, eso plantearía preguntas sobre qué estaba haciendo Elda fuera de la Marca. Creo que Elda era mucho más lista de lo que sospechaban las demás, demasiado lista para salir a pasear por las buenas al exterior a ver qué pasaba. Ella había planeado su fuga. Mira; dejó esto en mi taquilla, con una nota. —Sacó el medallón y la nota de debajo de su túnica y se los puso a Ani en las manos—. Elda me pidió que le hiciera llegar el medallón a su madre en Ilyr, si podía.

Ani leyó la nota, luego le dio la vuelta al medallón, lo abrió y resiguió con el dedo las marcas del dorso, como había hecho Syl muchas veces antes que ella.

—¿«Arqueón»? —leyó en voz alta—. ¿Qué es?

—No lo sé, pero ahora Elda está muerta y ese medallón era importante para ella. Por eso voy a la biblioteca. Quiero averiguar qué es Arqueón.

—Pero no entiendo por qué habría querido salir Elda al exterior. Cale dijo que los restos que encontraron eran de una espía. Que incluso llevaba un trajeoscuro...

—¡Ani! Elda era la espía, y sospecho que ellas lo saben. Todo ese rollo de que volvió a Ilyr y que luego la enviaron a una de las colonias periféricas no son más que mentiras.

—Pero ¿por qué iban a mentir?

—¡No lo sé! Sólo sé lo que creo, pero no tengo pruebas de nada. —Syl se restregó la cabeza, frustrada.

—Bien, en ese caso cuéntame qué es lo que crees —respondió Ani, se sentó y dio unas palmadas a su lado, en el sofá, animándola.

—Muy bien, te lo contaré —dijo Syl dejándose caer en un cojín—, pero no va a gustarte.

Y le contó a Ani lo que pensaba: que lejos de ser una simple Novicia, y menos aún una incompetente, Elda había sido alguien mucho más complejo. Era una espía, infiltrada en la Marca para averiguar los secretos de la Hermandad, pero cuando llegó la hora de huir algo salió mal. Como precaución por si la pillaban, o algo peor, Elda había dejado el medallón a Syl, la única ilyria en la Marca en la que creía que podía confiar.

Pero Syl no le contó a Ani que también tenía un juego de llaves: las llaves de Cale. Después de todo, las Dotadas podrían ser capaces de leer los pensamientos de Ani cuando se abriera a ellas durante sus clases especiales. Ya era bastante arriesgado contarle lo que le había contado.

—Y, Ani, lamento que te moleste que te lo recuerde, pero tú sabes lo crueles que Tanit y su pandilla eran con Elda. La acosaban y la perseguían. Atormentan a cualquiera que les cae mal. Practican sus habilidades con las otras Novicias... No, ¡no me interrumpas! Tú sabes que es verdad. Las pequeñas quemaduras, los sarpullidos, los dolores inexplicables, los sangrados, los objetos que caen en extraños ángulos y hacen daño a las que han ofendido a las Dotadas. Les encantaría atormentarme a mí también, pero... —estuvo a punto de decir que podía protegerse sola, pero Ani no sabía nada de sus habilidades, así que se corrigió en el último momento—, bueno, ya sabes que Syrene las reprendió por meterse conmigo cuando llegamos. Ella me considera un trofeo, un símbolo de que Lord Andrus, uno de los líderes militares, acata las órdenes de la Hermandad. Quiero decir, menudo golpe de gracia, ¡les ha entregado a su propia hija!

Él incluso la había despedido con la mano, sonriendo como si su corazón fuera a reventar de orgullo. Syl tragó saliva, conteniendo la tristeza, pero aun así las lágrimas le llenaron los ojos. Ani extendió la mano y apretó los dedos de su más vieja amiga, y Syl le devolvió el apretón.

—Las Dotadas siempre se estaban metiendo con Elda, Ani. Nemein siempre hacía que le salieran granos y sarpullidos, Mila y Xaron claramente utilizaban sus poderes para tirarle cosas sin tener que levantar un dedo. Y Tanit quemó a Elda. Le quemó la cara y la palma de la mano derecha. Lo sé porque lo presencié y Elda me lo enseñó. Y había una quemadura como ésa en la mano que sacaron del estómago del cascido. Era una mano derecha: la de Elda. Fue Elda la que murió ahí fuera... Tal vez, al final, la mataron ellas.

Ani pareció muy afectada. A Mila y a Xaron les gustaba exhibir su dominio de la telequinesia, y ¿quién podía olvidar aquel día, en la cantina, cuando la bandeja de la comida de Elda de repente salió despedida hacia arriba, se estrelló en la cara de la chica, y el caldo caliente hizo gritar de dolor a la siempre callada Novicia? Pero no sabía si atreverse a contarle a Syl su otro talento, el combinado, porque juntas, Mila y Xaron, tenían la habilidad de reventar vasos sanguíneos y perforar órganos, y sus mentes, como agujas, agujereaban y reventaban venas como si fueran globos.

Ani se mordió el labio, negando con la cabeza.

—Pobre Elda. Pero no creo que ellas la mataran, Syl. Te equivocas con ellas. Sí, pueden ser crueles, pero no son asesinas.

—¿Estás segura?, ¿te fijaste en lo aplastados que tenía los huesos de los dedos, Ani?, pero la piel estaba intacta, sin un desgarro, ¿cómo iba a hacer eso un cascido? Tú le viste la boca y las pinzas. Simplemente es imposible. Un cascido no podría infligir ese tipo de daños, pero creo que una mente sí. Una mente oscura y perversa.

Y Ani supo que era verdad.

—Sarea —dijo en voz baja, con tristeza—. Creo que Sarea podría hacer algo así.

Syl se dio la vuelta para quedar frente a su amiga en el sofá, balanceó las piernas y metió los pies bajo el trasero de Ani, como solían hacer en las frías noches del Castillo de Edimburgo. Escuchó en silencio mientras Ani le contaba todo lo que había visto en sus clases privadas con las demás Novicias de túnica azul, todo lo que había jurado guardar en secreto bajo la amenaza de un castigo o el exilio. Era como si se abriera una esclusa mientras explicaba en detalle los poderes de las Dotadas, las habilidades psíquicas y los trucos mentales que las animaban a practicar una y otra vez. Le dijo que Nemein, en clases aparte, estaba perfeccionando su talento para causar enfermedades con animales de laboratorio porque no había otro modo de monitorizar el avance de las enfermedades que provocaba. Las demás se alteraban con los chillidos de las desgraciadas criaturas a medida que la enfermedad devoraba su cuerpo, consumía sus órganos y les arrebataba la vitalidad, pero los registros los llevaban orgullosas tutoras que hacían constar su muerte prolongada, y les encantaba animar a otras Novicias Azules con historias sobre la creciente pericia de Nemein.

Sarea, a la que solían darle animales muertos para que jugara con ellos —tanto los que había matado Nemein como otros que le traían específicamente para que practicara—, gritaba divertida mientras se hacían picadillo delante de ella, hasta que no parecían más que rebujos de piel y pelo rellenos de trocitos de huesos y sangre. Sí, era capaz de hacer que los huesos atravesasen la piel, pero esa fragmentación oculta y muy controlada —la ruptura de huesos sin dañar la piel— era una nueva muestra del dominio de sus habilidades, una de las que más se enorgullecía.

Y seguidamente a Tanit le daban carta blanca con los restos, y ella los quemaba, sonriendo tranquilamente mientras llamas multicolores lamían la carne hasta que lo convertían todo en ceniza, incluidos los fragmentos de hueso.

Ésas eran las Dotadas.

—¿Y Dessa? —preguntó Syl.

—No creo que Dessa sea tan poderosa. En realidad, es como

yo. Sólo una ofuscadora, aunque más avanzada, y a menudo recibe lecciones individuales con una tutora. Y ya conoces a Xaron y Mila, mueven cosas con el pensamiento, pero cuando están juntas, tocándose, tienen otra habilidad.

Le contó a Syl lo de los pinchazos sangrientos, pero Syl ya no podía horrorizarse más. Simplemente meneó la cabeza, aturdida.

—¿E Iria?

—Bueno, Iria es clarividente. De hecho, en clase jugamos a una especie de juego: le damos algo que pertenece a otra Novicia, y ella nos dice a quién, y nos cuenta todos sus pequeños secretos. Puede ser un poco embarazoso, que es por lo que ahora sólo lo hacemos con cosas que pertenecen a no-Dotadas.

—¿Les has dado algo mío? —preguntó Syl.

—¡No! —respondió Ani—. Jamás haría algo así.

Pero Syl memorizó cuidadosamente esa información y decidió que cerraría con llave su habitación cuando saliera de ella. No quería que Iria husmease por ahí, no si era capaz de desvelar secretos simplemente tocando un objeto que pertenecía a otro.

—¿Y lo hace bien Iria?

—Por lo general, muy bien, pero tiene que competir con Tanit. Aunque, como te he dicho, es buena con los objetos. Si fuera digna de confianza, podría decirnos algo tocando el medallón de Elda.

—Pero no es digna de confianza, ¿verdad? —dijo Syl—. Ninguna de ellas lo es.

Ani devolvió el medallón a Syl, que se pasó el cordón por la cabeza.

—Lo que no entiendo es *el porqué*, Syl —dijo Ani—. ¿Por qué iba a hacerle algo así Sarea a Elda? Tiene prohibido hacerle daño a nadie dentro de la orden. Como todas las Dotadas.

—¿Una prohibición? —Syl se burló—. Ya ves tú para qué sirve. Yo las vi hacerle daño a Elda, e intentaron hacerme lo mismo a mí.

—Ya sabes a qué me refiero. Un sarpullido aquí, una quemadura menor allá no pueden considerarse lo mismo que aplastar huesos y desde luego distan mucho de acosar a alguien hasta matarlo.

—¿De verdad crees eso? —preguntó Syl.

Ani no respondió.

—Mira —dijo Syl—, lo único que se me ocurre es que Sarea, e imagino que Tanit también porque es imposible que Sarea haga algo tan excesivo sin la aprobación de Tanit, descubrieron que Elda era una espía. Tal vez la estaban torturando y, no sé, a lo mejor ella intentó huir y corrió afuera, a la oscuridad.

—No. ¿No te das cuenta? Si Tanit descubrió que Elda era una espía, habría ido directa a Thona o incluso a Oriel —se quejó Ani—. Tanit es una leal devota de la Hermandad, Syl. Todas lo son, y todas adoran a Syrene. Tanit informaría de algo así, para que las Hermanas tomaran las medidas apropiadas. No actuaría sola. Ella no es así.

Y de repente, todo empezó a cobrar sentido.

—Tal vez sí informó —dijo Syl—. Quizá eso era lo que las Hermanas consideraron una medida apropiada, Ani. Tal vez fue una de las Hermanas de mayor rango quien dio la orden.

Ani abrió la boca para hablar, pero Syl la cortó antes de que pudiera decir nada, surcando el aire con un dedo extendido y la voz cada vez más estridente, quedándose sin aliento a medida que las piezas iban encajando.

—¿De verdad crees que la Hermandad de Nairene os está formando a todas por pura filantropía? No te olvides de quién está detrás del proyecto: Syrene, siempre Syrene. Thona responde ante Oriel, y Oriel ante Syrene. Syrene es la que estaba muy interesada por ti y tus poderes. Syrene te eligió y ahora estás perfeccionando tus habilidades, junto con las otras zorras, porque ella ha dado la orden. Todas vosotras sois el «proyecto especial» de Syrene. Pero ¿qué planea hacer con todas vosotras? Sea lo que sea, no será agradable, al menos no desde mi perspectiva.

Ani se había echado a llorar.

—Por favor, Syl, ¡basta! De acuerdo, sí, es posible que algunas de las Dotadas hayan hecho daño a Elda, pero tú odias a la Hermandad entera. Las odiabas incluso antes de que nada de esto sucediera. Y lo estás utilizando como una excusa para que me vuelva contra ellas. Pero también hay bondad en la Hermandad.

—Vaya, ¿eso piensas? —dijo Syl—. ¿Y no te parece raro que nunca intenten enseñarte nada bueno o bondadoso? Quieren que aplastéis huesos, que queméis, que causéis enfermedades. Os animan a eso, pero sin duda, sin duda alguna, tus poderes podrían servir para lo contrario, ¿no? —El argumento acababa de ocurrírsele a Syl en ese mismo momento, y siguió tirando del hilo—: ¿No podrían enseñaros a hacer que la gente se sintiera mejor, a curar enfermedades, a recomponer huesos, a quitar el dolor en lugar de infligirlo? No, no tienen ningún interés en que seáis compasivas, Ani, sólo quieren convertiros en peligrosas.

Ani se sorbió los mocos con tristeza.

—¡Basta! —le espetó Syl—. No se te ocurra llorar más. Déjalo. Os están formando para poder utilizaros, y está claro que no quieren utilizaros precisamente para fomentar la paz, el amor y la armonía, ¿verdad que no?

—No. —Una palabra corta, una leve negativa con la cabeza.

—Creo que Syrene está formando su propio ejército privado, Ani, un ejército del que nadie desconfiaría. Sólo unas jovencitas vestidas con túnicas. ¿Te imaginas lo que todas juntas podéis hacer si os dieran rienda suelta?, ¿te imaginas la destrucción que podríais provocar?

Con sólo pensarlo a Syl le entraron ganas de vomitar.

Entonces habló Ani, con voz trémula, aunque sus palabras resonaron con firmeza y su rostro adquirió una expresión feroz.

—Pero yo no soy una marioneta, Syl. Puede que no sea tan lista como tú, pero pienso por mí misma. ¿Te has olvidado de quién soy? Soy tu amiga, sigo siendo Ani. Nunca formaría parte de eso. Jamás. Moriría antes de permitir que eso sucediera.

Se quedaron sentadas en el sofá, en silencio. Se habían quedado sin palabras. Cada una se había ensimismado en sus cavilaciones, hasta que la fría salida del segundo sol de Ilyr las deslumbró a través de la ventana.

—Muy bien, de acuerdo —dijo Syl—. Ahora ya sabes tanto como yo —bueno, casi tanto, pensó para sí, y se sintió culpable al recordar las llaves—, así que será mejor que me vaya a la biblioteca.

—No, no te vayas todavía, Syl —dijo Ani tomando a Syl del brazo—. Sería demasiado obvio a esta hora del día. Las bibliotecas estarán vacías tan temprano, y tú serás la única conectada al sistema informático buscando una palabra extraña. Si tiene algún significado, te habrán descubierto. Hazlo después de clase. Hagámoslo juntas.

Syl tuvo que sonreír pese a la cara surcada de lágrimas de su amiga.

—Nunca, jamás en la vida me habría imaginado que *Ani Cenicienta* se ofrecería a ayudarme a hacer los deberes —dijo—. Es un milagro.

—Cállate, Syl, cállate antes de que cambie de opinión.

32

Las numerosas bibliotecas de la Marca eran tan sobrecogedoras como estimulantes; sus estanterías, llenas de libros, se elevaban hasta los techos abovedados en las rocas excavadas y las catedrales de piedra de Avila Minor, y, en ocasiones, incluso los propios techos estaban cubiertos de estantes que colgaban en lo alto como campanas cuadradas sujetas por cadenas a las vigas. Los volúmenes menos requeridos se almacenaban allí arriba y, si se solicitaban, los bajaban mediante un antiguo mecanismo de poleas. Sin embargo, pocas veces pedían esos libros: las cadenas chirriaban y raspaban, y quienes esperaban abajo temían que la estructura entera se desmoronase sobre ellas en cualquier momento. Por más que reverenciaran los libros, a las Hermanas no les hacía ninguna gracia morir aplastadas bajo una avalancha de ellos.

Incluso la biblioteca principal de las Novicias en el Duodécimo Reino era digna de contemplación y hacía las veces no sólo de impresionante museo de la literatura de todo el universo conocido sino también de ejemplo sin par del genio del diseño. En las paredes, detrás de las estanterías visibles se ocultaban más estanterías y, detrás de éstas, había todavía más, que se desplegaban como las páginas de un inmenso libro.

En la planta principal, torres de vitrinas de cristales tintados contenían volúmenes que no podían guardarse en estantes: palabras talladas en piedra y en tablillas, palabras escritas en rollos de papiro o grabadas en trozos de corteza cuidadosamente trabajados; documentos esculpidos en cristales tan largos como un brazo o forjados en láminas de metal; registros anotados en rollos de áspera piel curtida y del más delicado cuero; e incluso palabras casi invisiblemente impresas sobre membranas frágiles y claras de remotos planetas que sólo podían leerse cuando se sostenían a contraluz, de manera que las sombras de lo escrito se proyectaran alargadas sobre el suelo.

Una de las vitrinas favoritas de Syl y Ani contenía los restos con formas de joyas de insectos de un mundo remoto, muertos hacía mucho, colocados con delicadeza en cabezas de alfiler, sus alas centelleantes desplegadas del todo para desvelar los misteriosos y minúsculos mensajes anotados, como unas salpicaduras de talco sobre las diminutas escamas brillantes, y que sólo eran legibles a través de las potentes lupas que colgaban de una cadena. Ni siquiera entonces tenían ningún sentido y la civilización que las había creado había desaparecido en el remoto pasado.

—Hechizos —dijo la bibliotecaria Onwyn cuando Syl preguntó—. No son más que supersticiones, trucos y hechizos, pero aun así en la Hermandad de Nairene creemos que todo conocimiento es instructivo. Sí, jovencitas, incluso ideas tan primitivas sirven para dar más relieve a la verdad perfecta.

Syl había insistido para que le explicara qué significaba eso, pero en lugar de respuestas, Onwyn simplemente había abierto sus frágiles brazos para señalar a los libros.

—Ahí dentro encontrarás las respuestas —dijo.

—Pero ¿y si no sabemos las preguntas? —había replicado Syl, y Onwyn la había mirado con extrañeza, ladeando la cabeza y, a partir de entonces, se había entablado una cautelosa amistad entre la anciana Hermana y la Novicia descreída.

Pero hoy Syl y Ani pasaron por delante de las mariposas de otros mundos, las pieles y los cristales, porque iban buscando sólo una cosa: una referencia a Arqueón. Primero escribieron el nombre en el índice informático, con la esperanza de encontrar alguna referencia cruzada, pero no obtuvieron resultados. No era muy sorprendente, dado que la entrada constante de material implicaba que los catálogos siempre estaban un tanto anticuados, sobre todo aquí, en la biblioteca de las Novicias, donde su mantenimiento estaba a cargo de las más jóvenes y menos experimentadas de ellas.

Por supuesto, Onwyn habría sabido dónde buscar, pero Syl no estaba dispuesta a confiarle el secreto de Elda a nadie que fuera miembro de la Hermandad, ni siquiera a la anciana y renqueante Onwyn.

Pero Syl y Ani fueron hasta el fondo de la biblioteca, donde revisaron atentamente los grandes libros antiguos de referencia —el equivalente ilyrio de las enciclopedias— que se remontaban a muchos siglos atrás y eran tan pesados e inmanejables como grandes piedras. Algunos estaban dedicados a la geografía, tanto al estudio de la superficie de diversos planetas explorados como a los mapas de sus cielos. Varios volúmenes compilaban, debidamente catalogados, a ilustres ilyrios, grandes batallas o la botánica de los mundos conocidos con detalle microscópico, o las ciencias o la historia desde el principio de los tiempos. Eran listados alfabéticos, lo que facilitaba un tanto la tarea; aun así, los volúmenes se iban amontonando a su alrededor como una fortaleza. Nadie preguntó qué buscaban las Novicias Terrinatas ni por qué. Aquí se daba por supuesta la búsqueda y el interés por el conocimiento, y las clases habían acabado, así que la biblioteca estaba atestada de serias Novicias ansiosas por demostrar su valía y dedicación. Preguntar por qué una Novicia de Nairene estaba leyendo sería como preguntar a una aprendiz de chef por qué estudiaba una receta: lo mal visto habría sido que no lo hiciera.

Unas horas más tarde, Ani cerró su último libro —un pesado tomo sobre las bacterias, los hongos y las algas del sistema planetario galateano— con un golpe contundente.

—Syl —dijo—, esto no funciona. No sabemos qué estamos buscando, y tampoco si existe. Ya me he hartado.

Syl masculló algo inaudible y continuó estudiando su propio y voluminoso libro, titulado *Geografía celeste,* que listaba todos los asteroides, planetas, estrellas, sistemas, nebulosas y galaxias del universo conocido, junto con una breve descripción de cada uno. Era la edición más reciente, tan gruesa que Syl tenía que permanecer de pie para leerla con comodidad.

—Ani, ¿puedes pasarme una edición anterior de este catálogo, por favor? —dijo, sin levantar la mirada de las páginas.

Con un pequeño gemido, Ani se dejó caer de bruces sobre la mesa, agitando teatralmente los brazos.

—¿Por qué, Syl?, ¿por qué no nos vamos ahora mismo?

—Por favor. Será sólo un momento.

Ani subió ruidosamente la escalera y bajó una edición más antigua de la geografía celeste. Lo arrojó delante de Syl y volvió a sentarse, cruzándose de brazos en gesto desafiante. Syl hojeó rápidamente el libro, y entonces se detuvo y clavó un dedo sobre una entrada.

—¡Ahí! —dijo.

Ani se incorporó.

—¿Lo has encontrado?

—No..., pero aquí está Ashkyll-2. ¡Lo sabía!

—¿Qué? No, mejor olvídalo, no he dicho nada..., ni siquiera voy a preguntarte de qué estás hablando.

Syl no le hizo caso y cuidadosamente marcó la página antes de bajar otro volumen, más antiguo. Lo abrió también, hojeó la lista alfabética y al poco alzó la vista, sonriendo.

—Bien. Déjame que te lo explique —dijo, fingiendo que no oía el teatral suspiro de Ani—. En la última edición de *Geografía celeste* mencionan un planeta conocido como Ashkyll-3. Pero no hay ningún Ashkyll-2 ni Ashkyll-1, lo que parece un poco raro.

—¿Por qué?

—Pues ¿por qué iban a añadir al nombre de un planeta el tres si no hay ni dos ni uno? En cualquier caso, he buscado en la edición previa que me has pasado y, sorpresa sorpresa, ahí está. —Abrió el libro en la página marcada—. *¡Ashkyll-2!* ¿Por qué estaba en una edición más antigua y no en la más reciente?

Ani se encogió de hombros.

—No sé, ¿se apagó, tal vez?

—Los planetas no se apagan, Ani, no son estrellas. Y además, en la edición más antigua sí está listado Ashkyll-1, y también los otros dos Ashkylls.

—No te sigo. ¿Qué intentas decirme?

—Que falta una página, Ani, estoy segura. En todos los volúmenes. Mira: el volumen más antiguo va de Arbia a Ashkyll-1, pero en el más reciente va de Arbia a Ashkyll-2, sin mencionar en ninguna parte a Ashkyll-1. Y luego, en este tercero aparecen tanto Arbia y un planeta que no estaba en los otros dos, llamado Arcdarrit, pero a continuación salta directamente a Ashkyll-3.

—Pero ¿qué tiene que ver todo eso con Arqueón? —Ani estaba desconcertada.

—Bueno, piénsalo un poco: son los planetas que estarían antes y después de Arqueón en orden alfabético, si Arqueón estaba incluido originalmente en estos libros. Así que, si arrancas la página donde se cita a Arqueón, es muy probable que también pierdas algunas referencias que estaban en la misma página, o se superponían, como Arcdarrit y Ashkyll-1. ¿Lo entiendes?

Ani miró la página, la pasó adelante y atrás con ligereza, luego levantó la mirada frunciendo los labios mientras se lo pensaba. Frunciendo ya todo su semblante, se volvió hacia los libros del estante que tenían al lado, subió un poco más que antes por la escalera y bajó el volumen más antiguo que pudo encontrar. Syl observó en silencio cómo Ani lo hojeaba.

—A... Arbia... Arcdarrit...

Miró la página siguiente y luego volvió a la anterior. Entonces habló en voz muy baja.

—Y aquí Ashkyll-3. Oh, vaya...

—¡Exacto! —dijo Syl—. Y nunca nos habríamos fijado en que faltaban esos planetas de no haberlo visto en los otros volúmenes. Arqueón tendría que ir entre Arcdarrit y Ashkyll-1.

Las amigas se miraron fijamente, con los ojos muy abiertos. Ani se mordió el labio.

—¿Y ahora qué? —preguntó en un susurro.

—No lo sé, pero, sólo para que todo sea todavía más raro, ¿te acuerdas del libro que estaba leyendo, *Los pioneros interplanetarios,* el que hablaba de las primeras exploraciones?

—Vagamente.

—Bueno, pues le falta el último capítulo entero. Cuando miré bien el lomo, pude distinguir por dónde habían cortado las páginas.

—¿Y por qué alguien haría eso?

—Bueno, al principio pensé que alguna estudiante había sido demasiado perezosa para copiar las páginas, así que las arrancó, y que no era más que un estúpido acto de vandalismo, pero ahora, mirando estos libros —hizo un gesto con la mano hacia los volúmenes desplegados ante ambas—, me pregunto si es algo más que eso, si nos encontramos ante una especie de censura.

Ani asintió pensativamente.

—Bien, pues lo que tenemos que hacer para probar esta teoría tuya es conseguir otro ejemplar de ese libro, *Los pione...*, como se llame. Si en los dos faltan las mismas páginas, entonces sabremos que está pasando algo muy raro.

—Buena idea. Y sabemos que en la Marca hay montones de bibliotecas, y montones de libros, y que hay muchos ejemplares de los volúmenes que no son raros. Encontré *Los pioneros interplanetarios* olvidado detrás de un estante en el que no debía estar, pero tal vez haya más, es posible que incluso aquí mismo. Así que ¿por qué no le preguntamos a...

—... Onwyn? —dijeron las dos al unísono.

Después de volver a poner en su sitio los libros de referencia, Ani fue sola a buscar a Onwyn; Syl temía que, si preguntaba ella y la anciana bibliotecaria hacía una comprobación en el sistema informático, descubriría que ya había retirado un ejemplar.

—Le ruego me disculpe, Hermana Onwyn —dijo Ani, con los ojos abiertos como platos, inocente ella, y con modales anticuados, mientras Syl la observaba desde lejos.

—¿Sí, Novicia? —preguntó Onwyn con tono amable.

—Estaba buscando un libro y esperaba que pudiera ayudarme.

—Por supuesto. ¿Qué buscas?

—Bueno, un volumen que me recomendó una amiga: *Los pioneros interplanetarios,* creo que se titulaba.

El semblante de Onwyn se dividió al formar una amplia sonrisa que dejaba al descubierto su dentadura desgastada y amarillenta entre sus labios finos.

—Vaya, ¡hacía años que no pensaba en ese título! —dijo—. Una magnífica elección, querida. Es un libro maravilloso, pero me temo que pasó de moda cuando las exploraciones se internaron cada vez más lejos. Me encanta que alguien vuelva a interesarse por él.

Se acercó renqueando al ordenador, hablando en parte para sí misma:

—Hubo un tiempo en que teníamos cuatro ejemplares, creo, pero cedimos uno de todos los libros a la nueva biblioteca del Séptimo

Reino, que ya no es tan nueva. Vaya, debe de hacer unos sesenta años que se construyó. Lo que nos deja tres... —Toqueteó despacio la pantalla, delatando que no se sentía demasiado cómoda con el sistema moderno—. Sí —dijo por fin—, tenemos tres, pero uno lo ha sacado esto..., eh, Syl Hellais, así que deberían quedar dos.

—Syl es la amiga que me lo recomendó, Hermana —dijo Ani.

—Conozco a Syl. Tiene un gusto excelente —dijo Onwyn risueña—, pero dile que ha superado la fecha de devolución. Bueno, sígueme.

Llevó a Ani hasta una de las cadenas que colgaban del techo, acordonada por una barrera de cuerda, y tiró con fuerza, apoyando todo el peso de su cuerpo, de la cadena más gruesa. Se oyó un leve chasquido y Ani alzó la vista, aterrorizada, pero nada se movió.

—Oh, querida, me temo que tendrás que ayudarme —dijo Onwyn, empujando suavemente a Ani hacia la cadena. Ani la cogió en las manos, con la cara crispada por la preocupación, y dio un tironcito.

—No te morderá, ¡dale un tirón como es debido! Ponle ganas.

Con la cara de alguien que está a punto de vomitar, Ani obedeció. Se oyó un chirrido agudo desde muy por encima de ellas y una nube de polvo salió despedida hacia abajo. Al ver lo que ocurría, toda la sala se volvió a mirar, las estudiantes chillaron y corrieron a los rincones para ponerse fuera de peligro, hasta que Ani y Onwyn se quedaron solas en el centro de la sala.

—Otra vez —dijo Onwyn.

Ani tiró y se oyó otro chirrido. Esta vez un solitario libro cayó a peso, y por unos milímetros no le dio a una vitrina de cristal antes de ir a parar con un crujido seco contra el suelo, levantando las páginas y más polvo. Varias chicas gritaron asustadas.

—No tengas miedo. Siempre pasa. ¡Tú sigue tirando!

Ani lo hizo una vez más, y otra y, poco a poco, ruidosamente, una inmensa y anticuada estantería bajó hasta el suelo, balanceándose un poco descontroladamente, desperdigando tres o cuatro libros más durante el descenso.

—Se supone que deberían tener una rejilla que los mantuviera en su sitio, pero se pudrió con los años. Supongo que tendríamos que sustituirla —dijo Onwyn sin dirigirse a nadie en particular, aunque la estaba escuchando toda la sala.

Finalmente, la estantería acabó apoyada en el suelo al lado de Ani y un suspiro de alivio colectivo se elevó a la vez que se depositaba en el suelo una nueva nube de polvo. Poco a poco, todas volvieron a lo que hacían. Onwyn empezó a toquetear cariñosamente los libros, quitándoles el polvo con un soplido. Dio vueltas a su alrededor, mirándolos de cerca, moviendo los labios al leer los títulos, acariciando de vez en cuando alguno con afecto. Al cabo de unos minutos sacó dos libros del estante.

—Aquí están. *Los pioneros interplanetarios,* dos ejemplares, como pensaba. ¿Quieres sacar uno?

—Sí, por favor.

—Magnífico —dijo la anciana que se acercó para dejar el último ejemplar en su sitio, pero entonces cambió de opinión. Sonrió a Ani una vez más, con todos los dientes desgastados centelleando y la lengua asomándole entre los labios—. ¿Sabes una cosa? Creo que me quedaré este ejemplar. Debe de hacer casi un siglo desde la última vez que lo leí, y recuerdo que era uno de mis favoritos cuando era Novicia.

Ani se dio la vuelta para seguirla hasta el ordenador, pero Onwyn señaló la estantería.

—Pero antes sube eso a su sitio. No queremos que nadie se haga daño.

Syl disimuló la risa bajo un ataque de tos.

En cuanto salieron de la biblioteca, Syl le arrebató de las manos *Los pioneros interplanetarios* a Ani.

—No puedo esperar más —dijo mientras buscaba precipitadamente el final del libro.

Como en su propio ejemplar, faltaba el último capítulo.

33

Paul se despertó en una *Nómada* envuelta en el silencio. Pasó por delante de Steven y Rizzo, y luego de Peris y Thula, todos profundamente dormidos. Sólo Alis seguía despierta, sentada en el puesto de copiloto mientras se dirigían a Arqueón, con la cara iluminada por las lecturas que aparecían en el cristal de la cabina que tenía ante sí. Paul pasó a formar parte de ellas al acercarse desde atrás, reflejándose de modo que sus rasgos parecieron tatuados con cifras y gráficos.

—Iba a preguntarte si duermes alguna vez —dijo—, pero supongo que sería una pregunta tonta. Eres una Meca.

Alis no mostró ninguna emoción, pero Paul percibió una repentina tensión en su cuerpo.

—¿Desde cuándo lo sabes?

—He estado observándote, y al final lo he deducido.

—¿Cómo?

—Me recuerdas a alguien.

—¿A quién?

—Se llamaba Meia.

El rostro de Alis se delató con un respingo ante la mención del nombre.

—¿«Llamaba»?

—Se llama, si lo prefieres. Estaba viva la última vez que la vi, si eso sirve de algo. ¿Lo sabe Tiray?

—Por supuesto.

Paul ocupó el asiento del piloto. Bostezó. En algún sitio, entre las provisiones que Thula y él habían traído del *Envion*, había café, pero estaba demasiado cansado para ir a buscarlo. Dejaría que Rizzo durmiera un poco más y luego la mandaría a ella. Después de todo, ¿para qué servía estar al mando si no podías ordenar a otros que hicieran cosas por ti? Aunque, bien pensado, Rizzo seguramente le respondería que fuera él a buscarlo. Sospechaba que el respeto de Rizzo por su nuevo rango no daba para más.

Miró a Alis. La piel ProGen era de una calidad notable y habría sido imposible saber que era una forma de vida artificial —un Meca— sólo por su aspecto. Ayudaba a que pasara inadvertida el que la tez dorada de los ilyrios mostrara una tersura de la que carecían hasta los más perfectos rasgos humanos.

—Me estás mirando —dijo Alis.

—Lo siento.

—Tu hermano también me mira.

—Por otras razones, creo.

Ella ladeó la cabeza asombrada.

—¿A qué te refieres?

—Me parece que le gustas.

—¿Como en...?

—Exactamente.

—Oh.

—Sí, «oh».

—¿Sabe él también lo que soy?

—Creo que no. Si lo sospecha, al menos a mí no me ha dicho nada.

—¿Se lo dirás tú?

—No, a no ser que tú quieras.

Vio cómo ella se lo pensaba.

—Mejor se lo diré yo misma —dijo Alis—, en el momento oportuno.

—Muy bien. Ten cuidado con él, con sus sentimientos. Es joven.

Alis abrió la boca para replicar, pero pareció que no encontraba las palabras adecuadas. Su frente se frunció fugazmente por la confusión. Paul consiguió contener una sonrisa. No importaba que fueras humano, ilyrio o Meca: siempre era complicado dominar las emociones.

—Tengo una pregunta para ti —dijo Paul.

—Hazla.

—Me habían dicho que todos los Mecas fueron destruidos, pero ya he conocido a dos. Eso indica que las historias que se cuentan de vuestra destrucción tal vez fueron exageradas.

—¿Qué te contó Meia?

—Nada.

Eso era verdad, más o menos. Lo que sabía se lo habían contado Syl y Ani: se suponía que todos los Mecas habían sido destruidos, que sus destinos estaban sentenciados cuando empezaron a dar signos de «errores del sistema» —dicho en otras palabras: de emociones—, a la par que mostraban una creciente fe en la existencia de un Creador, de un dios. Eso llevó a los Mecas a creer que poseían alma, un desarrollo que a los dignatarios ilyrios se les antojó tan perturbador y peligroso que promovieron la destrucción de los Mecas. Pero a muchos ilyrios les incomodaba la idea de aniquilar a unos seres que parecían haber adquirido conciencia de sí, de modo que se llegó al acuerdo de que se mandaría a los Mecas al exilio en un mundo remoto. Los ilyrios vieron partir las naves, que fueron empequeñeciéndose progresivamente hasta desaparecer entre las estrellas.

Pero los Mecas fueron traicionados, porque sus naves se autodestruyeron mucho antes de llegar a su destino, y sólo un puñado de ilyrios estaba al tanto de lo que había ocurrido. Eso, al menos, era la historia que se contaba, pero la mera existencia de Meia, y ahora la de Alis, la cuestionaba.

Alis le miraba impertérrita.

—En ese caso yo tampoco puedo contarte nada —dijo.

—Pues no me sirve de gran cosa.

—Lo siento.

—No, no creo que lo sientas, no de verdad.

Alis pareció a punto de decir algo, pero se calló. En vez de responderle le hizo una pregunta.

—El humano, Galton. ¿Por qué volvió al *Envion?*, ¿por qué quería morir?

—Estaba enamorado de una mujer que se llamaba Cady. La mataron en la superficie de Torma. No podía vivir sin ella, o al menos creía que no podía.

—Se equivocó al hacer lo que hizo —dijo Alis—. Se dejó llevar por la desesperación. No deberíamos desesperar. Siempre tiene que haber esperanza. Siempre hay que tener fe en el Creador.

—Galton estaba conmocionado —dijo Paul—. En otras circunstancias, quizá podríamos haberlo salvado, pero nosotros también estábamos conmocionados. Y, a veces, la gente simplemente se desmorona. Llámalo defecto de diseño. Cuando veas al Creador, coméntaselo.

—Pero tú llevas el símbolo cristiano. Yo he leído sobre eso. Tú crees.

—Sí, creo —convino Paul—. Pero hay veces, como con las muertes en Torma, como con el sufrimiento de mi pueblo bajo el dominio ilyrio en la Tierra, en que me pregunto por qué creo. Tal vez sólo porque tengo miedo.

—¿De qué?

—De no tener nada en absoluto en lo que creer.

Paul se levantó. Finalmente, había decidido no despertar a Rizzo. Después de todo, sabía más o menos dónde estaba el café.

La mano de Alis rozó la suya. Le sorprendió lo cálida que era. Le fascinaba lo reales que eran los Mecas. Quería saber más sobre ellos, pero por ahora se contentaba con haber confirmado su teoría de que Alis era uno de ellos.

—Siento no poder hablarte más de nosotros —dijo Alis—. De verdad que lo siento. Tú conociste a una, y ahora conoces a dos.

—Y hay más —dijo él.

No era una pregunta, sino una constatación. Ni siquiera hacía falta que ella asintiera, como hizo.

—Meia —dijo Alis.

—¿Qué pasa con ella?

—Meia es importante.

La mano de Alis apretó la suya, como si le suplicara que actuara en nombre de Meia. Pero Meia estaba muy lejos y Paul no podía ayudarla. Aunque, bien pensado, la última vez en que la había visto, no parecía el tipo de individuo que necesita mucha ayuda. Meia era como un ejército de Mecas ella sola.

—¿Interrumpo algo?

Era Thula. Sonreía a Paul. Alis le soltó la mano.

—No es lo que imaginas —dijo Paul, y al momento se dio cuenta de que ése era justamente el tipo de comentario que haría si fuera precisamente lo que imaginaba otra persona.

—A lo mejor, si llego a teniente, las alienígenas atractivas empezarán a arrojarse también a mis brazos —comentó Thula en voz baja.

—Si no borras esa sonrisita de tu careto, lo que te va a arrojar alguien es algo pesado y afilado —le advirtió Paul.

Thula se las apañó para recomponer la expresión, pero estaba claro que le costaba.

—Voy a buscar café —dijo Paul.

—Muy bien —dijo Thula—. Yo me quedaré aquí.

Paul pasó a su lado, consciente de que se había ruborizado.

—Sí, quédate.

—Y no tomaré la manita de nadie.

—Te lo advierto, como sigas por ahí...

Todos se habían despertado cuando Paul volvió con el café, unas gachas y un montón de comidas precocinadas. El café era instantáneo, pero más valía eso que nada. En la cocina había agua caliente, y pronto todos los humanos estaban comiendo. Los ilyrios consumían sus propios alimentos de las provisiones de la nave, básicamente verduras rehidratadas y mezcladas con una carne que a Paul le olía a cerdo rancio. Incluso Alis se unió a ellos, lo que hizo que Paul se planteara una nueva pregunta sobre el funcionamiento del sistema digestivo de los Mecas, aunque no estaba seguro de querer saber la respuesta a esa pregunta.

—¿Por qué no deja de sonreírte Thula? —preguntó Steven.

—Thula ve chistes donde no los hay —dijo Paul, pero cuando acabaron de comer, hizo un aparte con Thula y le habló en voz baja. Cuando Thula regresó, ya no sonreía, y miraba a Alis con renovado interés.

Steven había vuelto a ocupar el asiento del piloto, aunque tenía poco que hacer hasta que llegaran al primer agujero de gusano y para eso todavía faltaban unas horas. (Aunque lejos de Ilyr, seguían el horario ilyrio, que tenía un día de treinta horas.) Las coordenadas habían sido introducidas en el ordenador de la nave y sus poderosos motores se encargaban del resto. La *Nómada*, además, escaneaba continuamente en busca de señales de que les estuvieran persiguiendo o de transmisiones de radio. Como todo lo demás en ella, el alcance de sus escáneres era mayor de lo que Paul había visto hasta entonces. Recibirían un aviso más que oportuno si había cualquier nave en sus cercanías, pero por el momento los escáneres no habían detectado nada.

Paul fue a la sala de conferencias que había al fondo de la nave, donde encontró a Peris y Tiray hablando. No le pareció que trataran de ningún secreto, sólo era una charla entre dos ilyrios que se conocían un poco y se ponían al día sobre los conocidos de ambos. Paul se sentó enfrente de ellos y la charla se fue apagando. Ambos ilyrios esperaron a que hablara.

—Alis es una Meca —dijo Paul.

Tanto Tiray como Peris parecieron sorprendidos, aunque, supuso Paul, por diferentes razones. En la expresión de Peris vio que el viejo soldado no tenía ni idea de la verdadera naturaleza de Alis, mientras que Tiray seguramente se había quedado de piedra al enterarse de que Paul lo sabía.

—¿Se lo dijo ella? —preguntó Tiray.

—Lo adiviné yo solo —respondió Paul, y no pudo evitar sentir cierto placer al ver que la opinión que le merecía a Tiray cambiaba una vez más—. Mi pregunta es: ¿por qué está con usted?

—Le ofrecí refugio cuando se anunció el exilio. Yo sabía lo que iba a pasar. Era valiosa para mí. Me fiaba de ella.

—¿Así que es la única?

—Sí.

—Miente.

Tiray no pareció muy contento de que le llamara mentiroso, pero a Paul no le importaba.

—Debería elegir sus palabras con más cuidado, joven humano —dijo Tiray—. Ésta sigue siendo una nave ilyria y las normas tanto de cortesía como de mando requieren que contenga su lengua.

Paul no le hizo el menor caso.

—Lo que yo creo es lo siguiente —prosiguió—: usted y un puñado de prominentes ilyrios les contaron a los Mecas lo que habían tramado contra ellos. Como consecuencia, sus naves no fueron destruidas, y todos llegaron a su destino sanos y salvos. Pero usted y sus amigos querían mantener canales de comunicación abiertos con ellos, así que se quedaron con algunos y los ocultaron entre su personal.

Tiray no respondió.

—Tiray, conocemos a Meia —dijo Peris—. Fue ella la que intervino para ayudar a la hija del gobernador Andrus en la Tierra.

Tiray asintió. Los ojos se le habían nublado de dolor.

—No pudimos salvarlos a todos —dijo—. Sólo nos enteramos de los dispositivos que habían puesto en las naves en el último momento. Para entonces, dos de los transportes habían salido de la galaxia. Sus sistemas de comunicación ya eran inútiles. No había forma de ponerse en contacto con ellos. Hicimos lo necesario para salvar a los Mecas que iban en la última nave.

—¿Dónde están? —preguntó Paul.

—No lo sé.

Paul estaba a punto de llamarle mentiroso de nuevo, pero Tiray levantó una mano para detenerle.

—Le estoy contando la verdad. Se consideró mejor que no supiéramos dónde estaban, por si alguien descubría lo que habíamos hecho y nos interrogaban. Alis se quedó conmigo, y sé de otros cuatro Mecas que permanecen ocultos con ilyrios solidarios, pero con el tiempo sólo regresó uno de los que partieron en la última nave.

—Meia —dijo Paul.

—Sí, Meia. Ella es la única que conoce la localización de su refugio.

—¿Cuántos se salvaron? —preguntó Peris.

—Cinco mil.

—¿Cinco mil? —dijo Paul.

Se quedó pasmado. No había imaginado que fueran tantos.

Y, una vez más, Tiray traslució la tristeza que sentía.

—Sólo cinco mil —dijo—. La *Vianne,* la última nave, era la más pequeña de las tres. Cada una de las otras dos llevaba al menos diez veces esa cantidad. Lo que sucedió fue un crimen, pero un crimen por el que nadie será castigado jamás.

—¿Por qué? —preguntó Paul.

—Porque si reveláramos lo que sabemos de la trama para destruir a los Mecas, también nos veríamos obligados a revelar que conseguimos salvar a cinco mil. No existen pruebas de lo que pasó, aparte de los Mecas que se salvaron, pero sólo están a salvo mientras su existencia siga siendo desconocida.

»Y aunque, por algún milagro, pudiéramos obtener pruebas sin poner en peligro a los Mecas, los responsables de la matanza se encuentran entre los ilyrios más poderosos del Imperio. Son la élite del Cuerpo Diplomático. Su función es castigar, no ser castigados.

Paul centró su atención en Peris.

—Tú fuiste el último que habló con Meia —dijo.

—Sí.

—¿Quién más sabía de su existencia?

—Nadie. Bueno, nadie aparte de Lord Andrus, obviamente. Y de Danis, diría. Andrus confiaba plenamente en Danis.

Danis era el mando principal del Ejército ilyrio en Gran Bretaña, y el padre de Ani.

—¿Y la Securitat no sospechaba de Meia? —preguntó Paul.

—No lo sé —respondió Peris—. No lo creo. La odiaban. Sobre todo Vena. Vena ordenó la detención de Meia durante los últimos días en la Tierra, pero no sé si había descubierto que era una Meca. Meia fue acusada de traición y asesinato. Si hubieran sabido la verdad y luego la detuvieron, no habría sobrevivido mucho tiempo.

Paul se sentía inquieto. Muchos de los que estaban en Dundearg habían visto a Meia y presenciado su comportamiento durante la batalla. Tuvieron que darse cuenta de que no era una ilyria normal. Si la Securitat los encontraba y los torturaba para que revelaran lo que sabían...

Pero tal vez todo había salido bien. Meia era más inteligente que cualquiera de ellos, y extraordinariamente capaz. Se había mantenido oculta durante largo tiempo.

Aunque Alis ya se lo había insinuado: si una Meca podía sobrevivir, entonces también podrían haberlo hecho muchos más. Si Vena conocía el secreto de Meia, no descansaría hasta encontrarla.

34

Durante semanas, la Resistencia había seguido los movimientos de Lord Andrus, el gobernador ilyrio de Europa, con la esperanza de encontrar en ellos algún tipo de pauta. Últimamente dejaba con menos frecuencia su base en el Castillo de Edimburgo, lo que lo convertía en un blanco más difícil, pero en tanto que principal representante del dominio ilyrio en la región, Lord Andrus se contaba entre aquellos a los que la Resistencia consideraba responsables de la represión en Escocia.

Así que se envió a un asesino.

El rifle era un prototipo, pero ya había sido probado durante meses en las Highlands escocesas. Se trataba de una combinación de artesanía humana y tecnología ilyria avanzada, un dispositivo letal diseñado con un único propósito: asesinar a Lord Andrus. Su alcance duplicaba el de las armas más parecidas, y disparaba una bala de uranio empobrecido capaz de penetrar más de quince centímetros de acero o cemento sin apenas perder velocidad. El rifle, desmontado en pequeñas piezas, había sido introducido a escondidas en el nido del francotirador a lo largo de semanas, luego reconstruido y ahora sus mirillas estaban fijas en uno de los patios inferiores del Castillo de Edimburgo, donde esperaba la lanzadera privada de Lord Andrus.

El francotirador llevaba seis días en su puesto, esperando la ocasión que sin duda iba a presentarse. Comía raciones que se calentaban solas y realizaba sus abluciones en bolsas de plástico. Yacía tumbado al lado de su arma, cuya bocacha apenas sobresalía un par de centímetros por el agujero camuflado en la pared de ladrillo por temor a que un escáner ilyrio descubriera su presencia. Por ese orificio entraba la única luz del cubículo, filtrada por una gasa. Por la noche permanecía tumbado en completa oscuridad. Disfrutaba de breves periodos de sueño, pero parecía haber desarrollado un sexto sentido para captar el movimiento en el área al alcance de su arma, y se despertaba instantáneamente en cuanto entraba alguien en la zona de disparo. Su nido era una cámara disimulada con inteligencia, de apenas metro y medio de ancho y un metro de altura, situado encima de un ático que había en un edificio de la Milla Real. Recordaba a un ataúd de ladrillo y madera, pero el francotirador no era de los que sufren claustrofobia. Tampoco le pasó nunca por la mente que fuera a sobrevivir a esta misión. Una vez que empezara el tiroteo, sellarían el área y vendrían a por él. No le importaba. Sólo encontrarían su cadáver —al pensarlo se pasó la lengua por la cápsula de cianuro que llevaba en un diente— y, a su lado, una fotografía de él mismo con una mujer y dos chicos adolescentes, todos los cuales habían desaparecido ya, estaban todos muertos.

A primera hora de la séptima mañana se desató una actividad frenética. Empezaron a preparar la lanzadera del gobernador para la partida. Por instinto, el francotirador controló la respiración. Colocó el ojo derecho detrás de la mirilla telescópica y el dedo bajo el guardamonte, situándolo a unos milímetros del gatillo. Varias figuras pasaron a su alcance, pero vestían los uniformes negros de la Securitat o el de los guardias del castillo. Nadie que él buscara.

Más movimiento. Un destello rojo. Una Hermana de Nairene. Y si ella estaba ahí, quería decir que...

¡Ahí! El dedo rozó el gatillo. Se dispuso a soltar el aliento, y cuando lo hiciera saldría también la bala, como sí él mismo fuera el arma, y su propia boca, la del rifle.

Una tremenda sacudida le recorrió el cuerpo, convirtiendo su pecho en una cámara de resonancia, y el corazón le reventó antes de que pudiera disparar. Tuvo el tiempo justo para darse cuenta de que le había llegado la hora, y le dio la bienvenida. Sólo lamentaba no haber conseguido su objetivo. Fue su último pensamiento mientras por fin se reunía con aquellos que había perdido.

En el espacio del ático que se abría bajo él, una figura encapuchada bajó un arma de pulso de mano. Unas leves cicatrices le recorrían la piel bajo el nacimiento del cabello y a un lado y por debajo de la barbilla, como si llevara una máscara mal ajustada. Los rasgos mostraban una escalofriante inexpresividad, como si un caro maniquí de escaparate hubiera cobrado repentinamente vida, y eran la consecuencia del uso de piel ProGen para dar forma a una cara, piel que luego mantenía su flexibilidad y tersura pasándole regularmente una leve corriente eléctrica a través del material de base. Con la aplicación de un poco de maquillaje, la inexpresividad desaparecía en buena medida, pero aquella mañana no había tenido tiempo para nada. Un retraso de sólo unos segundos habría supuesto la muerte de Lord Andrus.

La figura descendió varias plantas del viejo edificio, del que salió deslizándose por una ventana trasera en el preciso instante en que los primeros rayos de sol rozaban la línea del horizonte, y se perdió entre las sombras. Si la hubiera visto alguien, habría creído que atisbaba a una joven ilyria, más baja que la media, de movimientos rápidos y ágiles, que vestía ropa fina y oscura a pesar del frío matinal, porque las sensaciones de frío y de calor simplemente no habían sido incluidas en su programación. No obstante, curiosamente, sí sintió cierta pena por la muerte del francotirador: conocía parte de su historia personal y las razones por las que se había ofrecido voluntario para una misión que sabía que sólo podía acabar de una forma para él. Y no estaba programado para esa emoción, para esa pena, ni por asomo. Tampoco le eran propios los sentimientos de lealtad, atracción, odio o amor —era un organismo biomecánico, un Meca—, pero todo eso había empezado a manifestarse en ella. Estaba cambiando, desarrollándose.

Bajo el frío de Edimburgo, Meia se estremeció.

35

Lo llamaron la Devastación de las Highlands. No era la primera de las persecuciones que sufrían los escoceses —la historia del país estaba salpicada de muchos ejemplos de una brutalidad similar a lo largo de los años—, pero fue terrible por su grado de crueldad. Arrasaron casas y permitieron que sus habitantes las vieran arder. Se borraron del mapa pueblos enteros, y dejaron sólo cráteres donde antes habían vivido comunidades humanas. Por vez primera desde el principio de la Conquista ilyria, los refugiados recorrían las carreteras de Escocia en convoyes de coches y camiones, y a veces incluso a pie si los ilyrios habían agravado su castigo privándoles de sus vehículos. Se encaminaron a las ciudades y los pueblos, donde habría familiares y amigos dispuestos a acogerlos durante un tiempo hasta que encontraran un nuevo acomodo, nuevas escuelas para sus hijos y nuevos empleos, esto último si tenían la suerte de que no los hubieran incluido en la lista negra.

Las listas negras eran otra variante ilyria de una vieja trampa de los conquistadores: los sospechosos de simpatizar, por no decir conspirar activamente, con la Resistencia podían ser inscritos en unas listas temporales de «Prohibición de Empleo», que ilegalizaba el ofrecerles trabajo, pagado o no, porque al principio los escoceses habían intentado sortear las listas dejando que la gente ocupara puestos voluntarios y pagándole con alimentos, combustible o refugio. Aquellos que habían vivido la Segunda Guerra Mundial en Europa, o habían huido de los nazis cuando adoptaron medidas similares contra judíos, homosexuales, gitanos y sindicalistas, observaban las órdenes de los ilyrios con desolación e ira, porque les recordaba —si es que era necesario un recordatorio— que la historia simplemente encuentra formas nuevas de repetir los crímenes de siempre. Empezaron a aparecer pintadas de esvásticas en las paredes de las bases ilyrias y en los laterales de sus vehículos, y sólo en una semana de diciembre, dos jóvenes de Glasgow fueron abatidos a tiros por fuerzas ilyrias mientras se dedicaban a hacer pintadas, y otros veinte resultaron heridos, ocho de ellos graves. La consecuencia, no precisamente inesperada, no fue una reducción, sino una multiplicación del número de esvásticas pintadas, y los gobernantes ilyrios de Edimburgo dieron orden de que no se recurriese a una fuerza letal contra niños desarmados. Dado que muchos jóvenes escoceses acostumbraban a llevar pequeños cuchillos, e incluso una piedra podía considerarse un arma, la orden no sirvió para disminuir el número de incidentes con fuego real.

La razón de la fuerza con la que la bota ilyria aplastaba el cuello escocés podía condensarse en una sola palabra: Dundearg. En ese castillo de las Highlands, ahora reducido a ruinas calcinadas, una banda de combatientes de la Resistencia había aniquilado a los restos de una fuerza de choque ilyria enviada a las Highlands para rescatar a un ilyrio de alto rango, el gran cónsul Gradus, y matar a sus captores de la Resistencia. Pero, tras una serie de enfrentamientos, la Resistencia dejó los restos de tres cruceros pesados, dos lanzaderas y un número todavía desconocido de cadáveres ilyrios y de fuerzas galateanas esparcidos por el paisaje. Entre los muertos se encontraba Sedulus, el jefe de la Securitat en Europa, la odiada policía de seguridad ilyria.

Sin embargo, el precio de la victoria en Dundearg había sido muy alto. Sedulus tenía una amante, Vena, que era también su subordinada, y tras la muerte de Sedulus fue ascendida al rango de mariscal antes ostentado por él. Vena era ahora la responsable de vengar su dolorosa pérdida, un dolor que era a la vez profesional y profundamente personal para ella. Tal vez eso explicara en parte el deleite con que castigaba a los escoceses por la derrota de Dundearg. Vena era un ser de una crueldad antinatural; algunos decían que había salido del útero de su madre devorándolo.

Pero Vena había nombrado a otra ilyria, Cynna, para que supervisara sobre el terreno el castigo de los escoceses. Y Cynna era, si cabe, aún más cruel que su superior, aunque carecía de su inteligencia. Aun así, a Vena le resultaba útil contar con alguien como Cynna para encargarse del trabajo sucio. Eso significaba que, donde fuera necesario, ella podía mantener las manos limpias y fingir que no tenía nada que ver con los peores excesos cometidos con las torturas y asesinatos. La forma de ejecución preferida de Cynna era el estrangulamiento. Era excepcionalmente fuerte, incluso para los estándares ilyrios, y había dejado las huellas de sus dedos en incontables cuellos.

Pero si los ilyrios eran culpables de la recuperación de las tácticas de los peores tiranos habidos a lo largo de la historia, también estaban repitiendo los mismos errores de siempre y enfangándose en los mismos lodos. No todos los que soportaban la Devastación —tanto víctimas como espectadores— aceptaban dócilmente su destino. Muchos se unieron a la Resistencia en las Highlands o multiplicaron sus miembros en pueblos y ciudades al norte y al sur de la frontera. Algunos pasaron a Irlanda, donde, como los desafortunados británicos antes que ellos, los ilyrios se habían empantanado en un estado de guerra de guerrillas perpetua. Grandes cantidades de soldados ilyrios estaban atareados combatiendo a un número comparativamente pequeño de unidades hostiles, aunque, a diferencia del conflicto de Irlanda del Norte, en el siglo anterior, con el IRA, esas unidades gozaban ahora del apoyo de la mayoría de la población.

A lo largo y ancho del mundo, parecían brotar y multiplicarse cada día semilleros similares de resistencia, y la ferocidad de la lucha crecía a marchas forzadas.

El problema para los ilyrios radicaba en que nunca habían intentado conquistar a una raza tan avanzada como la humana, así que, simplemente, carecían de un modelo de respuesta que darle. En parte por accidente y en parte por voluntad, los ilyrios habían basado su colonización en los imperios e invasores que habían triunfado en la historia humana —los romanos, los persas e incluso, hasta cierto punto, los nazis—, pero habían hecho caso omiso de la lección más importante que había que aprender de todos ellos: su fracaso. Los imperios entraban en decadencia, y las fuerzas invasoras no podían sobrevivir indefinidamente en territorios hostiles. El gobierno ilyrio en la Tierra no podía durar mucho, o eso, al menos, susurraba la Resistencia.

Pero entre los ilyrios había quienes no querían que la misión en la Tierra se prolongase. Tenían otros planes para la humanidad.

Planes más oscuros.

Los líderes de la Resistencia en la batalla de Dundearg se desvanecieron rápidamente tras el combate, desapareciendo con las luces del alba antes de que llegaran refuerzos ilyrios en cantidades efectivas. Sin embargo, no lo hicieron sin dejar rastro, porque quedaron huellas de ADN de los huidos por todo el castillo, y Vena y sus securitats consiguieron identificar a la mayoría de los que habían estado presentes mediante el examen de muestras diminutas de piel y cabello, creando complejas reconstrucciones faciales, incluso de aquellos de los que no encontraron más datos ni historiales médicos. Uno de los identificados era un desertor ilyrio al que en la Resistencia llamaban Fremd, o, a veces, Green Man, «el hombre verde». Si ya era una noticia bastante desalentadora que un traidor ilyrio se contara entre los combatientes de Dundearg, Fremd, por si fuera poco, era un antiguo miembro de la Securitat al que habían dado por muerto hacía mucho. Fremd tenía conocimientos secretos que podían poner en peligro toda la misión ilyria en la Tierra. Fremd era un riesgo, y buena parte de los esfuerzos de Vena se concentraban en dar con él. Quería a Fremd, vivo o muerto.

Vena deseaba capturar también a Meia, sin hacerle demasiado daño. Ya tenía una selección de herramientas y cuchillos preparada, a la espera de que la hicieran prisionera, y el suyo sería un largo, lento y doloroso viaje al olvido.

Lo único que lamentaba Vena era que no podría ponerle personalmente un cuchillo al cuello también a Syl Hellais. Pero el poder de Vena llegaba muy lejos: algún otro se encargaría de Syl en su nombre, y su tormento sería memorable.

En todo eso pensaba mientras observaba cómo Cynna estrangulaba a unos adolescentes. Los habían encontrado pintando una esvástica en la puerta de un garaje en Leith, lo que era de por sí un delito, pero, además, uno de ellos iba armado con una pistola, y otro tenía trazas de explosivos en la piel y la ropa. Dos chicas, un chico. Cynna se había reservado al chico para el final. Cuando se volvió hacia Vena, le brillaban los ojos con una excitación que era casi sexual.

—Quiero más —dijo Cynna.

—Y más tendrás —contestó Vena—. Tantos como desees...

36

Trask estaba sentado en un banco junto a las antiguas jaulas de los cuervos en las instalaciones vacías del zoo de Edimburgo, aunque lo de vacío era algo relativo cuando se estaba rodeado de un millar de animales, muchos de los cuales sólo empezaban a tentar la suerte una vez caía la noche. Oía ulular un búho cerca: seguramente era *Amber*, el búho real euroasiático del zoo, un ave gigantesca capaz de zamparse un zorro si tenía hambre. Trask sonrió, feliz por haber recordado el nombre del ave. En el pasado podría haber llamado por su nombre a la mitad de los animales del zoológico. Esos nombres posiblemente seguían enterrados en el desván de su memoria, junto con varias alineaciones de equipos del Hibernian CF desde la década de los ochenta, y de las chicas que había besado antes de que finalmente se casara y formara una familia.

Cuando bajaba la guardia, también podía recordar otros nombres: los de aquellos a los que había perdido para siempre, los nombres de los muertos. Niños, en su mayoría, o poco más que niños, asesinados por los ilyrios por intentar recuperar su mundo de las manos invasoras. A decir verdad, sus rostros nunca se alejaban mucho de sus pensamientos, y aunque hubiera sentido la tentación de olvidarlos, habrían vuelto a él cada vez que se cruzaba con la madre de uno de ellos por la calle o se encontraba con sus padres en un pub de St. Leonard's, o el Grange, o Blackford. Algunos de esos progenitores todavía culpaban a Trask de lo que les había sucedido a sus hijos e hijas; para ellos, él era la imagen pública de la Resistencia, el que había animado a sus hijos a levantarse y luchar.

Sin embargo, lo cierto era que Trask no había animado a nadie a luchar; más bien al contrario. Cuando le abordaban jovencitos de ojos brillantes y enfadados buscando asestar un golpe en nombre de la humanidad, él los echaba sin excepción y afirmaba no saber de qué le estaban hablando. No necesitaba cargar con más muertes sobre su conciencia. También contestaba así porque llevaba demasiado tiempo en este juego para saber que uno no aceptaba a un chaval la primera vez que lo pedía, ni la segunda, ni siquiera la tercera. En general, uno no aceptaba a ninguno que lo pidiera. En vez de eso, uno observaba y esperaba. Los que poseían verdadero talento, los dotados, se delataban con una mirada, un gesto, un pequeño acto de insubordinación, de rebelión. Ya estaban luchando su propia guerra contra los ilyrios, sólo que, simplemente, no la habían formalizado todavía.

Y luego estaban los otros, los que, como Paul Kerr, eran un producto de los propios ilyrios, y se habían convertido en verdaderos guerreros debido a los actos de los invasores. Trask siempre había sabido que Paul dejaría su huella en la Resistencia. Lo había sabido antes de que el chico llegara a la adolescencia, lo había visto en sus ojos: la inteligencia, la atenta cautela, la memoria para los detalles, la capacidad de liderazgo. Pero los ilyrios habían dado los últimos toques, eliminando parte de la sensibilidad del chico y reemplazándola con una pizca de frialdad y una vena de implacabilidad. Lo hicieron cuando arrojaron a su padre en la parte trasera de un transporte de la Securitat, donde le golpearon con una porra eléctrica, y luego lo dejaron morir en el suelo cuando su corazón falló a causa de la descarga. Trask había sostenido a Bob Kerr en sus brazos mientras la vida lo abandonaba, había llorado encima de él, sollozando como un niño. Habían sido amigos desde pequeños y habían empezado a trabajar en el zoo el mismo día. Bob había acabado a cargo de media docena de mamíferos, mientras que Trask se ocupaba de los reptiles. Iban juntos a los partidos de fútbol y al pub. Incluso compartían las vacaciones porque sus mujeres se llevaban tan bien como ellos. Raro era el día en que Bob y él no hablaran, al menos por teléfono, e incluso a veces hacían el esfuerzo de quedar para una copa rápida o sólo para pasear a sus perros por Blackford Hill.

Ahora Bob había muerto, y Katherine, su viuda, no le dirigía la palabra a Trask, mientras que su propia esposa hacía mucho que lo había abandonado. Incluso podría decirse que Katherine Kerr odiaba a Trask porque él también se había vuelto frío, había un lugar en su corazón que nunca se deshelaba. Eso le había llevado a hacer una excepción de su propia norma y así abordó directamente a Paul y le ofreció la oportunidad de vengar la muerte de su padre uniéndose a la Resistencia. Paul había dicho que sí, y a su debido tiempo, su hermano, Steven, se había unido también, de manera que se desencadenó una sucesión de acontecimientos que acabó, finalmente, con su madre perdiendo no sólo a su marido sino también a sus dos hijos, porque ahora estaban muy lejos de Edimburgo, muy lejos de ningún lugar que Trask supiera nombrar. Alzó la mirada hacia el cielo nocturno. Las más distantes de las estrellas visibles ni siquiera se acercaban remotamente allá donde estuvieran los jóvenes Kerr. Ahora ya podía añadir sus nombres a la lista de los perdidos, y sus destinos a la carga de su conciencia.

El búho calló y Trask dio un sorbo de la petaca de whisky que sostenía en la mano. Soplaba un aire fresco y húmedo. Ahora sentía el frío como nunca lo había sentido. Se dio cuenta de que estaba envejeciendo. Lo veía reflejado en sus hijas, Nessa y Jean. Ya no eran unas adolescentes, sino mujeres jóvenes. Era una cuestión de tiempo que se marcharan con los chicos que les gustaran, supuso; bueno, en el caso de que encontraran a unos tíos que no se murieran de miedo al verlas. Las dos eran atractivas a su manera, pero Nessa era corpulenta —no gruesa, sino fuerte y musculosa, e inteligente—, mientras que Jean sentía una fascinación con los cuchillos que solía poner nerviosos a los chicos.

Trask se miró el reloj. Ella no vendría. Habían pasado muchos meses desde la última vez que se vieron, pero él había mantenido la cita. Habían acordado acudir al zoo el primer y el tercer martes de cada mes, tres horas después de la puesta del sol; con más frecuencia, de ser necesario, pero siempre esos días. Luego ella había desaparecido, perseguida por los ilyrios; él, sin embargo, seguía yendo al zoo, por si acaso. De un modo extraño, la echaba de menos. Sí, le daba miedo de un modo similar al que Nessa y Jean daban miedo a la mayoría de los varones de Edimburgo, y, como sus hijas, ella tenía carácter. Lo raro es que no fuera humana. Y más raro todavía, según resultó, que tampoco fuera ilyria. Era —¿qué palabra utilizaban?— una «Meca». Él la habría llamado robot, suponía, pero ella no era exactamente eso. Un robot implicaba algo mecánico, como el Hombre de Hojalata de *El mago de Oz,* o el pequeño R2D2 de *La guerra de las galaxias,* un artefacto que resonaría con un eco, como un cubo metálico de basura si lo golpeabas lo bastante fuerte. Pero ella tenía una capa de carne y sangre, y hasta sentido del humor. Incluso él parecía gustarle, pensó Trask, y eso que no creía que los seres artificiales pudieran tener «gustos». Ella, a su vez, le caía bien. Era todo muy confuso.

Comprobó el escáner que llevaba en el bolsillo, aunque estaba preparado para zumbar y vibrar si detectaba una señal. El dispositivo buscaba constantemente signos de sistemas de vigilancia ilyrios. No podía hacer gran cosa con los drones más grandes —que, en cualquier caso, volaban demasiado alto para captar las conversaciones y se utilizaban solo para confirmar posiciones y movimientos—, pero era muy útil para detectar los insectos y arácnidos que habían adaptado los ilyrios para labores de espionaje. Arañas, moscas e incluso mosquitos habían sido perfeccionados electrónicamente por los ilyrios para que fueran sus ojos y oídos, pero emitían señales muy leves que el escáner podía detectar. Sin embargo, el zoo parecía despejado.

Trask dio un último trago para el camino y se puso de pie. Al hacerlo, escuchó la voz de ella que hablaba justo a sus espaldas.

—Me alegro de que hayas venido —dijo Meia.

Trask sonrió.

—Te lo prometí.

—Me alegro porque me pone más fácil matarte.

Y la sonrisa de Trask se desvaneció.

37

Meia le preguntó si iba armado. Trask dijo que no. Ella dijo que, si lo registraba y descubría que le mentía, lo lamentaría de verdad.

—¿Cómo? —preguntó él—. No parece que puedas matarme dos veces. Y, dicho sea de paso, tal vez quieras explicarme qué he hecho para merecer que me liquides.

Ella, en vez de contestar, volvió a preguntarle, y esta vez con más apremio, si iba armado.

—No, pero regístrame —dijo él. Todavía no se había dado la vuelta para encararla—. No soy tan idiota como para pasear por las calles de Edimburgo por la noche con un arma en el bolsillo.

Trask oyó las pisadas de Meia a su espalda. Al cabo de un momento, ella se sentó en el banco de al lado, doblando su cuerpo de manera que podía apoyarse en el respaldo y a la vez vigilarle. Una bufanda ocultaba la mayor parte de su cara, pero él vio que había cambiado, incluso antes de que cayera la tela. Sólo su voz era igual. Resultaba raro saber que era ella aunque él estuviera viendo los rasgos de otra. Los cosméticos que se había aplicado conferían a su rostro cierta individualidad, pero seguía inacabado.

—¿Fue duro? —preguntó él.

—Fue... doloroso.

No era a eso a lo que se refería Trask, pero lo dejó pasar. En cualquier caso, si Meia hablaba con él significaba que se había alejado un paso de su intención de matarlo, algo que él prefería evitar, si era posible.

—Creía que los robots no sentían dolor.

—No soy un robot.

—Bueno, un Meca. Lo que sea. Quiero decir que tú no estás... —Trask se interrumpió. No estaba seguro de qué quería decir, ni siquiera de sí debía decirlo.

Meia acabó la frase por él.

—¿... viva?

—Sí. Bueno, no. Yo... —La voz de Trask se fue apagando. Era un error afirmar que Meia no estaba viva cuando a todas luces poseía vida de algún tipo. También tenía emociones, pero ¿podía una forma de vida artificial programarse para sentir, o simplemente imitaba las emociones, emitiendo los sonidos y poniendo las expresiones pertinentes, pero sin sentir en realidad nada?

—El dolor no formaba parte de nuestro diseño —dijo ella.

—Entonces, ¿por qué lo sentiste?

—No lo sé.

—¿Estás segura de que era real?

Meia esbozó una sonrisa desolada.

—Sí, era real.

Se quedaron en silencio. Al cabo de un rato habló Trask.

—Eso es muy extraño —dijo.

—Sí, lo es. Por eso se nos condenó a la destrucción. Nuestros diseñadores creían que había un defecto en nuestra programación, que nuestras emociones eran un..., ¿cómo se dice?, un «fallo técnico».

—¿Y tú qué piensas?

—Pienso que estoy viva y que todos los seres sensibles tienen la capacidad de desarrollarse. Mis sentimientos son reales porque yo soy real.

Miró a Trask. Él vio que sus ojos tampoco habían cambiado; ni los ojos ni la voz, y ambos estaban llenos de una intensidad de emoción que no podía fingirse. Cuando Trask habló de nuevo, lo hizo en voz baja.

—Antes, cuando te pregunté si había sido duro me refería a la pérdida de tu cara, de tu identidad.

—Mi cara no es mi identidad —dijo Meia—. Mi identidad está en mi interior. Tengo un alma.

Maldita sea, pensó Trask, estamos pisando arenas movedizas, ándate con cuidado.

—¿Crees en Dios? —le preguntó Meia.

—A veces —dijo Trask—. Perdí la fe después de que vosotros aparecierais por aquí, pero a veces vuelve.

—¿Crees que tienes un alma?

—Sí, supongo que sí. Pero, y no te lo tomes a mal, a mí no me crearon en un laboratorio ni me construyeron en una fábrica o como sea que os montaran a vosotros.

—Tú fuiste creado en la fábrica del útero. Sois células ensambladas, igual que yo.

—Pero a ti te crearon los ilyrios.

—Los ilyrios simplemente pusieron mis células en el orden correcto. Estoy hecha de algo que empezó a existir con el nacimiento del universo, igual que los materiales de tu cuerpo. Los ilyrios no crearon la materia del universo, tampoco la humanidad. Ambos provenimos de otro sitio.

Trask asintió. Arenas muy movedizas. Ciertamente.

—¿Significa todo esto que al final no vas a matarme? —preguntó él. A lo largo de la conversación, la pequeña arma de pulso que sostenía Meia en su mano derecha no se había movido ni un milímetro. Había permanecido apuntando hacia él todo el tiempo.

—No —dijo Meia—. Se necesitará algo más que eso para salvarte.

—¿Por qué quieres matarme?

—Di instrucciones. No podía tocarse a Lord Andrus.

—Con el debido respeto, no estás en situación de dar órdenes a nadie.

—No lo entiendes.

—No, eres *tú* la que no lo entiende. Por si no te has dado cuenta, los ilyrios están incendiando y asesinando por toda Escocia. No habíamos vivido una represión como ésta desde los primeros días de la invasión. Tu querido Lord Andrus está al cargo aquí, y él es el responsable. Es un blanco legítimo, más que legítimo. Le haremos un favor a la humanidad si lo eliminamos de la faz de la Tierra. Althea dice, además, que ya no es el mismo; dice que ha cambiado.

Trask respiró hondo para calmarse. No parecía muy sensato gritarle a alguien que le estaba apuntando con un arma, pero por primera vez la resolución de Meia flaqueó.

—¿Althea? —preguntó—. ¿Cuándo has hablado con Althea?

—Esta mañana —dijo Trask y dejó escapar una risa sombría—, cuando me ha despertado con una taza de té verdaderamente espantosa. Ha vuelto, ¿no lo sabías, jefa del espionaje?

Meia estaba al tanto de la antigua relación entre Trask y la institutriz de Syl, pero no había sabido nada de ella desde que partió para la Marca con Syl y Ani. A su modo, Meia la echaba de menos, porque, aunque Althea era callada, también era inteligente, además de mostrar una lealtad inquebrantable hacia aquellos que le importaban, y Meia le había importado. Algo que no podía decirse de la mayor parte del personal de Lord Andrus.

—¿Dónde está ahora? —preguntó.

—En el castillo. Observando y escuchando, como siempre. Las matanzas habrían sido mucho peores sin la información que nos pasa Althea, pero, claro, también te has perdido todo eso.

—No —dijo Meia y su mano armada dejó de temblar—. Lo he visto. Estaba en las Highlands. Vi los incendios y los asesinatos. Donde fue posible, hice cuanto estaba en mis manos para detenerlos, hasta el extremo de matar securitats. Pero el Andrus que yo conozco no se comporta así. No es el que era: eso lo admito. Pero también le debo lealtad, tengo con él una deuda que escapa a tu comprensión, y por esa razón, sólo por ésa, no se le va a hacer daño. Si se lleva a cabo otro atentado contra su vida, haré que todos los implicados lo paguen con creces.

Trask frunció el ceño y cualquier resto de afecto hacia Meia desapareció de su semblante.

—¿Mataste tú al francotirador? —preguntó.

—Se llamaba Benton, y sí, yo lo maté. No sufrió y, de todas maneras, quería morir. Fue un acto de piedad.

—¡Ya sé cómo se llamaba! ¡Yo le encomendé esa misión!

—Que es el motivo por el que estás a un paso de morir.

Trask cerró los ojos.

—Entonces, dispara. Hazlo y deja de balbucear.

—Abre los ojos.

Trask los mantuvo cerrados unos segundos más y luego obedeció.

—¿Por qué? ¿Para poder mirarme directamente a los ojos cuando me dispares?

—No. Para que, si te dejo vivir, esté segura de que hemos llegado a un acuerdo. Dime, Trask, ¿por qué Green Man te dijo que quería que capturarais a un diplomático de alto rango y se lo llevarais a Dundearg?

Trask respondió a regañadientes.

—Dijo que los ilyrios estaban desarrollando una especie de nuevo Chip. Habló de biomecánica. Dijo que podía cambiar el curso del conflicto y que era importante que él le echara un vistazo. Nosotros también oímos rumores. Hablaban de algo médico, de una infección.

—Green Man te mintió, o quizá simplemente se equivocara. Ciertos diplomáticos de alto rango, entre ellos el cónsul Gradus, llevaban algo en sus cráneos, pero no se trataba de un Chip mejorado.

—Entonces, ¿qué era?

—Una forma de vida. Un organismo desconocido. Puede que haya infectado a Andrus..., su propia hija, antes de que la llevaran al exilio, me envió un mensaje avisándome de que él estaba en peligro.

La confusión de Trask se reflejaba en su rostro.

—Pero ¿por qué?, ¿era ésa la infección de que hablaban los rumores?, ¿de dónde procede?

—No lo sé, pero he estado intentando averiguarlo. Lord Andrus podría proporcionarnos algunas de esas respuestas, pero nunca podrá hacerlo si está muerto. Escúchame: creo que esos bichos, sean lo que sean, representan una amenaza tanto para ilyrios como para humanos. Aquí están sucediendo muchas cosas que no entendemos. Necesito descubrir la verdad. Y no puedo perder el tiempo anticipándome a las acciones de la Resistencia.

Trask pensaba a marchas forzadas. Era un hombre inteligente. Por eso le gustaba a Meia, y también por eso, si tenía que hacerlo, la mataría antes de irse del zoo.

—Esos rumores de gente que desaparecía —dijo—, ¿tienen algo que ver con esto?

Meia se planteó si debía mentirle, pero optó por contarle la verdad. Necesitaba a Trask. Sólo un puñado de humanos e ilyrios sabía con precisión lo que había pasado en Dundearg y, o bien los estaban persiguiendo, como a Fremd y a Maeve Buchanan, o estaban muy lejos de la Tierra, como Syl, Ani y los hermanos Kerr. Meia no podía seguir con esto sola.

—En el Proyecto Eden en Cornualles, presencié cómo utilizaban montones de cuerpos, tanto humanos como de otros mamíferos, como semilleros para algo, pero por entonces no estaba segura de qué podía ser. De todas maneras, todo ha desaparecido. Soy la única que lo vio.

—Tenemos que avisar a la gente —dijo Trask.

Meia se esperaba esa reacción.

—Avisarla, ¿de qué? —preguntó—. Prácticamente no sabemos nada. Y si revelamos ahora nuestras sospechas y se desata el pánico, los diplomáticos y sus securitats pasarán a la acción y lo que sobrevendrá hará que la Devastación de las Highlands parezca una suave reprimenda. Incluso podría dar lugar a la destrucción de este planeta.

Trask se frotó la cara con las manos. El gesto le humedeció los ojos.

—Nos han llegado noticias de todo el mundo —dijo—. El Cuerpo está retirando todos los días a sus diplomáticos, y no los sustituye.

—Lo sé.

—Pronto no quedará ningún diplomático de alto nivel en la Tierra —dijo Trask—. Habíamos empezado a concebir esperanzas.

—Esperanzas... ¿de qué?

—De que hemos ganado. De que los ilyrios se marchan.

—Se marchan, sí, pero no habéis ganado. Nos equivocábamos. La Conquista no fue más que el primer paso. La verdadera invasión todavía no ha empezado.

Trask se percató de que el zoo se había quedado en silencio, como si algo de lo que estaban hablando, un indicio de sus temores y de sus consecuencias si estaban en lo cierto, se hubiera comunicado a los animales.

Meia bajó el arma.

—Trask —dijo—. Me fío de ti. Ahora tú tienes que fiarte de mí.

38

Así que Meia y Trask hablaron. No temían que los ilyrios los descubrieran. Trask había entrado solo en el zoo, ése era el acuerdo que tenía con Meia: su relación de trabajo les competía exclusivamente a ellos, sobre todo ahora que a ella la perseguían con la misma saña, si no más, que a los miembros de la Resistencia. Pero las carreteras de entrada y salida del zoo estaban vigiladas por la gente de Trask y, como señal de la confianza que le inspiraban, sus hijas estaban dentro del perímetro de las instalaciones. Cumplían órdenes estrictas de no acercarse a las jaulas de los cuervos, a no ser que la mitad de las fuerzas ilyrias de Escocia descendieran repentinamente de los cielos.

—Oí rumores de que conseguiste llegar a Islandia —dijo Trask.

—Eran ciertos —dijo Meia—. La Resistencia de las Highlands lo organizó para que viajara en una sucesión de barcos de pesca. Green Man ayudó.

—¿Cómo está?

—Vivo. Y también Maeve.

—Me alegro.

Trask dio un sorbo de su petaca. No se molestó en ofrecerle a Meia. Nunca lo había aceptado en el pasado y ahora que él sabía que era una Meca, entendía por qué.

—Me sorprendió enterarme de que Green Man era ilyrio —dijo Trask—. Me quedé pasmado, la verdad. Sigue sin tener mucho sentido para mí.

—No todos somos malos.

—¿Todavía te consideras uno de ellos?

—No estoy segura. Incluso antes de que empezaran a perseguirme, siempre me sentí una marginada. Pero tenía su piel, sus ojos y luché en su Conquista.

—Es complicado —dijo Trask—. Lo asombroso es que no tuvieras un cortocircuito.

—¿Se supone que eso es un chiste?

—Tal vez. ¿Qué hacías en Islandia?

—Tenía curiosidad por saber por qué el Cuerpo había cerrado la nación-isla entera.

—¿Y qué descubriste?

—Las ruinas de unas instalaciones de investigación en Dimmuborgir. Partes de ellas todavía ardían. También descubrí cuerpos en cuevas volcánicas. Montones de cuerpos. Centenares. Adolescentes la mayoría, pero también hombres y mujeres mayores. Y niños. Todos destrozados.

Trask dio otro trago. Parecía lo más pertinente.

—Habíamos perdido contacto con la Resistencia en Islandia —dijo.

—Eso podría explicar el porqué.

—¿Quedaban ilyrios?

—Un puñado, casi todos securitats y unos cuantos asistentes de baja categoría del Cuerpo.

—¿Pudiste interrogar a alguno?

—A uno. Se llamaba Suris. Fue uno de los que incendió la base ilyria de la isla.

—¿Y qué te contó?

—Era poco más que un conserje, pero me explicó que llevaban a humanos a las instalaciones y que no volvían a salir. Se les aplicaban los protocolos de cuarentena. Nunca llegó a ver la zona central de los laboratorios.

—Podría haberte mentido.

—No —dijo Meia—, no mintió. Bueno, es posible que al principio, pero desde luego no al final. Dijo que los científicos se fueron en cuanto comprobaron que las instalaciones estaban en llamas.

Trask se miró fijamente las manos.

—Me gustaría pasar unas cuantas horas a solas con los bastardos ilyrios que asesinaron a esa gente.

—Sin duda, hay instalaciones como ésas por todas partes —dijo

Meia—. Si pudiéramos reunir todos los rumores que corren sobre ellas, quizá nos haríamos una idea de lo que estaba, o puede que todavía esté, pasando. No es que importe mucho. Como te he dicho, visité el Proyecto Eden hace un tiempo. Creo que lo que vi en los laboratorios eran ensayos de implantación. Estaban sembrando en seres humanos una especie alienígena desconocida, pero el método no funcionaba.

Trask se enjugó la cara con el brazo y clavó la mirada en la media distancia. Parpadeó rápidamente y abrió la boca como si fuera a hablar, pero volvió a cerrarla.

—Si sirve de algún consuelo —dijo Meia—, los ilyrios a los que encontré en Islandia están todos muertos.

—Algo es algo..., supongo.

—Me pareció lo menos que podía hacer.

—Pero las pruebas han desaparecido, se han desvanecido en el humo con el Proyecto Eden entero —dijo Trask—. Afirmaron que el incendio en Eden se inició accidentalmente, pero, después de lo que me has contado, supongo que ya sé que no fue así.

Meia no dijo nada.

—¿Qué harán con nosotros? —preguntó Trask.

—Creo que os matarán a todos. A todos los seres humanos. A todas las formas de vida de la Tierra.

—Dios.

Meia se dio la vuelta para mirarle directamente y la falta de parpadeo en sus ojos resultaba perturbadora.

—Trask, necesito tu ayuda. Tengo que salir de este planeta.

—¿También tú abandonas el barco que se hunde?

—Si sigo aquí, darán conmigo, y, si me capturan, no puedo serte de ninguna ayuda.

—¿Y acaso puedes sernos de más ayuda a miles de millones de kilómetros?

No pudo disimular el escepticismo de su voz.

—Trask, no tienes ni idea de quién soy ni de lo que soy capaz —dijo Meia—. Lo único que sabes de mí es mi nombre. Ya ni siquiera reconocerías mi rostro. Pero te lo prometo: si me ayudas a escapar de la Tierra, haré cuanto pueda para salvar a tu pueblo y a tu mundo. Ahora mismo, la Tierra está a punto de acabar como Islandia: una isla sellada en la que los ilyrios harán lo que les venga en gana, y eso significa que cualquier ayuda tiene que venir del exterior. ¿Me explico con claridad?

—No mucha —dijo Trask.

—Acabas con la paciencia de cualquiera.

—Lo sé. Pero no importa que entienda o no lo que estás diciendo: tengo que fiarme de ti. No me quedan más opciones, ¿verdad? ¿Qué quieres que haga?

—Quiero que hagas todo lo que puedas: quiero que ataques a los ilyrios, y estoy pensando en una ilyria en concreto...

Más tarde, cuando Meia se fue del zoo, Trask se quedó sentado en el banco, fumando y bebiendo. Finalmente, sus hijas fueron a buscarle, temerosas, pero no lo abordaron directamente. En vez de eso lo llamaron por su nombre en cuanto estuvieron seguras de que podía oírlas.

—¿Papá? —siseó Nessa—. Papá, ¿estás bien?

Él escuchó su voz y sonrió. Incluso cuando intentaba ser sigilosa, la voz de Nessa resonaba con fuerza. A él le encantaba ese rasgo: su confianza, su descaro. Se lo tomaba igual que su corpulencia: había nacido así, y ella se regocijaba con lo que le había correspondido en suerte. Nessa se sentía más feliz en su propia piel que cualquier otra persona que su padre conociera, y él se alegraba. Lo que no significaba que no pudieran hacerle daño. Tenía sus puntos débiles y sus inseguridades, como cualquier chica de su edad, pero no eran los obvios. Un chico podía llamarla gorda y ella ni parpadearía. Simplemente le arrancaría la cabeza, eso sí, pero sólo para darle una lección sobre la conveniencia de guardarse sus opiniones para sí mismo, y porque no le había gustado el tono con el que lo había dicho.

Jean era otra cosa. Eso por descontado. Pero él no sabía de dónde había salido. Era silenciosa donde su hermana era todo ruido, y siempre buscaba el insulto que, a sus ojos, yacía oculto en el corazón de cualquier cumplido. En su interior ardía la rabia, una especie de locura, pero él no tenía ni idea de cuál era su fuente. Jean simplemente había nacido enfadada.

Trask le echaba la culpa a su madre.

—Estoy bien —respondió—. Venid aquí, donde pueda veros.

Las dos chicas emergieron de las sombras y se quedaron mirando a su padre un tanto indecisas. Trask dio unas palmadas en el banco a cada uno de sus lados.

—Sentaos un momento. Sentaos con vuestro padre.

Obedecieron, intercambiando miradas. A su padre ni siquiera le gustaba que se sentaran en la misma habitación que él cuando veía sus viejas películas, del Oeste, la mayoría, o de gánsteres. Decía que le cortaban el rollo porque sabía que a ellas no les gustaban. La única vez que se sentaban juntos con frecuencia era durante las reuniones de su célula de la Resistencia.

Y ahora Trask les ponía los brazos sobre los hombros, y las atraía hacia sí. Besó suavemente a cada una en la cabeza, primero a Nessa y luego a Jean. Algo húmedo goteó en la cara de Nessa. Era una lágrima. Su padre estaba llorando.

—¿Qué pasa, papá? —preguntó Nessa.

—El final de todo —respondió, y no dijo nada más.

39

A Danis le sorprendió recibir la convocatoria para que se presentara en las cámaras de la Archimaga Syrene en el Castillo de Edimburgo; reaccionó con sorpresa, pero también resignado a lo que fuera que hubieran decidido para él. Estaba harto de vivir casi como un prisionero en el castillo, un preso al que se le permitía conservar el rango pero ninguno de sus poderes, y apartado por completo de Lord Andrus, que había sido tanto su gobernador como su amigo. Oh, Lord Andrus podía seguir siendo nominalmente un gobernador militar, pero era Syrene la que, entre bambalinas, ejercía el poder auténtico, y la lealtad de Syrene era para con el Cuerpo Diplomático. No, eso no era así del todo: la lealtad de Syrene, bien lo sabía Danis, era para consigo misma primero, después para con la Hermandad, y sólo en tercer lugar para con el Cuerpo. Todo lo demás iba detrás, aunque Danis consideraba improbable que hubiera nada más, por lo que a Syrene se refería, así que todo eso era irrelevante.

Asqueado, había visto a Andrus y Syrene pasear tomados del brazo por el recinto como los amantes que indudablemente eran, aunque conservaban alojamientos separados. Ella no tardó mucho en olvidar a su difunto marido, Gradus, pensó Danis, pero engatusó a mi hija para que entrara en su maldita Hermandad para vengarse de su muerte, dejando a mi esposa amargada por la pérdida y el dolor, y a mí convertido en un fantasma que vaga por los muros del castillo. Y antes de que pudieran empezar a tamizar las ruinas de Dundearg en busca de las cenizas de Gradus, ella ya estaba calentando la cama del gobernador.

Andrus ya no era el ilyrio al que Danis había conocido y amado. Seguía hablando como Andrus y se reía como él —de hecho últimamente se reía demasiado, como un niño atolondrado—, pero en sus ojos se percibía un vacío. Era como asomarse a las ventanas de una habitación la mayoría de cuyas luces se habían apagado. Siempre saludaba con mucha calidez a Danis si se topaba casualmente con él en un pasillo, pero era el saludo de un político, y Danis no estaba seguro del todo de que Andrus recordara de hecho quién era. Es más, Danis no estaba seguro de si Andrus se acordaba ya de quién era Andrus. Danis estaba convencido de que su amigo estaba o drogado o dominado por alguna forma más siniestra de influencia de Syrene, una sospecha que le confirmó la negativa de Andrus a que lo examinara nadie salvo el doctor Hemet, el jefe de la División de Desarrollo Científico de la Securitat.

Así que Danis erraba por los pasillos y patios del Castillo de Edimburgo, con una libertad de movimientos restringida por su propia «seguridad», con la cabeza gacha, el cuerpo encorvado, llorando la pérdida de su única hija, Ani, en las entrañas de la Marca. Los murmullos de las conversaciones que oía a sus espaldas comentaban que se había separado de su mujer, Fian, y que ahora ocupaban dormitorios separados. Era, a todos los efectos y en todos los sentidos, un muñeco roto, una reliquia agrietada de un orden antiguo. Ya ni siquiera estaba claro por qué Andrus lo mantenía en Edimburgo. Incluso los diplomáticos de alto rango de la Tierra, a los que había desagradado desde hacía mucho, pensaban que debía permitírsele regresar a Ilyr y pasar sus últimos días en su planeta natal. Ahora ya sólo les daba pena, y la compasión es una emoción muy barata, fácil de gastar. Pobre Danis, decían. ¿Cómo es posible que llegáramos a temer a un viejo espantapájaros como él?

Pero los más inteligentes tenían otra teoría. Decían que todo era obra de Syrene. Aunque le había arrebatado a Danis una hija, y había conseguido que Andrus lo convirtiera en poco más que un prisionero con comodidades en un castillo antiguo, ella no se fiaba del veterano soldado y era muy consciente de la influencia que todavía tenía entre los militares. Un proverbio humano venía pintiparado: ten a tus amigos cerca, pero más cerca aún a tus enemigos.

Entretanto, Danis iba por ahí caminando con desgana, aparentemente ajeno a todo lo que se decía, con la mirada perdida quién sabe si en otro lugar, en otro tiempo, o, en realidad, en ningún lugar ni ningún tiempo, sino sólo esperando dar la bienvenida a la nada que la muerte traería por fin.

Y ahora había llegado esa convocatoria. ¿De qué se trataría? Danis le dio vueltas mientras se encaminaba lenta y cansinamente hacia las cámaras de Syrene. ¿Le esperaba el exilio a un mundo en el quinto infierno, en el filo de un remoto agujero de gusano, para sucumbir allí a una enfermedad alienígena que no tenía cura porque nadie sabía siquiera de su existencia? Podían guardar sus órganos en un tarro después de su muerte y examinarlos cortados en rodajas para determinar la causa de su muerte, buscar un antídoto y añadir otro virus alienígena a su creciente lista. Algún ayudante de laboratorio de la División de Desarrollo Científico bromearía diciendo que el viejo Danis por fin había hecho algo útil: morirse.

O, simplemente, podían mandarle a uno de los infiernos en la Tierra; Nigeria, tal vez, ahora infestada de musulmanes radicales que predicaban que a los ilyrios los había creado el demonio, no Alá, y que era deber de todos los hombres de buena fe matarlos a la menor oportunidad, sin excepción. O puede que a Texas y Nuevo México, donde los predicadores cristianos habían llegado a la misma conclusión y estaban a sólo un paso de organizar ataques en toda regla de milicias contra las bases ilyrias. O a alguna de las antiguas repúblicas soviéticas ahora escindidas donde la religión, el nacionalismo y el odio tanto a los invasores alienígenas como al presidente ruso, que se había aliado con los ilyrios con la esperanza de aumentar su propio poder, había provocado una guerra sin cuartel que estaba reduciendo a escombros ciudades enteras.

La situación en la Tierra se había deteriorado catastróficamente en cuestión de meses, y el Cuerpo y los domesticados militares se limitaban a sentarse y contemplar el desastre. Era casi como si quisieran ver el planeta destrozándose solo, aunque eso significara de paso la pérdida de vidas ilyrias. No se trataba de que altos oficiales del Cuerpo corrieran peligro: la mayoría de ellos ya se había marchado. Sólo quedaba la Securitat, encargada de llevar a cabo su propia y siniestra campaña de matanzas secretas y ya no tan secretas.

Danis estaba tan absorto que se encontró frente a la puerta de Syrene antes de darse cuenta. Dos de sus doncellas vigilaban la entrada a sus cámaras, unas jovencitas desagradables, que sólo resplandecían gracias al poder que les confería su señora. Una en concreto, Cocile, le ponía a Danis la carne de gallina. Lo miraba como si fuera un insecto que le hubiera picado en un pie. Flanqueaban a las Novicias dos guardias: securitats no militares. La antigua guardia del castillo había sido disuelta en cuanto se marchó Peris y sustituida por estos asesinos de niños. Ninguno de ellos le habló ni dio muestras de reconocer su presencia. Cocile, por su parte, se limitó a abrir la puerta y Danis penetró en las cámaras de la Archimaga.

Estaban a oscuras, como siempre. Syrene mantenía las cortinas de las ventanas permanentemente corridas. Danis sabía que le desagradaba Edimburgo y que prefería no verlo. Estaba ante una mesa en la que había una botella de cremos y dos copas. Tenía las manos entrelazadas justo por debajo del estómago. Lucía un vestido rojo brillante y llevaba la cabeza descubierta.

—Gracias por venir, Danis —dijo.

—No se me pidió que viniese, se me ordenó —respondió él. Hacía mucho que había renunciado a disimular o a tratar con cortesía a Syrene.

—Aun así. ¿Puedo ofrecerte una copa?

—¿Está envenenada?

Ella fingió no haberlo oído. Él le importaba tan poco que ni se molestó en darle la satisfacción de mostrar una leve irritación. Los intentos de Danis de enfadarla sólo la divertían, lo que hacían que él los redoblara.

Syrene se sirvió una copa del licor y bebió. Frunció el ceño. Abrió la boca. Un ruido seco y áspero le salió de la garganta.

Por un fugaz instante, Danis tuvo esperanzas.

Entonces Syrene sonrió.

—Es un licor un poco joven, nada más —dijo—. Tendría que haber reposado unos cuantos años más. Vaya, ¿creías que alguien te habría hecho el favor de asesinarme?

Danis no respondió. Una cosa era la insubordinación y otra, muy distinta, la traición.

Syrene sirvió otra copa y se la tendió. Él la aceptó. Tanto si era demasiado joven como si no, no le apetecía rechazar un cremos de la bodega privada de la Archimaga. Ella levantó su copa para brindar, pero Danis no la siguió. Simplemente vació la mitad de su licor

257

de un trago. No le pareció en absoluto áspero. Danis había bebido matarratas destilados por soldados en barriles de combustible, así que reconocía un licor fuerte cuando lo probaba.

—¿Qué estamos celebrando? —preguntó.

—Es una celebración por partida doble —respondió Syrene—. Por un lado profesional, y por otro, personal. Te lo explicaré más tarde. Primero, tengo un pequeño regalo para ti. —Introdujo la mano entre los pliegues de su túnica y extrajo un disco plateado—. Un informe sobre los progresos de tu hija —dijo—. Incluye algunas imágenes. Como verás, le va bien y ha hecho amigas. Me pareció que a ti y a tu esposa os gustaría tenerlo.

Le dio el disco a Danis. Tras un levísimo titubeo, lo aceptó. Su hija había sido una fuente de frustraciones para él durante su vida entera, pero ahora la echaba en falta más de lo que nunca habría imaginado. Althea le había contado lo que sabía de Ani, y le había tranquilizado diciéndole que todo iba bien, pero eso no aliviaba el dolor de no tenerla cerca.

—Gracias —dijo y descubrió que lo decía sinceramente.

—No es nada, simplemente una prueba de mi estima. Bien, pasemos ahora a las celebraciones. La primera tiene que ver contigo. Sé que te has sentido excluido por el reciente giro de los acontecimientos. Lo lamento, y Lord Andrus aún más que yo. Teniéndolo presente, vas a volver al servicio activo.

—¿De verdad? —dijo él.

—Creí que te alegraría más.

—¿Adónde vas a enviarme? ¿A Bogotá, a Afganistán, a Chechenia?

Syrene negó con la cabeza.

—No van a destinarte a ningún sitio. Sigues aquí. Serás nombrado gobernador interino del Reino Unido e Irlanda, con la responsabilidad adicional de toda Europa. Responderás ante el cónsul auxiliar Steyr, que ahora tiene el mando general del continente, y, por supuesto, ante la mariscal Vena y su Securitat, pero ninguno de ellos se entrometerá en tu trabajo mientras mantengas el control. Felicitaciones, gobernador.

A Danis casi se le cae la copa del susto. ¿Gobernador interino? Steyr era un ilyrio brillante pero inexperto, aunque tampoco, ni de lejos, el peor de los oficiales del Cuerpo en la Tierra. Sin embargo, Vena era un monstruo, y su bestia de carga y subalterna Cynna era la encarnación del mal. El único consuelo radicaba en que Vena había instalado su base en la antigua fortaleza nazi de Akershus en Oslo, en Noruega, al menos cuando no se dedicaba a devastar las Highlands intentando localizar a la Resistencia y a la Meca, Meia.

—Si voy a ocupar el cargo de gobernador interino, ¿qué será de Lord Andrus? —preguntó.

—Lord Andrus pronto regresará a Ilyr, conmigo. Los que nos da un segundo motivo de celebración.

Syrene sonrió.

—¿Querido? —llamó.

La puerta a sus cámaras se abrió y entró Andrus. Estrechó la mano de Danis con su buen humor, tan habitual como fingido, y se colocó al lado de Syrene. La Nairene le ofreció la mano, Andrus se la acercó a los labios y se sonrieron.

—Lord Andrus y yo vamos a casarnos —dijo Syrene.

Esta vez a Danis sí se le cayó la copa.

40

Danis regresó a sus habitaciones. Su esposa no estaba. No sabía por dónde andaría. Desde que Althea había vuelto, Fian solía pasear por las calles de los alrededores de la Milla Real con ella; eran como uña y carne, hasta el punto de que le recordaban, no sin un estremecimiento en el corazón, a su hija y a su mejor amiga, Syl. Había intentado convencerlas de que esas salidas eran peligrosas, pero su mujer no le hacía caso y Althea se limitó a desdeñar sus preocupaciones con una sonrisa, sin darle más explicaciones. Cuando los guardias de la puerta intentaron impedir que Fian saliera, después de que Danis se lo ordenara, ella gritó, chilló y montó una escenita tan espantosa que al final resultó más sencillo dejarla ir con Althea, pese al posible riesgo de secuestro, asalto o, incluso, asesinato. No era mucho consuelo el que esos riesgos hubieran disminuido ahora que la Securitat patrullaba por las calles con muchos soldados.

Su relación estaba rota, puede que no del todo, pero ciertamente se había vuelto tan tirante que estaba al borde de la ruptura. Tal vez el informe sobre Ani les ayudara. Danis se moría de ganas de poner el disco para ver la cara de su hija, pero optó por esperar. Fian y él lo verían juntos.

Ahora que estaba de vuelta en su propio espacio, intentó dar un poco de sentido y asimilar lo que había escuchado en los alojamientos de Syrene. Asumiría el cargo de gobernador con efectos inmediatos, porque Syrene y Andrus proyectaban salir para Ilyr a la mañana siguiente.

¡Iban a contraer matrimonio! Pero él entendía la razón, al menos en términos políticos: una alianza formal entre la Hermandad y el oficial más respetado del Ejército ilyrio en la Tierra asestaría un duro golpe a aquellos militares que todavía pretendían limitar el poder del Cuerpo Diplomático. Mientras Syrene daba la noticia a Danis, Andrus exhibía la expresión feliz pero confusa de un hombre al que le ha tocado la lotería, pero no recuerda haber comprado ninguna participación. Si el amor tenía algo que ver, no se trataba de ningún tipo de amor que estuviera al alcance de la comprensión de Danis.

Su designación como gobernador era aún más desconcertante si cabe. Syrene sabía que Danis no era precisamente un partidario del Cuerpo ni de la Hermandad, y Steyr era todavía demasiado inexperto para controlar a un viejo astuto y espabilado como él. Aunque, bien pensado, Danis era un soldado, no un político. Andrus había sido ambas cosas, un talento poco frecuente, pero Danis no estaba seguro de que él mismo pudiera ser un buen gobernador. No tenía ni idea de por dónde empezar. Tal vez, después de todo, sí necesitaría la ayuda de Steyr, aunque sólo fuera para mantener a raya a Vena y su Securitat.

Gran Bretaña vivía momentos críticos y ser nombrado gobernador de la región era, potencialmente, una orden peligrosa, un regalo envenenado. Las acciones de la Securitat en Escocia habían llevado a un incremento de la actividad de la Resistencia, que se propagaba por todo el país. Como gobernador, se le exigiría que persiguiera y detuviera a los responsables y los entregara a la Securitat para su interrogatorio, encarcelamiento y posible ejecución: hacía poco se habían restaurado como penas la horca o el pelotón de fusilamiento para los delitos contra instalaciones ilyrias. Se aplicaba a cualquier humano mayor de quince años, aunque la persona más joven ejecutada hasta el momento tenía dieciocho, y, hasta hacía unos meses, nadie había sido ejecutado en Gran Bretaña ni en Irlanda, al menos, no oficialmente. Sin embargo, algunos informes indicaban que la Securitat no se mostraba tan legalista con lo que hacía en sus celdas de los sótanos, y cuerpos estrangulados de combatientes de la Resistencia capturados acababan arrojados en el Cementerio de Craigton de Glasgow.

Danis se preguntó si podría convencer a Steyr para que suspendiera la aplicación de la pena capital. Estaba haciendo más mal que bien. Pero, bien pensado, recordó su inquietante convicción de que había elementos en el Cuerpo y la Securitat que querían sembrar el caos y la anarquía. Su violencia hacía que los humanos respondieran a su vez con más violencia, lo que daba lugar a que se impusieran medidas todavía más drásticas contra ellos, entrando así en una interminable espiral de brutalidad. Danis podía intentar ponerle fin, pero no albergaba muchas esperanzas de conseguirlo. Llegó a la conclusión de que lo habían nombrado gobernador porque era una tarea imposible. El ascenso era, en realidad, un castigo.

Oyó un ruido a su espalda. Tal vez su mujer había regresado, aunque no la había oído abrir la puerta. Se dio la vuelta. Una figura encapuchada estaba en el centro del salón, con la parte inferior de la cara oculta tras una bufanda. En una mano sostenía una tosca pieza electrónica, con cables enredados y circuitos por todas partes, en la otra, un arma de pulso con la que le apuntaba.

—Hola, general Danis —dijo la visitante.

Él reconoció la voz de inmediato.

—Meia —dijo—. Me preguntaba cuándo reaparecería. Ah, y para usted soy el *gobernador* Danis...

Meia se sentó en una silla, enfrente de Danis, después de que él le explicara brevemente el motivo de su repentina promoción y la informara del inminente matrimonio entre Andrus y Syrene. Por toda reacción, ella se limitó a mirarle fijamente, hasta que él se sintió incómodo.

—Puede apartar el arma —dijo Danis, rompiendo la tensión—. Ni siquiera sé por qué le ha parecido necesario traerla.

—No es por usted, a no ser que me obligue a usarla.

—Es muy improbable que se dé el caso. Dada la situación actual, puede considerarme casi un amigo. Casi.

Ella bajó el arma de pulso, pero no la soltó, sosteniéndola a un lado. Se quitó la bufanda que le ocultaba parte de la cara. Los rasgos no habían acabado de formarse, pero Danis vio el semblante que empezaba a distinguirse con claridad. Era como mirar a una cara distorsionada por la bruma. Se le antojó familiar, aunque le costaba ubicarla.

—Veo que ha cambiado de aspecto.

—Parecía lo más sensato.

—Es una pena que su personalidad permanezca invariable.

—También parecía lo más sensato.

Él señaló el dispositivo que ella sostenía en la mano.

—¿Un bloqueador de vigilancia?

—Supuse que estarían monitorizándole.

—Creo que no. Ya no les resulto tan interesante, o eso creía, al menos hasta que me han notificado el ascenso a gobernador.

—Felicitaciones. Estoy convencida de que su gobierno será largo y próspero.

—Más que dudoso que así sea. Por cierto, no mencioné lo mucho que me ha sorprendido encontrarla aquí, que es lo que creo que se supone que debe decir uno en estas situaciones. Creía que la Securitat había descubierto todas sus vías de escape debajo del castillo.

—Estoy segura de que lo intentaron, pero estas piedras son antiguas y gruesas. Pueden ocultar una multitud de secretos.

Danis se recostó en su sofá.

—¿Por qué está aquí, Meia? Si quiere que la ayude a salir de Escocia, veré qué puedo hacer, pero todos los vuelos que salen de la isla están monitorizados: escaneados de retina, registros corporales, incluso muestreos de tejidos. Vena quiere atraparla desesperadamente, no sabe hasta qué punto. Lo mejor para usted sería encontrar algún sitio en las profundidades bajo este castillo, ponerse en modo «sueño» y esperar a que ella se muera.

—No era ése mi primer plan.

—La verdad, ya imaginaba que no. Así que, una vez más: ¿qué quiere?

—Contarle lo que sé, y lo que sospecho. Y que usted, por su parte, me confirme la localización de varios ilyrios en el castillo.

Meia no se esperaba que Syrene fuera a abandonar la Tierra tan pronto. Su plan requería más tiempo, pero ahora sólo contaba con una noche.

—Y recurre a mí para eso y no a Lord Andrus. Él la quería, ya lo sabe. Era como una hija para él.

—Lord Andrus no es... él mismo. Algo que sin duda usted ya habrá notado.

—Esa bruja roja lo ha drogado, eso es lo que creo.

—No —dijo Meia—. Ha hecho algo mucho peor.

Y le contó a Danis todo lo que sabía.

Muy lejos de los muros del castillo, Trask empezó a reunir a su gente. No tenía que convocar a muchos, porque la Securitat estaba haciendo bien su trabajo: tres miembros de la Resistencia habían muerto sólo en la última semana, y el doble habían sido encarcelados. Por cada miembro que capturaban los ilyrios, varios más eran con frecuencia delatados, sonsacando sus identidades mediante torturas o, cuando eso fallaba, con amenazas a esposas, maridos e hijos. No eran amenazas vacuas: Trask había visto los cadáveres, arrojados en las afueras de la ciudad con sus tarjetas de identidad metidas en las bocas. Ayudaba a poner nombre a los cadáveres porque los torturadores de la Securitat se concentraban rápidamente en la cara.

La Resistencia habría perdido a más gente si no fuera por su rígida estructura celular. Cada miembro del nivel inferior sólo conocía a otros tres. Uno de ellos, el más antiguo, informaba a otra célula de cuatro, y así ascendía la información por la cadena. Eso dificultaba la infiltración de traidores en la Resistencia y protegía a la mayoría en el caso de detenciones.

Pero los ilyrios hacían progresos, lentos pero seguros, a lo largo de la estructura de mando.

¿Y si lo capturaban a él? ¿Y si lo mataban? Pertenecía al exiguo puñado de hombres y mujeres que sabían lo que los ilyrios podían estar planificando para la vida de su planeta, y ese conocimiento desaparecería con él. Pero Meia le había advertido que lo mantuviera en secreto, aunque Trask, por instinto, habría preferido dar la noticia y propagarla a los cuatro vientos, para forzar el levantamiento de la humanidad contra los ilyrios. Pero, en ese caso, ¿qué ocurriría? Meia tenía razón en que simplemente aceleraría lo que quiera que fuera a ocurrir, y en que la humanidad no podía ocultarse en ningún sitio. La raza humana estaba atrapada en la Tierra, tan encerrada como si la hubieran sellado bajo una cúpula de cristal. Los ilyrios podían hacer lo que quisieran.

Y ahora Trask estaba jugándose lo que quedaba de sus fuerzas de la Resistencia para poner en práctica un plan para ayudar a Meia a escapar: una serie de ataques casi simultáneos contra los ilyrios, el último de los cuales sería el más temerario y peligroso, y todo para que pudiera salir de la red una espía mecánica que había hecho unas vagas promesas de ayuda. Aun así, se dijo Trask, una vaga promesa de ayuda era mejor que ninguna esperanza en absoluto.

Cuando acabó, volvió al zoo a esperar a Meia. Llegó temprano y se paseó ante las rejas, observando silenciosamente a los animales. Sintió que no regresaría ahí en mucho tiempo, y hasta era posible que no lo volviera a ver.

Se presentó Meia. Parecía distinta. El rostro de maniquí a medio formar había desaparecido. Lo notó en la piel alrededor de los ojos, aunque su pañuelo le ocultaba los rasgos de las mejillas para abajo. También vio las marcas alrededor de los nudillos de la mano derecha, como unas cicatrices quirúrgicas en su piel ProGen.

—¿Te has techo esas lesiones tú misma? —preguntó.

—Llamémosles actualizaciones.

Ella quiso saber detalles de los preparativos que ya habían realizado, y le aconsejó cambios, siempre que los consideraba necesarios. Al final a Trask le dolía la cabeza.

—¿Y ya está? —dijo él—. ¿No quieres que te lleve personalmente a una nave ni que te lance un beso de despedida cuando partas? Para serte sincero, creo que me encantaría perderte de vista después de todo esto.

—Pues va a ser que no.

Ella le contó que pronto habría un nuevo gobernador a cargo de Gran Bretaña: Danis.

Mientras Trask asimilaba la información, Meia de repente se acercó más a él, y una vocecita le dijo en su cabeza: *Ya está. Ahora es cuando me mata. Después de todo lo que hemos pasado juntos.*

Pero ningún cuchillo lo atravesó, ningún disparo de pulso le reventó los órganos. Meia simplemente le dio un abrazo y, al cabo de un momento, él se lo devolvió.

—Si pudieran vernos ahora... —dijo él, y ella se rió en su oído.

—Tengo que pedirte un último favor —dijo Meia, con la voz amortiguada por la tela del pañuelo—. Bueno, en realidad son dos.

—Como si me hubieras pedido pocos.

—Si puedo ayudarte, te parecerá un precio muy barato.

—Y si no puedes, nada importará.

—Exacto.

Trask suspiró profundamente.

—Bien, ¿qué más quieres que haga?

—Primero, dale recuerdos de mi parte a Althea. Y dile que siento no haber podido verla.

—Lo haré, pero eso ya son dos favores.

Meia le miró fijamente, sin reírse, hasta que él cedió.

—Claro, por supuesto que se lo diré —dijo—. Pero ¿qué más?, ¿una pinta de sangre?, ¿un riñón?, ¿mi primogénito?

—Simplemente, que no emprendáis acciones contra el gobernador Danis —respondió—. Ni tentativas de asesinato, ni ataques contra su personal. Tampoco disparéis RPG contra naves que entren o salgan del castillo con la esperanza de tener un golpe de suerte y derribarlo a él. Danis tiene que permanecer ileso, y quiero que la información llegue con discreción a todos los jefes de la Resistencia de esta isla. Tratad a Danis como si fuera vuestro propio padre.

—Mi padre murió hace mucho —dijo Trask. Rebuscó unos cigarrillos en sus bolsillos, abrió el paquete y estaba vacío. Era una de esas noches de angustia. Aplastó la cajetilla y volvió a guardársela en el bolsillo.

—Y dime —dijo—, ¿por qué tendría que hacer algo tan estúpido como convencer a la Resistencia de que su principal objetivo en esta isla no es un objetivo en absoluto?

—Porque Danis sabe —dijo Meia—. Lo *sabe*.

Danis estaba solo. No se había movido de su sofá, ni siquiera cuando Meia se había marchado. Había sido vagamente consciente del ruido de una piedra que se movía, pero apenas le había prestado atención.

Sentía un aluvión de emociones: desconcierto, rabia, vergüenza. Si Meia estaba en lo cierto, su raza estaba a punto de cometer un crimen sin parangón en la historia de la civilización: el sacrificio de un planeta entero y de todas las especies que lo habitaban ante un parásito alienígena. Genocidio, o algo más que genocidio: extinción masiva.

Y el giro final: le habían nombrado gobernador de un pueblo que pronto dejaría de existir, y él moriría con ellos, porque Danis estaba seguro de que a ninguno de los enemigos del Cuerpo en la Tierra se les permitiría abandonarla antes de que comenzara la infección. En sus últimos días, el planeta quedaría bajo el dominio militar, y ni un solo securitat o funcionario del Cuerpo estaría presente durante la destrucción de toda la vida que lo poblaba.

Se abrió la puerta y apareció su mujer.

—Me he enterado de lo de Andrus y Syrene —dijo ella. No delató la menor muestra de aprobación ni tampoco de desaprobación. Esos asuntos ya no la preocupaban.

Danis se levantó y le tomó las manos.

—Estaba esperándote. Tengo algo que enseñarte.

Danis hizo que se sentara a su lado en el sofá. Agitó la mano derecha y una imagen tridimensional de Ani apareció ente ellos y empezó a moverse. La vieron juntos y, durante un rato, estuvieron en paz.

41

Las dos lanzaderas negras estaban en la base de Beinn Dorain, un pico de Glen Auch, a medio camino entre Bridge of Orchy y Tyndrum, en las Highlands escocesas. Una lluvia incesante caía sobre la patrulla de securitats que había concluido un registro superficial de la montaña sin encontrar nada. Cynna los miró insatisfecha.

—Nos engañaron —dijo su sargento.

Se llamaba Seft y llevaba un impermeable oscuro por encima de su uniforme para protegerse de la lluvia. No era el atuendo oficial, pero a Cynna no le preocupaban esos detalles. Los que estaban a su mando cumplían sus órdenes al pie de la letra y eso le bastaba. Eran agentes que apretaban alegremente el gatillo para matar a hombres, mujeres y niños, y ninguno de ellos dormía mal por las noches por eso.

Habían creído que la información que habían recibido era absolutamente fiable y precisa. Se la pasó uno de sus confidentes de más confianza, un camarero llamado Preston, de Merchiston; en los últimos meses, Preston les había entregado ya a varios miembros de la Resistencia, casi todos de poca importancia, aunque Cynna estaba convencida de que acabaría dándoles peces más gordos si eran pacientes con él. Así que cuando el hombre le dijo que tenía una pista sobre Green Man, Cynna preparó a su pelotón y voló al alba hasta Glen Auch, donde se rumoreaba que Green Man se reuniría con otros dos líderes de la Resistencia de las Highlands en un bosquecillo, al sur de los pies de la montaña.

Pero, por lo visto, habían engañado a Preston. El terreno era desolado y húmedo, carente de cualquier vida merecedora de ese nombre, por lo que veía Cynna. Tendría que organizar una discreta entrevista con Preston al volver a Edimburgo, en el curso de la cual él aprendería la importancia de ser preciso con la información que pasaba.

Por desgracia, aunque Cynna todavía lo ignoraba, esa entrevista jamás tendría lugar. Preston había muerto, pero antes le habían convencido para que hiciera esa última llamada a sus patrones ilyrios antes de que acabaran con su vida, «para expiar tus pecados», como le había susurrado la voz de Trask en sus últimos momentos.

—Vámonos de aquí —dijo Cynna—. Ya hemos perdido bastante tiempo.

Se hallaba a medio camino de su lanzadera cuando la primera granada de un RPG alcanzó a la nave; la granada entró por la puerta abierta de la cabina y explotó en su interior. El grueso casco amortiguó la mayor parte de la explosión, lo cual era una buena noticia para los securitats de los alrededores, pero muy mala para los pilotos que estaban dentro. Otro RPG alcanzó el blindaje acorazado de la segunda lanzadera, haciendo que se balanceara sobre sus patines de aterrizaje, pero, aparte de eso, quedó intacto. Cynna oyó disparos, y de repente el suelo empezó a abrirse a su alrededor: los combatientes de la Resistencia emergieron de los fosos en los que se habían escondido, unos agujeros ocultos por trozos de leña camuflados con tapetes de césped. Sus securitats respondieron con disparos de pulso a toda potencia, pero la mitad de ellos habían sido abatidos antes de que pudieran activar siquiera sus armas y yacían muertos o heridos por el suelo.

Pero la instrucción de los securitats supervivientes se hizo notar. Abrieron fuego de cobertura mientras los heridos eran transportados a la lanzadera que quedaba, que ya había encendido los motores. En cuanto remontaran el vuelo, el cañón y los misiles lanzarían una lluvia de fuego contra los combatientes de la Resistencia, a los que destrozaría. Sin embargo, por el momento la prioridad era subirlos a todos a la nave.

—¡Rápido! —gritó Cynna mientras el último de sus soldados corría hacia la lanzadera—. ¡Vamos! ¡Vamos!

Apuntó por la mirilla a una mujer joven y morena que llevaba un rifle semiautomático, y disparó. El pulso alcanzó de lleno a la mujer en el pecho, derribándola y destrozando sus órganos internos.

Las balas silbaban a su alrededor, haciendo saltar chispas de la lanzadera y tierra del suelo, pero Cynna seguía ilesa. A su espalda, la lanzadera se alzó casi medio metro del suelo. Lo que quedaba de su pelotón estaba a salvo a bordo. Era hora de marcharse. Regresarían más tarde, con fuerzas más poderosas, para recuperar los cuerpos de los caídos. El pueblo de Tundrum serviría para dar ejemplo por lo que había pasado aquí esta mañana: dos —no, mejor cuatro— de sus habitantes por cada uno de sus securitats muertos. Parecía una proporción justa.

Cynna se arqueó y colocó un pie sobre el patín. Una mano surgió desde dentro para ayudarla a subir, pero entonces su cuerpo se crispó espasmódicamente: dos electrodos con forma de dardo se le habían enganchado en la espalda. Los pulsos atravesaron el blindaje de su chaleco, la estremecieron repetidamente; era como una sucesión de golpes que la alcanzaron tan seguidos que parecían sólo uno. Cynna cayó hacia atrás mientras la lanzadera seguía ascendiendo. Quedó tendida de lado, con el cuerpo todavía estremeciéndose y los cables de los dardos a sus espaldas, por el suelo. Se mordió la lengua mientras seguía recibiendo pulsos, pulsos que de repente, agradecida, notó que se detenían. La arrastraban por la hierba húmeda, y la cabeza le colgaba cuando la metieron bajo tierra.

Antes de que se cerrara la trampilla, lo último que vio fue cómo explotaba la lanzadera cuando la mina que había sido colocada en su panza cumplía con su cometido. La tierra se estremeció al caer los restos. Unos brazos fuertes la mantenían sujeta, y de repente sintió claustrofobia. Esto era lo que se sentía al ser enterrado vivo.

Entonces la trampilla volvió a abrirse. Un rostro la contempló desde lo alto: un rostro ilyrio.

—Me habían dicho que me buscabas —dijo Fremd—. Soy Green Man.

El mensaje llegó a través de la Resistencia en Edimburgo. Tenían a Cynna. En ese momento se hizo otra llamada a la Securitat, y esta vez la encargada fue una de las agentes de la Resistencia, una mujer llamada Hilary Simmons cuya peligrosa tarea consistía en pasar información falsa a los ilyrios cuando era posible. Simmons era anciana y se estaba muriendo de cáncer. Si los ilyrios descubrían su doble juego, poco importaba. No conocía ningún nombre, y las instrucciones le llegaban en forma de mensajes que le dejaban bajo una piedra en los jardines de Princes Street. Que hicieran con ella lo que quisieran. A ella le daba igual.

—Era una trampa —dijo cuando pasaron su llamada a uno de los tenientes de Vena.

—Eso ya lo sabemos, ¡vieja estúpida! —fue la respuesta—. La información nos habría servido de algo hace una hora.

—Pero hay más —susurró Simmons—. Les oí decir que querían capturar viva a Cynna y algo sobre un escaneo facial.

—¿Cómo? ¿Quién? ¿Quién quería capturar viva a Cynna?

—Oh, ¿cómo se llamaba? —Simmons tarareó y tartamudeó—. Me... Me... Eso, Meia. ¿Es posible? Dijeron que Meia quería viva a Cynna...

El segundo ataque consistió en la explosión encadenada de varios coches bomba cerca de la antigua Escuela de Arte de Glasgow, en Renfrew Street, que ahora hacía las veces de cuartel general de la Securitat en Escocia, y en Holyrood Park, y también en Calton Hill, en Edimburgo. Nadie resultó herido: minutos antes del ataque se había dado aviso por teléfono y las calles se habían podido despejar antes de que tuvieran lugar las explosiones. Pero sí causaron un caos de tráfico y mantuvieron ocupados a los ilyrios y a la policía, desviando su atención de la zona de los alrededores del castillo donde estaba a punto de realizarse el último y más importante ataque.

Porque mientras la Archimaga Syrene y Lord Andrus, bajo la mirada atenta del gobernador Danis, se encaminaban hacia el gran deslizador que les aguardaba al ralentí en la Explanada para llevarles, a ellos y a su comitiva, fuera del planeta durante la primera etapa de su viaje de vuelta a Ilyr, los obuses de morteros empezaron a caer en el castillo y sus alrededores. Vena debió haber estado a cargo de la seguridad del deslizador, supervisándolo todo, mientras sus securitats se disponían a comprobar las identidades de cuantos pretendían subir a bordo, pero Vena estaba ocupada en otra cosa.

Ya se había puesto en camino hacia Glen Auch para dirigir la búsqueda de Cynna, cuyo Chip había dejado de funcionar.

El ruido y la confusión de los morteros distrajeron a todos. Los dos securitats del deslizador abandonaron momentáneamente sus puestos, con las armas desenfundadas, como si los pulsos pudieran servir de algo contra proyectiles explosivos de baja velocidad. Durante unos segundos cruciales, todas las miradas se apartaron de la nave de la Explanada...

Syrene y Andrus habían quedado atrapados a medio camino del deslizador, retenidos brevemente por una explosión cerca del cuerpo de guardia. Entonces se despertaron los viejos instintos de Lord Andrus, ayudados por los gritos de Danis. Corrían un peligro real si se quedaban en campo abierto, y estaban más cerca del deslizador que de cualquiera de los edificios principales del castillo que pudiera proporcionarles un mínimo refugio. Llevó a las doncellas y a un par de sus propios asistentes al deslizador, sin hacer caso de las quejas de los securitats ante ese incumplimiento de los protocolos de Vena, quejas que, de todos modos, se vieron interrumpidas bruscamente por la caída de más obuses de mortero, esta vez disparados con precisión a la zanja abierta entre el cuerpo de guardia y la Explanada. La puerta de la cabina se cerró y el deslizador ascendió rápidamente mientras los atacantes dejaron de disparar por un momento, para, al cabo, reanudar las descargas.

Cinco minutos después, los dos morteros automáticos habían sido localizados, convertidos en blanco y destruidos por los ilyrios desde el aire. Los disparos se habían realizado por control remoto, de manera que ningún miembro de la Resistencia murió ni fue apresado. Pero los morteros eran unas de las armas más valiosas de la Resistencia, y su pérdida suponía un revés considerable.

—Dime, papá —preguntó Nessa mientras su padre y ella observaban elevarse el humo sobre el castillo y a las lanzaderas sobrevolando los morteros destruidos—. ¿Para qué ha servido todo esto?, ¿es el principio de algo?

—Eso espero, cariño —dijo Trask—. Por nuestro propio bien.

42

Vena recorrió a pie el escenario de la matanza en Glen Auch, contando los cadáveres y examinando los restos de las lanzaderas destrozadas, mientras a su alrededor un equipo registraba el área buscando muestras de ADN, huellas, cualquier cosa que pudiera utilizarse para localizar a los responsables y encontrar a Cynna. Le había llegado el mensaje de Hilary Simmons. «Cynna.» «Meia.» «Un escaneado facial.» ¿Era posible que Meia esperara crear una cara de ProGen con la imagen de Cynna y pretendiera utilizar su nueva identidad para intentar escapar de la Tierra? De ser así, ese plan tenía los días contados. Vena ya había incluido a Cynna en una lista de buscados. Si alguien que afirmara ser ella pretendía utilizar su autoridad para subir a bordo de cualquier nave que abandonara Gran Bretaña, sería arrestada de inmediato.

Uno de los miembros del equipo de rastreo la llamó.

—Dime, ¿has encontrado algo? —preguntó ella.

—Creo que sí..., pero no aquí.

—¿Qué es?

—El Chip de Cynna. Parece que ha sido reactivado.

—¿Dónde está?

—A sólo unos kilómetros de aquí. La baliza informa de que se encuentra en Bridge of Orchy.

Bridge of Orchy había sido en el pasado una pequeña pero encantadora aldea formada por edificios situados alrededor del histórico Hotel de Bridge of Orchy, pero el hotel había sido destruido cuando se descubrió que su dueño almacenaba armas para la Resistencia, y el resto de las casas fueron incendiadas. Ahora el pueblo estaba deshabitado, y sólo el antiguo puente que cruzaba el río Orchy permanecía intacto; lo habían construido las tropas británicas durante la campaña para pacificar a los belicosos clanes de las Highlands en el siglo XVIII.

La lanzadera de Vena sobrevoló la aldea en ruinas, pero no vio señales de vida. No iba a permitir que le tendieran una emboscada, como a Cynna, así que ordenó que dejaran caer detectores sísmicos para determinar si había alguna actividad bajo tierra. Los detectores no hallaron el menor rastro de movimiento.

—¿De dónde procede la señal? —preguntó Vena.

—De debajo del puente, comandante.

La forma del puente, y sus sombras, impedían ver lo que pudiera haber debajo.

—Podría tratarse de una trampa —dijo—. Manda un dron.

La lanzadera envió un pequeño dron equipado con una cámara frontal y otra posterior, así como con micrófonos sensibles. Empezó a transmitir sonido e imágenes no bien salió de la lanzadera. Bajó hasta casi rozar la superficie del agua y las salpicaduras del Orchy inundaron la cabina de la lanzadera cuando el río mismo se desplegó ante Vena. Se acercó al puente, luego se detuvo. Una figura se movió en la oscuridad.

—Iluminad un poco —ordenó Vena.

El dron lanzó un haz de luz hacia la penumbra bajo el puente. Descubrió el cuerpo de Cynna; su cuerpo colgaba de una soga, sus pies casi rozaban el agua que fluía bajo ellos. Sujeto a su uniforme, tenía un rótulo escrito a mano. Sólo había una palabra:

ASESINA

—Meia —dijo Vena—. Meia es la responsable.
Pero se equivocaba.
Meia se había ido hacía ya mucho tiempo.

Parte III
Juntos

43

Syl Hellais no estaba en clase.

—No se encuentra bien —explicó Ani cuando pasaron lista—. Se ha quedado acostada.

Pero Syl no estaba precisamente en la cama.

Llevaba el pelo envuelto en tela de sábanas viejas y vestía la túnica descolorida de tono blanco crudo de Elda mientras recorría a buen paso el Decimotercer Reino —donde vivían las Novicias mayores y las Hermanas Intermedias—, evitando cuidadosamente mirar a nadie a los ojos y manteniéndose siempre en los pasillos menos transitados, con una fregona y un cubo medio lleno de espuma jabonosa por si alguien dudaba de su disfraz. Había estado por ahí ya tantas veces que conocía perfectamente la red de pasillos y corredores de servicio, y sabía también que era la mejor hora para estar ahí, cuando la mayoría de las alumnas se hallaban en sus clases. De vez en cuando se cruzaba con alguna chica que realizaba un recado o iba al lavabo, pero ninguna prestaba atención a la limpiadora que fingía ser.

Syl estaba más nerviosa de lo habitual desde que empezó su ilícita exploración de la Marca: llevaba en el bolsillo el juego de llaves, contrabando reluciente envuelto prietamente en un paño para que no tintineara en aquella quietud.

Pero había llegado el momento de ser audaz. Sin hacer ruido, sigilosamente, Syl llegó hasta el fondo del Decimotercer Reino, ante la gran puerta corrediza engalanada con el gran ojo rojo de la Hermandad. A través de esa entrada salían en tropel todas las mañanas las Hermanas que instruían a las Novicias. Ella había llegado hasta la puerta varias veces, había colocado las palmas de las manos sobre su frío metal y se había asomado con cautela a través de las franjas de cristal, que dejaban entrever otro pasillo que desaparecía tentadoramente al doblar una esquina. Pero ese pasillo se diferenciaba de los demás que había recorrido hasta ahora, porque era la entrada al Decimocuarto Reino, la línea vedada a las Novicias. Más allá, sólo podían aventurarse las Hermanas plenas. Incluso tenía un aspecto diferente; al otro lado de la puerta, las paredes curvas, el techo y el suelo no eran ya la despojada fachada de roca recubierta con un encalado sucio de los Reinos Duodécimo y Decimotercero. Allí centelleaban con el más intenso de los rojos, y las superficies titilaban ligeramente, como si estuvieran espolvoreadas con rubíes triturados, dando la impresión de una arteria saludable que bombeaba vida al corazón mismo de la Marca.

Ahora Syl se encontraba una vez más ante la puerta, y el corazón le latía como un émbolo dentro del pecho. Jadeó ligeramente mientras examinaba el teclado numérico de la pared, que tenía un orificio plateado esperando una llave con forma de aguja. Al lado había un grueso botón, de aspecto más bien anticuado, que con el paso del tiempo se había vuelto marrón, pero sabía que si lo pulsaba sólo conseguiría llamar a una Hermana a la puerta, porque había cometido antes ese error, cuando se encogió asustada y bajó la mirada a los pies al ver asomarse a la guardiana vestida de rojo, que la miró a través de la apertura.

—¿Por qué has llamado?

—Mis disculpas, Hermana. Estaba limpiando y debo de haberme apoyado en el botón sin querer —había murmurado y la puerta se había cerrado de nuevo con un zumbido.

En otra ocasión lo había pulsado a propósito y había aparecido otra Hermana, con una expresión iracunda en la cara.

—¿Qué pasa?

—¿Puedo entrar a limpiar, Hermana? —había preguntado Syl, que no tuvo que fingir el temor de su voz, porque estaba asustada de verdad.

—¡Claro que no! ¿Dónde está tu llave? Aquí no pasa nadie que no tenga llave.

—Ah, ¿y entonces quién limpia? —preguntó Syl.

—¿Eres nueva? Las Hermanas del Servicio, claro. ¡Ellas tienen llaves! Habla con tu superiora y no me hagas perder el tiempo.

Sin embargo, en esta ocasión Syl sí llevaba las llaves. Tras otro rápido vistazo a su alrededor, sacó el manojo del bolsillo. Seleccionó la que tenía la punta roja y respiró hondo.

—La mujer que piensa está perdida —susurró y mecánicamente añadió—: *Catón,* de Joseph Addison. —Su padre siempre había considerado importante reconocer la fuente de las citas y aforismos que uno utilizaba.

Introdujo la punta en el ojo de la cerradura. Siguió un pitido de bienvenida y, con su siseo, la puerta se abrió. Syl estaba dentro; así de fácil.

Al otro lado de la puerta flotaba un olor distinto, fragante, más dulce, el aire casi empalagoso, espeso, matizado y exótico, como un vino especiado.

Olía a Syrene; olía como el aliento de su padre después de que Syrene lo hubiera infectado.

Syl reprimió las arcadas. Se concentró en mirar a su alrededor.

El suelo bajo sus pies era más blando, un poco mullido, y cuando tocó las paredes tenían un tacto suave, que le recordó un alga roja esponjosa, aunque al apartar la mano la seguía teniendo seca. Sus dedos dejaron unas hendiduras temporales al apretar, pero el oscuro resplandor de las paredes no se le pegó a las puntas de los dedos. Esa iluminación, que parecía incrustada, chispeaba como un mineral al reflejar la luz en una mina. Unas estalactitas naturales atravesaban el rojo techo —debía de haber habido agua en el pasado, pensó Syl— y se había dejado que unas formaciones rocosas especialmente llamativas sobresaliesen de las paredes talladas, en radical contraste con el suave fulgor rojizo. El efecto era suntuoso y decadente, pero elegante, y, mientras enfilaba el amplio pasillo, una luz automática iluminaba sus pasos, atenuándose hasta un débil resplandor una vez había pasado.

Era como estar en el interior de una maqueta de un órgano gigantesco y exangüe.

Pasó ante unas puertas, tres de ellas empotradas en paredes de color borgoña, sin ninguna identificación. Apretó el paso, sin saber muy bien qué hacer, porque ¿qué diría si se abría una de las puertas y se encontraba frente a una Nairene cuando husmeaba donde no debía?

Un poco más adelante, el pasillo se inclinaba muy pronunciadamente hacia abajo, hundiéndose en las profundidades del suelo, y el rojo de las paredes dejaba de ser un color liso y uniforme para formar dibujos en espiral, que se desplegaban como las raíces de un árbol talado que sobresalieran de un grueso tronco rojo. Entre las espirales, la fachada de roca mostraba, pulidos hasta dejarlos lisos para que se vieran mejor, estratos de granito y cuarzo y de una piedra brillante que Syl no reconoció.

Una vez más, los recuerdos de Syrene inundaron sus pensamientos: Syrene con aquellos tatuajes de asombrosas filigranas rojas que se desparramaban por su rostro liso y piadoso y se enredaban como serpientes en la línea del nacimiento de su cabello, que llevaba rasurado, unos tatuajes que tenían su eco en estas paredes. Quizá los dibujos de la piel de Syrene se basaban en éstos, o tal vez su aparentemente legendaria belleza sirvió de inspiración para la decoración. Fuera como fuese, parecía una exhibición de gran vanidad, y Syl se sintió como una hormiga caminando por la cara de su enemiga. Sin duda, no tardarían en percibir su presencia ahí; sin duda, pronto la echarían, la aplastarían sin piedad ni sentimientos. Y, oh, ese olor, el olor de su pérdida y de su dolor...

¡Basta ya! Soy Syl Hellais.

Las palabras resonaron sólo en su cabeza cuando Syl apuntaló de nuevo las defensas mentales que esperaba que la protegieran.

Estoy aquí para hacer un trabajo, para averiguar qué se oculta dentro del alma fría de la Hermandad de Nairene.

Avanzó con mayor resolución, cada vez más terca y rabiosa en su interior, sintiendo que los escudos bajaban como hierro forjado, que las barreras en su cabeza se cerraban ruidosamente, cargadas de plomo, selladas con sangre.

Tengo poderes de los que nada sabéis.

Pensó en su padre, en la Tierra, en Paul y en Steven, en Althea y Meia, en Fremd, Heather y Just Joe. Recordó toda la muerte y destrucción que había presenciado, y, todo, ¿para qué?, ¿para qué?

Tengo poderes que ni podéis soñar, poderes que están más allá de vuestras pesadillas.

Pensó en lo que había visto dentro de la cabeza del gran cónsul Gradus antes de que lo reventara, en el misterioso parásito envuelto alrededor de su bulbo raquídeo, y no se le escapó la ironía de la situación.

Estoy dentro de ti, Syrene. Estoy dentro de tu centro nervioso. Y no sabes de lo que soy capaz.

Y volvió a ver al humano que había muerto obedeciendo a su voluntad, obedeciéndola a ella, arrojándose sobre su propia bayoneta porque Syl así lo deseaba, y por primera vez no se quitó de la cabeza el recuerdo. Por el contrario, sacó fuerzas de él, porque ¿acaso no se había alzado ella en armas ahora?, ¿acaso no estaba participando en la guerra que él había declarado que era la suya? Esbozó una lúgubre sonrisa.

Ni siquiera yo sé de lo que soy capaz...

El alumbrado automático se desvaneció porque a lo largo de la roca discurría una veta de piedra resplandeciente que proporcionaba una iluminación tan fascinante como la luz de una hoguera. Resiguiendo la piedra a tientas, Syl dobló una última esquina y entonces se detuvo en seco, jadeando, en parte de miedo y en parte también de asombro. Ante ella, la arteria explotaba en una vasta cámara que se alzaba desde las profundidades hasta las alturas del oscuro cielo nocturno; las paredes trazaban florituras y titilaban, y unos zarcillos rojos de tonos borgoña y clarete subían tan altos como agujas de iglesia, retorciéndose en un techo laberíntico de cantos rodados mellados y remotas cúpulas de cristal, que separaban a las estrellas. Alrededor de los costados de esa cámara había galerías y rellanos, bellamente tallados y excavados en la piedra. Hileras de puertas muy espaciadas se abrían de esas galerías elevadas, cada una de ellas negra y fulgente, cada una con una placa con un nombre. Aquí abajo incluso había plantas, frondosos vegetales azules y negros que crecían densos y exuberantes, con avariciosas flores rojas y púrpura que se alzaban hacia el remoto techo y su promesa de luz ultravioleta, gracias a la que vivía esta curiosa flora ilyria.

En el centro, la cámara estaba amueblada con los grandes y mullidos cojines de unos sofás escarlatas y vibrantes morados, y sillones reclinables confeccionados con tupidos tapices y brocados. Alfombras rojas con dibujos ornamentales cubrían el suelo Y, muy por encima de esta opulenta zona de descanso, la pared se adornaba con otro ojo rojo más, que miraba fijamente y sin parpadear a aquellos que vivían en su nombre.

Era el hermoso y estéril corazón del Decimocuarto Reino.

Pero ahora mismo ese corazón estaba latiendo. Estaba vivo.

Y por todas partes la rodeaba la Hermandad.

44

La Hermana de atuendo rojo que se sentaba más cerca de Syl la observaba con curiosidad. Syl le devolvió la mirada, manteniendo los rasgos inexpresivos mientras por dentro reforzaba los muros y barreras en su mente. *Soy una de vosotras,* deseaba. *Estoy con vosotras. Mírame y ve a una de las tuyas.* Pero no sentía ninguno de los intentos de sondeo que asociaba a Syrene o a Oriel porque pocas compartían las capacidades psíquicas de éstas.

—¿Por qué te quedas ahí parada? No hay tiempo que perder —dijo la Hermana por fin—. La limpieza tiene que estar acabada antes de que las tutoras vuelvan de clase. Hoy más que nunca es imprescindible.

—Sí, señora —murmuró Syl, que agachó la cabeza y pasó a su lado trastabillando.

Las Hermanas del Servicio se movían frenéticas por todas partes, fregando, sacudiendo, soplando y rociando con pulverizador, como afanosos glóbulos blancos en el gigantesco órgano de terciopelo y sangre. La presencia de Syl pasó inadvertida cuando se mezcló entre ellas, porque superaban en número a las pocas ilyrias de túnicas rojas que estaban reclinadas en sillas y cojines, leyendo y tomando notas o hablando seriamente, quienes de vez en cuando levantaban automáticamente los pies para que las otras pudieran barrer el suelo por debajo. Desde detrás de la punta del pañuelo con el que se cubría el pelo, Syl distinguió a Amera, la profesora de biología, mordiéndose una uña mientras estudiaba una pantalla que tenía delante. Syl se deslizó sigilosamente por delante, aunque mirando en la otra dirección, leyendo las placas de las puertas mientras avanzaba por la cámara. La mayoría tenían nombres que conocía o le sonaban vagamente entre el amplio equipo de profesoras que habían convertido la educación de las aspirantes a Hermanas en la obra de su vida, y algunas eran incluso tutoras suyas. Viéndolas todas reunidas ahí, Syl se sintió de nuevo impresionada por la enormidad de la Marca. Si aquí sólo estaban las profesoras, ¿qué había en los otros Reinos de Avila Minor? En algún lugar de este laberinto subterráneo se hallaban Ezil y las demás ancianas, las Cinco Primeras. En algún lugar estaba oculto el secreto de la Hermandad.

Con renovada determinación, siguió adelante.

En el centro de la habitación por la que pasó vio una doble puerta que le infundió vagamente malos augurios. No tenía ninguna marca, pero a todas luces eran los alojamientos más amplios de todos, fácilmente accesibles para una Hermana anciana, una que no debía de tener mucha estabilidad sobre sus piernas envejecidas. Sólo podían ser los de Oriel, y la piel se le erizó a Syl bajo la túnica al pasar. No había visto a Oriel desde el incidente en las habitaciones de Elda. Al principio habían dicho que la encargada de estos tres Reinos estaba enferma, y luego se afirmó que la habían llamado a unas reuniones de importancia, pero Syl no había llorado su ausencia. Muy a menudo, demasiado a menudo, pensaba en la vieja bruja, sin querer, y se preguntaba si la Granmaga andaba cerca, si la estaba estudiando, intentando entrar en su mente. Cada vez que eso sucedía, se encontraba mal físicamente, y después le dolía la cabeza, pero Syl no había vuelto a ver en persona a la vieja arpía. Sólo de vez en cuando se preguntaba si se había imaginado la presencia de Oriel, pero sabía que siempre debía permanecer vigilante.

Syl pasó por delante de dos Hermanas de túnicas blancas que conversaban ensimismadas y oyó el nombre de Oriel. Intentando que no se fijaran en ella, se detuvo, se inclinó y utilizó el borde de su paño para frotar una mancha imaginaria en el borde de una alfombra.

—Está previsto que vuelva a eso de la hora de comer, creo.

—¿Antes de que acaben las clases de las Novicias? Pero entonces no habrá casi nadie para recibirla.

—Ella lo prefiere así. Ya conoces a la Granmaga Oriel.

—No mucho, por suerte.

—Ya te entiendo.

Las dos se rieron mientras se alejaban hacia el extremo de la galería. Al instante, Syl las siguió.

Llegaron a una puerta ancha, cerrada a cal y canto, y la más pequeña de las Hermanas apretó un botón que había al lado, incrustado en la pared. La puerta se abrió deslizándose. Entraron, y, al cabo de unos segundos, Syl las siguió, sin trabas, aunque tenía la impresión de que los nervios iban a ocluirle de un momento a otro la garganta. Ante ella serpenteaba otro largo pasillo. Una tercera Hermana del Servicio se aproximó, pero pasó de largo con un simple ademán con la cabeza, que Syl devolvió con toda la naturalidad que pudo.

Vio que, más adelante, la pareja a la que seguía se había detenido y había abierto una puerta tallada en la pared. Bajo la mirada de Syl, se quitaron las túnicas blancas manchadas de polvo, desvelando unos sencillos atuendos rojos que llevaban debajo, luego arrojaron las prendas sucias en lo que parecía un armario y seguidamente abrieron otro y sacaron ropa blanca recién lavada. Se la pusieron sin interrumpir apenas su charla y siguieron su camino. Una de ellas miró a Syl al salir, pero apenas alzó una ceja en señal de reconocimiento y Syl exhaló profundamente.

Soy una de vosotras, repetía una y otra vez mentalmente. *Somos iguales.*

Se dirigió rápidamente al armario, se quitó su túnica blanca cruda y se puso otra de las guardadas detrás de la segunda puerta antes de que nadie pudiera ver los delatores atuendos de Novicia que llevaba debajo. Sacó las llaves del bolsillo antes de arrojar la vieja túnica que había pertenecido a Elda en una gran cesta de ropa sucia detrás de la primera puerta, y luego, envalentonada, abrió el tercer armario. Dentro había pilas de pañoletas limpiamente plegadas. Le entraron ganas de aplaudir. No podía arriesgarse a quitarse ahí, a la vista de todas, su propio pañuelo improvisado, así que se limitó a anudarse el nuevo encima. Al instante sintió que se camuflaba mejor en el fondo que la rodeaba.

Las Hermanas a las que seguía se habían perdido de vista y Syl se apresuró, pasando ante puertas y ventanas que dejaban ver lo que había al otro lado. En cierto momento atisbó una especie de sala de ejercicios, o puede que de gimnasia, equipado con aparatos y monitores de las funciones corporales. Dentro, una solitaria Hermana del Servicio fregaba desganadamente el suelo, dibujando lentos círculos con la fregona. Emitió un gran bostezo y se rascó la mejilla.

Más adelante había una apretada sucesión de salas de meditación, todas abiertas y acogedoras, con los cojines mullidos y preparados, pequeños cubos de esencias y fragancias en huecos junto a las puertas, aguardando que los encendieran. Una evocadora música ilyria sonaba en una de las salas, y Syl atisbó a las Hermanas a las que seguía. La chica más alta limpiaba sin mucho entusiasmo, pero la otra había activado una pantalla virtual y estaba apoyada en la pared, con unos trapos de limpieza colgados y olvidados a su costado, y se reía ruidosamente de lo que fuera que estuviera viendo.

—Calla, Eya —dijo la primera—. Nos vas a meter en un lío.

Syl pasó de largo de puntillas.

El pasillo trazaba una cuesta empinada, y apareció otra habitación con la fachada de cristal. Syl se deslizó despacio ante ella, maravillándose ante la larga piscina dorada del interior. A todas luces eran una especie de termas, porque había una fuente humeante en un rincón y un par de Hermanas se reclinaban sobre el agua mientras a su alrededor las burbujas se alzaban grandes como platos. Tres Hermanas del Servicio las atendían a un lado de la piscina. La primera sostenía unas toallas, mientras otra rociaba copos de jabón brillante sobre el agua. La tercera se inclinaba sobre una figura que estaba en la piscina, pasando con mano experta una piedra pómez por el pie que le ofrecía. Mientras Syl estaba absorta mirando, una de las bañistas alzó la mirada y la clavó en ella. A toda prisa, se dio la vuelta y se marchó.

El pasillo que recorría se dividía. Syl estaba a punto de tomar el más ancho, que giraba a la derecha, cuando oyó voces, y vio un reflejo de rojo en las paredes al otro lado de la esquina que tenía delante. Con agilidad, tomó por el pasillo más estrecho, el que se abría a la izquierda, y se escabulló mientras el corazón se le aceleraba.

El corredor serpenteó y daba bruscos giros durante un buen trecho; después, unas claraboyas se abrieron en lo alto de las pareces, dejando el cielo al descubierto. No había entradas ni salidas, así que Syl supuso que se desplazaba por un túnel de conexión hacia alguna otra parte, tal vez a un nuevo Reino. O, más bien, a un Reino antiguo, porque las paredes que la rodeaban eran oscuras y brillantes, desgastadas por el paso del tiempo, y el suelo estaba alisado y acanalado, como si muchos pies hubieran caminado por él a lo largo de los años, erosionando un sendero en la roca. En algunos puntos estaba parcheado con peldaños planos, también pulidos por el desgaste. El aire parecía enrarecido y Syl se estremeció porque ahí hacía más frío. Estuviera donde estuviese, era un lugar muy antiguo.

Syl sabía que las zonas más antiguas de la Marca eran incluso anteriores a la llegada de la Hermandad. Nunca se había sabido con certeza quién había tallado los túneles primitivos originales, porque carecían de ornamentación y sus creadores no habían dejado rastro de sí mismos: ni ollas, ni huesos de animales, ni restos de ilyrios. Los anales de la Hermandad apuntaban que las cuevas de la luna habían proporcionado al principio refugio a aquellos que querían huir de alguna persecución en Ilyr, igual que habían hecho las primeras Hermanas. Esa teoría, no obstante, la cuestionaban algunas de las historiadoras de la propia Hermandad, que sostenían que la antigüedad de los túneles indicaba que habían sido construidos antes de la invención del viaje interplanetario. Era, parecía, uno de esos misterios destinados a no esclarecerse.

Finalmente, Syl llegó a dos escaleras que descendían. Las dos eran de peldaños empinados y desgastados, tallados en la roca, grises en los bordes pero negros en el medio, manchados y erosionados por eones de pisadas. Syl bajó por la de la izquierda, porque le pareció la opción más sensata: si seguía yendo hacia la izquierda y luego, a su vuelta, lo hacía al revés y tomaba siempre a la derecha, era menos probable que se perdiera, o eso al menos esperaba. Así que bajó, siguiendo los giros y espirales, internándose cada vez más profundo en la luna. La luz era tenue, la que proporcionaban sólo unas titilantes bombillas de servicio, y a medida que descendía el aire parecía cada vez más enrarecido, viciado y olvidado. Las escaleras desembocaron en un corredor estrecho y desnivelado, con las paredes ásperas, aunque los filos de las rocas habían sido alisados por el paso del tiempo. Todo estaba muy silencioso, y sus pies dejaban huellas difusas en el polvo del suelo mientras avanzaba de puntillas, escuchando su propia respiración en aquella quietud donde hasta podía oír cómo la sangre retumbaba en sus oídos.

Por delante, unas arcadas dobles se extendían entre las paredes del túnel. Syl se detuvo y asomó la cabeza. Cada habitación era una imagen especular de la de enfrente, dos grandes cuevas en penumbra, ambas con estanterías apoyadas sobre piedras, y cada una de las estanterías llena de pilas desordenadas de libros y documentos, algunos sujetos bajo piedras, otros caídos y revueltos accidentalmente por el suelo. Por todas partes había suciedad y polvo grueso, y parecía que un pequeño desprendimiento de rocas había caído sobre una vieja vitrina que había a la izquierda, en la zona central de la sala. Los objetos expuestos estaban aplastados y caídos: tejidos deshilachados, pergaminos de cuero desgarrados y trozos de una materia marrón correosa sobre la que Syl prefería no pensar demasiado. Así que entró en la sala de la derecha y echó un vistazo a la pila más cercana de documentos.

—Maldita sea —dijo sobresaltándose ligeramente mientras su voz le volvía como un eco siseado: *maldita sea, maldita sea, maldita sea.* Los documentos estaban escritos en un idioma desconocido. No, no sólo desconocido, sino que era una escritura completamente distinta de la ilyria; un alfabeto que nunca había visto, con símbolos mellados con formas espirales, completamente incomprensibles. Limpió el polvo de otro documento. Aunque era distinto, también le resultaba alienígena en todo el sentido del término, pues a todas luces procedía de otro planeta. El pergamino le pareció casi viscoso al tacto, como si quisiera chuparle la piel, y se apresuró a apartar la mano. Se introdujo en el interior de la sala, apartando el polvo de un soplo aquí, quitando la mugre con la mano allá, pero todo se parecía mucho: textos incomprensibles, que, estaba claro, se habían ido amontonando ahí hasta que quedaron casi olvidados, un archivo creado por Hermanas que hacía mucho que habían muerto.

Entonces vio un garniado subiendo como un rayo por una pared cercana y estuvo a punto de gritar. Sólo lo reconoció porque había estudiado a esas criaturas blindadas con forma de arácnidos en biología, observándolas en una vitrina mientras un solitario garniado tamborileaba con rabia sus largas patas contra el cristal, y sabía que tenían un picotazo muy desagradable. La profesora de biología, Amera, les había explicado que los garniados eran la plaga de la Marca de los viejos tiempos, aunque ahora habían controlado su número.

«Pero andaos con cuidado, todavía se los encuentra en las zonas más antiguas de la Marca. Incluso cuando seáis Hermanas plenas, con acceso más amplio a nuestros edificios, os recomiendo que os mantengáis apartadas de los túneles poco frecuentados, porque el picotazo de un garniado duele, y el de varios a la vez puede resultar letal, sobre todo para las niñas y las más ancianas», había dicho Amera.

Con un estremecimiento, Syl se dispuso a salir de allí. Subió un poco más por el pasillo, sólo para asegurarse de que no se le escapaba nada, pero la luz menguaba más allá de la siguiente curva y distinguió con claridad la razón un poco más adelante: un gran trozo del techo desmoronado impedía el paso, las piedras eran del tamaño de coches y se apilaban desde el suelo hasta el techo desplomado. Había oído que algunas de las partes más antiguas de la Marca se habían venido abajo hacía mucho, y de repente tuvo una idea: ¿no había dicho Elda que su amiga había muerto por un desprendimiento de rocas también?, ¿cómo se llamaba? Kosia, sí, eso era, Kosia. Syl se preguntó dónde estaría exactamente Kosia cuando murió, porque los Reinos en los que residían las Novicias y las Hermanas Intermedias eran de construcción relativamente reciente y no tenían ese riesgo.

Así que primero murió Kosia, y luego su supuesta amiga, la por lo demás solitaria Elda, también fue asesinada, la una en un desprendimiento de rocas, la otra en una salida suicida de la Marca por la noche. La primera muerte fue sin duda calificada de desgraciado accidente, mientras que la segunda había sido encubierta con mentiras sobre una joven Novicia que se sentía infeliz, así que se le permitió volver a casa. Pero Syl había visto lo que se había derramado del vientre del cascido. A todas luces, Elda había sido mucho más de lo que parecía.

¿Habría sido también Kosia una espía?

Y casi con toda seguridad, los desprendimientos sólo ocurrían en las secciones más antiguas de la Marca, las zonas más profundas y oscuras, como ésta. ¿Qué estaría haciendo Kosia husmeando en los Reinos antiguos? Al mirar la barricada de piedras que tenía ante sí, acordonadas con una desgastada cinta que decía «PRECAUCIÓN», Syl creyó que por fin estaba llegando a alguna parte, aunque no sabría decir exactamente adónde.

En cualquier caso, estaba en el final del camino, por ahora. Debía volver a sus alojamientos, llevaba demasiado tiempo fuera.

Syl desanduvo el camino, volvió a pasar por delante de los archivos olvidados y subió otra vez las desgastadas escaleras, asegurándose de mantener las manos pegadas a los costados por temor a los garniados. Al llegar arriba, se detuvo para recuperar el aliento y se encontró mirando hacia la segunda serie de peldaños. Eran más anchos que los que acababa de subir, y la luz parecía más intensa, o tal vez todo fuera fruto de su imaginación.

Decidió que al día siguiente volvería a encontrarse mal; mañana volvería y tomaría esas escaleras.

45

Era estupendo que el universo pareciera espolvoreado de agujeros de gusano, pensó Paul —al menos, en términos relativos—, pero su existencia de nada servía sin un mapa minucioso y preciso de sus localizaciones.

Cuando se propuso por vez primera la teoría de los agujeros de gusano —o puentes de Einstein-Rosen, por darles el nombre que utilizaban los científicos humanos—, la mera idea era lo bastante extraordinaria de por sí como para que nadie se planteara qué aspecto debían de tener. La realidad, según resultó, es que tenían una apariencia inconsistente, en la medida en que muchos no eran siquiera visibles. Cierto es que los más grandes —pero no necesariamente los más estables— deformaban el tejido del espacio, como una lente colocada ante las estrellas, pero los más pequeños eran prácticamente indetectables a no ser que uno estuviera casi pegado a ellos, lo que, en términos del tamaño del universo, significaba encontrarse a menos de dos millones de kilómetros. Incluso entonces, uno tenía que saber dónde mirar, de manera que una nave podía pasar a un tiro de piedra (hablando, de nuevo, en términos universales) de un agujero de gusano sin saber que estaba ahí.

Dicho rápido y mal, concluyó Paul, era un poco como intentar encajar un agujero del tamaño de un ojo de aguja en otro ojo de aguja que hubiera en una sábana que midiera millones y millones de kilómetros cuadrados. No, mejor aún, en una sábana tridimensional, aunque suponía que todas las sábanas eran tridimensionales, así que esa analogía concreta no servía. La ciencia nunca había sido uno de los puntos fuertes de Paul en la escuela.

Estaba en lo que había sido el alojamiento del capitán de la *Nómada*. El pequeño habitáculo contenía una cama, una mesa y poco más. El sistema de inteligencia artificial mantenía una pantalla, activada permanentemente encima del catre, que mostraba detalles del sistema así como imágenes en tiempo real de todas las secciones de la nave, lo que permitía que el capitán monitorizase toda la actividad desde su cuarto. Podía atenuar la intensidad de la pantalla con un gesto de la mano, pero Paul no había descubierto la forma de apagarla. Tal vez no se podía. Había buscado información sobre la misión original en el sistema, pero en vano. Sospechaba que esa información no existía, para evitar que se descubriese si la nave era apresada.

Ahora, una vez más, estaba perdido en el medio de una sección del mapa de agujeros negros, maravillándose ante su complejidad. Ese mapa era el pilar de la Conquista ilyria. Sin él, los ilyrios no habrían sido más que una versión más avanzada de la propia humanidad, confinados en su pequeño rincón del universo, incluso con su combinación de avanzados motores de fusión y las explotaciones mineras que habían localizado de hidrógeno, helio y sulfuro para combustible, como pequeñas gasolineras salpicadas a lo largo de las galaxias. El conocimiento de los agujeros de gusano los había convertido en conquistadores, pero ¿cómo lo habían conseguido?

Resiguió con el dedo el dibujo de uno de los agujeros. Le recordaba algo, pero fuera lo que fuese, cada vez que intentaba concretarlo se le escapaba como una mariposa caprichosa. Por alguna razón, la imagen le recordó a Syl: su gracia, su exotismo. El recuerdo le produjo una abrumadora sensación de impotencia. Quería rescatarla, pero ahí estaba, atrapado en una nave extraña a punto de entrar en una sucesión de agujeros de gusano, un viaje que les llevaría, en caso de que sobrevivieran, a un sistema cerrado, y nadie aislaba un sistema planetario entero sin una buena causa y sin los medios para protegerlo de los intrusos.

Paul se dio la vuelta trazando un círculo lento. Los agujeros de gusano giraron a su alrededor como hilachas en el tejido del cosmos.

Hilos. Filamentos.

Había llegado a los sótanos de Dundearg justo a tiempo para ver cómo era destruido el cónsul Gradus por lo que llevaba dentro, pero

Syl le había contado la transformación anterior que acababa de sufrir el cónsul: las imágenes de un organismo insectoide sujeto a su bulbo raquídeo, y la reacción de su cuerpo a los intentos de sus captores de sondarlo. Los filamentos que el organismo había propagado por todo el cuerpo emergieron, como en una explosión, de la piel de Gradus hasta que su figura entera quedo envuelta en ellos, y de cada uno de sus poros salió a presión un fino hilo.

¿Y si...?

Paul cerró los ojos, porque incluso la belleza de los agujeros de gusano le estaba distrayendo. Recordó a su abuelo Jim, que se enorgullecía de su jardín en la parcela municipal. A diferencia de sus vecinos, el abuelo Jim no plantaba verduras en esa pequeña parcela. Cultivaba rosas y su pesadilla eran las arañas rojas, diminutas criaturas rojizas que tejían sus telarañas bajo las hojas de los rosales y causaban estragos alegremente en las flores. Según el abuelo Jim, las arañas rojas podían encontrarse en casi cualquier parte del mundo. Eran autoestopistas que viajaban flotando en las corrientes de aire en busca de nuevas plantas que colonizar. También eran capaces de detectar la llegada del invierno, para que sus organismos entraran en un estado latente llamado diapausa, del que sólo salían cuando mejoraba el tiempo. Sí, y recordaba que también los peces que vivían en el fango «apagaban» sus organismos para sobrevivir en las condiciones más inhóspitas.

Desde ahí, Paul dio otro salto mental. Antes de la llegada de los ilyrios y de las razas sometidas que luchaban para ellos, la mayor parte de las especulaciones científicas se habían concentrado en la probabilidad de que la primera vida alienígena que se descubriría fuera en forma de microbios. Recordaba con nitidez una discusión sobre un fragmento de meteorito en el que se habían encontrado filamentos microscópicos, y que el científico que había realizado el hallazgo defendía que representaba una forma de vida extraterrestre, muerta hacía mucho.

Pero ¿y si —y de nuevo aparecían esas palabras— una forma de vida similar era capaz de sobrevivir en el espacio, en un estado de semilatencia pero conservando de algún modo la conciencia y almacenando los detalles de sus viajes por el universo, una información que más tarde podría ser recuperada? ¿Era algo así siquiera posible? ¿Cómo podría un organismo primitivo retener ese conocimiento?

Una forma de vida primitiva no podría, pero sí una avanzada, tal vez del tipo que también podía acoplarse al bulbo raquídeo de un ilyrio y percibir el mundo exterior a través de las reacciones de su huésped.

Paul abrió los ojos. Rizzo estaba ante él.

—¿Estás bien? —preguntó ella.

—Sí. No. Tal vez.

Rizzo enarcó una ceja.

—¿Estás seguro de que deberías estar tú al mando?

—Sí. No. Tal vez. ¿Qué ocurre?

—Hemos llegado al primer agujero de gusano.

46

A la mañana siguiente, Syl se dirigió a la parte alta de las escaleras dobles de nuevo y, sin vacilar, emprendió el descenso.

La segunda escalera era más corta y parecía más iluminada a medida que descendía. Los peldaños se hacían más anchos abajo y daba a un pasillo similar al que había recorrido el día anterior, con la diferencia de que éste estaba mucho más limpio, sin los suelos rayados, cubiertos de polvo, ni olor a rancio. Y estaba en uso, de eso no cabía duda, porque habían dejado un equipo de limpieza junto a una pared; también vio trapos y fregonas colgados de improvisados ganchos. Un grifo sobresalía de una de las paredes de piedra y goteaba suavemente en un cubo situado debajo. Syl dio unos pasos titubeantes alejándose de la escalera, y se dio cuenta de que el aire olía, ciertamente, distinto ahí abajo, un olor incluso familiar, pero agradable. Respiró hondo, intentando identificar el aroma, porque era una fragancia conocida. Sí, eso: la lavandería. Olía como a detergente y, a medida que avanzaba, el olor se volvió más intenso, hasta que se encontró delante de lo que sin duda era una sala de lavandería, grande y chirriante, lleno de máquinas brillantes que zumbaban y chasqueaban mientras limpiaban y secaban varias coladas y la seda roja centelleaba en su interior. No entró: varias Hermanas del Servicio trajinaban por allí, afanosas y eficaces, doblando pilas de túnicas vívidas rojas.

Cuando la ilyria más cercana a ella levantó la mirada y vio a Syl, y la confusión le nubló la cara.

—Perdona, pero ¿quién eres? —dijo y las demás dejaron lo que estaban haciendo y la miraron fijamente. Esbozando su sonrisa más seductora, Syl empezó a recitar al instante su mantra interior.

Nosotras somos iguales. Yo soy una de vosotras. Yo. Una de vosotras. Iguales.

—No importa —dijo la Hermana sacudiendo la cabeza, aturdida mientras Syl se daba la vuelta y se alejaba todo lo deprisa que podía procurando no llamar demasiado la atención.

Pasó por habitaciones llenas de sillas, sobre las que se apilaba ropa de cama doblada. Una tenía armazones de camas, otra rebosaba hasta el techo de barriles de agua dulce. Había almacenes de jabón y productos químicos, y montones de toallas crujientes y recién lavadas, y varias habitaciones de suministros en las que reinaba el orden, con paredes flanqueadas de herramientas de las que llevaría en el cinturón un encargado de mantenimiento, sólo que más delgadas y ligeras, preparadas para un trabajo de precisión.

Estaba claro que los secretos de la Hermandad de Nairene no estaban ahí, con las encargadas de las cocinas y las lavanderas de la orden, así que Syl apresuró el paso y entró en lo que parecía el camino principal, que ascendía y dejaba atrás conductos que se abrían en las paredes y carritos del servicio, e incluso las que parecían las peores habitaciones, sin ventanas, grises y mal iluminadas.

Siguió ascendiendo, con la vaga idea de que se estaba perdiendo, pero se sentía relativamente segura con su túnica blanca cuando pasaba respetuosamente al lado de las Nairenes rojas, de las que había cada vez más a medida que subía, pero que ni se fijaban en ella. A veces se veía arrastrada por una oleada esporádica de Hermanas del Servicio y nadie le preguntaba nada, ni siquiera la miraban. Intentaba mantenerse en las rutas que preferían las Hermanas Rojas, porque sin duda era por donde podía encontrarse la verdad de la orden. Pese a todo, no podía evitar quedarse mirando asombrada cuanto veía.

Incontables bibliotecas, tan cavernosas como una catedral, se alzaban a cada lado, y había Scriptoria, de varias plantas de altura, en los que las Hermanas entrecerraban los ojos y garabateaban o tecleaban concentradas en pantallas, muchas de ellas con guantes blancos para proteger los raros y preciosos volúmenes que transcribían y traducían. Había refectorios y gimnasios, y gigantescos invernaderos exuberantes de vida, y cámaras llenas de espejos y luces plateadas. Vio una pequeña orquesta ensayando, tocando etéreos

296

instrumentos de cuerda, y encontró el departamento de zoología y por un momento creyó que era el producto de la fantasía de una Novicia. A través de una ventana le pareció atisbar fugazmente un unicornio.

Sin embargo, lo más extraño de todo era la gruta de paredes de piedra con la que se topó en el punto donde varios pasillos confluían formando una estrella. En la gruta, la luz era tenue y hacía frío —algo poco usual en la Marca—, aunque unas velas resplandecían en unas grietas y estantes ásperos. En el centro del espacio había cuatro pedestales de roca sobre los que reposaba una gran piedra plana, picada y mellada en los bordes, pero que, aparte de eso, habría pasado por una mesa medieval para banquetes. Sin embargo, la piedra en sí no era especialmente rara; lo extraño es que estuviera protegida de las manos curiosas con una gran cúpula de cristal y, más extraño todavía, que las Hermanas, al pasar por su lado, sin excepción se besaban las puntas de los dedos y luego los pegaban a la cúpula. Había una Hermana del Servicio cerca en todo momento, que se adelantaba de vez en cuando para frotar las manchas que dejaban los dedos en la limpia superficie. Sólo por si acaso, Syl también se besó los dedos y luego los pasó con curiosidad a lo largo del cristal, pero no se atrevió a detenerse a investigar, porque la piedra estaba en un cruce transitado y las Hermanas se desplazaban rápidas como hormigas, dando distraídamente los pertinentes besos mientras seguían con sus ocupaciones.

Cuando Syl dejaba la gruta, se oyeron unas campanadas graves y dulces, cada vez más fuertes e insistentes, y poco a poco las Hermanas acabaron lo que estaban haciendo y se encaminaron a los numerosos comedores. ¿Qué pasaba?, ¿era la hora de comer?

Syl sabía que no debía seguir tentando a la suerte retrasándose más, pero, para ser sincera, tenía que reconocer que se había perdido por completo.

—Discúlpame, Hermana, pero me parece que me he desorientado. ¿Qué Reino es éste? —preguntó Syl, abordando con torpeza a una joven ilyria que llevaba una túnica blanca como la suya.

Somos iguales, pensó. *Iguales.*

—Oh, lo sé, es fácil que pase. Éste es el Noveno. ¿Adónde quieres ir?

—Al Reino Duodécimo.

—¿De verdad? Una pensaría que tras formarse allí te acordarías de eso al menos, ¿no?, pero yo también me confundo todavía. ¿No llevas tu cartografiador?

Syl bajó la mirada a los pies, un poco asustada. ¿Qué era un cartografiador?

Soy una de las vuestras.

—No. Me lo olvidé.

Somos iguales.

La Hermana se rió.

—¡Pues menudo día llevas! Bueno, ten, mira el mío. A propósito, me llamo Lista. Soy del Octavo. ¿Y tú quién eres?

—Yo, eh, Tanit. Del Séptimo.

—¿De verdad? —dijo Lista—. No sabía que hubiera ninguna de nosotras en el Séptimo.

—No. —Syl se rió puede que demasiado alto—. Me refiero a que vengo del Séptimo. Vivo en el Decimoquinto.

Soy como vosotras.

—Muy bien. Entonces vale.

Lista sacó su cordón de debajo de la túnica. Sujeto a él, junto a sus llaves, había una pequeña tarjeta negra. Pinzó el filo entre el pulgar y el índice y al instante un laberinto de líneas se extendió por la superficie. Una luz azul centelleaba en el centro. La sostuvo delante de Syl, que hizo todo lo posible para no parecer sorprendida.

—Bueno, tú estás aquí —dijo señalando la luz azul—, y quieres estar ahí.

Separó el pulgar y el índice y la imagen se amplió.

—Así que si sigues esta ruta...

Pero Syl no escuchaba lo que decía Lista. Se había quedado mirando fijamente la tarjeta, abrumada por el deseo de tenerla. Vaya, era un mapa, ¡un mapa de la Marca entera! Tenía que conseguirla. Observó de cerca a Lista mientras la chica seguía charlando.

Soy como tú. Somos iguales.

—Lista, querida, ¿me la prestas? Sólo un momento. Llego muy

tarde y me meteré en un buen lío si me pierdo otra vez. Me muero de miedo, mira...

Lista vaciló.

—Pero ya sabes que no está permitido.

Syl la miró fijamente, sonriendo tranquilizadoramente, o eso esperaba, mientras manipulaba los pensamientos de Lista. La chica miró la tarjeta durante unos momentos, luego se encogió de hombros.

—Bueno, si me prometes que me la devolverás en cuanto hayas acabado.

—Por supuesto, te la devolveré. Gracias, Lista.

—Por favor, no te olvides. Estoy en el Octavo, acuérdate. —Le entregó el cartografiador—. Buena suerte —añadió—. Nos vemos luego, Tanit.

Syl se quedó petrificada, pero al instante se dio cuenta de que Lista le estaba hablando a ella.

—Sí, claro, hasta luego —acertó a decir.

En la intimidad de un pequeño túnel lateral, Syl se detuvo a estudiar el cartografiador. La luz azul del centro señalaba claramente la localización de la propia tarjeta, porque el punto titilante permanecía inmóvil mientras las líneas se desplazaban a su alrededor dependiendo de la dirección que tomara. Ella podía ampliar o reducir la imagen, mostrando en consecuencia más o menos detalles. Para los estándares de la tecnología ilyria, era bastante primitiva, pero también harto eficaz, como buena parte de los sistemas electrónicos de la Marca.

Syl no tardó en hacerse una idea de dónde estaba, porque se hallaba sorprendentemente cerca del camino que había pretendido tomar antes. Había atravesado lo que parecía el antiguo Tercer Reino tras desviarse brevemente por el Segundo —la sección derrumbada donde había visto el garniado el día anterior—, y había atravesado el Decimoquinto, donde estaban las lavanderías, hasta ir a parar allí, al Noveno. La ruta que había seguido daba la vuelta sobre sí misma, pero sin el cartografiador nunca lo habría adivinado. Era como esas historias de exploradores perdidos en el desierto que avanzan siempre en círculo, a sólo unos minutos del oasis, hasta que caen y mueren.

Con la diferencia de que ahora, pensó Syl mientras se encaminaba de vuelta al Duodécimo Reino, ella era una exploradora que poseía un mapa.

47

Steven había apagado los propulsores de manera que la nave permaneciera estacionaria. El agujero de gusano parecía una zona de distorsión levemente alargada, una lente fracturada. La visión de un agujero de gusano siempre ponía nervioso a Paul. A esas alturas, había atravesado los suficientes para que la novedad ya no le impusiera respeto, pero el miedo perduraba. Se preguntaba si era algo parecido a la claustrofobia. La investigación ilyria de los agujeros de gusano había llegado a la conclusión de que se degradaban con el paso del tiempo, volviéndose menos estables a medida que envejecían. Por desgracia, aunque el mapa de los agujeros detallaba la ubicación de todos, no ofrecía ni una cifra aproximada de su edad o estabilidad. Lo único que podían suponer era que, si un agujero de gusano figuraba en el mapa, era porque su uso era seguro.

Alis amplió una sección de la pantalla virtual de la cabina.

—Ésta es nuestra ruta —dijo cuando una sucesión de agujeros de gusano se iluminó en rojo—. Una vez hayamos pasado éste, el siguiente sólo está a unas horas. En tanto no nos topemos con problemas, deberíamos dar seis saltos para llegar al sistema de Arqueón.

—En total, ¿cuánto tiempo? —quiso saber Paul.

—La llegada se calcula en aproximadamente unas sesenta y ocho horas desde nuestra partida de Torma.

Paul, que había estado apoyado en la mampara, se encontró pasando instintivamente los dedos de la mano derecha por el interior de la *Nómada*, como para asegurarse de su consistencia.

¿Podrá la nave resistir seis saltos?, se preguntaba.

Incluso las naves más resistentes de la flota ilyria raramente realizaban más de dos saltos seguidos sin después llevar a cabo una revisión y diagnóstico de sistema y de mantenimiento completos, y la *Nómada* ya había realizado al menos un salto para llegar a Torma. Pero no había otra opción.

—Comprueba todas las escotillas y la carga —dijo Paul—. Quiero que todo esté sujeto y sellado.

Todos estaban acostumbrados a seguir los protocolos: nadie quería romperse una extremidad ni fracturarse el cráneo si le caía un trozo de equipo durante un salto difícil. Cuando Paul confirmó que todo estaba asegurado, ordenó que cada uno ocupara su puesto, y por último se sujetó con las correas en la silla de mando, justo detrás de Steven y Alis.

—Muy bien —dijo, y la voz le tembló muy levemente—. Métenos.

Tras los preparativos y precauciones de rigor, fue uno de los saltos más sencillos que Paul podía recordar. Tuvo una vaga sensación de que las estrellas se alargaban creando líneas de luz en las que bailaban los espectros; de una presión intensa en las sienes, como si le apretaran los glóbulos oculares desde dentro del cráneo; y de un cosquilleo en las puntas de los dedos de manos y pies que bordeaba el dolor, aunque sin ser doloroso del todo.

—Saliendo —dijo Steven—. Salto completado.

—Iniciando las maniobras de emergencia —dijo Alis.

El aspecto más peligroso del salto no radicaba en desplazarse a través del agujero de gusano, algo de por sí arriesgado. No, las mayores amenazas aguardaban con frecuencia a la salida. Los agujeros de gusano con tráfico regular contaban con estaciones de monitorización automatizadas instaladas en sus bocas, de manera que, en el caso de que surgiera un problema —por ejemplo, asteroides—, se podía enviar un dron de advertencia para avisar de que no se realizasen saltos hasta que hubiera pasado el peligro. Pero lo último que querían era que llegaran a los ilyrios noticias de un salto imprevisto, de manera que Steven y Alis habían hecho los ajustes en su ruta para evitar esas estaciones.

El truco para emerger de un agujero de gusano no monitorizado consistía en detener la nave al borde mismo de su boca, luego volver atrás y entrar de nuevo en el agujero si se descubría algún obstáculo, una solución que distaba de ser infalible. Paul rechinó los dientes, clavó los dedos en el reposabrazos de su silla y sólo se relajó cuando Alis pronunció el «vía libre, todo despejado». Y entonces todo acabó y salieron a una zona del espacio que no parecía muy distinta de la que acababan de dejar atrás.

Paul miró por encima del hombro para comprobar que todos estaban bien. Thula abrió poco a poco el ojo izquierdo y luego el derecho, como si no estuviera muy seguro de que siguiera entero. Thula detestaba los saltos.

—¿Es cosa mía —dijo— o no ha sido tan horrible como siempre?

—Es la nave —dijo Steven. No podía disimular la admiración y emoción de su voz—. Un agujero de gusano podría desmoronarse a nuestro alrededor y ni nos enteraríamos.

Paul no tenía especial interés en poner a prueba esa teoría, pero le dio cierta tranquilidad con respecto a los saltos que les aguardaban.

Thula y Rizzo prorrumpieron en una ovación casi irónica, y ella sugirió que Paul empezara a conceder medallas grabadas con su propia cara. Paul no le hizo caso y le dijo a Peris que quería hablar con él. Tiray se levantó para acompañarles, pero Paul estaba hartándose de que éste diera por supuesto que podía incluirse automáticamente en todas las conversaciones que quisiese.

—No, puede quedarse ahí, consejero —dijo Paul—. Me gustaría hablar con Peris a solas.

Tiray no pareció alegrarse al oírle, pero no se movió de su asiento. Peris siguió a Paul a los alojamientos del capitán. No dijo nada, pero se sentía cada vez más impresionado por la naturalidad con la que Paul asumía el mando. La satisfacía que no siguiera involucrado en la Resistencia de la Tierra; de ser así, se habría convertido en un enemigo temible. Por otro lado, Peris era consciente de que, aunque pudiera sacar al hombre de la Resistencia, nunca podría sacar la Resistencia del hombre. Paul Kerr no era todavía un amigo de los ilyrios, y en eso radicaba el problema de las armas en la bodega.

—No te cae bien Tiray, ¿verdad? —preguntó Peris.

—No me cae ni bien ni mal. Ni siquiera lo conozco lo suficiente para preocuparme si le pasara algo.

—Pero...

—No me fío de él. No nos ha contado todo lo que sabe.

—Es un político. Seguramente no se cuenta ni a sí mismo todo lo que sabe. Bueno, ¿en qué estás pensando, teniente?

—En esta nave.

—¿Y?

—¿Crees que tiene un registrador de vuelo? Eso que en la Tierra llamamos caja negra.

—En realidad, el término técnico humano para ellos es «grabador de voz de cabina». Los nuestros son un poco más avanzados, pero en cualquier caso, sí, esta nave tendrá uno.

—¿Puede apagarse?

—No lo sé. Supongo que sí. Los sistemas de la nave han sido programados para borrar todo rastro de su pasado, de manera que el registrador también podría haber sido desactivado. Pero apostaría a que no fue así. Sería más sensato programarlo de algún modo para que no se desactivara, simplemente. En esta nave todo destila secretismo, pero también cierto grado de autosuficiencia, como se ve en la carencia de códigos de seguridad en sus principales sistemas o de bloqueos de ADN en el armamento que encontrasteis. El borrado de sus registros de vuelo estaba pensado para desanimar sólo en caso de una búsqueda superficial. En realidad, quienquiera que diseñara esta nave y la enviara a una misión no imaginó nunca que podría ser abordada, ni, de serlo, que no sería recuperada casi de inmediato.

—¿Y en qué momento se pondría a grabar?

—Bueno, yo diría que desde la primera activación de la nave.

—De manera que, si encontráramos el registrador, ¿podríamos saber dónde se construyó?

Oh, jovencito avispado.

—Sí, creo que sí. Pero, como te decía, si algo en esta nave va a estar protegido con las medidas de seguridad adecuadas, será sin duda el registrador, y no tengo ni los conocimientos ni la inteligencia para superar sus cortafuegos de seguridad. Y, con el debido respeto, tú tampoco.

—Pero Alis sí.

—Alis trabaja para Tiray.

—En realidad —dijo Paul—, me parece que no es del todo así. La verdadera lealtad de Alis está en otro sitio.

—¿Con los Mecas?

304

—Sí. Creo que puedo convencerla de que acceda al registrador sin tener que informar necesariamente a Tiray de lo que descubra.

—¿Y por qué iba a hacer algo así?

—Esta nave es como los Mecas: donde hay uno, puede haber dos, y quien dice dos, dice vete a saber cuántos. La tecnología de esta índole podría cambiar el curso de una guerra.

Peris sopesó lo que acababa de decir Paul.

—¿Estás insinuando que esta nave, y la que destruimos, forman parte de una flota?

—No finjas que no te habías planteado esa posibilidad. ¿Por qué construir sólo dos naves cuando tienes la mitad de la riqueza de un imperio a tu disposición y puedes invertirla en una flota que te permitiría conseguir la otra mitad? A no ser que todos andemos muy equivocados, fueron fuerzas vinculadas al Cuerpo Diplomático las que construyeron esta nave. El Cuerpo quiere gobernar el Imperio. Para hacerlo, necesita quitar de en medio al Ejército. Por el momento, el poder de fuego de éste es superior al suyo, pero no por mucha diferencia. Un buen número de naves como ésta inclinaría sin duda la balanza.

—Pero no me has explicado por qué Alis estaría dispuesta a tener secretos para Tiray.

—Es sólo una cuestión de tiempo que el Cuerpo descubra que los Mecas perviven. Meia es el punto débil. Quedó al descubierto en Dundearg, y la gente hablará. Cinco mil máquinas poderosas y conscientes de sí que saben que cien mil más como ellas fueron destruidas cumpliendo órdenes del Cuerpo Diplomático..., en cuanto el Cuerpo se haga con el poder del Imperio ilyrio, no les permitirán sobrevivir.

»Tú mismo me lo has dicho: Tiray es un político. Ahora mismo, el Cuerpo le persigue porque sabe que le interesa Arqueón, pero el hecho de que no hicieran saltar por los aires su nave indica que no lo consideran necesariamente un enemigo, al menos, no todavía. Supón que Tiray llega a Arqueón, descubre lo que sea que el Cuerpo y sus aliados oculten allí, y decide que, dada la situación, lo que más le interesa, a él y a los civiles, es ponerse de su parte contra el Ejército. Todos los políticos tienen un objetivo: sobrevivir. Estoy casi seguro de que Alis es perfectamente consciente de eso. No sólo trabaja para Tiray, sino que lo vigila.

—Para ser tan joven te has vuelto muy cínico —dijo Peris.

—Es posible que me lo hayas contagiado.

Peris aceptó la pulla con una risotada.

—¿Y dónde encajas tú en todo esto? —preguntó.

—Personalmente, me alegraría ver cómo el Imperio ilyrio se despedaza en otra guerra civil —respondió Paul—. Si os matáis entre vosotros, le hacéis un favor a la humanidad, y nos ahorráis la molestia de tener que mataros nosotros. Pero si ganara el Cuerpo, una situación que ya es mala para la humanidad se volvería mucho peor.

—¿Te refieres a ese bicho que se encontró en la cabeza de Gradus y a los experimentos que vio Meia?

Paul asintió.

—Nada de eso indica que los planes del Cuerpo para la humanidad sean amables —dijo—. También me estaba preguntando si ese organismo podría tener alguna relación con la tecnología utilizada para construir esta nave.

—¿De qué modo?, ¿transmitiendo conocimiento?

—O tal vez mejorando las funciones cerebrales. No son más que conjeturas y especulaciones, pero tienen cierto sentido.

—Así que el Cuerpo les proporciona huéspedes a esas formas de vida, sean lo que sean, y a cambio los diplomáticos se vuelven más inteligentes —dijo Peris—. Pero ¿qué saca el organismo en el intercambio?

Cuerpos abiertos en canal como bolsas de fertilizante. Animales huéspedes en la Tierra destrozados durante los implantes fallidos.

Paul dio los últimos saltos en su mente antes de responder. Se encuentra una especie avanzada —la humanidad— que es potencialmente capaz de servir de huésped para el organismo, como lo eran los ilyrios, pero por alguna razón la implantación no funciona, de un modo parecido a como un cuerpo rechaza un órgano implantado. Los humanos son lo bastante distintos de los ilyrios para no servir como huéspedes. Y si los humanos no pueden cumplir como huéspedes, ¿para qué otra función pueden ser útiles?

Cuerpos abiertos en canal. Fertilizante.

—La humanidad —dijo Paul y la boca se le secó al pronunciar la palabra—. El Cuerpo va a entregarles la Tierra.

48

No hizo falta esforzarse mucho para convencer a Alis de que buscara el registrador de vuelo e intentara recuperar los datos. Ni siquiera cuestionó nada cuando Paul sugirió que mantuviera en secreto esa tarea para que no se enterara Tiray, lo que confirmó todo lo que él ya sospechaba sobre la naturaleza de su relación. La única dificultad consistía en asegurarse de no despertar las sospechas de Tiray. Peris se encargó de explicarle un cuento al político, lo que hizo envolviendo la mentira en una especie de verdad: Alis, se le dijo a Tiray, buscaba el registrador para desactivarlo, porque si de algún modo conseguían investigar el sistema de Arqueón y escapar de allí sin que los detectaran, sería conveniente políticamente —y Peris utilizó la palabra con toda la intención— dejar el menor rastro posible de su presencia. Tiray pareció tragarse el cuento, pero Paul ordenó a escondidas a Rizzo que no le quitara los ojos de encima, sólo por si se le metía en la cabeza husmear por su cuenta.

En realidad, era Steven el que parecía más molesto por el nuevo papel de Alis. Tal vez movido en parte por las previas sonrisitas cómplices de Thula, había llegado a la conclusión de que Paul se sentía atraído por Alis, y ahora él podía tener un rival por su afecto en su propio hermano. En la Tierra, Paul había creído que su hermano podía estar encaprichado de Ani, la amiga de Syl, pero parece que se le había pasado. Sin embargo, tenía la impresión de que sus sentimientos hacia Alis iban a complicarle mucho la vida.

—Tienes que decírselo —le comentó Paul a Alis, aunque se dirigía sólo a la parte inferior de su cuerpo, porque el torso estaba perdido bajo el nivel del suelo.

—¡Lo he encontrado! —gritó y salió sosteniendo un bloque plateado.

—Muy bien —dijo Paul—. Todavía tienes que decírselo.

—Decirle... ¿qué a quién? —preguntó Alis. Era obvio que se había olvidado por completo de Paul mientras estaba concentrada en su búsqueda, lo que hizo que éste dudara de si su programación incluía la multitarea, por más compleja que fuera en otros sentidos.

—Tienes que decirle a mi hermano que eres una Meca.

Su alegría por haber encontrado el grabador se esfumó.

—¿Por qué?

—Porque me está despellejando vivo mientras te mira embobado.

—No he entendido ni una palabra de lo que acabas de decir. ¿Quieres decir que tu hermano ha intentado arrancarte la piel?

Paul dejó escapar un largo suspiro. Estaba convencido de que Napoleón Bonaparte o Alejandro Magno o cualquier gran comandante militar de la historia nunca se habían visto en el brete de mantener este tipo de conversación. Estar al mando iba mucho más allá de lo que la gente imaginaba.

—No, significa que me lanza miradas malintencionadas mientras te mira como un bobo enamorado. Ya está dicho: ¿te ha quedado claro?

Alis miró el bloque que sostenía en la mano como si fuera a lanzárselo a alguien a la cabeza, pero no sabía todavía a qué cabeza apuntar primero.

—Pero ¿por qué se enfada contigo?

—Porque cree que tú me gustas.

—¿Y te gusto? —preguntó Alis vacilante.

—No, claro que no.

Paul se percató de que se había metido en un lío en cuanto oyó las palabras salir de su boca. Habían sonado mucho más razonables, y mucho menos hirientes, al pensarlas. Si pudiera haberle echado mano al ilyrio responsable de la programación de Alis, le habría estrangulado con gusto. O a ella.

Pero Alis no reaccionó con rabia, sino con una especie de tristeza confusa.

—¿Tan repelente soy? —preguntó.

—No.

—¿Es porque soy una...?

Paul la interrumpió.

—¿Una Meca? No, en absoluto. —Pero, incluso al decirlo, se preguntó si no estaba mintiendo, aunque sólo fuera un poco—. Es porque —prosiguió— hay otra.

—¿Una humana?

Paul se recostó en el casco de la nave.

—No, resulta que no. Una ilyria.

Alis pareció aún más confusa, si cabía.

—Pero ¡tú eres humano!

—A ver, espera un momento, acabas de insinuar que yo podría no sentirme atraído por ti porque eres una Meca. Ni siquiera se te pasó por la cabeza que podría ser porque pareces una ilyria.

Eso tampoco acababa de sonar bien del todo, pero a esas alturas a Paul había dejado de importarle demasiado. Se sentía como si hubiera entrado en un campo de minas y lo único que podía esperar era salir de ahí sin perder una pierna.

—¿Y quién es? —preguntó Alis.

—Syl Hellais —dijo Paul.

—¿La hija de Lord Andrus?

—Sí, la misma. Así es como conocí a Meia. ¿Qué te ha contado Steven de nosotros y de cómo hemos acabado aquí? Habéis pasado todo el tiempo juntos en la cabina. Habéis debido de hablar.

—Muy poco —dijo Alis—. Sólo me contó que los dos teníais problemas en la Tierra, y que o bien os alistabais, o bien os esperaba un Batallón de Castigo. Optasteis por el alistamiento forzoso.

Paul se sintió orgulloso de la discreción de su hermano. Pese a la atracción que sentía por Alis, había mantenido la boca cerrada sobre sus circunstancias.

—No era una cuestión de optar —dijo Paul.

Y le contó a Alis la mayor parte de su historia, dejando a un lado aquellos detalles que le parecieron que no necesitaba conocer porque podrían hacer daño a terceros. No le contó nada sobre la Resistencia, salvo los datos más básicos de su existencia, y no mencionó a Fremd, Green Man, cuyas sospechas y conocimiento había llevado al descubrimiento del organismo en el cráneo de Gradus.

—Peris asumió un gran riesgo al intervenir en vuestro favor —dijo Alis cuando Paul acabó su relato.

—Lo hizo porque Meia se lo pidió.

—Eso no importa —dijo Alis—. Estás en deuda con él.

Hasta ese momento, Paul no lo había contemplado desde esa perspectiva. Se sintió incómodo porque era verdad.

—Bueno, ahora ya sabes nuestra historia —dijo—. Pero eso no cambia nada. Todavía tienes que hablar con Steven.

La cara de Alis se crispó en una expresión de pura desdicha.

—Tengo miedo —dijo.

—¿De qué?

—De que no me quiera a su lado. De que me aborrezca.

—Me parece —dijo Paul con sólo un poco más de seguridad de la que en realidad sentía— que estás subestimando a mi hermano.

Alis habló con Steven en la cabina del capitán mientras el piloto automático de la *Nómada* acercaba la nave al siguiente agujero de gusano. Paul los dejó a solas, se puso a mirar fijamente las estrellas y dejó vagar su pensamiento también por el vacío. Debió de perder la noción del tiempo, porque pareció transcurrir un buen rato antes de que Steven saliera para volver a la silla del piloto. Lo hizo sin mirar siquiera hacia su hermano, con una expresión completamente impenetrable, pero Paul vio que los labios de Steven estaban enrojecidos e hinchados, y que la piel se le había ruborizado de placer.

Alis se reunió con Steven cuando la *Nómada* se acercó al segundo agujero de gusano y se repitieron las rutinas y protocolos: comprobación, almacenaje, revisión de sujeciones. Esta vez, Paul sólo sintió una levísima presión en el cráneo cuando la nave se impulsó, pero le dio la impresión de que el salto había sido más largo que el anterior.

—Emergiendo —dijo Steven.

—Iniciando maniobras —dijo Alis—. Tenemos...

Algo golpeó a la *Nómada* y la hizo inclinarse a estribor. Las luces de aviso centellearon. Paul oyó la sirena de emergencia.

—¡Impacto de meteorito! —gritó Alis—. Se aproximan más.

Una imagen de la *Nómada* apareció en la pantalla ante ella. Estaba rodeada de formas irregulares que se desplazaban a toda velocidad, algunas de ellas tan voluminosas como la propia nave. A Paul le recordó el viejo videojuego Asteroides, pero esta vez era real. La cola del meteoro era larga, se extendía varios kilómetros, pero la tormenta en sí no era muy profunda. Se perdía en el espacio como una inmensa pero irregular serpiente de piedra. Los meteoritos desaparecían centelleando en cuanto entraban en el agujero de gusano. Volver dentro sería igual de peligroso que quedarse donde estaban: compartiendo el espacio del agujero de gusano con meteoritos ya era letal de por sí, pero en la otra punta las rocas saldrían disparadas como misiles. Las probabilidades de que una alcanzara a la *Nómada* eran muy altas.

Una vez pasado todo, Paul dudaría entre abrazar a su hermano o romperle la crisma golpeándole la cabeza contra el casco de la *Nómada*, pero sólo después de que su terror se hubiera desvanecido hasta el punto de dejar de temblar. Como Paul, Steven había vislumbrado que la nube de meteoritos no era muy densa, pero su siguiente pensamiento no coincidió con el de su hermano, porque él creía que podría atravesarla.

Y eso fue lo que hizo. No tardó más de un minuto, y Paul se pasó la mayor parte con los ojos cerrados, pero fue el minuto más largo de su vida y tuvo la sensación de que vivía el momento de su muerte al menos diez veces. Cuando por fin abrió los ojos, vio que los meteoritos pasaban disparados a su lado o, peor aún, hacia ellos a toda velocidad, lo que le hizo volver a cerrarlos con fuerza de nuevo.

—Hemos pasado —dijo Steven afortunadamente.

A Paul le dolía la mandíbula de rechinar los dientes y necesitaba ir al lavabo con urgencia. Incluso cuando abrió los ojos de nuevo imaginó que veía otro meteorito echándoseles encima.

—Te odio —le dijo Thula a Steven—. Sólo me alegro de que sigas con vida, porque así podré matarte yo.

Paul consiguió hablar. Las palabras le salieron como una serie de graznidos, pero al menos eran inteligibles.

—¿Valoración de daños? —acertó a decir.

—Hemos recibido un impacto a babor, pero no hay fisura —dijo Alis—. Aunque nos quedará una abolladura.

Paul se desabrochó el cinturón de seguridad y se puso de pie, tambaleándose. Se acercó al asiento del piloto y se situó detrás de su hermano, respirando profundamente. Entonces le dio un puñetazo en el brazo.

—¡Ay! ¿A qué viene eso?

—Buen trabajo —dijo Paul—. Pero ni se te ocurra hacerlo de nuevo.

Se volvió hacia Alis. No había hablado con ella desde la pequeña charla, si es que podía llamarse así, de la Meca con su hermano.

—¿Qué tal vas con el registrador?

—Todavía nada. No he descubierto los algoritmos de seguridad. Tal vez tendré que acceder directamente.

Paul no sabía qué significaba eso, y se lo dijo.

—Significa que, en lugar de utilizar los sistemas de la nave, podría emplear los míos.

—¿Cómo?, ¿enchufándote tú misma? —dijo Steven—. ¿No es peligroso?

—No tendría por qué serlo. Su fuente de alimentación está muy baja. No es más que un dispositivo de almacenamiento de datos.

—Muy bien, hazlo —dijo Paul.

—Espera un momento... —le interrumpió Steven, pero Paul le hizo callar con una mirada.

—Recuerda quién está al mando aquí —dijo.

Steven, con sensatez, se mordió la lengua.

—Hazlo —repitió Paul—, pero espera hasta que hayamos completado el último salto.

—¿Tienes miedo de que se me funda un fusible? —preguntó Alis.

—¿Llevas fusibles dentro?

—No —dijo Alis—. Soy un poco más compleja que eso.

Ay, Dios, a mí me lo vas a decir, pensó Paul.

Los tres saltos siguientes se produjeron en tan rápida sucesión que todos permanecieron sujetos en sus asientos, sin quitarse los cinturones. Rizzo se los pasó durmiendo. Thula vomitó durante el quinto salto, y también Tiray. Incluso Peris pareció mareado. El cuerpo no reaccionaba bien a tantos saltos sucesivos en un lapso tan breve. Era como pasar demasiado tiempo montado en una atracción de un parque temático. El único consuelo era que los saltos no tuvieron más contratiempos. No se encontraron con más meteoritos ni con otros problemas, salvo un viaje un poco agitado en el cuarto salto. Tardarían doce horas en llegar al último agujero de gusano, el que desembocaba por fin en el sistema de Arqueón, así que Paul ordenó a Steven que se tomara un descanso. Thula, Peris y él se encargaron de las guardias sucesivas mientras la nave avanzaba lenta, trabajosa y silenciosamente. Por turnos, se echaron una breve siesta, pero a medida que se aproximaba la hora, todos iban despertándose. Alis seguía trabajando en el registrador de vuelo, aunque reconocía que sus cortafuegos la superaban, y era pesimista sobre la posibilidad de acceder a la información que quería Paul. Éste la dejó trabajando y consultó con Peris y Thula sobre su situación.

—¿Alguna idea? —preguntó Paul.

—Es posible que nuestros perseguidores hayan encontrado ya los restos en Torma —dijo Peris—. Estarán intentando averiguar qué ocurrió.

—No tardarán en darse cuenta de que les falta una nave —añadió Thula.

—Pero no entenderán por qué —dijo Peris.

—¿Su registrador de vuelo habrá grabado el disparo que voló a la otra nave nómada? —preguntó Paul.

—Es posible. Pero primero tendrán que encontrarlo.

—Lo encontrarán —dijo Paul—. Y entonces podrán hacer una hipótesis fundamentada de hacia dónde nos dirigimos en su nave. No dispondremos de mucho tiempo para investigar Arqueón.

—Seguramente tendrán que tomar la misma ruta que nosotros —dijo Peris—. Es improbable que quieran utilizar agujeros de gusano monitorizados, no si utilizan naves sin registrar.

—Así pues, ¿de qué margen disponemos? —preguntó Paul—. ¿Medio día?

—Un poco más —concedió Peris—. Eso, claro, suponiendo que no nos detengan o nos vuelen en pedazos en cuanto emerjamos del agujero de gusano de Arqueón.

—¿Sabías —dijo Thula— que eres uno de esos tíos que ven la botella siempre medio vacía?

—Viajamos en un aparato robado, nos persiguen unos agentes desconocidos del Imperio y estamos a punto de entrar en un sistema prohibido sin tener la menor idea de qué nos espera allí —dijo Peris—. Dadas las circunstancias, suponer que la botella está medio vacía me convierte en un optimista.

Thula se lo pensó.

—Algo de razón tienes —dijo.

—Todo el mundo a sus puestos —dijo Paul—. Ha llegado la hora.

49

Cuando Syl regresó a sus alojamientos, Ani la estaba esperando.

—Syl, ¿dónde has estado? Tienes que devolverle ese estúpido libro a Onwyn ahora mismo.

Syl se había pasado por el vestuario del gimnasio para ocultar su atuendo blanco en su taquilla, pero Ani no tenía por qué saber esos detalles, todavía no. Bastaba con que supiera que había estado explorando.

—¿A qué viene tanta prisa?

—No lo sé. Dijo que tú ya habías sobrepasado el plazo, pero el caso es que el mío no y también lo quiere. El mío lo tengo aquí. Pero no sé dónde está el tuyo.

Syl se agachó junto al pequeño armario de la cocina y sacó el ejemplar ya bastante ajado de *Los pioneros interplanetarios* de debajo.

—¿Devuelvo el tuyo? —le ofreció Ani.

—Sí, por favor. No quiero volver a enfrentarme a esa vieja arpía otra vez. Parecía un poco loca.

Intervino una tercera voz.

—¿Vieja arpía?, ¿qué es una «arpía»?

Las dos se volvieron y descubrieron a Dessa en el quicio de la puerta.

—Hola, Dessa —saludó Ani ruborizándose, pero alegrándose—. Pasa. Hablábamos de Onwyn. Se ha puesto como loca porque quiere que le devolvamos estos libros.

Dessa se rió.

—Así que supongo que «vieja arpía» significa «estúpida loca». ¿Qué libros?

Ani se los enseñó.

—Pero les falta el último capítulo —añadió.

—¿De verdad? —dijo Dessa hojeando distraídamente uno de los volúmenes hasta el final.

—Sí, a los dos ejemplares. Es muy raro.

—Más vale que se los devuelva ahora —dijo Syl.

Dessa le devolvió el libro.

—Te acompañaré.

Si Syl se sorprendió, Ani se quedó atónita.

—Dessa, ¿no prefieres quedarte? —dijo—. Podemos tomar algo.

—No, gracias, Ani. En realidad sólo pasaba para ver cómo estaba Syl. Habías comentado que se encontraba mal. —Se volvió hacia Syl con sus ojos púrpura abiertos como platos por la preocupación—. ¿Cómo estás ahora?

—Eh, mejor, creo.

—Ah, me alegro. Es curioso cómo van y vienen estos malestares. Bueno, ¿vamos? ¿O prefieres que devuelva yo los libros si no te ves con fuerzas?

—No, los llevaré yo —dijo Syl, temiendo de repente que si Dessa se los quedaba los haría desaparecer y negaría haberlos visto, metiendo a Syl en un montón de problemas. Le costaba imaginar por qué Dessa, una Novicia Dotada, y, por si fuera poco, miembro de la pandilla de Tanit, mostraba tanto interés en hacerse amiga suya. Syl salió rápidamente de la habitación y Dessa la siguió.

—Eh, espera. Syl, ¿es que todavía no te fías de mí?, ¿después de todo lo que...? —Era como si la chica mayor le leyera el pensamiento. Pasó delicadamente los dedos por el brazo de Syl—. ¡Oh, Syl! ¿Cómo es posible que no entiendas que sólo quiero ser tu amiga? Me caes bien. Me gusta tu fuego y tu fuerza, y también... —tiró de Syl hasta hacer que se detuviera obligándola a encararla, y mirarla fue como ahogarse en tristes estanques de amatista— creo que estás sola. Muy sola. Y yo sé bien qué se siente.

Aunque avergonzada, Syl sintió que los ojos se le llenaban de lágrimas. Apartó la mirada rápidamente. Dessa seguía agarrándola del brazo, acariciándoselo con el pulgar.

—Querida Syl, dulce criatura. Estoy aquí por ti.

No dijo nada más. Simplemente deslizó la mano y la apoyó en el hueco interno del codo de Syl, y juntas caminaron hasta la bi-

316

blioteca, como si fueran amigas íntimas. Las Novicias con las que se cruzaban se apartaban, como siempre que veían túnicas azules, y luego se volvían para mirar sorprendidas a la pareja: una Dotada de tercero paseando cogida del brazo con una Novicia antipática, y además sonriendo beatíficamente.

Syl se sentía suelta, un poco como si flotara. Tal vez a lo mejor sí estaba enferma, pero la verdad es que había pasado un día duro. De repente se apoyó en el brazo de Dessa.

Ya en la biblioteca, le devolvió los libros a Onwyn, que se los arrebató de las manos y la miró con cara de pocos amigos.

—Ya era hora —gruñó. Pareció que iba a agregar algo, pero entonces se fijó en la presencia de Dessa al lado de Syl y la saludó con un gesto de la cabeza, reconociendo en ella a unas de las elegidas de Syrene.

—¿Puedo hablar un momento contigo? —le dijo Onwyn a Syl—. ¿A solas?

—Por supuesto, Hermana —dijo Syl y Dessa le apretó el brazo comprensivamente.

—Estaré fuera —dijo.

Syl esperó, pero Onwyn se había concentrado en los dos libros que acababa de devolverle. En silencio, pasó las páginas hasta el final del primero y frunció el ceño, y luego repitió el mismo gesto con el segundo. Luego dejó los volúmenes sobre su mesa y tendió la mano hacia Syl. A Syl le pareció pequeña y huesuda en comparación con la suya, seca y frágil como un pajarillo muerto en su palma, pero cuando la anciana bibliotecaria alzó la mirada para buscar los ojos de Syl, su expresión era de firmeza y fuerza.

—Has buscado Arqueón en el sistema —dijo, y era una afirmación, no una pregunta.

Syl abrió la boca para responder, pero Onwyn negó con la cabeza apretando los dedos de Syl.

—Calla, calla, pequeña. Guarda silencio y ruega que el silencio no pueda ser utilizado en tu contra. Ten cuidado y escucha con atención mis palabras, porque nada es lo que parece. Nada. —Sus ojos se clavaron penetrantes en Syl hasta que ésta se vio obligada a apartar la mirada, pero Onwyn prosiguió—: Tienes que andarte con cuidado, Syl Hellais, por favor, sé cautelosa. Mis libros han sido mutilados, y la última Novicia que mostró curiosidad por Arqueón acabó muerta, aplastada en un desmoronamiento de rocas en el Segundo Reino.

—¿Se refiere a Kosia? —dijo Syl, con la esperanza de haber podido disimular su inquietud, porque había pasado por los pasillos desiertos del Segundo Reino hacía sólo unas horas.

—Kosia. Así que ya conoces su nombre. Un terrible accidente, dijeron, pero nadie explicó nunca qué hacia ella en el Segundo Reino, ni cómo, para empezar, una simple Novicia logró llegar hasta allí. Es una zona peligrosa: mantente alejada de ese reino. *Nada es lo que parece*.

—¿Qué quiere decir?

Onwyn negó con la cabeza y soltó la mano de Syl.

—Simplemente que debes andarte con cuidado. Y ahora vete. Tengo trabajo que hacer.

—Pero...

—He dicho que te vayas.

Se dio la vuelta. La conversación había terminado.

Dessa le sonrió con complicidad cuando Syl salió de la biblioteca, aturdida.

—¿Qué quería?

Syl pensó con rapidez.

—Me ha acusado de estropear el libro.

—¿Por qué ibas a hacer eso? La tonta de la vieja, eh..., arpía —dijo Dessa.

—¿Y merecía la pena tanto lío?

—¿El qué?

—El libro, ¿era bueno?

—La verdad es que sí, pero, como ha dicho Ani, habían arrancado el último capítulo.

—Qué rollo para ti. ¿Quieres que vea si puedo conseguir otro ejemplar?

Syl se detuvo.

—¿De dónde?

—De la biblioteca de las Hermanas Intermedias, claro.

Syl miró fijamente a Dessa.

—¿Cómo podrías? Es zona vedada para nosotras.

—No me obligues a decírtelo, por favor. Detesto sacar el tema porque sé que me hace parecer una idiota engreída, pero estas túnicas azules implican privilegios especiales, ya sabes. Puede que todavía sea una Novicia, pero estoy en tercero y, siendo una de las Dotadas, puedo utilizar la biblioteca de las Hermanas Intermedias cuando quiero. Es más, nos animan a hacerlo.

—¿Y me sacarías ese libro? —preguntó Syl, boquiabierta.

—Ya te lo he dicho, ¿no? A ver, ¿cómo se titula?

Al cabo de unos minutos, Dessa estaba de vuelta en los alojamientos de Syl con un volumen de aspecto familiar bajo el brazo. Ani alzó la vista y sonrió al ver de nuevo a la chica mayor, pero Dessa pasó por delante de ella con un saludo displicente con la mano y llamó a la puerta de la habitación de Syl. Dentro, ésta estaba estudiando el cartografiador, y la interrupción la sobresaltó. Rápidamente, guardó el dispositivo en su cajón.

—¿Sí?

—Soy yo, Dessa. —La chica mayor abrió la puerta y se asomó—. ¡Lo tengo!

—¿Tan pronto?

Dessa entró y cerró la puerta, empujándola a sus espaldas con el pie, para después depositar el libro en la mesita de noche de Syl.

—Hasta donde he podido ver, está completo.

Syl se moría de ganas de abrirlo, pero no podía, no con Dessa delante.

—Gracias. Te lo agradezco de verdad —dijo, y lo dijo sinceramente.

—A tu disposición. Si quieres algo más, sólo tienes que decirlo. Sé que la biblioteca de Novicias puede quedarse un poco corta.

Syl casi se rió, porque tardaría casi mil vidas en leer lo que había en esa biblioteca. Dessa no pareció percatarse de la gracia que le había hecho. Le dio una palmada amistosa a Syl en la rodilla.

—Bueno, háblame un poco de ti, Syl Hellais, la Terrinata.

—¿Qué quieres saber?

—¡Pues todo! Ahora ya somos amigas, ¿no? Has llegado de un planeta completamente distinto, y a mí me fascinan los otros mundos. Y tú, más que nadie, puede entenderlo. —Inclinó la cabeza hacia *Los pioneros interplanetarios*—. Así que, dime, ¿cómo es la Tierra?, ¿cómo son los humanos?, ¿conociste a alguno?

—A unos cuantos.

Los ojos de Dessa se abrieron desmesuradamente.

—¿De verdad?, ¿y los conociste bien?

Syl pensó en Paul y sonrió.

—A algunos, bastante bien.

—¿Cómo?, ¿trabajaban para ti?

—No, qué va. Eran mis amigos.

—¿Eras amiga de humanos? ¡Vaya! Pero, a ver, ¿los humanos no nos están combatiendo?, ¿no quieren vernos muertos?

—Las cosas no son tan simples. Hemos invadido su planeta, ¿no lo entiendes? Ellos sólo están defendiendo su hogar. Pero cuando los conoces, algunos son muy agradables. Amistosos. Amables. Cariñosos.

—¿Cariñosos?

Syl se ruborizó.

—¡Ah! Te has puesto roja. ¿Qué me estás contando, Syl? —Dessa sonrió maliciosamente—. ¿Había alguien especial?

Syl se mordió el labio y sacudió la cabeza. ¿En qué estaba pensando? Dessa era una de ellas, una de la banda de Tanit, una de las favoritas de Syrene, aunque también era verdad que había intervenido en su defensa cuando las Dotadas acosaban a Elda; Dessa se había arriesgado a sufrir la cólera de Tanit haciéndose amiga de Syl; Dessa le había conseguido el libro que quería de una biblioteca a la que no podían acceder las simples Novicias, lo que debía de ir contra las normas. Y dijo que le conseguiría más material de lectura ilícito, que lo único que tenía que hacer era pedírselo.

—Oh, vamos, Syl. No puedes dejarme con la miel en los labios.

Syl se encogió de hombros. ¿Qué mal podía hacer?

—Bueno, había un chico...

Sólo después de que su visitante se hubiera marchado, se le ocurrió a Syl que Dessa podría haberle hecho las mismas preguntas a Ani. Ani seguramente habría sido más comunicativa. ¿Qué había hecho confesándose a Dessa de esa manera? Aunque, en realidad, ¿importaba tanto? Le había sentado bien hablar, y tampoco es que la historia de su vida fuera ningún gran secreto para la Hermandad.

Se quitó todas esas ideas de la mente y tomó el volumen que le había dejado Dessa. Estaba convencida de que ese libro era una pieza pequeña pero crucial del rompecabezas que intentaba resolver. Ahí había un secreto. Claramente otras también habían pensado lo mismo, si no, ¿por qué tomarse tantas molestias en mutilar los ejemplares? Pasó rápidamente las páginas hasta llegar al último capítulo. Y ahí estaba:

EL NUEVO MUNDO

Cuando llegamos, este planeta que semeja una joya azul flotando en el espacio como una pepita preciosa no tenía nombre. Era el primer cuerpo celeste que encontrábamos que tenía algo de vida merecedora de tal nombre, y menuda vida, vasta y abundante, con manadas de tranquilos cuadrúpedos pastando hasta donde alcanzaba la vista. Criaturas antiguas y oscuras vagaban por sus exuberantes llanuras verdes. Mares inmaculados rebosantes de bestias lisas con branquias, que nadaban y buceaban.

En nuestro sistema de vuelo, el planeta azul fue catalogado como FE17, como corresponde a la naturaleza de la nominación científica; más adelante se conocería como Arqueón y sería declarado zona restringida.

Pero al principio, cuando no nos estaba vedado, descubrimos que en el planeta también habitaban grandes y pequeñas criaturas, criaturas que podían caminar erguidas y tocar, porque se mostraban tan curiosas con nosotros como nosotros con ellas, y por naturaleza no conocían el miedo. Durante un glorioso instante en el tiempo, Arqueón estuvo a nuestra disposición, abierto para que lo exploráramos, y era una maravilla digna de contemplarse...

50

Éste iba a ser el peor salto, pronosticó Paul mientras se sujetaba con las correas a la silla. Thula y él habían sacado parte del armamento que había pertenecido a los atacantes, y todos los humanos, así como Peris y Alis, iban armados. Rizzo tenía sus dudas acerca de si aceptar uno de los nuevos rifles de pulso, aunque no tuvieran el bloqueo de ADN. Se sentía más cómoda con una escopeta, pero añadió una pistola de pulso a su cinturón, por si acaso. Sólo Tiray seguía desarmado. Le dijo a Thula que nunca había empuñado un arma de pulso y que no veía ninguna razón para empezar ahora.

—El que no le maten a uno parece una buena razón —dijo Thula, pero Tiray hizo caso omiso.

Sin embargo, ninguna de las armas serviría de gran cosa cuando emergieran del agujero de gusano. Todos dudaban de que los ilyrios hubieran sellado un sistema entero para luego dejarlo desprotegido. Activaron todos los sistemas defensivos de la nave y Alis se conectó a ellos, dejando que Steven se encargara de la navegación de la *Nómada* a través del agujero de gusano e hiciera cuanto estuviera en sus manos para sacarlos indemnes de los problemas si —o cuando— se topaban con alguno. Paul también había conectado a Tiray con la consola de comunicaciones con la remota esperanza de que, si se veían amenazados con la destrucción por fuerzas superiores, la presencia del político a bordo pudiera ayudarles. Pero Paul se preguntó, y no por primera vez, qué les había llevado a aliarse, por vagamente que fuera, con Tiray. Lo único que sabía es que si los ilyrios se habían tomado tantas molestias para ocultar algo en el sistema de Arqueón, seguramente merecía la pena averiguar de qué se trataba. Intentó no plantearse la posibilidad de que ese descubrimiento fuera tal vez lo último que hicieran en su vida y que, por tanto, el conocimiento no les sería muy útil si estaban muertos.

Paul esperaba su orden. Paul la dio.

—Métenos ahí —dijo, y mientras el agujero de gusano se los tragaba, Paul empezó a rezar.

Lo primero que le sorprendió a Paul al emerger fue que el planeta se parecía mucho a la Tierra: tenía océanos y continentes visibles, aunque era mucho más pequeño que su mundo natal. Le pareció que debía de tener el tamaño de Mercurio.

—Planeta identificado como mundo-sistema Arqueón —anunció Alis.

Arqueón: clasificado como H-3, según la pantalla de la nave, contenía una notable biodiversidad —grandes mamíferos, reptiles y vida en el océano—, pero no especies avanzadas comparables a los ilyrios o los humanos. Se cernía ante ellos, pues el agujero de gusano desembocaba prácticamente a sus puertas. Unos pequeños satélites lo circundaban, pero mientras los observaba, cuatro de ellos se salieron de sus órbitas y se desplazaron hacia la nave recién llegada.

—No tienen signos de vida —dijo Alis—. Son drones.

A medida que se les acercaban, Paul observó que los drones eran más ovalados que circulares y tenían un núcleo central que resplandecía con mayor intensidad según se aproximaban a la *Nómada*. Una serie de destellos rojos de advertencia aparecieron en la pantalla de la cabina.

—Están armados —dijo Steven—. Nos están escaneando. Espero órdenes, teniente.

—Mantén el rumbo —dijo Paul—. Nada de maniobras evasivas.

Los cuatro drones rodearon a la *Nómada*.

—Los sistemas de disparo de los drones se están activando —dijo Steven. Un leve filo de pánico resonó en su voz—. Si vamos a hacer algo con ellos, ahora sería un buen momento. ¿Preparamos las armas?

—No. Esperamos.

Nadie hablaba. Nadie se movía siquiera, como si la más leve acción pudiera atraer a los drones e incitarles a que se abatieran sobre ellos. Paul se dio cuenta de que estaba aferrando la cruz que le colgaba del cuello. Si abren fuego, ni nos enteraremos, pensó. Pasaremos directamente de la existencia a la inexistencia sin paradas intermedias. No sentiremos nada. O, en cualquier caso, no mucho.

Alis rompió el silencio, aunque habló en voz baja.

—Se están comunicando con el sistema operativo central de la nave —dijo.

—¿Y qué hace el sistema operativo? —preguntó Paul.

—Les responde. Creo que se trata de un protocolo de autorización de paso.

Los centelleos de aviso de la pantalla se pusieron en verde.

—Han dejado de apuntarnos —dijo Steven—. Se retiran.

Y, efectivamente, se retiraban. Observaron con alivio cómo los drones volvían a sus órbitas estacionarias alrededor del planeta. Paul soltó el aire que había estado conteniendo desde que los drones los habían fijado como blanco.

—¿Qué acaba de pasar? —preguntó Thula.

—Que no has muerto —le dijo Paul.

—Bueno, pues este rollo de no morirse no le sienta bien a mis nervios —respondió Thula.

La pantalla de la cabina cambió.

—Nos ofrecen una ruta de guía hasta la superficie del planeta —dijo Steven.

—Está automatizada —dijo Alis—. No me llegan más comunicaciones.

—Toma la ruta —dijo Paul. Cualquier desviación podría hacer que los drones se replantearan su actitud hacia la *Nómada*.

Steven ajustó sus parámetros de configuración para después realinear la *Nómada* e introducirla en la ruta de aproximación correcta.

—Traspasaremos la atmósfera en cinco, cuatro, tres, dos, ¡uno!

La *Nómada* se estremeció en la atmósfera de Arqueón. Atravesaron las gruesas formaciones de nubes. Los relámpagos chispeaban con furia en sus profundidades. Al poco salieron de las nubes y el detalle del paisaje fue haciéndose visible poco a poco. Atisbaron bosques, praderas verde grisáceas y un lago que parecía desbordado de algas. Más cerca, cada vez más cerca. Contemplaron los campos que se extendían debajo de ellos, llenos de movimiento, como una hierba oscura movida de un lado a otro por vientos rivales.

—Oh, Dios mío —dijo Rizzo.

Vieron el infierno.

Al principio, Paul los confundió con anémonas que se habían quedado varadas lejos del océano, como si de repente un cataclismo hubiera desecado fatalmente el lecho marino, dejando tras de sí la vida que había contenido para que muriera. La anémona que estaba justo debajo de la ventana de la cabina era grande, puede que de un poco más de un metro de altura, con unos tentáculos finos y rojizos que se retorcían y estiraban hacia el cielo. Su columna, la estructura que la soportaba, era más plana que la de sus equivalentes terrestres más pequeñas, y parecía latir suavemente con vida propia. Sólo cuando se acercaron más a la superficie, Paul comprendió que lo que contemplaban no era una precisamente una anémona y que lo que la sostenía poco tenía de columna.

El organismo parecía haber brotado como en una erupción de una especie de mamífero, un pálido cuadrúpedo, con una cabeza plana en forma de pala que se incrustaba en unos gruesos músculos de los hombros, sin cuello visible entre la una y los otros. El costado izquierdo entero de su cuerpo se había desgarrado desde dentro y las entrañas quedaban al descubierto. El animal todavía estaba vivo, aunque no le quedaba mucho: sus últimos estertores estaban llegando a su fin. Alzó la cara, mostrando unos ojos oscuros y blandos, y su cuerpo se estremeció por última vez. La cabeza se le venció hacia atrás sobre el suelo y una larga lengua verde le salió de la boca abierta mientras moría.

La anémona se contrajo mientras la vida abandonaba a su huésped, sus tentáculos se enroscaron sobre sí mismos hasta que se redujo a casi la mitad de su tamaño anterior. Y entonces se desplegaron de nuevo y Paul atisbó una apertura negra en el corazón del parásito. Una gran nube de esporas rojizas se elevó de sus entrañas y se la llevó el aire.

—Se acerca una nave —dijo Steven.

Varió el rumbo mientras, por el sur, aparecía un zepelín. Paul había visto imágenes de ordenador de los zepelines de helio que utilizaban en Ilyr para el transporte de mercancías y pasajeros. Éste era más pequeño que las naves ilyrias —demasiado pequeño para no ser automático—, pero el diseño seguía claramente ese modelo. El zepelín se dirigió a la anémona y una escotilla se abrió en su panza. La trayectoria de las esporas varió al ser absorbidas al interior del zepelín, y la pequeña nave permaneció inmóvil mientras la criatura de abajo seguía expeliendo una nube tras otra. Dejaron al zepelín cumpliendo su tarea y continuaron con su exploración casi en silencio, aturdidos para la visión de un mundo vivo que se había transformado en un matadero.

Sobrevolaron más de esas criaturas que parecían anémonas, algunas bombeando sus esporas hacia zepelines que aguardaban, otras muertas o apenas palpitantes, entre los esqueletos de animales que habían muerto hacía mucho. Pequeñas manadas de mamíferos «huéspedes» se desperdigaban por aquí y por allí, mordisqueando con nerviosismo la vegetación. Mientras observaban, uno de los mamíferos se derrumbó y empezó a darse golpes, con la boca abierta mientras gemía de dolor. Al instante, el resto de la manada se alejó del desafortunado animal y se retiró entre la maleza baja en un intento de poner tanta distancia como pudieran entre ellos y el moribundo. El cuerpo del mamífero se hinchó y la tripulación de la *Nómada* vio la forma del parásito de su interior presionando contra sus entrañas. Entonces el animal reventó, y de la herida sangrante de su cuerpo agonizante emergieron los tentáculos del organismo que había gestado dentro.

—Allí —dijo Alis—. Al norte.

Paul se volvió en esa dirección, agradecido por apartar la vista, aunque sólo fuera por unos segundos, del terrible parto que tenía lugar abajo. Una serie de edificios bajos blancos se atisbaba en el horizonte, y sobre ellos se cernía una torre de refrigeración y una estructura circular de contención. De una abertura de la torre salía vapor de agua.

—Eso parece un reactor nuclear —dijo Peris.

Lo sobrevolaron a baja altura una vez, pero no vieron signos de trabajadores ni movimiento fuera de las instalaciones. Los edificios más bajos a su alrededor carecían de ventanas, pero parecían venti-

lados. Cuando se acercaban para una segunda inspección, se abrió
una puerta en una de las unidades y de ella salió una manada de
mamíferos, aunque éstos eran claramente más pequeños y jóvenes
que los que habían visto hasta ahora. Un par de pequeños drones
los alejó de las instalaciones con la ayuda de unas picanas eléctricas,
hasta que los animales empezaron a pastar, meneando levemente las
colas tras ellos. Paul se preguntó cuánto tiempo durarían. Seguramente sólo, supuso, hasta que el primero de ellos se derrumbara en
el suelo y empezara a agonizar.

Continuaron hacia el norte, siguiendo la curvatura del planeta. Descubrieron otras cuatro pequeñas instalaciones, pero las únicas formas de vida que vieron eran huéspedes y parásitos. Mientras
tanto, los zepelines seguían cosechando esporas. En todos los casos,
una vez que los parásitos de la superficie se agotaban, los zepelines
se encaminaban en la misma dirección: al oeste.

—Sigue a ése —ordenó Paul cuando un zepelín acabó su trabajo y, con su bodega de carga aparentemente llena, se elevó en el
aire y giró hacia el oeste.

Se situaron en su estela. Poco a poco se le fueron uniendo otros
hasta que la *Nómada* volaba por encima de una bandada de zepelines plateados, como unos globos infantiles que volaran a la vez. Al
cabo de un rato, los zepelines empezaron a descender y se aproxi-
maron a una zona vallada en cuyo centro se divisaba un trío de
inmensos muelles de aterrizaje. Dos estaban ya ocupados por grandes transportadores de mercancías, y el tercero estaba vacío. Los
zepelines empezaron un atraque ordenado, y cada uno de ello se
sujetó a un enganche que salía del casco del primer transportador.
Descargar las esporas les llevaba sólo unos minutos, tras lo cual cada
zepelín ascendía para reiniciar su trabajo. El último de ellos, sin
embargo, no atracó con los demás, sino que se desplazó hasta el segundo transportador.

—¿Lo habéis visto? —dijo Steven.

—Es como si los transportadores comieran su ración de esporas
—dijo Paul.

Steven hizo ascender la nave y la alejó de los muelles de atraque.
A Paul se le ocurrió una idea mientras ascendían.

—Alis, ¿hasta qué punto conoces los sistemas de esta nave?

—Los conozco... íntimamente —respondió, y Paul sabía a qué se refería, dado que se había enchufado ella misma en el registrador de vuelo y, por extensión, en la propia *Nómada*.

—¿Tiene algún tipo de, no sé cómo llamarlo, dispositivo para seguimientos, algo que pudiéramos utilizar para monitorizar el movimiento de ese transporte?

Alis reflexionó.

—Tiene transmisores de racimo —dijo—. Uno de ésos podría servir.

Las naves ilyrias utilizaban los transmisores de racimo para dejar señales a otras naves, como mensajes electrónicos en botellas flotantes. Estaban conectados entre sí y formaban una cadena de marcadores.

—¿Cuánto tardarías en programar uno?

—En cuestión de minutos. ¿Qué quieres que haga?

—Que suelte un transmisor cada vez que el transporte de abajo entre o salga de un agujero de gusano.

—Dalo por hecho.

Alis dejó la silla del copiloto y fue a una consola que había al fondo de la cabina. Colocó la palma de la mano derecha sobre la consola y echó hacia atrás una solapa de piel de su muñeca, dejando al descubierto un diminuto puerto de conexión. Utilizando un cable sujeto a la consola, se enchufó a sí misma de nuevo en los sistemas de la *Nómada*.

—Tío, eso sí que es raro —dijo Thula.

—¿El qué?, ¿una mujer metiéndose dentro una pieza de equipo exterior? —dijo Rizzo.

—Sí.

—¿Y cómo crees que fuiste concebido?

—Bajé del cielo, como un ángel.

—Estoy seguro de que tu madre estaría fascinada si escuchara tu teoría de la concepción —dijo Rizzo.

En el muelle de atraque de la superficie, las sujeciones metálicas de atraque que mantenían al transportador en su sitio se soltaron, liberando la nave para que volara.

—Partida inminente —dijo Steven.

—Casi he acabado —dijo Alis.

Su mano izquierda agarró el cable y dio un tirón para soltarlo. Le hizo una seña con la cabeza a Paul.

—Acabado.

—Actívalo.

Un dispositivo circular que parecía un grumo de burbujas blancas salió disparado de la *Nómada* y se enganchó al casco del transporte cuando éste empezaba a alzarse en la plataforma. Vieron cómo ascendía lentamente, luego giraba y ponía rumbo al agujero de gusano.

—Steven, prosigue la exploración —ordenó Paul—. Si necesitamos saber algo más de este planeta quiero que lo descubras. Rizzo, quédate con él, y ayúdale. Los demás nos vemos en la sala de reuniones dentro de diez minutos.

Paul los dejó. Peris y Tiray hicieron ademán de acompañarle, pero Paul negó con la cabeza. Quería disponer de un poco más de tiempo a solas antes de hablar con los demás.

Necesitaba un plan.

51

—Bien, ¿ahora te crees una de nosotras?

Syl se tensó. Se encontraba a solas en el vestuario porque se había saltado la clase de diplomacia aplicada. Estaba a punto de abrir su taquilla para ponerse otra vez la túnica de una Hermana del Servicio y aventurarse en una nueva incursión más allá de Decimocuarto Reino, aunque esta vez con la ayuda del cartografiador de Lista. Syl miró por encima del hombro mientras Tanit aparecía a su espalda. Debía de haberla seguido. La puerta hizo clic al cerrarse y Sarea y Nemein salieron también de entre las sombras. Sin apartar los ojos de ellas, Syl metió el cartografiador a través de la ranura de su taquilla y entonces se dio la vuelta para encararlas.

—¿Husmeando otra vez? —dijo Tanit.

—Ni más ni menos que tú.

Tanit se le acercó y se le puso detrás.

—Eres insignificante ¿y aun así te crees que puedes comparar tus acciones con las mías?

—Las dos respiramos el mismo aire, ¿no?

—Sólo porque yo te lo permito, aunque no muestres la menor gratitud.

—Vaya, pues gracias —respondió sarcásticamente Syl.

Tanit esbozó una mueca de desprecio.

—Te crees muy lista, pero eres tan estúpida como para pensar que puedes hacerte amiga de Lady Uludess, una de las elegidas de la Archimaga Syrene. Tú... ¡que eres menos que nada!

—¿Dessa? —Syl dejó escapar una risa forzada—. Bueno, pues debo de ser lo suficiente para que tú me creas una amenaza, eso está claro.

—No eres nada —reiteró Tanit—. Y tú sola aún menos que nada. Lo único que te da protección, Syl Hellais, es la semilla que te engendró, e incluso ésa acabó donde no debía, en el útero de una madre que rechazó a la Hermandad.

—Al menos tú sabes quiénes son mi padre y mi madre. Yo en cambio no tengo ni idea de quienes son tus progenitores.

Tanit agarró la cara de Syl entre los dedos. Abrasaban como carbones incandescentes.

—Eso es porque nunca has estado en Ilyr. Eres Terrinata, una criolla. Sin esa mancha que tu padre hizo en tu acervo génico, la Archimaga Syrene te habría arrojado a los cascidos hace mucho.

—Pero ¿habría hecho que sus simias amaestradas me aplastaran antes los huesos o esa parte es optativa? —Syl se sorprendió incluso a sí misma de su atrevimiento. Pero era un riesgo que merecía la pena porque la sombra de temor que cruzó el rostro de Tanit fue respuesta más que suficiente para cualquier duda residual que hubiera tenido Syl sobre el destino de Elda.

—¿De qué estás hablando, cretina? —dijo Tanit, pero su reacción llegó demasiado tarde. Fuera lo que fuese lo que le hicieran ahora a Syl habría merecido la pena, porque sus sospechas más oscuras habían sido confirmadas.

—Me parece que ya lo sabes. Y si ya te has olvidado de Elda, estoy convencida de que Sarea te lo recordará.

Tanit pegó su cara a la de Syl. Una vena de su sien latía de rabia. Su aliento era cálido y olía a relámpago, a ozono, intenso y acre como las chispas en un auto de choque. Syl notó que, del calor, le escocía la piel y se le enrojecían las mejillas, como si estuviera cerca de una llama. Era evidente que Tanit ansiaba quemar a la chica como era debido y el fuego centelleaba en sus ojos dorados, pero instantes después apartó la mirada.

—Escucha, después de esta pequeña salida de tono, creo que tal vez Sarea debería recordarte con quién estás hablando. ¿Sarea?

La aludida se adelantó obedientemente.

—Algo leve, por favor, querida —la instruyó Tanit, que volvió a mirar a Syl, observándola con intensidad, relamiéndose por anticipado. Al instante, Syl sintió un tornillo invisible apretándole el dedo corazón. Hizo una mueca, se cogió la mano en un acto reflejo; Tanit sonrió y asintió animando a su amiga.

Sarea se rió silenciosamente, pero Nemein dejó escapar un gemido.

—Yo quiero un turno también —se quejó, pero Tanit alzó la mano para que se callase.

—Dentro de un momento —dijo.

Poco a poco, el dolor del dedo de Syl fue intensificándose, pero era algo casi secundario, porque estaba presentando batalla en su propia mente, resuelta a no revelar sus poderes reales, determinada a no resistirse.

Levanta muros. Aísla el dolor. Bloquea. Protege.

Se recomendaba a sí misma dejar que pasara, no poner fin, no volver el poder de Sarea contra la propia Sarea, porque sentía la fuerza de la chica moviéndose en su interior. Tal vez podría hacerlo, pero no, ahora no. ¡Ahora no! Era demasiado pronto.

Muros. Ladrillos. Escudos. Aísla el dolor.

Aislar-el-dolor.

¡El dolor!

Se oyó un terrorífico crujido y Syl abrió la boca para chillar, pero su aullido de dolor quedó ahogado por el de otra. Era Sarea, que se aferraba desesperadamente su propia mano, mirándosela horrorizada porque el hueso del dedo corazón le había desagarrado la piel y de la herida manaba sangre.

Sarea, presa del pánico a causa del dolor y de la visión de su propia sangre, sollozó, desesperada por buscar ayuda. Alargó la mano hacia Tanit, pero la líder de la manada se apartó con elegancia, con los labios retorcidos en una mueca de asco. Sarea perdió el equilibrio, y cayó sobre Syl antes de desmoronarse en el suelo. Syl a su vez cayó hacia atrás, contra uno de los bancos de listones que había junto a las duchas, y su cráneo se golpeó contra la pared con tal fuerza que unas lucecitas plateadas empezaron a bailar ante sus ojos. Grogui, con la sensación de que todo sucedía a cámara lenta, bajó la mirada hacia su mano, que caía flácida sobre su regazo. Tenía que ser su mano, pensó, porque estaba enganchada a su brazo, ¿no? Pero debía esforzarse para reconocer esa cosa azul e hinchada, con el dedo corazón colgando en un ángulo completamente nuevo, retorcido desde el nudillo, dislocado de la articulación, aunque la piel seguía lisa y sin desgarros. Y, oh, ¡el dolor!

¡El dolor!

Y entonces ya sólo hubo oscuridad.

52

Paul estaba sentado en la cabecera de la mesa cuando los demás entraron en la sala de reuniones y ocuparon sus asientos a ambos lados: Tiray y Alis a su derecha, Thula y Peris a su izquierda. Todos parecían conmocionados en mayor o menor grado, pero el más afectado era Tiray. Fuera lo que fuese lo que esperaba encontrar en Arqueón, no era lo que había contemplado.

Paul esperó a que se pusieran todo lo cómodos que fuera posible antes de ponerlos al tanto de sus conocimientos sobre la implantación de organismos alienígenas en oficiales de alto rango del Cuerpo. Peris ya conocía esa información, pero no tenía ningún sentido seguir ocultándosela a los demás, no después de lo que acababan de presenciar. Les dejó un momento para que asimilaran la información y luego les preguntó qué pensaban de lo que habían visto.

Alis respondió primero.

—El planeta parece haber sido transformado en una instalación para la producción y cosecha de esas esporas —dijo—. Es un sistema cerrado. Se reproducen y crían mamíferos huéspedes en rediles y luego los sueltan. Los organismos parásitos que al final los matarán o bien son implantados poco después del nacimiento del mamífero, o bien simplemente encuentran el modo de entrar en sus huéspedes esperándolos en la atmósfera. Esos zepelines que los cosechan no pueden recolectar todas las esporas. Algunas se les escapan. Sin embargo, el primer sistema parece más probable. ¿Por qué dejar en manos del azar un proceso que puede asegurarse con la implantación?

»Y todo está completamente automatizado para evitar el riesgo de infección o de una implantación involuntaria. Aunque, por lo que sabemos del cónsul Gradus y sus últimos momentos, que apunta a una aparente serie de implantaciones controladas en diplomáticos de alto rango, la relación entre el huésped y el organismo no es la misma que la que se da entre el organismo y esas desgraciadas criaturas de Arqueón.

—¿Sabemos si se trata siquiera del mismo organismo? —preguntó Tiray.

Paul intentó recordar todo lo que le había contado Syl sobre la agónica transformación del cónsul Gradus y la muerte del ayudante de laboratorio ilyrio que colaboraba en el examen. El cuerpo de Gradus había cambiado, le habían salido zarcillos —supuestamente similares a los que sobresalían de los organismos de Arqueón— antes de disparar nubes de esporas por la boca. Éstas, a su vez, habían infectado al asistente, cuyo cuerpo se había hinchado mientras se convertía a su vez en un simple saco de almacenamiento de esporas.

—Supongamos que se trata del mismo organismo, pero que reacciona de formas distintas según el huésped en el que se implanta, o las circunstancias en que se encuentra —dijo Paul—. En Gradus y en los ilyrios elegidos se convierte en un pasajero que percibe el mundo exterior a través de ellos y no les daña a no ser que se sienta amenazado. Pero, en el caso de los animales de Arqueón, adopta una forma más primitiva y utiliza al huésped exclusivamente como un medio para reproducirse.

Alis enarcó una perfecta ceja ilyria hacia él.

—Es una teoría interesante —dijo.

—No soy científico —reconoció Paul.

—A veces, la imaginación es un punto de partida muy útil.

—Perdonad que interrumpa un momento tan bonito —dijo Thula—, pero son sólo esporas. Parecen polen. ¿Cómo puede tomar ese tipo de decisiones un grano de polen?

—No las toma. Les vienen de fábrica en el ADN.

Thula pareció incrédulo, pero no discutió.

—Thula tiene un poco de razón, aunque no en el sentido en que lo ha dicho —intervino Alis.

—Gracias —dijo Thula.

—Las esporas están sometidas a influencias azarosas —prosiguió Alis—. El viento, el agua, los animales, las criaturas voladoras; necesitan algo que las transporte para poder reproducirse, pero por lo general no controlan los medios en cuestión, sino que están a su merced.

»Bien, supongamos que en algún momento del pasado los ilyrios descubrieron la existencia de estos organismos, tal vez debido a una infección u otra forma de contacto. Suponiendo que estos organismos tengan una especie de inteligencia en su forma madura, se llegó a un acuerdo: los ilyrios les buscarían huéspedes apropiados en los que reproducirse y, a cambio, los organismos darían a los ilyrios ciertas mejoras. Ambas especies ganan.

—Y los huéspedes pierden —dijo Thula.

—Sí, los huéspedes pierden.

—Sería útil que recogiéramos algunas de esas esporas —dijo Paul—. Y tal vez muestras del organismo maduro, y de las criaturas que les sirven de huéspedes.

—Útil, pero peligroso —dijo Tiray.

—¿Hay alguna instalación de almacenaje apropiada a bordo? —preguntó Paul.

—No tenemos cámaras de aislamiento, si te refieres a eso —dijo Alis—. Podríamos poner las muestras en tarros y sellarlos. Yo podría bajar y recolectarlas. No creo que el organismo sea capaz de implantarse en un huésped no biológico.

Paul negó con la cabeza.

—No, es demasiado arriesgado. La atmósfera de Arqueón probablemente sea rica en esas esporas. Se te pegarían a la ropa, a la piel, al cabello. Ni siquiera una esterilización total bastaría para deshacerse de todas. —Se levantó, se acercó a una de las ventanas de la sala de reuniones y miró hacia abajo mientras el paisaje discurría a sus pies. Peris se puso a su lado—. Este planeta es sólo el principio, ¿verdad? —preguntó Paul.

—Eso creo. Sean lo que sean, estos organismos no se conformarán con reproducirse indefinidamente en el culo del universo.

—Los ilyrios van a entregarles la Tierra —dijo Paul—. En última instancia, allí acabarán esos transportadores de mercancías.

—Me temo que tienes razón. ¿Qué quieres que hagamos, teniente?

Paul seguía contemplando Arqueón. Por suerte, la *Nómada* volaba demasiado alto para permitirles distinguir el sufrimiento de los animales huéspedes, pero la simple visión de los zepelines yendo y viniendo era para Paul un recordatorio constante de lo que estaba ocurriendo en la superficie.

—¿Alis? —dijo Paul—. Confirma el estado de la artillería.

—Tres cañones pesados: dos láser, uno de pulso. Doce torpedos. Cuatro minas de proximidad.

Las minas de proximidad podían soltarse desde una nave y flotar en el espacio hasta que una nave perseguidora se acercara lo suficiente para hacerlas estallar.

—¿Esas minas de proximidad pueden transformarse para su detonación con un temporizador?

—Sí, teniente.

—¿Poder destructivo?

—Catastrófico. Creo que una de ellas podría reventar un destructor.

—No quiero reventar ningún destructor. Quiero hacer saltar por los aires un reactor nuclear.

—En ese caso, creo que una de ellas cumplirá perfectamente su propósito.

Tiray se inclinó hacia delante en la silla.

—¿Le he escuchado bien?, ¿pretende destruir el reactor?

—¿Algo que objetar?

—Casi con toda seguridad, todos los edificios construidos por los ilyrios sobre la superficie están conectados al reactor —dijo Tiray—. Irradiará el planeta entero.

—Ésa es mi intención.

—Pero ¿qué pasa con las especies indígenas?

—La última vez que miré, lo que les esperaba a esas especies era bastante deprimente. Parecía tener que ver con morir dolorosamente.

—¿Y lo que está sugiriendo le parece mucho mejor?

—Consejero Tiray, los ilyrios han convertido Arqueón en un terreno para la cría de un organismo alienígena hostil, un organismo que, estoy convencido, va a utilizarse contra mi propio pueblo. El primer paso de la resistencia es poner fin a lo que está pasando en este planeta.

—¡No todos los ilyrios! —se quejó Tiray—. Yo no tengo nada

que ver con esto. Tampoco Peris ni Alis. La mayoría de los ilyrios no tienen ni idea de lo que se está haciendo en su nombre. Si lo supieran, seguramente se opondrían. ¡No lo permitirían!

—Me tranquiliza mucho oírlo —dijo Paul—. Por desgracia, es un poco tarde. Quién sabe cuántos de esos transportes con sus cargas de esporas habrán salido ya de Arqueón.

—Si destruye este planeta será el responsable de la aniquilación de especies que puede que no existan en ninguna otra parte del universo —dijo Tiray—. Es el equivalente a un genocidio.

—¿Y cuando esos transportes lleguen a la Tierra? —gritó Paul—, entonces ¿qué? Eso, consejero, será genocidio, y no pienso permitir que ocurra. Alis, ¿cuánto se tarda en convertir una de esas minas?

—Unas horas. Menos, si trabajo deprisa.

—Hazlo.

—Alis —la voz de Tiray tenía un tono de advertencia—, te ordeno que no colabores con el teniente en lo que está planeando.

—Lo siento, consejero, coincido con usted en que la destrucción de Arqueón es lamentable, pero la destrucción comenzó en cuanto los ilyrios se lo cedieron a esos organismos como instalación para su crianza. Desde ese momento, Arqueón estaba condenado. Nosotros no hacemos más que acabar lo que los ilyrios empezaron.

—Hablas de los ilyrios como si fuéramos otra raza —dijo Tiray.

—Usted es de otra raza. Yo no soy ilyria. Soy una Meca.

—Pero... —Tiray pareció turbado—. Yo te salvé. Te traté como si fueras mi propia hija.

—Y siempre le estaré agradecida por eso —dijo Alis—. Pero no soy una niña, ni estoy a sus órdenes.

Se levantó y abandonó la sala de reuniones. Tiray la dejó ir. Permaneció sentado, mirando fijamente la mesa, con una expresión que delataba una intensa combinación de tristeza y rabia.

Uno por uno, fueron saliendo los demás hasta que sólo quedaron Paul y Tiray.

—Esto no cambiará nada —dijo Tiray.

—Puede que no, pero es un primer paso.

—Si esos organismos son inteligentes, tal vez pueda hablarse con ellos. Su planeta, su gente, tal vez no tengan que ser sacrificados.

—¿Y qué va a ofrecerles a cambio? —preguntó Paul— ¿Otro

Arqueón o algún otro desafortunado mundo que los ilyrios puedan entregar sin sentirse demasiado culpables porque sus formas de vida, las que sean, no pueden manifestarse contra lo que va a pasarles? No. El tiempo de las palabras ha terminado. Ya se ha llegado a un trato, consejero. Alguien en Ilyr pactó con el diablo.

La respuesta de Tiray exudaba desprecio.

—¡El diablo! He leído sobre sus creencias. Veo el amuleto que lleva al cuello. Usted no es mejor que un crédulo Meca, que adora fantasmas en el cielo. Yo no creo en ningún «diablo». Sólo creo en lo que veo.

—Ha visto Arqueón —dijo Paul—. ¿Cómo puede mirarlo, ver todo ese mal, y no creer en demonios?

Tiray se levantó de la silla.

—¿Cómo puede mirarlo usted —le preguntó a Paul— y creer en un dios?

Paul no tenía respuesta.

53

Syl se despertó en una cama desconocida de una habitación que no era la suya, una habitación blanca y muy iluminada, que olía a sustancias químicas. Tardó un momento en dar una explicación al dolor punzante que sentía en la mano porque estaba aturdida por la medicación, y el recuerdo de lo que había pasado en los vestuarios parecía un cuento fantasioso que le hubiera contado alguien.

Una cara borrosa se cernió sobre la cama.

—¿Althea? —dijo Syl, confusa, y la palabra sonó áspera entre sus labios secos, como si tosiera.

—Vaya, te has despertado —dijo Althea—. ¿Cómo te encuentras?

—Bien, ¿puedo...? —Syl intentó incorporarse, pero unas manos amables la empujaron hacia abajo.

—Quédate donde estás. Tienes un golpe muy feo en la cabeza. Y tu mano, tu pobre mano... ¿qué ha pasado, Syl Hellais?

—No lo sé. —Se esforzaba por concentrar la mirada en Althea, pero sentía los ojos llenos de arenisca—. ¿Dónde estoy?, ¿cómo he llegado aquí?

—Estás en la enfermería. Te han traído los médicos. Te encontraron inconsciente en los vestuarios del gimnasio.

Decididamente, no era fruto de su imaginación. Pero ¿de dónde había salido Althea? Syl se tapó los ojos, preguntándose por qué no veía bien. Tenía que ver, tenía que pensar con claridad. Cuando volvió a mirar, Althea parecía envuelta en una nube de color rojo.

—Sarea. ¿Qué le pasó a Sarea? —dijo Syl.

—¿Por qué quieres saber nada de Sarea?

—Estaba en el vestuario. Su mano..., el hueso se le salió y le desgarró la piel. Se cayó. ¿Dónde está?

—¿Estaba contigo?

—Sí. Estaba allí, y Tanit y Nemein también.

—Pues te encontraron sola. ¿Por qué no me cuentas lo que ha pasado?

—Me hacía daño. Sarea me hacía daño. En la mano. Entonces se hirió..., oh, Dios, le atravesó la piel. Había tanta sangre...

—Como te he dicho, te encontraron sola. Escúchame: cuéntame todo lo que recuerdes, desde el principio. Todo.

—Pero ¿cómo podía estar sola?, ¿dónde está Sarea?, ¿qué le pasó a Tanit?

—Bueno, no creo que Tanit vaya a venir a visitarte, ¿verdad que no, Syl Hellais?

Era una respuesta extraña, y a Syl le recorrió un escalofrío de inquietud. ¿Por qué utilizaba Althea su nombre completo? Para Althea siempre había sido Syl, sólo Syl. Sacudió la cabeza, que le tamborileó desagradablemente, como si el cerebro le repiqueteara dentro del cráneo, pero Althea le seguía pareciendo borrosa y rara, y ahora le daba la impresión de que vestía la túnica roja de la Hermandad. Entonces Syl se dio cuenta de otro detalle: una punzada en la mente, un dolor agudo, como si alguien le estuviera pinchando en el cerebro con una vara. Pero se trataba de una vara huesuda, que parecía un dedo ancho. Un dedo que tenía manchas de vejez, estaba arrugado, envuelto en poca carne...

—¡Oriel!

La vieja bruja dejó escapar una risotada a medida que su imagen se aclaraba y gotas de su saliva salpicaron la mejilla de Syl. Ésta apartó la cara, asqueada, pero Oriel se carcajeó de nuevo mientras se sentaba al lado de la cama.

—Oh, qué rápido olvidas los modales cuando no finges. Para ti, soy la Granmaga Oriel. Nunca olvides quién soy, niña de la Tierra. Nunca olvides *qué* soy.

Syl pensó con rapidez, furiosa consigo misma. Por supuesto que Althea no estaba ahí, pero durante un feliz instante había creído que su institutriz había vuelto para cuidarla. Se dio cuenta de lo perdida que estaba y una profunda tristeza se le clavó en las entrañas. También sentía miedo, miedo por la facilidad con la que Oriel la había engañado. ¿Cuánto sabía Oriel?, ¿qué le había contado Syl o qué le había revelado sin darse cuenta?, ¿qué sabía ya Oriel de lo sucedido en el vestuario? La mejor opción de Syl era hacerse la tonta.

—Mis sinceras disculpas, Granmaga —dijo—. No me siento bien. Estoy segura de que lo entiende.

—Ya estamos otra vez. Siempre fingiendo, igual que su madre.

—¿Granmaga?

Oriel miraba fijamente a Syl y sus rasgos se contraían de repugnancia.

—Basta de jueguecitos. Me das asco. Damisela mimada, con tu niñera y tu papaíto protegiéndote, haciéndote creer que eres especial... Llegaste aquí pensando que podías destruirnos, pero somos mucho más antiguas de lo que puedes llegar a imaginar, y mucho más sabias. Aun así persistes, como una piedrecita en el zapato de un gigante.

—*Tolluntur in altum, ut lapsu graviore ruant* —dijo Syl, clavándose a su vez la mirada.

—¿Qué?

—Cuanto mayores son, mayor será la caída, más o menos —dijo Syl—. Es latín. Del poeta Claudiano, creo.

Oriel esbozó una sonrisa triunfante.

—Así que lo admites: quieres ver caer a la Hermandad. ¡Eso es traición!

—No admito nada por el estilo. Me refería tan sólo a gigantes, y era una cita de un poeta de la Tierra. ¿Y cómo puede ser traición si aquí no son más que unas simples bibliotecarias?

—¡Ya basta! Tu cháchara agota a cualquiera. Sé que estabas en los vestuarios. Y sé con quién estabas exactamente. Sí, te encontraron sola, pero porque Tanit, que, por si lo has olvidado, es mayor y mejor que tú, tuvo el sentido común de limpiar lo que hiciste y llevarse a Sarea a un lugar seguro antes de avisar a la Hermana Thona, y, por supuesto, la Hermana Thona me avisó. Así que ahora cuéntame qué le pasó a Sarea. Dime lo que le hiciste, jovencita malvada.

—No hice nada. ¡Juro que no hice nada!

Con asombrosa rapidez, Oriel abofeteó a Syl en la mejilla con la fuerza suficiente para girarle la cara y que asomaran lágrimas en sus ojos.

—¿Y entonces cómo se le rompió el dedo hasta el punto de que el hueso le atravesó la piel? —preguntó Oriel—. Vi su herida con mis propios ojos, Terrinata.

—Pero yo no fui. No sé qué le pasó a Sarea. Simplemente, no lo sé, pasó. Le digo la verdad.

Con una expresión de pétrea frialdad en el rostro, Oriel aferró la mano herida de Syl y la apretó, con ganas. Syl aulló de dolor e intentó soltarse, pero la anciana tenía una fuerza pasmosa, y Syl estaba debilitada por la medicación.

—Ella me hizo daño, pero yo a ella no. ¡Yo no fui!

Los médicos habían recolocado en su sitio la articulación dislocada de Syl, pero ahora Oriel volvió a tirar de ella hacia atrás, descubriendo los dientes, amenazando con sacarle el hueso de la articulación. Syl chilló y supo que estaba a punto de desmayarse. La negrura empezó a nublarle la vista.

—¡Yo no lo hice!

Oriel la soltó, y pareció bastante complacida con el resultado.

—Sospecho que crees sinceramente lo que dices. Sin embargo, yo no. ¿Quieres saber lo que cuenta Sarea?

Syl exhaló con dificultad, lo que Oriel interpretó como una afirmación.

—Sarea cree que de algún modo se hirió a sí misma. La pobre Sarea está desolada porque teme que perdió el control de sus poderes únicos y formidables y los volvió contra sí misma, como el retroceso de un arma que hiere al que la dispara. Esa Novicia verdaderamente excepcional está casi hundida, gracias a ti. Le aterra poner en práctica sus habilidades de nuevo por temor a hacerse daño a sí misma. Está siendo sometida a una terapia intensiva mientras hablamos. Puede que la hayas malogrado para siempre.

—Pero yo no lo hice —insistió Syl, tomándose con suavidad la mano herida con la sana, por miedo a que Oriel intentara atacarla de nuevo. ¿Así que Sarea dudaba de sí misma? Bien, pensó Syl. Miró con resentimiento a Oriel.

—Noto que me estás bloqueando el paso —dijo la Granmaga—.

Percibo tu muro de odio. Pero descubriré qué ocultas detrás, acuérdate de lo que te digo. Descubriré los poderes que ocultas, porque dentro de ti hay algo malvado, de eso no me cabe duda.

—¿Tan malvado como lo que hay dentro de la Hermandad?

Los ojos de Oriel brillaron rojizos, o tal vez fue sólo el destello de la luz que se reflejaba de su túnica. Cuando abrió la boca para hablar, pegó la cara a la de Syl, bañándola en su aliento empalagosamente dulzón y picante.

—Te arrancaré tu secreto. Te lo arrebataré yo misma. Te abriré en canal y te dejaré desnuda y vacía, hasta que lo único que quede sea el pellejo de lo que en el pasado fue Syl Hellais. Serás una sombra de lo que eras, igual que los restos que sobreviven de tu ridículo padre, ese idiota sonriente, esa cáscara vacía.

Los labios de Syl se estremecieron de rabia impotente.

—¿Qué le habéis hecho a mi padre?

Ahora Oriel se rió de verdad, y por primera vez pareció que el placer que sentía era genuino.

—¿Te refieres a la marioneta bailarina de Syrene? —fue la respuesta de la vieja bruja—. Con tu padre, Terrinata, apenas hemos empezado. Oh, sí. Syrene volverá pronto. Cuando vuelva, a lo mejor te lo cuenta.

Riéndose entre dientes, regodeándose en su crueldad, Oriel se levantó y salió a toda prisa de la sala.

54

Syl permaneció en la enfermería varios días más, con la puerta cerrada y recibiendo la medicación que le administraba un dron enfermera que traqueteaba a su alrededor sobre unas ruedas plateadas. Una taciturna doctora vestida con el rojo de las Hermanas examinaba la mano de Syl y le tocaba la cabeza; la comida era un puré que le servían en una bandeja. Disponía de una pequeña colección de libros insulsos —básicamente volúmenes elogiosos de la historia de las Hermanas, así que no le costó mucho adivinar quién los había elegido para ella—, pero eran su única distracción. Las únicas visitas que recibía eran las de Oriel. La Granmaga se sentaba al lado de su cama durante horas seguidas, observándola, sondeando su mente, y Syl se concentraba en naderías y traía a su memoria recuerdos amables de sus tiempos de inocencia. Dejaba que Oriel entrara en su mente lo bastante profundamente para que viera sus pensamientos más soporíferos —las dulces flores de los narcisos, un gato del castillo acechando a un petirrojo juguetón, una falda escocesa levantada por el viento que dejaba al descubierto ropa interior de neón, ella y Ani asomadas por las ventanas del castillo mirando una enorme luna roja alzándose sobre Escocia—, y aun así notaba a Oriel, que no paraba de hurgar y de buscar. Ya no podía seguir fingiendo ante ella que carecía de habilidades, pero sí podía ocultar la verdadera amplitud de las mismas. Había una gran diferencia entre el tipo de disciplina mental aprendida que Syl exhibía —la capacidad para aislarse del dolor, para crear imágenes de paredes y barreras en la propia mente e impedir que otros se sumergieran en sus pensamientos— y la realidad de sus verdaderos poderes y de lo que era capaz de hacer con ellos: nublar, persuadir.

Matar.

Dejó que Oriel viera a Paul, porque la Hermandad conocía el afecto que sentía por él, y así se burló de la vieja bruja con los recuerdos sensibleros y persistentes de un beso, de lenguas rosa deslizándose la una sobre la otra, y del cuerpo delgado y musculoso de Paul, flaco y pálido mientras se zambullía como una foca impaciente en las gélidas aguas del lago. Percibía la repulsión que rezumaba Oriel, como si fuera fango, y pareció que eso distraía a la Nairene, la hacía retroceder. Animada, Syl pensó en humanos, muchos humanos, humanos que se atiborraban de pasteles, que se reían con las bocas llenas y abiertas de forma que el pastel les caía por el pecho. Pensó en ellos eructando, tirándose pedos y copulando. Pensó en sus ojos, en los párpados que se arrugaban de aquella forma tan extraña para cubrirlos, y en sus cuerpos sólidos y regordetes, hasta que la repulsión de Oriel se convirtió en una especie de tumor endurecido en la cabeza de Syl. La Granmaga dejó de sondear.

Aun así, el entorno inhóspito afectaba al ánimo de Syl. En el brillo implacable de su pequeña sala, una celda estéril sin ventanas y un pequeño cubículo como lavabo, sólo percibía el paso del tiempo con la llegada de sus comidas. Entre una y otra, dormía profundamente, agotada por su combate mental con Oriel. A menudo pensaba en la tarea que se había propuesto, y se desesperaba. A veces tenía la sensación de que rendirse a la seducción de la Hermandad era la única opción real, la única forma de que algún día volviera a recobrar la tranquilidad...

Hasta que un día Syl se despertó de una siesta y vio a tres féminas con atuendos rojos esperando en silencio junto a su cama. Las dos que estaban al fondo inclinaron las cabezas en señal de respeto cuando la tercera se adelantó majestuosamente, sin apartar en ningún momento la mirada de los ojos de Syl. Era más joven que Oriel, y tenía una belleza extraña, con la cara ornamentada con tatuajes que dibujaban filigranas, unos labios escarlatas tan gruesos que parecían a punto de reventar como fruta demasiado madura.

—Syrene —dijo Syl.

Los rasgos afables de Syrene estudiaron a Syl, que le devolvió la mirada, en parte aterrada y en parte hipnotizada. La tensión creció hasta el punto de que la joven ilyria tuvo que mirar para otro lado.

—¿Sólo Syrene? La Granmaga Oriel ya me avisó de que, incluso herida, seguías siendo una insolente —dijo Syrene—. ¿Cómo están tus heridas, Syl Hellais? Te he traído flores.

Levantó un ramo de flores enmarañadas sobre la cama de Syl y un polen húmedo y espeso cayó como baba de los descomunales estambres sobre las sábanas. Su aroma saturó la sala: flores de avatis, las mismas que Syl había visto por primera vez en los alojamientos de Syrene en la Tierra, antes de que la expulsaran. Syrene estaba jugando con ella.

Sonriendo, Syrene extendió la mano para tocar la cabeza de Syl y ésta se encogió, apartándose, porque los dedos de la Archimaga la habían quemado antes, abriendo senderos abrasadores en su mente, pero esta vez esos dedos inquisitivos se detuvieron y la mano se retiró con un gesto grácil. Syrene observaba a Syl con arrogancia, y los ojos gemelos que llevaba tatuados en sus mejillas también parecían mirarla fijamente, de manera que, por un fugaz instante, Syrene pareció un insecto, una araña con múltiples ojos. Entonces, con un chasquido despectivo, la Archimaga dejó caer las flores encima del cuello desnudo de Syl. Al contactar con su piel, las cabezuelas de todas las flores se cerraron y expulsaron una nube de gas fétido en la cara de Syl: era el mecanismo de defensa de las flores. Ella tosió mientras Syrene la observaba con desdén.

—Qué extraña manera de agradecerme mi exquisito regalo. Y ni siquiera has tenido todavía la cortesía de saludarme como es debido —dijo.

—Os saludo, Su Eminencia. Y os doy las gracias.

—Eso está mejor. ¿Y no me das la bienvenida por haber regresado a mi hogar? Llevo fuera mucho tiempo, y tú eres mi invitada en la Marca, ¿no es así?

—Os doy la bienvenida a vuestro hogar, Archimaga —dijo Syl suspirando.

—Confío en que mis Hermanas te hayan tratado bien. Les subrayé que tenían que cuidarte como si fueras mi propia hija.

Detrás de Syrene, las dos Hermanas más jóvenes levantaron las miradas y se rieron audiblemente. A Syl le pareció reconocerlas, y Syrene siguió la mirada de ésta cuando se fijó en ellas, frunciendo el ceño.

—Te acordarás de mi doncella Cocile, supongo. Y de mi escribiente Layne. Las conociste en la Tierra, claro, aunque por entonces vestían la túnica amarilla de las Novicias.

Syrene estaba disfrutando con la confusión de Syl. ¿Cómo era posible que las Novicias hubieran ascendido al rango superior de la Hermandad tan rápidamente?

—Obviamente son algo más que Novicias —dijo Syrene—. El estatus aparentemente inferior que denota la túnica del Noviciado a veces nos es útil. Vestir atuendos amarillos cuando se considera apropiado significa que mis mejores y más brillantes Hermanas son con frecuencia subestimadas. ¿No es así, Cocile?

—Ciertamente, Su Eminencia —dijo Cocile.

Ahora Syl recordó a estas dos, pero no le fue de mucho consuelo acordarse de la última vez en que las había visto, en Edimburgo, cuando Meia las había dejado a ambas inconscientes para acceder a los alojamientos de Syrene y rescatar a Syl. Aquí no había ninguna Meia que la protegiera, y Syl miró a Syrene con inquietud. El polen le escocía terriblemente sobre el pecho y el olor que se le había metido en las alas de la nariz hedía a carne putrefacta, pero era reacia a quitarse las flores de encima y que Syrene viera su incomodidad.

—Ahora que hemos regresado a la Marca, aunque brevemente —prosiguió Syrene—, pueden volver a ser quienes son en realidad. Y eso que hemos acabado familiarizándonos con tu hogar en la Tierra, Syl Hellais. Sí, ya es un lugar muy familiar para nosotras. Tu padre te manda saludos.

—¿Mi padre?, ¿cómo está?

—Está bien. Es muy complaciente. Creo que haría cualquier cosa por mí. Lo que fuera.

Syl aferró las flores y se incorporó dejándolas sobre las sábanas que cubrían su regazo. Al fijarse en la urticaria rojiza que ya había hinchado el cuello de Syl, Syrene sonrió genuinamente por primera vez, pero no dijo nada. Esto sólo era un juego para ella.

—¿Qué le ha hecho a mi padre? —preguntó Syl.

—¿Qué quieres decir? Nunca lo había visto mejor que ahora. Se le nota tan... feliz. Sí, ¿no dirías tú que se le ve feliz, Cocile?

—Exultante, Su Eminencia.

—Exultante, una palabra muy bien elegida. Creo que, tal vez, el verse liberado de la carga de una hija adolescente perturbadora y desobediente puede haberle dado un nuevo gusto por la vida. Es una persona cambiada. Tan cálido y afectuoso. Tan... sensual.

Syl fingió que examinaba las flores sobre su regazo mientras la rabia se hinchaba como un globo tóxico en su pecho.

—No entiendo a qué se refiere, Su Eminencia —acertó a decir por fin alzando la mirada e intentó leer la expresión del rostro de la Archimaga. Durante un segundo hasta se planteó sondearle la mente, o al menos intentarlo, pero sería una insensatez: la Bruja Roja tenía poderes psíquicos muy afinados, era una veterana del oficio, y lo único que había podido hacer Syl hasta ahora era ocultar sus propios y crecientes talentos a la Hermandad de Nairene. Debía esperar el momento, mantener sus dones en secreto para cuando pudiera darles mejor uso.

—Tal vez he hablado demasiado. Baste decir que Andrus, Lord Andrus, se ha convertido en un acompañante muy valioso —dijo Syrene—. Como sea, creo que pronto verás a tu padre de nuevo. ¿Te complace?

—¿Cuándo lo veré, Su Eminencia?

—Oh, estoy segura de que ya se nos ocurrirá algo. Pero tienes que entender que estamos en el mismo bando, Syl Hellais, es decir, que estás en el mismo bando que tu estimado padre, ¿no?

—¿De mi padre?, ¿del mismo padre que me engendró? Por supuesto que lo estoy. Siempre estaré de su parte.

Si Syrene captó la sutilidad de su mensaje, no lo delató.

—Muy bien. Ahora tienes que recuperarte pronto, porque hay mucho que hacer. Cuanto antes salgas de la enfermería, mejor.

Syl se miró la mano vendada.

—Creo que ya estoy lo bastante bien para salir ahora, Su Eminencia.

Syrene dio unas palmadas, como si nada la complaciera más.

—Magnífico —dijo—, porque tenemos que prepararnos para un baile: el Baile del Génesis. Y tú vas a asistir, Syl Hellais. Nada me agradará más que saber que la hija de Lord Andrus bailará en el Baile del Génesis.

—¿Estoy invitada a ese baile, Archimaga? —Syl estaba convencida de que se trataba de una broma.

—Sin duda. Yo concedo las invitaciones. Y, como única hija de mi respetado camarada y querido amigo Lord Andrus, espero que asistas en honor de tu padre, y como símbolo de la creciente cercanía de nuestras familias. Insisto.

Era exactamente lo que Syl había querido, pero, viniendo de la Archimaga, y cargada de indirectas e insinuaciones de falta de honestidad, la idea suscitó su suspicacia.

—¿Es ahí donde veré a mi padre? —dijo crispada.

—Oh, no, claro que no. El gran líder militar Lord Andrus no volvería a Ilyr para algo tan poco importante como un baile de jovencitas debutantes. ¿Qué más le da a él que se conformen parejas apropiadas entre la Hermandad? Oriel es perfectamente capaz de supervisar eso sola. Yo regresaré ahora a la Tierra, porque hay trabajo pendiente. Cuando vuelvas a ver a nuestro querido Lord Andrus, será para algo de mucha mayor importancia, algo magnífico, sin duda. De eso, al menos, puedes estar segura.

—¿De verdad? ¿El qué?

Syrene clavó en Syl una mirada intencionada, y Syl sintió un dolor que restallaba dentro de su cráneo, como si la hubieran dado un golpe contundente con un martillo. Se llevó los dedos a la cabeza y Syrene asintió levemente. Había sido un aviso.

—¿Puedo preguntar cuál será la naturaleza de la ocasión que me permitirá ver a mi padre, Su Eminencia? —preguntó ahora Syl.

Syrene dejó escapar una risa aguda y tintineante, y su voz recorrió la sala, astillándose como cristales rotos.

—Eso, pequeña mía, es todavía un secreto, porque su proposición todavía no es de dominio público. Ups, se me ha escapado, ¿verdad? Qué tonta. Pero, dado que eres su única descendiente, supongo que no corro peligro si te confío la maravillosa noticia. A su debido tiempo, Lord Andrus y yo nos casaremos.

—¿Qué? —Syl sintió como si le hubieran dado un puñetazo.

—¿No te alegras por nosotros?

Incluso cuando sonreía, en la voz de Syrene había frialdad y en sus ojos una amenaza nada velada. Syl se tragó la rabia, y las lágrimas, y asintió porque no creía que pudiera hablar. Su padre, su querido padre, ¿iba a casarse con esta criatura?

—Excelente —dijo Syrene—. Por supuesto, será una ocasión de

gran alegría, y se espera que tú la compartas con nosotros. Pero por ahora debemos prepararnos para el Baile del Génesis, porque hay que asegurar otras alianzas. Así que, vamos, es hora de que dejes de holgazanear en la cama como una princesita mimada. Levántate, mi... hijastra.

Salió rápidamente de la sala sin decir nada más.

Al cabo de unos segundos entró corriendo la doctora, con una asistente pegada a los talones. Sin formalidades, mandó a Syl que se fuera y chasqueó los dedos a la asistente, que al instante levantó de un tirón a la joven ilyria de la cama. Syl se quedó en pie, a medio vestir y pálida, sosteniéndose con cuidado la extremidad vendada porque el repentino movimiento había hecho que le latiese.

—¿Está curada mi mano?

—Tu mano está bien —dijo la doctora y entornó los ojos con rencor.

—Pues no lo parece.

—Quítale la venda —mandó la doctora. Con nerviosismo, la asistente se adelantó y desenvolvió la venda de la mano de Syl. La piel estaba arrugada por el tiempo que había pasado cubierta, pero, aparte de eso, estaba lisa e intacta, y los dedos se veían rectos y fuertes.

—Pero todavía me duele.

—Mueve los dedos —dijo la asistente. Syl obedeció, con cuidado, y notó que los ojos se le humedecían cuando las articulaciones que no había utilizado crujieron y chirriaron.

—Estaba dislocada —prosiguió la doctora—. Hemos curado la herida. Hemos dejado el dolor.

—¿Y por qué?

La asistente se miraba los pies, pero la doctora sonrió con malicia.

—Para darte una lección, Syl Hellais, Terrinata, hija de Lady Orianne. Y ahora vete, antes de que te dé otra.

55

Thula se ofreció a ayudar a Alis con la conversión de la mina. Era fuerte y las manos no le temblaban, aunque Alis era una Meca y ni la debilidad ni los temblores suponían ningún problema para ella. Con todo, la mina era grande y pesada, y ajustarle un temporizador requería quitar paneles y desactivar los sensores de proximidad, lo que implicaba apartar cables y sustituir circuitos. Alis agradeció la ayuda de Thula y acabaron el trabajo en un par de horas.

Mientras tanto, Paul y Steven sobrevolaron varias veces el reactor, escaneándolo desde diversos ángulos para obtener una imagen tridimensional más detallada. Ahora, la maqueta virtual rotaba en el aire delante de ellos. Peris se acarició la barbilla y lo miró desde todas las perspectivas posibles. Rizzo simplemente lo tocó con la punta del dedo y dijo:

—Bang.

—¿Importa el lugar dónde coloquemos la mina? —preguntó Steven.

—Se lo estás preguntando a la persona equivocada —dijo Paul—. Yo nunca he volado nada más voluminoso que un camión. Los muros de ese reactor tienen un grosor de un metro veinte de cemento y acero. No quiero dañarlos sólo un poco. Quiero que la explosión haga que Chernóbil parezca una suave ventolera.

Alis apareció al otro lado del modelo a escala, seguida de Thula.

—Creo que puedo garantizar que si la mina se coloca al lado de la estructura de contención, o incluso sólo en las cercanías, ninguno de vosotros querría estar en los alrededores cuando explote —dijo Alis.

—¿Hay una distancia de seguridad concreta? —preguntó Rizzo.

—Cuanto más lejos, mejor —dijo Alis.

—Vale —dijo Rizzo.

—E incluso entonces, preferiría estar aún más lejos.

—No sabía que te habían programado para ser graciosa —dijo Rizzo.

—No lo hicieron.

—Oh.

—La prepararemos para que se active dentro de treinta minutos —dijo Paul—. Eso nos dará tiempo para salir de la atmósfera y ver los fuegos artificiales en órbita.

—Tengo más buenas noticias para ti —dijo Alis—. El consejero Tiray tenía razón: esos reactores secundarios están conectados a la instalación principal. Cuando reviente el grande, es muy posible que provoque una avería de sistema en los demás. Como poco, dejarán de funcionar, pero yo diría que se producirán una serie de explosiones en cadena.

En ese momento, llegó un pitido desde la cabina principal y en la pantalla apareció una imagen del agujero de gusano de Arqueón. De él estaba emergiendo una nave.

—¿Un transporte de mercancías de regreso? —preguntó Paul.

Steven se acercó a la consola y amplió la imagen de la nave.

—No, y tampoco es una nave de la flota conocida. No emite ninguna señal.

—Al infierno —dijo Paul—. Nos han encontrado.

Trabajaron deprisa. El recién llegado tardaría un rato en llegar a Arqueón y atravesar su atmósfera, pero sus escáneres de larga distancia revelarían la presencia de la *Nómada* antes incluso de que entrara en la órbita del planeta. Podrían intentar ocultarse de ella permaneciendo en la otra cara, dejando que el planeta les sirviera de escudo, pero sólo podrían mantenerse en esa posición durante un tiempo, hasta verse obligados a quedar al descubierto para intentar la huida. La nave era mucho más grande que la *Nómada*, y sus armas sin duda también lo serían. Teniendo en cuenta todos esos factores, Paul dio órdenes a Steven para que aterrizara cerca de la cúpula de contención del reactor con la esperanza de que su pequeña nave quedara camuflada por la maquinaria y los edificios de la instalación. En el caso de que los descubrieran, su cercanía al reactor también podría concederles cierto poder de negociación: cualquier tentativa de destruir la *Nómada* desde las alturas corría el riesgo de dañar al reactor e irradiar Arqueón. La negociación sería el único modo de garantizarse la rendición de la *Nómada,* aunque eso no era precisamente un consuelo para Paul. No le cabía duda de que, una vez hubieran conseguido la rendición y la *Nómada* quedara asegurada, todos los que iban a bordo de la nave, con la posible excepción de Tiray, serían asesinados.

Por supuesto, cabía la posibilidad de que el desconocido viajero tuviera programada su llegada a Arqueón y no estuviese al tanto de la presencia de la *Nómada,* pero Paul lo dudaba. Ahí tenía otra nave disfrazada para que pareciera poco más que un montón de chatarra volante, pero ese tipo de chatarra no emergía intacta de los agujeros de gusanos. No, la nave estaba aquí porque o bien había seguido su rastro o bien había adivinado su destino. Tiray era su objetivo, y si sus perseguidores sabían que el mapa de los agujeros de gusano estaba en su posesión, no habrían necesitado unos inmensos poderes deductivos para llegar a la conclusión de que con el tiempo encontraría su camino al recóndito sistema de Arqueón.

Paul observó cómo la gran nave se aproximaba al planeta. Estaba asustado. Había estado asustado casi desde el instante en que le habían alistado por la fuerza en la Brigadas, igual que había vivido en un estado de temor casi constante durante el tiempo que había pasado con la Resistencia: miedo a que le descubrieran, le traicionaran, le torturaran; miedo a que algo terrible les sucediera a su madre, a su hermano o a sus amigos por culpa de un error que hubiera cometido. Paul había envejecido más que los años que había vivido. Había combatido y matado. Había sufrido heridas y privaciones. Si no hubiera nacido para ser un líder, entonces el simple hecho de sobrevivir lo había acabado moldeando para serlo.

Pero el joven teniente todavía se sentía como un impostor porque tenía miedo, y no había nadie a quien pudiera confesarle su debilidad, ni siquiera a su hermano. Muchas vidas dependían de él; no sólo las de aquellos que viajaban a bordo de la *Nómada,* sino también, tal vez, el destino de todos los seres vivos de su planeta natal, y no se creía ni merecedor ni capacitado para asumir esa responsabilidad. Pero Paul Kerr, que estaba a punto de cumplir los dieciocho años, todavía no comprendía la verdad sobre el miedo: que el valor y el coraje no se fundaban en la ausencia del miedo, sino en su dominio.

Así que rezó en silencio, aunque no sabía exactamente para qué. Bastaba con recitar las palabras de las oraciones de la infancia como un mantra con la esperanza de que, en algún lugar más allá, su dios, cualquier dios, estuviera escuchando.

—No siguen la misma vía de aproximación que nosotros —dijo Steven—. No hacen caso de los guías.

Paul observó la pantalla. En lugar de acercarse en una trayectoria que les llevaría casi directamente a situarse encima del reactor, la nave había virado hacia el noreste en su aproximación. Tiempo; acababan de concederles un poco más de tiempo, y puede que ese poco fuera todo lo que necesitaran. Su miedo se desvaneció tan rápidamente que ni siquiera reconoció que había desaparecido, y fue sustituido por el deseo de pasar a la acción.

—Alis —gritó Paul—. ¡Situación!

—Estamos preparados —dijo Thula, desde el muelle abierto en que Alis estaba realizando los últimos ajustes a la mina—. Sólo necesita que le digas la hora y estaremos listos.

Paul se volvió hacia Steven.

—Quiero un cálculo —dijo—. Basándote en la trayectoria de la nave, calcula el punto en el que estará aquí —señaló una zona de la superficie del planeta que correspondía vagamente con su polo norte— y el tiempo que tardarán en llegar al reactor, teniendo en cuenta su aceleración en cuanto nos hayan visto. No espero que sea exacto, pero sí necesito una estimación aproximada, y rápido. ¿Alis?

—¿Sí, teniente?

—Tu afirmación de «cuanto más lejos, mejor» como distancia de seguridad a la explosión es un poco imprecisa. Dame algo más concreto.

—A toda velocidad, creo que necesitaríamos estar al menos a ochenta kilómetros del punto donde tenga lugar la primera explosión.

—Gracias. ¿Lo has oído, Steven?

—Sí. Lo tengo. He hecho un cálculo aproximado sobre la otra

nave, dado que no tengo la menor idea de la potencia de su motor y sólo puedo basarme en la de nuestra nave. Si nos descubrieran en ese punto, tardarían entre ocho y doce minutos en llegar hasta nosotros, pero es una cifra que me saco de la chistera.

Paul miró a sus espaldas. Tiray estaba desplomado en una silla, con los brazos cruzados y una mueca en la cara. Parecía un niño malhumorado. Rizzo se había sentado ante una consola secundaria y había activado los sistemas de armas. Si se veían obligados a hacer una salida rápida, Steven necesitaría concentrarse por entero en pilotar la *Nómada,* y Rizzo era una buena artillera. Peris estaba a unos metros de Paul, observándole con atención. Ya sabía lo que el joven oficial estaba pensando.

—Es peligroso —dijo—. Dispondrás sólo de una pequeña oportunidad, y los cálculos de tu hermano, según él mismo ha reconocido con esa curiosa paráfrasis, distan de ser precisos.

—¿Sabes lo que nos dijo uno de los instructores durante nuestra formación en las Brigadas? Dijo que, en cualquier situación militar, una mala decisión es siempre preferible a no tomar ninguna.

—Eso fue en mi clase. Te lo dije yo.

—¿Y es verdad?

—Sí, aunque la decisión correcta es siempre la preferible.

—Si se te ha ocurrido una idea mejor, me encantaría oírla.

—Si se me hubiera ocurrido, ya te la habría dicho.

—En ese caso, estamos de acuerdo.

—Eh —dijo Steven—, ¿sería posible que compartierais la gran idea con los demás?

—Yo os la contaré en cuanto le haya dado a Thula la hora a la que programar la mina. ¿Te parece bien, Rizzo?

Rizzo se encogió de hombros.

—Todavía vamos a volar algo, ¿no? —preguntó.

—Sí.

—Eso es todo lo que me hace falta saber —respondió y volvió a revisar el cañón pesado y los torpedos.

Peris se acercó a Paul.

—Es una joven interesante —susurró.

—Sí.

—Cuando digo «interesante» quiero decir «que da miedo».

—Lo sé. ¿No te alegra tenerla en nuestro bando?

—Para serte sincero, no lo tengo claro. Y sólo está en «nuestro» bando por ahora.

—¿A qué te refieres?

—A que, en el fondo, ella no está en mi bando, tampoco en el de Tiray. En última instancia, Rizzo, Thula y tu hermano están todos en tu bando. Por Alis no puedo hablar, pero sospecho que su lealtad, más allá de la que sienta por los suyos, ahora también está contigo.

—¿Porque el setenta y cinco por ciento son humanos?

—Sí, eso cuenta, pero también porque ellos confían en ti.

—Y tú, ¿dónde estás?

—Como ya te he dicho, también confío en ti, al menos hasta que llegue el momento en que tengas que elegir entre tu lealtad a tu propia especie y tu lealtad a las Brigadas.

—No siento más lealtad hacia las Brigadas que la que implica mantener con vida a los que están bajo mi mando. Tú ya lo sabes.

Peris asintió.

—Al menos eres sincero. Siempre lo has sido. ¿Aviso a Alis y a Thula?

—Por favor.

Peris se dispuso a darse la vuelta, pero Paul lo llamó por su nombre. Entonces habló en voz baja, para que sólo Peris y él oyeran lo que decía.

—No te mataré a no ser que me obligues —dijo.

—Y yo te prometo lo mismo —respondió Peris—. Ya eres un buen soldado, Paul. Ojalá ambos vivamos lo suficiente para ver cómo llegas a ser uno todavía mejor.

Paul observó cómo se alejaba. Una vez más, le turbó el afecto que sentía por el guerrero ilyrio. Apartó de su mente esos sentimientos, se introdujo en la cabina principal y amplió la pantalla con el planeta.

—Steven —dijo—, prepara los motores. A mi señal, quiero que sigas esta ruta, y quiero que vueles bajo...

56

Cada uno tenía una función que desempeñar. Steven monitorizaba el avance de la nave recién llegada, al tanto de cualquier variación de su rumbo, de cualquier signo de que la presencia de la *Nómada* hubiera sido detectada. Rizzo estaba ante el cañón, siguiendo a la nave aunque quedara fuera de su alcance, preparada para disparar si de repente se presentaba como una amenaza y se ponía en su mirilla. Thula y Alis realizaban una última revisión de la mina e incluso, para desazón de Paul, activaron brevemente el temporizador para asegurarse de que funcionaba. Paul no quería escuchar las palabras «activar» y «mina» mientras el dispositivo siguiera a bordo de la *Nómada*. Peris preparaba la nave para una rápida huida, llevando a cabo las mismas comprobaciones previas a un salto. Tiray se dedicaba a ayudar sujetando los objetos sueltos, pero lo hacía a regañadientes, pese a que la caída de un casco mal colocado podría noquearle tan fácilmente como a cualquier otro.

Paul intentaba atender a todo a la vez. Pero concentraba la mayor parte de su atención en Steven y en la otra nave, que se desplazaba a menos de un kilómetro por encima de la superficie del planeta. La *Nómada* era como un pececillo que se ocultaba de un gran tiburón, sabedor de que su refugio era sólo temporal y de que inevitablemente lo encontraría; sólo podía esperar que su velocidad y agilidad fueran suficientes para salvarlo de las mandíbulas del depredador.

Cuando estuvo todo preparado y Paul se convenció de que no podía hacerse nada más, se dispusieron a esperar, observando en silencio la pantalla, monitorizando los movimientos lentos y seguros de la nave hostil que escaneaba el paisaje del planeta en busca de señales de intrusión.

—Márcame el tiempo —dijo Paul—. En intervalos de quince segundos.

—Cinco minutos a la velocidad actual —dijo Steven.

—Comprendido. Alis, prepárate para soltar la mina a mi orden.

—Sí, teniente.

Alis se colocó en posición, con Thula pegado a ella. A esas alturas Thula se estaba acostumbrando a la Meca. No acababa de entender lo que ella había hecho con el temporizador y la mina, porque las mejores cualidades de Thula no tenían que ver con la electrónica ni con los circuitos, sino con que era un agudo observador del lenguaje corporal y sabía apartarse del camino de Alis un segundo antes de que ésta se moviera e intervenir para levantar o sostener lo que hiciera falta antes incluso de que ella llegara a pedírselo.

—Cuatro cuarenta y cinco —dijo Steven.

Algo llamó su atención en la pantalla: una mínima variación en el rumbo y la velocidad de su perseguidor. Se quedó fijo en la imagen hasta que se aseguró de que no había razones para alarmarse.

—Cuatro treinta.

Paul fue junto a Alis y Thula en la zona de la *Nómada* que quedaba encima del muelle de armamento, donde estaban las minas y los torpedos. La mina no podía soltarse mientras la *Nómada* estuviera en tierra, pero su rastro de calor atraería al perseguidor en cuanto despegaran. Sí, el despliegue de armamento podía controlarse desde la cabina, pero Alis había optado por llevar a cabo su parte en el plan desde el muelle para poder realizarlo con la mayor precisión. La Meca no quería la menor distracción cuando soltara la mina, y una vez más se había enchufado directamente a los sistemas de la nave. Si surgía algún problema, también había dejado abierta una parte del tablero de mando dejando al descubierto la palanca manual de lanzamiento.

El plan al menos tenía la virtud de ser sencillo. A la señal de Paul, Steven encendería los motores de la *Nómada* y elevaría la nave en vertical hasta quedar a una docena de metros sobre la superficie del planeta. Las puertas del muelle se abrirían y la mina caería (y «mina» y «caer» eran otras dos palabras cuyo uso en la misma frase también ponía nervioso a Paul). Una vez la mina estuviera colocada, la *Nómada* emprendería la retirada hacia el oeste, siguiendo una ruta paralela al suelo y sin realizar el menor movimiento de ascensión. Paul quería que la nave perseguidora permaneciera baja también y que se dirigiera hacia el reactor. La *Nómada* serviría de cebo para la trampa, y para hacerla todavía más atractiva para sus perseguidores, le había dicho a Steven que trazara movimientos irregulares y titubeantes, como si su nave hubiera resultado dañada en el curso de los numerosos saltos que les habían llevado a Arqueón.

Dio una orden más, una que hizo que hasta Peris protestara: las puertas del muelle permanecerían abiertas después de soltar la mina y hasta que hubieran salido de la atmósfera del planeta, en el supuesto, claro, de que sobrevivieran hasta entonces. No era el procedimiento de operación estándar; estaba, de hecho, radicalmente en contra de todos los protocolos, pero de ese modo el muelle permanecería sellado y aislado del resto de la nave. Quedaría expuesto a la atmósfera de Arqueón mientras la mina caía a su posición, y Paul no quería arriesgarse a que ninguna de aquellas esporas se instalara en la *Nómada*. Su plan consistía en que reentraran brevemente en la atmósfera de Arqueón tras dejarla y así el calor de la reentrada quemaría cuanto hubiera en el muelle abierto. Se verían obligados a soltar todas las minas restantes así como los torpedos antes de intentar escapar del planeta, porque el calor y los explosivos no hacían buena pareja, y Paul no quería evitar que lo destruyeran sus perseguidores sólo para que la *Nómada* acabara hecha pedazos por su propio armamento.

—Tres treinta —dijo Steven—. Tres quince. Espera, ¡están cambiando de rumbo! Vienen hacia aquí. Con seguridad, vienen hacia nosotros. Tres minutos.

—Alguien ha sumado dos y dos —dijo Peris.

—Muy bien —dijo Paul—. Alis, prepara el lanzamiento. Steven, levántanos.

La nave se estremeció y vibró cuando sus motores cobraron vida. Sintieron que ascendían lentamente, mientras Steven tomaba cautelas extremas porque los había encajado en el menor espacio disponible entre las diversas instalaciones del reactor. Sin embargo, la *Nómada* se balanceó un poco, y se vieron obligados a agarrarse a lo que tenían a mano para mantener el equilibrio. Sólo Tiray no lo tuvo en cuenta, chocó contra el casco de la nave y se golpeó la cabeza. Cayó de rodillas, sosteniéndose el cuero cabelludo herido. Un delgado hilo de sangre le goteó de la herida, pero nadie tenía tiempo de atenderle. Seguía consciente por el momento, así que no podía estar malherido, y Paul se sintió aliviado para sus adentros de que el político quedara fuera de combate, aunque sólo fuera por un rato. No se fiaba de él, y si Tiray había decidido entrometerse en el trabajo de Steven o de Alis en un momento tan delicado como éste, podría haberlos condenado a todos.

—Estamos en posición —dijo Steven.

—Mantén la nave inmóvil —ordenó Paul—. Alis, suelta la mina.

Dejaron las puertas de los muelles abiertas. Thula se había colocado encima del lanzador manual, preparado para tirar de la palanca en caso de que fuera necesario, pero la mina cayó limpiamente. Paul no pudo evitar tensarse ante el peligro de que se produjera una explosión durante el descenso del dispositivo, pero Alis había hecho bien su trabajo. La mina detonaría, pero sólo a la hora señalada.

—Steven, empieza a moverte y prepárate para dar potencia máxima en cuanto te lo ordene.

Steven obedeció y alejó la *Nómada* del reactor haciendo que pareciera que cojeaba como un animal herido. Mantenía la mirada fija en la pantalla mientras sus perseguidores aceleraban para interceptarlos.

—Dios, sí que es rápida —dijo Steven—. Olvídate de lo que te he dicho antes. Estarán en el reactor en menos de cinco minutos.

A esas alturas, Alis y Thula habían vuelto a la cabina. Paul le hizo un gesto a la Meca para que ocupara el asiento del copiloto, y ella lo hizo así.

—¿Nos da eso margen suficiente? —preguntó.

—No andará muy lejos —dijo Alis—. Intervienen demasiados factores desconocidos para calcularlo con seguridad. No tenemos ni idea del tamaño del reactor ni de qué tipo de reacción en cadena puede provocar la explosión. Sí puedo garantizar que, mientras siga en su rumbo actual, esa nave quedará dentro del radio de la explosión cuando estalle la mina, aunque el propio reactor no llegue a explotar. La pregunta es: ¿nosotros también?

Paul tomó la decisión.

—Steven, quizá no sería mala idea acelerar un poco. Hazlo gradualmente, pero hazlo.

—Con mucho gusto —dijo Steven.

Con mesura fue aumentando su velocidad, pero mantenía la aceleración con un ritmo irregular.

—Se nos acercan —dijo.

—Thula, asegura a Tiray en una silla —dijo Paul—. Peris ponte el cinturón.

Thula levantó a peso al mareado Tiray del suelo, le sentó en una silla y le sujetó con las correas. Peris ocupó el asiento al lado de Tiray. Rizzo ya estaba sujeta.

—Van a entrar en nuestro radio de alcance —dijo—. Estamos a tiro... ¡Ahora!

En ese instante, la nave se balanceó por una explosión a babor.

—¡Nos disparan! —gritó Steven.

—Tiene que ser un disparo de advertencia —replicó Paul. Le sorprendió la tranquilidad con la que lo dijo—. Rizzo, dispara como respuesta. No queremos que sospechen que los estamos atrayendo.

Rizzo disparó el cañón de pulso, con la cara iluminada por el placer de poder dispararle a algo por fin.

—Teniente, intentan comunicarse con nosotros —dijo Alis.

—Ignóralos —dijo Paul—. Sea lo que sea lo que tengan que decir, no nos hace falta oírlo. ¿Tiempo para la detonación?

—Un minuto.

—¿Tiempo para que esa nave sea un montón de chatarra?

—Quince segundos.

—Steven, ya lo has oído. Quince segundos. A los dieciséis, pisas a fondo y nos sacas de aquí.

Otro disparo de la nave perseguidora pasó por delante de su proa, esta vez más cerca que el primero. No habría una tercera advertencia. Si la nave más grande tenía armas de pulso, y no había razones para suponer que no dispusiera de ellas, podía hacer un disparo que inutilizara la *Nómada,* en el caso de que sus perseguidores estuvieran dispuestos a asumir el riesgo de que la *Nómada* se estrellase contra la superficie de Arqueón, y posiblemente murieran cuantos iban a bordo.

—Cinco segundos —dijo Steven—. Cuatro. Tres. Dos. ¡Uno!

Paul se lanzó a un asiento y se sujetó las correas a la vez que Steven daba toda la potencia a la *Nómada*. La fuerza de la aceleración lo aplastó contra el asiento y sintió que la nave empezaba a alzarse lentamente. Puede que estuvieran en el umbral de una explosión nuclear, pero Steven no pretendía destrozarlo todo con un ascenso brusco y repentino.

—Continúan la persecución. Han variado el rumbo de nuevo, pero todavía les llevamos ventaja.

—Rizzo, abre fuego —ordenó Paul—. ¡Con todo! Sólo para tenerlos ocupados.

A Rizzo no hacía falta que se lo repitiera. Ya tenía los tres cañones pesados giratorios apuntándoles. Apartó una lengüeta y disparó.

A la vez que lo hacía, explotó la mina y unos segundos más tarde también el reactor. Incluso con la explosión a sus espaldas, la cabina se vio bañada de una luz blanca tan cegadora que tuvieron que taparse los ojos con las manos. La *Nómada* se estremeció por la fuerza de la explosión y si no hubieran estado sujetos en sus asientos se abrían partido la crisma contra el armazón de la nave. Cuando Paul abrió los ojos, vio la pantalla con el planeta parpadeando ante él, y la nave perseguidora todavía en su estela.

Y entonces la nave desapareció, perdida en una ola que lo barrió todo partiendo del núcleo de lo que antes había sido el reactor, y la pantalla se desvaneció con ella. Ahora la *Nómada* se estremecía de nuevo, pero esta vez porque estaba traspasando la atmósfera del planeta, liberándose de la fuerza de gravedad de Arqueón y entrando en el silencio del espacio.

La pantalla se reconectó. Reveló un panorama del planeta y una sucesión de explosiones que se producían en las instalaciones conectadas al reactor. Arqueón acababa de convertirse en un tipo diferente de infierno.

Rizzo rompió el silencio.

—Guau, nosotros hemos hecho eso. Épico.

57

Syl y Ani fueron convocadas al Decimotercer Reino, el hogar de las Hermanas Intermedias, junto con la única otra Novicia Dotada de primero, Mila.

Las llevaron a un salón de conferencias atestados de Novicias mayores que formaban un mar de túnicas verdemar: las Hermanas Intermedias. Algunas vestían túnicas ribeteadas con el azul de las Dotadas, jóvenes con poderes psíquicos que podían ser mayores que Tania y su grupo, pero carecían de su talento.

Eso era sí porque hacía sólo relativamente poco tiempo que la Hermandad había sabido que podía manipular activamente las capacidades de aquellos seres que poseían poderes psíquicos. Con cada nuevo grupo que entraba, se dedicaban más recursos al desarrollo de las habilidades de las jóvenes con poderes durante el breve periodo de la pubertad, porque esos poderes se estabilizarían una vez llegaran a la madurez. Además, se había descubierto que con la implantación de Chips neuronales después de la infancia se podían limitar —es más, eliminar por entero— esas tiernas capacidades, aunque esos hallazgos habían llegado demasiado tarde para casi todas las mayores y posiblemente poseedoras de poderes psíquicos Hermanas Intermedias. Por consiguiente se prohibió la implantación de Chips a todas las jóvenes que demostraran potenciales. Y por ese giro del destino, Tanit y sus colegas Dotadas eran las más poderosas y con diferencia, lo que avergonzaba a las Hermanas Intermedias.

Y ahí estaban ahora, apoltronadas en primera fila como una mancha fétida de un engañosamente bonito azul. A Syl se le erizó la piel al ver a Sarea.

Ante las reunidas había dos Hermanas de túnicas rojas, a todas luces esperando para empezar. Levantaron la vista cuando se abrió la puerta, y cuando todas las caras se volvieron para ver a las recién llegadas, la sala se sumió en un silencio total. Las tres Novicias se quedaron petrificadas, descolocadas, hasta que Syl se dio cuenta de que las presentes no miraban a Ani ni a Mila, sino a ella, que destacaba con la túnica amarilla, porque era la única Novicia ordinaria que había en la sala. Se mantuvo firme y devolvió una mirada desafiante, y poco a poco todas fueron dándose la vuelta otra vez, farfullando sus objeciones entre murmullos y mirando de vez en cuando a Syl.

—Mila —llamó una voz desde el grupo de azul. Era Xaron—. Mila, Ani, venid aquí.

Ani tiró de la manga de Syl y, a regañadientes pero sin ninguna oferta mejor, Syl la siguió. Tanit le clavó una mirada furiosa, pero Dessa sonrió encantada y se arrastró dejando sitio para Syl en la punta del banco, mientras Ani y Mila se apretujaban en el medio.

—Me han dicho que a lo mejor vienes al baile —susurró Dessa—. Esto no podría estar saliendo mejor.

Syl sintió una oleada de gratitud, incluso de afecto, hacia la chica mayor. No sabría decir si eso era bueno o malo, pero tampoco tuvo tiempo para pensar en eso porque empezó la reunión.

—Aquí presentes están hoy todas aquellas Novicias todavía no ordenadas que han sido elegidas por nuestra Orden para un gran honor —declaró una de las Hermanas de rojo, cuyas palabras silenciaron la sala una vez más. Era la profesora de diplomacia aplicada, Priety, erguida y seria, pero por una vez sonrió, porque todas sabían lo que diría a continuación—. Por gracia de Su Eminencia, la Archimaga Syrene, vosotras estáis invitadas a representar a la Hermandad de Nairene en el Baile del Génesis.

La ovación resonó con la potencia de unas campanadas.

—Como sin duda ya sabréis, el propósito del Baile del Génesis es presentar a las Hermanas idóneas, así como a las Hermanas Intermedias y las Novicias seleccionadas, a la sociedad ilyria. Dado que seréis embajadoras de nuestra orden, os vestiréis con el atuendo más delicado que podamos ofreceros y vuestro comportamiento será, por descontado, ejemplar en todo momento. Pero ¿por qué iba a ser de otro modo?, ¿acaso no encarnamos toda la grandeza de los ilyrios?

Hubo más aplausos y hasta vítores estridentes. Al oírlos, Priety frunció el ceño mostrando su desaprobación y al instante cesó el griterío.

—Hoy os daré normas y os explicaré qué podéis esperar, sólo para asegurarme de que todas tengáis claro lo que se os pide. Luego se señalarán las citas para las pruebas de vestuario. Mientras tanto, asistiréis a clases de comportamiento en sociedad y de baile, así como de repaso de diplomacia aplicada. —Hizo una pausa y sonrió, pero ninguna de las presentes sintió ganas de aplaudir ante la perspectiva—. Por último, mientras asistimos a estas cuestiones apremiantes, os veréis liberadas de cumplir vuestros deberes habituales o con vuestras clases normales... —ni siquiera la seriedad de su mirada pudo interrumpir los aplausos y vítores espontáneos que estallaron en la sala—... para que podáis estudiar los asuntos de mayor actualidad y cuestiones de liderazgo y política, de manera que habléis con conocimiento de causa... —La voz se le fue apagando y se encogió de hombros con fingida indiferencia mientras el ruido de la sala volvía inaudibles sus palabras.

Syl se vio conducida a través del Decimotercer Reino de nuevo hasta el exclusivo Decimocuarto, donde se suponía que no podía entrar ninguna Novicia sin compañía, convocada a la primera de varias pruebas de ropa con las habilidosas modistas de la Hermandad. Con ella iban Ani y Mila. Mila se enganchaba posesivamente al brazo de Ani y no hacía caso de Syl; pero sin el apoyo de su hermana, Xaron, o de las demás Dotadas, Mila parecía sumisa e incluso un poco asustadiza.

—¡Guau! —exclamó Ani mientras pasaban por delante de las paredes rojas con florituras que captaban la luz y titilaban suavemente, como si avanzaran por una mina de piedras preciosas.

Y volvió a quedarse boquiabierta mientras recorrían los alojamientos cavernosos e imponentes del Decimocuarto Reino. Syl asintió y le siguió el juego, pero el pecho le latía con el temor de que una de las Hermanas del Servicio con túnicas blancas la viera. Sí, había llevado su revuelto cabello broncíneo oculto bajo una pañoleta en sus incursiones previas, y sí, apenas había hablado con nadie, aparte de con Lista, pero, pese a todo, el miedo le atenazaba las entrañas.

A medida que avanzaban y se alejaban de las zonas en las que ya había estado antes, prestaba mucha atención a la ruta que seguían y también al espacio en el que se encontraban, aunque la mayoría de las puertas ante las que pasaban estaban cerradas. Cuando más se alejaban de los Reinos Duodécimo y Decimotercero, más se fijaban las Hermanas Rojas en las intrusas, algunas esbozando pequeñas sonrisas, como si supieran que ese trío de tímidas Cenicientas había sido invitado al baile, y otras con miradas desconcertadas. Murmuraban y a veces incluso las señalaban, y de nuevo era Syl la que atraía la mayor atención en su atuendo amarillo. Bajó la mirada a los pies y siguió caminando con la cabeza gacha, porque eso parecía garantizarle más anonimato, sobre todo si pretendía volver a explorar la zona en cuanto pudiera.

Finalmente las hicieron pasar por una puerta y entraron en el Séptimo Reino, y Syl casi se rió, porque ahí era donde le había dicho a Lista que vivía: ¡ahí! Ahora entendía la confusión de Lista, porque quedó instantáneamente claro que las cosas eran distintas en este Reino. El Séptimo estaba tallado en la piedra antigua de Avila Minor, y aquí las modistas trabajaban en cuevas exiguas con una brillante iluminación, cuevas desbordadas de rollos de telas de colores brillantes y matizados y bobinas de seda vibrante. Tarros de dijes y abalorios se alineaban en las paredes y se derramaban por los suelos. Los pasillos estaban salpicados de ganchos de los que colgaban atuendos recién confeccionados y patrones que acababan de cortarse, así como túnicas y galas acabadas, envueltas en pergaminos claros, con etiquetas para su clasificación, entrega o retocado. Unas grandes vitrinas ornamentadas exhibían lo que eran a todas luces piezas de museo, entre ellas túnicas rojas descoloridas y raídas del estilo de antaño, y vestidos enjoyados tan antiguos y frágiles como telarañas.

Con ojos como platos, Syl, Ani y Mila fueron introducidas en tres grandes cuevas comunicadas entre sí. En el espacio de la izquierda se amontonaban hasta el techo lo que parecían tarros de alas de mariposas, botones y cristales centelleantes, clasificados según colores y diseños. A la derecha, pieles, sedas y cueros se amontonaban al lado de rollos de telas iridiscentes, tejidos que resplandecían y otros que parecían tener estampados que se movían sobre ellos: helechos bajo una brisa, nubes que se desplazaban por el horizonte, flores que cabeceaban a la luz del sol.

Todo desembocaba en la cueva del centro, donde un grupo apiñado de enérgicas modistas las estaba esperando. Todas llevaban túnicas rojas confeccionadas a medida, con las mangas cortas para que no les molestaran en su trabajo, y varios utensilios del oficio y agujas que oscilaban colgados de sus faldas.

En el centro del grupo una Hermana se sentaba sola en la única silla que había en la habitación, y aunque parecía llamativamente más joven que las demás, quedaba claro que era la que estaba al mando. Llevaba el pelo corto, más corto de lo que ya de por sí era normal en las Hermanas plenas, pero unas alas, así como tiras deshilachadas de cinta, diminutas cuentas, purpurina e hilos de plata se habían enganchado —o habían sido colocados— en el pelo casi rapado que le cubría el cráneo, de manera que parecía llevar una gorra ceñida confeccionada con insectos desgarrados y fantasmas centelleantes de un pasado de frivolidad.

—Ésa es la Hermana Illan, la jefa de diseñadoras Nairenes, pero debéis llamarla «Su Elegancia» —dijo en voz baja su acompañante antes de escabullirse de la habitación y salir a esperarlas fuera.

La Hermana Illan las miró atentamente mientras se acercaban a ella, y asintió casi con desdén a sus educados saludos. Hizo un gesto a Mila y Ani, con sus ricas túnicas azules, para que se adelantaran, y una lacaya les dijo que se dieran la vuelta delante de la diseñadora. Illan las observó con astucia, tomando notas y haciendo rápidos esbozos en una pantalla que tenía ante sí. A continuación, les dijeron que se quitaran las túnicas, y así se quedaron, intimidadas y al descubierto, en ropa interior, mientras las modistas susurraban entre ellas. Por fin, Illan habló.

—La única especificación que ha dado Su Eminencia, la Archimaga Syrene, es que cada debutante luzca el color que denote su condición. Es lo habitual. Así que vosotras dos iréis de azul, el hermoso azul de las Dotadas.

Sonrió, casi con calidez, y ellas le devolvieron la sonrisa con entusiasmo.

—Gracias, Su Elegancia —dijo Ani.

—Sí, gracias —añadió Mila.

—Venid —dijo Illan, que se levantó y las condujo ante un montón de tela azul. Se dio la vuelta y estudió a las dos por última vez, presionó con fuerza los hombros de Mila para que la chica se irguiera, y luego pellizcó a Ani en la mejilla.

—Una cara preciosa —dijo mirándola de cerca—. Es una verdadera pena que no seas más alta, pero aun así resultas encantadora.

Mila se retorció, esperando claramente un cumplido para sí, pero la diseñadora no fue tan expresiva.

—Creo que ya tengo lo que te va bien —fue lo único que le dijo, antes de escoger una pieza de terciopelo azul oscuro y colocar la tela en manos de Mila.

—Mantente derecha y te quedará estupendamente —le dijo a una Mila visiblemente decepcionada—. Podríamos embellecerla con piedras, diría yo, sí, ¿no crees, Hermana Rundl?

—Sin duda, Su Elegancia —dijo una de las costureras, que se adelantó para ocuparse de Mila—. ¿Zafiros?

—Oh, por favor, no. Bastará con lapislázuli o algo similar —dijo Illan, claramente hastiada, y la Hermana Rundl recogió a la abatida Mila y a su decepcionante tela azul.

—Pero para ti, preciosa con el pelo plateado —dijo Illan acariciando la melena de Ani—, para ti creo que necesitamos algo muy especial.

Acarició varias telas, negando con la cabeza, y se introdujo en la sección de la cueva llena de tejidos hasta que se perdió de vista. Todas se quedaron en silencio, con Syl olvidada cerca de la puerta y Ani semidesnuda y ruborizada bajo la luz brillante. Por fin, Illan reapareció, complacida.

—Ésta —dijo y sostuvo en alto una cascada añil. Al menos, eso era lo que parecía, porque incluso cuando se asentó y se quedó quieta, las ondulaciones de la tela pura fluían arremolinándose, agitándose y lanzando penachos de espuma. Con una floritura, Illan envolvió el tejido sobre los hombros de Ani de manera que parecía emerger como una sirena de un estanque de aguas inquietas, y su cabello era como un eco de las salpicaduras plateadas. Todas las modistas aplaudieron.

—Perfecto —dijo la diseñadora—. ¿Te gusta?

—Sí, Su Elegancia. Mucho.

—Bien. Te queda bien, aunque me parece que a ti te queda bien casi todo. —Señaló a una de las Hermanas de su equipo—. Xela, me gustaría que te encargaras tú de ésta, porque las telas más delicadas requieren las agujas más delicadas.

—Por supuesto, Hermana Illan —dijo Xela, que se adelantó para llevarse a Ani—. No la decepcionaré.

Con la tela ondulándose todavía alrededor del cuello, Ani fue conducida fuera de la cueva. Entonces Illan se volvió hacia Syl y frunció el ceño.

—Por un momento creí que te había imaginado, pero no, sigues aquí. Y todavía de amarillo.

—Sí, aquí estoy, Su Elegancia —dijo Syl, y no pudo evitar echar una mirada ávida a los tejidos suntuosos. Nunca lo reconocería, pero también ella quería estar bella para el baile.

—Así que el rumor es cierto, entonces. Pero, por favor, dime, ¿por qué una simple Novicia Amarilla va a asistir al Baile del Génesis?

Syl no dijo nada, e Illan suspiró profundamente.

—No soy yo quién para cuestionar las decisiones de las que ostentan la autoridad —dijo con tono teatral, y las demás se rieron ruidosamente, como si eso fuera precisamente lo que más le gustaba hacer a Illan—. Debe ser un vestido amarillo, pues que así sea.

—Gracias, Su Elegancia —dijo Syl y se sintió avergonzada.

—Oh, estoy segura de que puedo esforzarme, aunque espero que Syrene no pretenda convertirlo en hábito. Aborrezco el amarillo, y aun así es la segunda vez que tengo que trabajar con él este año. Aunque al menos esta vez tengo una Novicia viva y entera con la que trabajar ¡y no un montón de trozos de una muerta!

Todas volvieron a reírse, e Illan pareció molesta cuando Syl no se unió a las demás.

—Lo siento, Su Elegancia, pero no entiendo —dijo Syl.

—Ni debes entenderlo, pero si las Novicias acaban aplastadas por paredes que se desmoronan... Bueno, quítate esa túnica. Veamos con qué tenemos que trabajar.

Illan seleccionó rápidamente para Syl un rollo de tela amarilla clara que cambiaba de matices cuando la luz incidía en ella. Nadie pareció especialmente impresionado por el tejido, y tampoco le prestaban mucha atención a Syl —la que menos, la modista anónima que le asignaron—, pero a la joven, en secreto, le encantaba. El tejido pareció estremecerla al deslizarse sobre su piel, suave y fresco, pero, más importante, los colores cambiantes le trajeron a la memoria las luces y las sombras casi olvidadas del abrasador sol de la Tierra mientras caía sobre las dunas doradas del desierto de Namibia, en el sur de África. Su padre la había llevado allí una vez, cuando era sólo una niña, y con Syl apretada y segura entre sus rodillas, como en un tobogán liso, juntos habían bajado por las montañas de arenas suaves y móviles, gritando de placer. El personal de Lord Andrus había mirado para otro lado para ocultar las sonrisas.

—¿Y la ornamentación, Hermana Illan? —preguntó la modista con voz cansina.

—Oh, estoy convencida de que un poco de ámbar servirá. No malgastes las piedras preciosas con una Novicia Amarilla.

Y Syl salió también para que le tomaran las medidas y le hicieran pruebas.

En los días previos al Baile del Génesis, Syl realizó más visitas al Séptimo Reino de la Marca, donde cortaban y daban forma a su vestido amarillo hasta que cayó en suaves curvas que se le ceñían, y las mangas largas fueron rematadas con puños puntiagudos y colgantes que flotaban bajo sus brazos como alas. Le confeccionaron un cinturón bajo de ámbar y cuero sujeto con cinchas, y Syl se sintió como una princesa guerrera. Y no es que a nadie pareciera importarle lo que pensaba o sentía, pero aun así Illan y su personal se enorgullecían de su trabajo —de todos sus trabajos— y hasta el relativamente apagado terciopelo de Mila se transformó en algo precioso y de aire románico, con bastas piedras azules y trozos de cuarzo crudo que ornamentaban el dobladillo y el cuello.

Pero el vestido de Ani era, con diferencia, el más hermoso, de corte sencillo y elegante; por delante formaban ondas pegadas a su piel que sacaban todo el partido a su esbelta figura, mientras que por su espalda la tela caía libre como una capa, como agua que se desbordara en una cascada, y el dobladillo salpicaba tras ella como si fuera navegando por rápidos. Unos zafiros sujetaban la tela como si fueran gotas de un agua imposiblemente pura, y Syl suspiró de envidia cuando vio a su amiga en la prueba final. En privado, se alegraba de que Paul no estuviera aquí para ver lo hermosa que podía ser Ani, tan salvaje y disipada como un océano al lado de la arena plácida y suave de Syl.

Entre las pruebas, las clases de comportamiento en sociedad, las de baile y las aparentemente inacabables de diplomacia aplicada, Syl también encontró tiempo para algunas incursiones ilícitas en la Marca, con el cartografiador de Lista metido en el bolsillo de su túnica blanca junto a las llaves robadas, y su pelo delator envuelto con firmeza en una pañoleta de las Hermanas del Servicio. Cada vez que entraba, intentaba explorar una zona nueva, pero las bibliotecas y otras construcciones de Avila Minor eran inmensas, de mucho mayor tamaño que lo que ella había imaginado, excavadas en las profundidades del suelo con Reinos que a menudo se conectaban entre ellos por incontables corredores y túneles, de manera que a veces acababa donde había empezado. Con todo, tenía la sensación de que iba haciéndose una idea del espacio, y su temor de que la descubrieran también disminuyó porque con la cantidad de Hermanas que corrían por todas partes y los lugares incontables a los que podían ir, una criada más con su ropa blanca doméstica pasaba inadvertida entre la multitud. Con todo, era cautelosa porque temía a Oriel: el disfraz de Syl no serviría de nada ante la vieja bruja, y no le apetecía mucho acabar como forraje de cascido.

De vuelta en sus alojamientos, dibujaba un tosco mapa de dónde había estado y redactaba una lista de los distintos Reinos que había visitado y de qué contenían. Por ejemplo, la mayor parte del cultivo hidropónico de alimentos, así como la organización general de la logística del complejo, requerían para su funcionamiento un espacio tan vasto como la propia Marca —para proporcionar desde aire respirable a agua— y parecían concentrarse en los Reinos Décimo y Undécimo, que se hallaban aproximadamente en el centro de la comunidad. Ambos contaban también con grandes zonas de aterrizaje para las naves que llegaban.

Había llegado hasta las puertas mismas de lo que debía de ser el Decimosexto Reino, pero esa zona estaba cerrada y requería un permiso de acceso especial, aunque por lo que tenía entendido —o había oído a hurtadillas— el Decimosexto alojaba a todo tipo de criaturas que volaban, se arrastraban y reptaban sobre sus vientres, oriundas tanto de su planeta original como de otros mundos. Limpiar en el Decimosexto era una tarea especialmente desagradable que todas las Hermanas del Servicio aborrecían sin excepción. El Decimosexto estaba a su vez conectado con el Noveno, que incluía algunas instalaciones inundadas y que fue donde Syl, durante su primera visita, había visto la criatura que se parecía llamativamente a un unicornio.

Y en cada Reino que entraba encontraba bibliotecas, y vastos, abrumadores, épicos archivos de todo cuanto los ilyrios conocían o habían encontrado. Tratándose de un lugar claustrofóbico, a Syl le pareció irónico que una pudiera encerrarse ahí dentro para siempre y aun así descubrir todo lo que había que saber en el universo.

En cuanto a las heridas de Syl, a esas alturas el dolor de la mano casi había desaparecido y daba la impresión de que todo el mundo había aceptado la historia de que se había hecho daño cuando supuestamente se había caído en los vestuarios. Ni siquiera Ani la cuestionó, pero la deliberación con la que su amiga evitaba tocar el tema le indicaba a Syl que Ani sospechaba algo, pero que prefería no saberlo, y ciertamente no le preguntó. Eso le dolió a Syl, pero también hizo que se sintiera menos culpable por mantener en secreto sus incursiones prohibidas al resto de la Marca y no contárselas a su mejor amiga. Si Ani notaba sus prolongadas ausencias, tampoco lo mencionó. A menudo se iba y buscaba a Tanit, pero luego fingía astutamente sorpresa cuando se topaba con ella. A veces, Syl se preguntaba si Ani no estaría un poco enamorada de Tanit, porque las mejillas se le ruborizaban en presencia de la Novicia mayor, y cada vez más parecía que lo único que deseaba era impresionar a Tanit. Pero ésta nunca descubría su propio juego y siempre sonreía y daba la bienvenida a Ani con aparente alegría, haciéndole sitio a su lado como si fuera una encantadora huerfanita o una bonita mascota.

Mientras tanto, Nemein sonreía con suficiencia porque estaba convencida de que la deslumbrada Novicia de primero no tenía la menor posibilidad de usurpar su lugar en la jerarquía, y esa amabilidad selectiva la dejaba en buena posición.

En cuanto a Sarea, no decía nada, porque, tras el incidente con Syl, se había vuelto intermitentemente taciturna y huraña. El dedo herido en sus manos previamente inmaculadas había quedado ligeramente torcido, y se doblaba de manera poco natural por el nudillo. Esa imperfección la molestaba, pero rechazó las ofertas del equipo médico para enderezárselo.

—No —informó a Thona y al resto de las Dotadas—, lo conservaré así como recuerdo de que una vez fui débil, de que una vez fui descuidada, de que mis propios poderes son tales que hasta yo misma corro peligro. Y no permitiré que vuelva a suceder. ¡Nunca! Practicaré hasta que nada pueda pararme.

Cuando se lo contaron a Oriel, asintió, alentándola, y el orgullo latió en su corazón frío, porque tal devoción a la causa complacería mucho a Syrene. De hecho, complacería a todas —y a todo— lo que importaba.

Y entretanto, en la intimidad de su habitación, Syl perfeccionaba obsesivamente sus propios talentos psíquicos, puliendo sus habilidades en cada momento libre que tenía, porque sentía que se aproximaba un cambio, como la variación que se nota en el aire antes de una tormenta, y sabía que tenía que estar preparada.

58

Fue sólo después, tras una breve reentrada en la atmósfera del planeta para limpiar la nave de esporas, y del salto a través del agujero de gusano de Arqueón, cuando Paul se dio cuenta de la enormidad de lo que había hecho. La pantalla de la *Nómada* mostraba una serie de puntos con las explosiones en la superficie, la mayor de las cuales se concentraba donde se alzaba antes el reactor. Alis había ajustado la imagen en 3-D del planeta para seguir la propagación de la radiación y a cada segundo que pasaba otra zona de Arqueón pasaba del verde al rojo. Resultaba difícil imaginar que algo hubiera sobrevivido a la catástrofe que ellos —que Paul— habían infligido en el ecosistema de allá abajo.

¿Acaso era él mejor que los ilyrios? Ellos habían sacrificado Arqueón a los organismos desconocidos por razones que sólo conocían un puñado de gerifaltes. Ahora Paul había destruido el planeta, justificando su acción con el argumento de que era necesario para salvar su propio mundo. Pero ¿quién era él para tomar esa decisión?, ¿quién era él para decidir que un mundo, o una especie, merecía sobrevivir más que otro? Había hecho algo incorrecto por la razón correcta, al menos por lo que él creía que era la razón correcta, pero eso no cambiaba el hecho de que fuera el responsable de un terrible acto de destrucción.

Y luego estaba la nave que había sido tragada en la primera explosión. En ningún momento se había planteado negociar con su comandante, nunca había tomado en consideración otra posibilidad que la de atraerla a una trampa de la que no podría escapar. No les había dado la menor oportunidad a los que iban a bordo. Ahora no le importaba que, si la situación hubiera sido la inversa, ellos tampoco habrían tenido la menor piedad con él ni con su tripulación. No quería ser lo mismo que los peores ilyrios. Quería ser mejor que todos ellos.

Ante la inminencia del siguiente salto, Paul se sentó en la cabina del capitán, con la mirada vacía y el corazón desbordando un sentimiento de culpa que amenazaba con abrumarle por completo.

Alis apareció en la puerta, pero tuvo que repetir dos veces su nombre antes de que él se diera cuenta de su presencia.

—¿Qué ocurre?

—Estamos delante del siguiente agujero de gusano, pero creo que deberíamos retrasar el salto hasta que hayamos revisado la nave. Ha sido sometida a mucha tensión. No querríamos entrar en otro agujero de gusano y que se despedazara a nuestro alrededor. Ya me sorprendió que consiguiera salir del sistema de Arqueón sin problemas.

No podrían hacer gran cosa si la *Nómada* había sufrido daños graves, pensó Paul. Estaban muy lejos de cualquier instalación de mantenimiento, y la nave parecía transportar tan sólo las mínimas piezas de repuesto. Quienquiera que la hubiera enviado tras Tiray no había pensado que tuviera que realizar más que un par de saltos antes de volver a casa con su presa.

—¿Cuánto tiempo llevará?

—No más de una hora, si me enchufo directamente.

—Hazlo, por favor.

—Sí, teniente.

Alis no se movió.

—¿Había algo más? —preguntó Paul.

La veía esforzándose por formar las palabras que quería decir. Ya podía oírlas, aunque todavía no las había pronunciado: *Hiciste lo que tenías que hacer, no tenías otra opción...*

—¿Te sientes culpable? —preguntó ella por fin.

—Sí —respondió él—. Me siento culpable.

—Está bien. Deberías.

Sintió que se enfurecía. No necesitaba que este ser artificial, esta imitación de un ser vivo, le criticara. No tenía ningún derecho. Si alguien tenía que torturarle, sería él mismo.

Si Alis vio el efecto que sus palabras produjeron en él, no se dio por aludida. Continuó hablando:

—Me alegro de que sientas dolor. Me complace que sientas vergüenza por lo que has hecho, por lo que *nosotros* hemos hecho, porque yo te ayudé en cada paso. Si no experimentaras esas emociones, serías menos que un ser sensible. Porque si alguien desencadenara esa destrucción y no sintiera la responsabilidad que implica sería un signo de enfermedad, de locura. Hemos cometido un acto de maldad para impedir un mal mayor. Hemos hecho lo que era necesario, y es irreversible, pero llevaremos su huella en nuestras almas, y responderemos de ello ante quien nos creó.

—¿Y qué dirá el «Creador» —preguntó Paul— cuando me presente ante él?

—¿Quién sabe? —respondió Alis—. Pero creo que algo parecido a esto: no hay pecado tan grande que no pueda perdonarse, y quien nos creó tendrá en cuenta la intención tanto como el acto para emitir su juicio. Como sea, te informaré de los resultados del diagnóstico de la nave en cuanto reúna los datos.

Acertó a esbozar algo parecido a una sonrisa.

—Gracias, Alis.

—No hay de qué. Oh, y has utilizado el masculino «él» para referirte a quien nos creó. ¿Por qué?

No me fastidies, pensó Paul. Antes de que me dé cuenta estará intentando venderme una Biblia.

—Porque siempre lo he hecho —dijo—. Porque mi Iglesia siempre se refirió a nuestro Dios como varón.

—Imaginas a quien nos creó como varón porque tú lo eres, y tu Iglesia existe por el dominio de los hombres. Vuestros libros sagrados hablan del hombre creado a imagen y semejanza de vuestro dios, pero yo creo que es al revés, que lo habéis dibujado a él a vuestra imagen. Es curioso, ¿no te parece?

—¿Ah, sí? La verdad, nunca lo había pensado.

—Es curioso creer en una entidad que creó los planetas, las galaxias, todas las formas de vida, y, aun así concebirla como un varón.

—Entonces, ¿tú ves a ese Creador como una mujer?

—Yo no «veo» al Creador de ningún modo. El Creador simplemente es.

—Alis —dijo Paul sonriendo—, eres una persona extraña y no lo digo simplemente porque seas una Meca. Ve y empieza el diagnóstico. Yo iré enseguida.

La vio marcharse. Su lúgubre estado de ánimo se había visto influido por las palabras de Alis y, aunque no había desaparecido, de algún modo era menos intenso. Una figura surgió entre las sombras e interceptó a Alis. Era Steven. Su hermano tendió la mano derecha hacia la Meca y le acarició suavemente la mejilla. Ella inclinó la cabeza y la apoyó en el hombro de Steven, de manera que su cara quedaba girada en dirección a Paul. Ella vio que Paul los miraba, pero la Meca no hizo ademán de apartarse de su hermano.

Paul simplemente se dio la vuelta y los dejó en paz por un rato.

Una vez acabado, el diagnóstico de la revisión reveló debilidades en dos de los paneles exteriores, como consecuencia del impacto del asteroide en la nave o de la proximidad de los disparos que había recibido ante las proas en Arqueón. Según Alis, no eran motivo de preocupación inmediata, pero habría que revisarlos después de cada salto. También aconsejó que tomaran la ruta de vuelta a Ilyr a través de los agujeros de gusano más estables. Steven calculó que eso podría hacerse en cuatro saltos, pero tardarían días.

Paul consultó con Peris.

—¿Todavía nos estarán buscando? —preguntó.

Peris lo pensó un par de segundos, luego extrajo de la memoria de la *Nómada* una imagen de la nave que les había perseguido hasta Arqueón. Señaló dos estructuras, cada una a un costado del cuerpo principal.

—Son hangares, pero el último escáner que hicimos justo antes de destruirla revela que estaban vacíos —dijo Peris—. Se trataba de una pequeña nave nodriza, y yo diría que la *Nómada* estuvo antes en uno de sus muelles, y que la nave que destruimos en Torma iba en el otro. Por el momento, yo diría que nuestros perseguidores más inmediatos han dejado de existir. Es posible que la nave nodriza haya enviado un mensaje informando a otros de su intención de investigar una posible intrusión en el sistema de Arqueón. Si es así, el mensaje tardará su tiempo en ser recibido, y todavía más en que se decida qué respuesta dar. Por el momento estamos a salvo, pero la cuestión sigue abierta: ¿qué pasará cuando nos acerquemos a Ilyr? Quienquiera que creara esta nave no querrá verse descubierto.

—Mandaremos una llamada de emergencia por un canal del Ejército en cuanto pasemos cerca de una baliza —dijo Paul—. Dejaremos que nuestras propias fuerzas nos escolten, pero mis órdenes son no revelar nada, absolutamente nada, sobre la verdadera naturaleza de esta nave. Por lo que se refiere a cualquier nave del Ejército o del Cuerpo, ésta es una nave nómada, que hemos tomado tras un ataque de fuerzas desconocidas en Torma.

—Esa historia no se sostendrá cuando nos examinen de cerca y habrá una investigación completa. Los militares no se toman a la ligera la pérdida de un destructor, ni siquiera de uno de los cedidos a las Brigadas.

—Nuestra historia no tiene por qué ser la definitiva —dijo Paul—. Simplemente tiene que sostenerse lo bastante para que podamos entrar en el sistema ilyrio sin que nadie decida aniquilarnos para destruir pruebas de la existencia de esta nave. Una vez estemos de vuelta en Ilyr, puedes encargarte de ponerte en contacto con los superiores militares de tu confianza, y podemos empezar a contar la verdad.

La idea de explicar lo que habían descubierto en Arqueón pareció que hundió los hombros de Peris.

—He dado órdenes a Alis para que coloque todas las grabaciones e imágenes de Arqueón en un dispositivo seguro —dijo Peris—. Presentaremos las pruebas de la existencia de una instalación secreta en el planeta, según parece diseñada para permitir la crianza de una especie alienígena desconocida. Pero lo demás, las implantaciones de una especie similar en los cuerpos de oficiales diplomáticos y una posible trama para contaminar la Tierra con esos organismos..., bueno, eso sólo son conjeturas por el momento.

»Y, Paul, no hace falta que me expliques el peligro que corremos por estar en posesión de esta información. Nuestra esperanza radica en que en Ilyr nadie sepa todavía que hemos estado en Arqueón. Eso me concederá un margen para poder realizar los contactos apropiados. Aunque podemos afirmar con cierta seguridad que se trata de una operación del Cuerpo, los militares no son tan hostiles hacia éste como en el pasado. Hubo un tiempo en que podría haberme fiado de cualquiera de mis oficiales superiores sin vacilar, pero ya no es así. La Hermandad ha clavado sus garras también en los militares y quién sabe cuántos oficiales siguen siendo leales. Debemos movernos con cuidado.

Paul lo comprendió. Una parte de él quería hacer público lo que habían descubierto, emitiéndolo por todos los canales disponibles, que reventara por los altavoces de todos los tejados de todas las ciudades de la Tierra, pero entendió que Peris tenía razón al ser cauteloso. Aunque si Peris y sus aliados no reaccionaban con la bastante rapidez, Paul tomaría cartas en el asunto en cuanto pudiera. Si esas esporas estaban destinadas en última instancia a la Tierra, entonces un reloj había empezado la cuenta atrás sobre el futuro de su propio planeta. Pensó en su madre, en sus amigos, en Trask, Nessa, Jean y Just Joe. Pensó en Heather y la pequeña Alice. Y pensó en Fremd, Green Man, aunque no fuera más humano de lo que lo era Syl. Suspiró profundamente.

—¿Y qué pasa con Tiray? —preguntó tras guardar silencio un momento.

—He hablado con él. Parece tan alterado como nosotros por lo que vio en Arqueón. Está de acuerdo en que hay que informar a las autoridades apropiadas, aunque no deja muy claro cuáles cree él que son esas autoridades. Tiene ideas propias.

—Una vez más, ¿es digno de confianza? Y no me sueltes una disquisición sobre los políticos, por favor. Me gustaría una respuesta concreta.

—Por lo que sé de él, diría que sí, podemos fiarnos.

—En cualquier caso, no lo pierdas de vista.

—No lo haré. Y ahora, ¿puedo hacerte yo una pregunta?

—Por supuesto, adelante.

—Tienes armas. Tienes una nave rápida, que no puede ser identificada, lo que la convierte en difícil de perseguir. Cuentas con una tripulación leal. Podrías huir, y tal vez encontrar el modo de regresar a la Tierra utilizando el mapa de agujeros de gusano. Pero en vez de hacerlo pareces desear, incluso anhelar, ir a Ilyr. ¿Por qué?

—Porque —dijo Paul— la Marca orbita alrededor de Ilyr, y Syl está en la Marca.

—¿Pretendes verla? —preguntó Peris—. Ningún varón puede poner el pie en Avila Minor. Hacerlo supone una condena inmediata a cadena perpetua, suponiendo que los sistemas de seguridad de la Marca no se ocupen antes de ti. Por lo que tengo entendido, carecen de armas para aturdir. Todo está diseñado para matar.

Peris apoyó la mano en la parte superior del brazo de Peris.

—No pretendo verla —le tranquilizó. Peris pareció aliviado, aunque sólo hasta que Paul acabó de hablar—. Voy a rescatarla.

59

Las clases especiales para las Novicias Azules, las Dotadas, no se suspendieron, no se suspendían nunca. Se reunían todos los días, y cuando acababan las inevitables charlas emocionadas sobre el inminente baile, describiéndose sus vestidos unas a otras con extasiado detalle, Ani perfeccionaba sus habilidades psíquicas. Con el estímulo de las otras Dotadas y de sus tutoras, sentía que hacía progresos. Aunque su destreza en la ofuscación física se desarrollaba lentamente, todavía bastante lejos del talento de Dessa, su habilidad para juguetear con las mentes, hacer creer a los demás que veían algo que no estaba ahí, hacía que incluso Thona se detuviera y reconsiderara de nuevo el valor de aquella que había considerado al principio meramente una tonta Novicia Terrinata con dones más bien escasos.

Fue el día en que aparecieron dos Tanits en clase cuando quedó confirmado.

Tanit había llegado un poco antes con Nemin, Dessa y Sarea, esbozando una amplia sonrisa, y ahora observaba en silencio cómo Sarea se calentaba pulverizando los restos de un pequeño mamífero. La criatura, misericordiosamente muerta hacía mucho tiempo, corcoveó y cayó hacia atrás sobre la mesa delante de Sarea mientras ella le retorcía los músculos flácidos y sus órganos inertes con la mente. Nemein la ayudaba, lo que implicaba que señalaba una parte del cuerpo —«¡Hígado! ¡Esternón! ¡Ojo...! ¡Culo!», al oírlo a Dessa y a Ani les entró la risa— y entonces Sarea intentaba aislar y aplastar el órgano interno elegido. Pero ella no se reía; raramente lo hacía ahora. Sus ojos tenían una mirada acerada, sus rasgos permanecían inmóviles, su mandíbula marcaba una resolución que no auguraba nada bueno. Lo único que parecía alegrarla era complacer a Tanit, y hacer daño. Un parpadeo de satisfacción iluminó brevemente sus delicados rasgos cuando rompió las costillas del animal una por una, cada una con un placentero crujido de huesos, como si pasara los dedos por el teclado de un piano.

Fue entonces cuando Tanit irrumpió silenciosamente, lívida.

—¡Sarea! ¡Nemein! ¡Dessa! —les espetó. Al instante, la criatura que parecía un conejo se dobló hacia atrás y cayó inmóvil mientras las tres amigas se daban la vuelta y miraban a su líder, boquiabiertas—. Os dije que me esperarais delante del refectorio. ¿Dónde estabais?

—Pero..., pero... ¿Tanit? —Sarea se dio la vuelta lentamente y miró fijamente a Ani, que estaba sentada en la silla detrás de ella, exactamente en el mismo sitio donde había visto a Tanit hacía una fracción de segundo, con las piernas cruzadas por los tobillos, las manos entrelazadas con docilidad sobre el regazo, en exactamente la misma postura que había estado Tanit. Nemein y ella pasearon la mirada entre Tanit y Ani de nuevo, a todas luces pasmadas, pero ahora Dessa se echó a reír.

—Ay, mira tú. Vaya por Dios, no puedo creerme que haya caído.

Tanit avanzó a grandes zancadas hacia la risueña Dessa y le agarró la cara entre los dedos.

—¿Te estás riendo de mí, Uludess?, ¿tú?, ¿de mí?

—¡No! De ti no, Tanit, ¡de ti nunca! Me reía por lo que acaba de hacer Ani. ¡Nos ha nublado! Se ha convertido en ti. Ha sido tan convincente...

Thona apareció, y al instante Tanit soltó la cara de Dessa, pero ya había dejado unas delatoras huellas digitales rosas en sus mejillas: iracunda, había chamuscado la carne de Dessa.

—¿Qué significa todo esto? —preguntó Thona.

—Ha sido Ani —dijo Tanit, que se volvió y miró fijamente a la chica más joven—. Según parece, se ha hecho pasar por mí.

—¿Que has hecho qué, Ani Cineda? —preguntó Thona, con una voz que traslucía su incredulidad.

—Les nublé las mentes, Hermana Thona. Les hice creer que era Tanit.

—¿Por qué? Ya sabes que va contra las normas practicar sin autorización entre vosotras. Explícate.

Ani pareció mortificada.

—Bueno, es que si las demás esperan que las nuble, nunca las engaño. Quería ver si podía hacerlo cuando no se lo esperaban.

—Pequeña escoria —dijo Sarea—... ¿Quién te crees que eres?

—¿Cómo te atreves a hacerte pasar por Tanit? —la interrumpió Nemein, apartando con el codo a Sarea—. ¡Tú! Una simple Novicia de primero, pretendiendo ser Tanit. Ya te enseñaré yo.

—Tranquila, Nemein —dijo Thona en voz alta—. Yo soy la que está al cargo aquí. Y yo seré quien tome las medidas pertinentes, gracias. —Se volvió hacia Ani, que se estaba encogiendo en la silla, pálida aunque desafiante—. Ani, ven. Tenemos que informar de este incidente a la Granmaga Oriel de inmediato. Tendrá mucho interés.

—Pero no es justo —dijo Ani con voz casi entrecortada—. ¿Cómo puedo mejorar cuando siempre me está bloqueando?, ¿cómo puedo demostrar de lo que soy capaz si no me deja? Y no es que haga ningún mal. En el mundo real, fuera de esta aula, nadie va a bloquearme. Ni siquiera se enterarán de que estoy haciendo algo.

—¡Ani, ven! —ordenó Thona.

—No —dijo Tanit—. Espere, Ani tiene razón. Claro que la tiene. Hemos adquirido mucha práctica bloqueando a las que saben ofuscar las mentes, debido a Dessa. Y siempre se nos prepara para que bloqueemos a Ani antes de que empiece. No es justo para ella, apenas tiene oportunidades.

—Pero ella ha pretendido ser *tú*, Tanit —dijo Sarea.

—Tú, precisamente —añadió Nemein sin que fuera necesario.

En silencio, Thona se apartó a un lado, se cruzó de brazos y observó con curiosidad a sus estudiantes para ver cómo concluía la discusión.

—Ya me he dado cuenta, muchas gracias —dijo Tanit—. Ha sido una audacia por su parte, está claro, y me siento un poco insultada por su insolencia —al decirlo, miró a Ani con severidad y Ani apartó la mirada sintiendo que se le enrojecían las orejas—, pero también creo que ha sido un golpe genial. Después de todo, ha conseguido que aquellas de las que soy más íntima se creyeran que era yo. ¿Acaso no demuestra eso una habilidad notable que sólo empieza a desvelarse ahora que se le ha permitido desplegar sus alas? Unas alas que nosotras habíamos recortado, debo añadir. En realidad, me siento orgullosa de ella. Y sospecho que a esa capacidad puede dársele muy buen uso. Yo, por ejemplo, puedo sacarle mucho partido.

—¿Cómo? —preguntó Sarea haciendo una mueca.

—Bueno, siempre he deseado poder estar en dos sitios a la vez. Ahora ya puedo, o al menos, puedo hacer que lo parezca. ¿No es eso una bendición? Piénsalo bien, mi querida quebrantahuesos. Imagínate lo que podrías hacer por tu cuenta si todo el mundo creyera que estás en otra parte.

—¿Te refieres a algo como esto? —dijo Sarea con una voz ronca y la criatura que parecía un conejo que tenía a la espalda se partió al instante por la mitad. Dessa, que era la que estaba más cerca, chilló cuando una salpicadura de sangre amarillenta le manchó la túnica.

Tanit sonrió.

—Oh, Sarea, no te enfades. Me temo que a mí también me habría engañado si se hubiera hecho pasar por ti. Tendrá que prometer que nunca encarnará a ninguna de nosotras sin nuestro permiso. ¿Te parece bien, Ani?

Ani alzó la mirada con entusiasmo.

—Porque si lo hace, entonces podríamos optar por utilizar nuestras habilidades contra ella también sin avisarla.

Tanit pasó por delante de Nemein y bajó la mirada hacia Ani, con la expresión de una beatífica máscara en el rostro, pero Ani sintió un calor abrasador que le subía desde la base de la columna.

—Lo entiendes, ¿verdad que sí, mi queridísima Ani? Por favor, di que sí. Después de todo, me he encariñado mucho contigo.

—Sí, lo entiendo, Tanit. Y lo siento de verdad.

La quemazón se desvaneció y Ani se preguntó si se lo había imaginado cuando Tanit se inclinó para abrazarla, sosteniéndola con suavidad y calidez contra su cuerpo.

—No pasa nada, querida —susurró Tanit—. No podría estar mucho tiempo enfadada contigo porque ya sabes que te quiero sinceramente. Y sin duda te quiero de mi parte: ¡eso ha sido un truco de primera!

Y esta vez, el calor que sintió Ani ascendiendo por su interior no era con toda claridad fruto del dolor, sino de puro placer.

—Muy bien. Todas, de vuelta al trabajo —dijo Thona, adelantándose de nuevo y asintiendo satisfecha—. Lo habéis resuelto entre vosotras, que es el tipo de trabajo en equipo que nos gusta ver aquí. Gracias, Tanit, has demostrado ser una mediadora sensata, una vez más. Ani, puedes quedarte. Por descontado, informaré inmediatamente de todo lo que ha sucedido a la Granmaga Oriel, pero sospecho que pensará lo mismo que yo sobre la cuestión: que se han aprendido lecciones valiosas. Mientras estoy fuera, seguid practicando entre vosotras, por favor.

El resto de la clase transcurrió para Ani en un suspiro borroso y placentero. Sarea y Nemein parecían dispuestas a perdonarla siguiendo las instrucciones de Tanit, y Dessa no dejaba de sonreírle y pellizcarle el codo en gesto de complicidad.

—Ya verás cuando se lo cuentes a Syl, se alegrará tanto... —le dijo en voz muy baja.

Ani se preguntó en voz alta si debía hacerlo.

—Claro que sí —dijo Dessa—. Es importante que ella no se sienta excluida.

Ese mismo día, más tarde, Ani sintió que el cálido fulgor que sentía por dentro se desvanecía cuando se encontró con su más vieja amiga en sus alojamientos, y se enfadó y hasta deseó no haber seguido el consejo de Dessa.

—Pero mi talento es genuino —se quejó mientras Syl la miraba torvamente.

—Y ahora ellas lo saben, y saben qué pueden esperar de ti —dijo Syl—. ¿Es que no lo ves? Si les enseñas todas tus cartas no hay manera de que puedas ganar la partida.

—¿Lo dices en serio, Syl? ¿Hace falta que seas tan vulgar e irritante?

—Sólo digo que quizá deberías ser más cautelosa, Ani. Todavía no sabemos a qué nos enfrentamos.

—Creo que lo que quieres decir es que *tú* no sabes a qué te enfrentas. Yo tengo claro lo que estoy haciendo.

—¿No me digas? —gruñó Syl.

—Sí. Ellas son mis *amigas*. Me apoyan y me animan. Pero tu..., tú sólo quieres desalentarme.

—No es cierto. Simplemente no quiero que se aprovechen de ti.

—¿Cómo? ¿Más de lo que me utilizó tu preciosa Meia? Si ella no se hubiera aprovechado de mí como lo hizo, obligándome a nublar las mentes de los guardias, nada de esto habría sucedido jamás.

—¡Pero ella te utilizaba para hacer el bien! Estaba salvando a Paul y Steven de una ejecución segura.

—No, el salvarlos era algo meramente accidental para ella. Ella jugaba su juego, en el que nosotros sólo éramos peones. Lo que no entiendo es cómo no lo ves tú así.

—Sus objetivos eran puros, Ani, fueran cuales fuesen sus métodos. Pero nosotras sabemos que los fines de la Hermandad son mucho más oscuros.

—¿Lo sabemos? Creí que queríamos averiguar qué estaba pasando, pero parece que tú ya lo habías decidido mucho antes de que llegáramos aquí.

—Oh, Ani, ¿de verdad lo has olvidado?

—No he olvidado *nada*, Syl. —Ani se había puesto furiosa—. Me acuerdo de cada momento. Sueño con lo que pasó todas las noches. Pero durante el día quiero avanzar, sacar el mayor partido de mí misma y de mis talentos, y tú, no. Y sé que nunca querrás. —Su voz adoptó un tono santurrón—. A veces creo que tienes celos de mis habilidades, porque aquí me consideran a mí la especial. No a ti.

—¿No me digas? —explotó Syl—. ¿Es eso lo que piensas de mí, *Ani Cenicienta*? Entonces mira... —Corrió a la cocina, cogió un plato del armario y, ante la mirada perpleja de Ani, golpeó el plato con fuerza y puso la mano encima—. Anda —dijo—, haz que me queme.

—¿Syl?

—Hazlo. Por favor.

Ani se removió incómoda en la silla, con los labios apretados formando una mueca que expresaba la testarudez de su negativa.

—A ver, Ani, te lo ruego. Por favor. Calienta el plato. ¿O es que no puedes?

—¡Muy bien! —dijo Ani por fin. Se sentó erguida y miró con rabia a Syl, con ojos fríos como el acero—. Pero acuérdate de que me lo has pedido tú.

Syl sintió que el plato que tenía bajo la mano se calentaba. Le devolvió la mirada a Ani con una expresión vacía. El plato se enfrió. Vio que su vieja amiga entrecerraba los ojos en un esfuerzo de concentrarse, y que las venas sobresalían en sus sienes, pero el plato seguía frío. Por último, un hilo de sangre goteó de la nariz de Ani.

—¡No! —dijo angustiada intentando taparse la nariz y el miedo apareció en sus ojos mientras la sangre manaba cada vez más abundante sobre su túnica, transformándose en un chorreo dramático que la hizo correr a coger un paño desechado y ponérselo delante de la cara.

—A lo mejor —dijo Syl en voz baja—, sólo a lo mejor, Ani, otras personas también tienen habilidades.

Ani la miró por encima del paño, con los ojos muy abiertos por lo dolida que se sentía. Al cabo de un tiempo se apartó el paño manchándose las mejillas de sangre.

—¿Tienes dones, Syl? ¿Y no me lo habías dicho?

Syl sintió que se enfadaba consigo misma. Ése era su secreto, su triunfo oculto, y, llevada por la rabia y por el orgullo, había reaccionado con precipitación. Al menos Ani sólo había visto la superficie, no lo que ocultaba en el interior. No el horror que subyacía dentro.

—Bueno, en realidad no son dones —dijo bajando la mirada para que el cabello le tapara la cara, mientras buscaba a tientas las palabras para contar la mentira apropiada—. Pero sí puedo bloquear a la gente un poco, ¿sabes? Sólo un poco.

Ani aspiró ruidosamente una vez más y luego se vio capaz de sonreír, y tendió la mano hacia la de su amiga.

—¡Pero eso es maravilloso, Syl! ¡Tienes dones! Siempre esperé que los tuvieras si te abrías un poco más para aceptarlos. ¿Qué más puedes hacer?

—Nada especial. De hecho, eso es todo.

—Oh, Syl, ¿por qué no se lo contamos a las demás? ¡También podrías tener dones ocultos! Estoy convencida de que con la práctica y las enseñanzas correctas podrías mejorar tus habilidades. Podrías descubrir que eres capaz de hacer mucho más de lo que imaginas. Quiero decir, fíjate en mí, mira lo lejos que he llegado.

¡Fíjate en lo que he hecho hoy! ¡Imagina lo que podríamos hacer juntas!

En su visión periférica, Syl vio el plato frío salpicado de la sangre de Ani y se sintió miserable. Era tan típico de ésta el alegrarse de que Syl pudiera entrar en su mundo exclusivo, el entusiasmarse con la idea de incluirla y de ayudarla a desarrollarse. Si Ani supiera sólo la mitad de la verdad...

—No, Ani, no puedo hacerlo. Por favor, no digas nada. Estoy aquí para investigar a la Hermandad, acuérdate, no para colaborar con ella. Y nunca podría estar en el mismo bando que Syrene, Tanit o Sarea. Ellas son otra cosa. No son como yo, y tampoco creo que sean como tú. Y todavía no sabemos qué planes tiene la Hermandad contigo, ¿verdad que no?

Ani le soltó la mano.

—Supongo que es demasiado pedirte que creas que la Hermandad sólo pretende hacernos todo lo buenas que podamos llegar a ser.

—Ani, creo que es pedirle demasiado a cualquiera. Si Elda estuviera todavía entre nosotras, sé que me respaldaría. Pero, por favor, como mejor amiga mía, de hecho como mi única amiga en este maldito lugar, guárdame el secreto, ¿vale? Tienes que ocultárselo a ellas. Tienes que esconderlo detrás de una nube.

Ani chasqueó la lengua.

—Bueno, si te empeñas. Pero en realidad no estoy convencida de que estuvieran involucradas en lo que sea que le pasara a Elda. No tiene sentido, y si vieras lo amable que puede ser Tanit...

Recordó una vez más cómo la había abrazado Tanit y cómo había dicho que la quería, y el recuerdo le produjo un placentero estremecimiento..., pero era tremendamente complicado querer a dos personas que parecían empeñadas en destruirse la una a la otra. Syl y Tanit eran las dos caras de la misma moneda: estaban muy cerca, pero nunca se verían. La situación desconsolaba a Ani hasta desquiciarla.

—Pero Dessa es tu amiga, ¿no? —prosiguió Ani, buscando el lado positivo—. Estaba muy emocionada por lo que hice el otro día, y también empeñada en que te lo contara.

—Sí, bueno, Dessa no parece tan mala.

—Ninguna de ellas lo es. Sarea y Nemein son un poco difíciles, pero una vez que les caes bien, harán cualquier cosa por ti. A lo mejor podrás conocerlas mejor a todas en el baile.

Syl miró a su amiga y asintió, pero por dentro se sentía terriblemente triste.

—Bueno, no se sabe qué puede suceder en el baile, Ani. No se sabe.

60

Tres lanzadoras rojas esperaban a las debutantes para llevarlas al baile, cada nave con el gran ojo rojo de la Hermandad. En la primera iría Oriel, silenciosa y taciturna en su clásica túnica roja, aborreciendo tener que dejar su roca, y la acompañarían algunas Hermanas de alto rango a las que Syl no conocía. Junto a ellas también viajaba un par de Hermanas más jóvenes, a todas luces destinadas al matrimonio, si la Hermandad se salía con la suya. Iban vestidas con todo tipo de atuendos suntuosos y elegantes, en matices de un profundo y esplendoroso crepúsculo —rojo, pero también dorado, bronce, naranja, púrpura, magenta, rosa clara y negro luminoso—, engalanadas uniformemente con la marca escarlata de las Nairenes. Todas llevaban el cabello refulgente y muy corto, tachonado de piedras preciosas, plumas, y estrellas afiladas de metales fríos. Cada una lucía también un anillo con un solitario y descomunal rubí, un regalo que acababa de hacerles la Orden, y todas los admiraban encantadas, con ojos brillantes, uñas que centelleaban y sonrisas chispeantes y vivaces. Formaban un conjunto exquisito... y aterrador.

La segunda nave llevaría a las Hermanas Intermedias, que se ondulaban y fluían como un mar tropical en sus atuendos de color de agua, con sus propios pecios de alas de libélula de jade, cristales de esmeralda y cuentas de vidrio soplado del más leve de los verdes. Las Hermanas Intermedias Dotadas eran reconocibles entre el grupo por los zafiros que llevaban en el pelo y la seda azul Francia que dibujaba estampados sobre sus dobladillos de verde lago.

La última nave, la más pequeña, estaba reservada para las Novicias Dotadas, que resplandecían en su azul matizado, y que serían acompañadas por Thona y Cale, así como por un puñado de mo-

distas, joyeras y peluqueras, todas con túnicas rojas, a las que llevaban sólo por si se necesitaba su trabajo.

Y luego estaba Syl, la única figura de amarillo. Permanecía sola
al final del tercer grupo, observando con cautela cómo Ani se con-
toneaba y cabeceaba por delante, riéndose tontamente con las demás Dotadas, dando delicados saltitos de un pie a otro por la emoción. A su izquierda le cogía la mano a Tanit, y a su derecha a Iria,
pero era a la primera a la que se aferraba más.

No era culpa de Ani que Syl estuviese sola porque había sido
Thona la que había empujado a Ani hacia Tanit —«Las Dotadas
siempre van juntas», había dicho—, mientras que Cale había mandado a Syl al final del grupo, disculpándose vagamente aunque sin
ocultar su firmeza.

Una de las diseñadoras había colocado hileras de cristales bajo los
ojos de Ani, que se rizaban hacia arriba y se retorcían en el nacimiento de su cabello y captaban la luz, reflejando chispas por sus mejillas
y frente, que la hacían resplandecer. De su cabello caían cintas azules.
Syl, a diferencia de ella, se sentía gris y fuera de lugar, y sabía que Cale
tenía razón al quitarla de en medio, porque destacaba como una mancha de mostaza amarilla y barata que hubiera salpicado el mantel de
un gran banquete. Tal vez era la capa ondulante que había llegado
con su vestido, y que tan elegante le había parecido cuando la lucía
en su habitación, pero ahí fuera, entre tanto esplendor, le hacía sentirse como una participante en una carrera de sacos. Incluso su tan
apreciado cinturón de cuero y ámbar parecía basto y crudo, como si
se hubiera vestido para otro acto que nada tuviera que ver. Su único
adorno era un broche de carey en el pelo, una baratija anticuada que
una diseñadora le había sujetado ahí casi como una ocurrencia de
última hora. Para Syl no había piedras preciosas, gemas ni recuerdos
de familia. Sin embargo, alrededor del cuello llevaba el medallón de
Elda, oculto al final de su largo cordel. Distraídamente se lo sacó y,
sin tener nada mejor que hacer con las manos, jugueteó con él.

No, no era culpa de Ani que las hubieran separado. Syl bien lo
sabía. Aun así, volvió a sentir que Ani no tenía por qué parecer tan
feliz como parecía.

Dado el lugar que ocupaba en la cola, Syl fue la última en subir a la última nave, de manera que se sentó al fondo de nuevo, en un asiento apartado, lejos de las ventanillas, encajonada entre varios paquetes y cajas cargados por las diseñadoras. Sólo agradecía que se le hubiera ocurrido traer un libro, pero no tuvo mucho tiempo para leer porque, poco después del despegue, Dessa se le acercó y se dejó caer en el suelo a los pies de Syl.

—Hola, bonita —dijo.

—Oh, por favor —respondió Syl, bajando la mirada hacia la chica, cuyos ojos púrpura resaltaban gracias al fulgor de amatista de su vestido de elegante corte—. Tú sí estás preciosa, Dessa.

—Y tú también.

—Yo parezco estúpida. Aquí no pego ni con cola, ni con cola ni sin ella.

Dessa se rió.

—No seas tonta. Estás espléndida. Me encanta tu cinturón. ¿Y cómo te sientes con todo esto, con tu primer viaje a Ilyr?, ¿emocionada?

Syl se lo pensó. ¿Cómo se sentía?

—¿Emocionada? Sí, más o menos, creo. Y también nerviosa.

—¿Por qué? No tienes motivos para estarlo. Es simplemente una fiesta fabulosa, increíble.

—En la que no conozco a nadie.

—Me conoces a mí. Y a Ani.

Syl miró hacia donde Ani estaba manoseando una pantalla con Mila, y Dessa siguió su mirada. Le dio una palmada cariñosa en el brazo a Syl.

—Oh, no te preocupes por ella, Syl: yo me quedaré contigo. Iremos juntas, tú y yo.

—No sé por qué pero creo que a Tanit y a las demás no les parecerá bien.

Dessa resopló y alzó la mirada al techo.

—Espera y verás: en cuanto lleguemos, todas correrán a buscar a los ilyrios más guapos para bailar con ellos. Yo seré la última de sus preocupaciones. O, ya puestos, tú. Podemos vivir una aventura por nuestra cuenta. Incluso podríamos conocer a algunos apuestos pretendientes.

Sonrió, pero Syl negó con la cabeza. Pensó en las aventuras que había vivido antes; pensó en Paul.

—No creo que me apetezca conocer a nadie, Dessa. Ahora no.

—Todavía te acuerdas de aquel humano... Paul, ¿no?

Para su sorpresa, Syl sintió que se le humedecían los ojos.

—Supongo. Sobre todo cuando me siento sola. Le echo de menos, Dessa. Y echo de menos mi hogar. Y a mi padre.

Dessa miró con dureza a Syl y entonces se mordió el labio.

—Yo también echo de menos a mi padre.

—¿Por qué?, ¿dónde está?, ¿está bien?

Dessa bajó la mirada y el cabello le cubrió la cara como una cortina.

—Está muerto, Syl. Murió en la Conquista.

Syl se sintió mal, extendió la mano y rozó la muñeca de Dessa con un gesto dubitativo.

—Oh, Dessa, no lo sabía. Lo siento mucho. ¿Qué pasó? ¿Quién lo mató?

—Un traidor. Un enemigo de los ilyrios. Mi padre era soldado en la Tierra.

Syl se quedó boquiabierta. Las preguntas le salieron a borbotones —dónde, cuándo, cómo—, pero Dessa simplemente farfulló una respuesta ahogada desde detrás de su cabello.

—Ahora no quiero hablar de eso. No quiero llorar otra vez.

Syl no supo qué decir, así que jugueteó con su pelo enredándose los dedos en él con incomodidad. Al final, la chica mayor volvió a mirarla, y asintió levemente.

—¿Por qué no me hablas del tiempo que pasaste en la Tierra, Syl?

Al ver que Syl titubeaba, el rostro de Dessa se arrugó como si fuera a echarse a llorar.

—Por favor —le rogó—. Por favor, Syl. Me distraerá. Cuéntame tus aventuras. Cuéntame qué te pasó en Escocia. Ahora que sabes que mi padre sirvió en la Tierra, entenderás cuánto anhelo saber todo sobre ella, sobre el último lugar que vio.

—Bueno, es bastante complicado. No sé muy bien qué contarte.

—Syl, por favor. Tu padre sigue vivo. El mío está muerto. Compláceme.

Y Syl tuvo que admitir que Dessa tenía razón. Poco a poco, a regañadientes, ocupó el resto del largo viaje al planeta con relatos sobre la Tierra, y Dessa se sentó erguida y atenta, olvidada su tristeza, con los ojos brillantes de interés, y presta a hacer preguntas y pedir aclaraciones, hasta que finalmente atracaron en su planeta originario.

Cuando desembarcaban, Dessa tocó el codo de Syl.

—¿Conociste a alguien llamada Vena? —preguntó, y Syl creyó que se iba a desmayar por la conmoción allí mismo.

—¿Vena? —repitió y oyó el horror que delató su propia voz. Dessa sonrió.

—Ah, ya veo que sí. Y no parece que te cayera muy bien. No te preocupes, a mí tampoco. A nadie. Es la hermana pequeña de mi madre, pero es un demonio absoluto. Hace años que no se hablan.

Syl tenía un millón de preguntas que hacer, pero fue incapaz de formular ninguna con coherencia. Siguió a Dessa al bajar de la nave como si fuera una autómata, vagamente consciente del apuesto joven con el uniforme negro del Cuerpo Diplomático que recogió su capa, y de otro que les sirvió un vaso de cremos que llevaba en una bandeja. Syl se lo bebió de un trago, y él inmediatamente le ofreció otro, sonriendo.

—Bienvenidas al Baile del Génesis, damas —dijo—. Y sin duda está claro que algunas de ustedes han venido dispuestas a divertirse.

61

Syl estaba borracha. Sí, debía de estarlo. La cabeza le daba vueltas, la lengua se le movía suelta en la boca.

Al principio había tenido lugar un festín, un gran banquete en el que Syl se había atiborrado como era debido. Las mesas estaban colocadas contra una pared de agua por la que nadaban criaturas con aspecto de peces tropicales, pequeñas y ágiles, y Syl descubrió que podía pasar los dedos por el agua y las criaturas nadadoras se alejaban a toda prisa de su mano, pero el agua permanecía inmóvil. Le recordó una vieja historia que había escuchado en la Tierra, algo sobre un mar que se dividía: lo que tenía delante ahora debía de parecerse.

En el extremo más alejado del agua distinguió remolinos del paisaje que se extendía más allá: un desierto, una isla verde, una tormenta, ¿o era un mar agitado y una barca verde? Se frotó los ojos, pero las ondas hacían que todo pareciera confuso.

Durante el banquete la saludaron varias veces y vio que Oriel fruncía el ceño cuando se veía obligada a mandar a otro curioso adulto ilyrio en dirección a Syl. Los dedos la señalaban, y oyó que mencionaban repetidamente el nombre de su padre y que la describían como la hija de Lord Andrus mientras saltaba de una conversación a otra. Se sintió orgullosa por cómo la gente la felicitaba por su linaje una y otra vez —la brillantez de su padre como comandante, la belleza y sabiduría de su madre—, como si ella tuviera alguna autoridad sobre el útero del que procedía o el líder ilyrio que la había engendrado.

—Tu madre es una inspiración para todas nosotras —le susurró una securitat de alto rango, que luego besó afectuosamente a Syl en la mejilla y la felicitó.

—Mi madre está muerta —replicó Syl, confusa. Tardó un momento en darse cuenta de que no estaban halagando a Lady Orianne sino a Syrene. Syl había esperado que la Archimaga sólo estuviera atormentándola cuando habló de su unión con Lord Andrus, pero la mirada en el rostro de la securitat confirmó sus peores sospechas. La noticia se había propagado, y Syl ya tenía una nueva madre.

Cuando la securitat se disponía a replicarle, apareció Cale y le presentó a alguien nuevo, y Dessa le dio más cremos, y bebió mucho. Todo empezaba a ponerse borroso, y lo agradecía.

Y luego bailó, sonriendo descontroladamente mientras le presentaban a un oficial tras otro, siempre con Dessa al lado, Dessa guiándola, Dessa enseñándole cómo funcionaba todo, cómo se hacían las cosas, y de vez en cuando Ani pasaba girando, hermosa, riéndose, dando vueltas en brazos de un varón, luego de una hembra y más tarde de Tanit, que se inclinó y besó a la chica más joven, un beso de lleno en la boca, al que Ani respondió entrelazando las muñecas alrededor del esbelto cuello de Tanit, y Syl se sintió mareada y se preguntó si se lo habría imaginado. Cuando intentó concentrarse, Ani había desaparecido.

Ahora Dessa volvía a estar delante de ella, ofreciéndole otra copa, poniendo a otro acicalado varón ilyrio en su órbita, un joven Romeo que la sostuvo demasiado cerca de sí, y ella sintió partes del cuerpo del descarado endureciéndose contra su entrepierna, partes que prefería simular que no notaba, y entonces él le lamió la oreja, y Dessa se rió cuando Syl se lo quitó de encima de un empujón. Otra copa apareció en su mano. Dio unos cuantos giros más y se encontró en otros brazos y todo empezó a parecerle desternillante. Llamó a Dessa a gritos, por encima de la música, y le respondió más preguntas sobre la Tierra, porque ocultar lo que había pasado parecía carecer de importancia ahora, no, ya no importaba si su padre iba a casarse con la Archimaga, no cuando estaba ahí con su amiga, con Dessa, bebiendo otra ronda mientras las capas de dolor y rabia que sentía muy dentro de ella iban cayendo, bebiendo hasta que sólo sentía calor y confusión, hasta que incluso aquellos que se le pegaban demasiado la hacían reír todavía más.

Vio otra vez a Ani, y a Tanit, y se preguntó si se había imaginado o no aquel beso profundo. Los ojos de Ani brillaban como estrellas y sus mejillas se habían vuelto rosáceas de placer, y Tanit la hacía dar vueltas muy cerca mientras Ani se aferraba a su costado como una lapa. Ani la saludó con la mano y fue como ver una bobina de película del sueño de otro. Hasta Tanit sonreía. La desconocida música ilyria se arremolinaba a su alrededor, un torbellino de sonido que parecía latir en lo más hondo de Syl, poniendo su corazón a un ritmo diferente, y no se sentía ella misma, y ni siquiera notaba que sus pies tocaran el suelo.

Una voz le habló cerca del oído, un grito que oyó apenas como un susurro.

—Vamos, Syl, salgamos a tomar un poco el aire.

Dessa la tomó del brazo y la alejó del baile, de vuelta al casi vacío salón de banquetes con su elegante pared de agua, pero Oriel las detuvo. Apareció ante ellas, sólida y roja, mientras todo lo demás resplandecía a su alrededor.

—¿Adónde vais?

—Sólo queríamos un poco de tranquilidad, Granmaga —respondió Dessa, dulce hasta el empalago, y Oriel la miró durante unos segundos interminables.

Entonces Oriel asintió y las observó de cerca cuando pasaron a su lado. Syl percibió los ya conocidos zarcillos de la vieja bruja intentando sondearle la mente.

—Me odia —murmuró con voz ebria a Dessa.

—A ver, ¿por qué iba a odiarte nadie, Syl Hellais?

—Tu tía me odia. Tu tía Vena.

—Chist. Hablaremos de eso enseguida. Pero antes salgamos de aquí.

Llegaron a la pared de agua.

—Es una barrera de protección. Pero ¿ves lo que hay al otro lado? —preguntó Dessa. Syl negó con la cabeza, porque ahora la imagen del exterior se había oscurecido y se había vuelto más borrosa con el fluir del agua—. ¿Te gustaría?

Sin esperar la respuesta, Dessa se introdujo en el líquido y tiró de Syl. Syl jadeó cuando el agua helada le empapó el cuerpo y notó el gusto salobre en la boca. Un pez se deslizó resbaladizo por encima de su brazo y entonces, tan repentinamente como habían entrado, atravesaron las aguas y se encontraban en una terraza exterior, mientras sus atuendos chorreaban flácidos.

Ante ellas se curvaba una elegante y corta escalera y al fondo de sus escalones se extendía un paisaje desértico, salpicado de pequeñas islas circulares de verde. Los últimos rayos del sol que se ponía proyectaban haces púrpura en el cielo de color pizarra, vibrantes como reflectores, pero Syl apenas se fijó: estaba alisándose el vestido empapado, que le caía informe. Temía haberlo estropeado.

Pero entonces, con el rabillo del ojo, algo captó su atención. Había movimiento ahí fuera, y al otro lado de la arena Syl vio unas formas de vida que se detenían y se volvían hacia ellas, avanzando muy lentamente, como si se plantearan sus opciones. Eran unas criaturas extrañas, parecidas a los cangrejos, que recordaban vagamente a los cascidos de Avila Minor y en ese momento oyó sus pinzas chasqueando a destiempo con el latido amortiguado de la música que resonaba rítmica desde el otro lado de la pared de agua.

Y durante todo ese rato, Dessa no paraba de reír, con una risa que sonaba un tanto histérica a oídos de Syl. Observaba a Syl muy de cerca, sin mirar al desierto ni ver a los cangrejos de arena.

—¡Dessa! —dijo Syl, que se volvió a mirar a las criaturas cuyos chasquidos se oían cada vez más cerca. Parecía que habían acelerado su paso. Tenían múltiples ojos en antenas pedunculares, que se volvieron con glotonería hacia las dos jóvenes que estaban desprotegidas en la terraza. Los cangrejos se desplazaban despacio, como aturdidos, sobre la arena del desierto, hacia el edificio resplandeciente, y hacia la carne tentadoramente blanda que les esperaba sobre su amplia galería. El único obstáculo que se les interponía era la subida poco pronunciada de una gran escalera.

—Dessa, tenemos que volver dentro. ¡Ahora! Esos... —¿qué eran?—, esas *cosas* se acercan. ¡Mira!

—Háblame de la Tierra, Syl —dijo Dessa, sin mirar—. Cuéntame qué pasó aquellos últimos días en Escocia.

Syl sintió que el miedo le atenazaba el pecho. Las criaturas se acercaban y retrocedió hacia la pared de agua, sin dejar de mirarlas por encima del hombro de Dessa.

—¡Dessa! —gritó—. Tenemos que irnos.

—Antes háblame de Vena, Terrinata. Háblame de Sedulus.

—¿De Sedulus?, ¿de qué estás hablando? ¡Dessa! ¡Anda! ¡Vámonos!

Retrocedió y trató de penetrar en el agua, pero ésta se congeló en cuanto la tocó, convirtiéndose en un muro de hielo grueso, impenetrable, frío y compacto.

—¡Dessa! ¿Qué está pasando? No puedo atravesarlo.

—Claro que no puedes. Es un sistema que se abre en un único sentido, si no, las ostracas simplemente entrarían y destruirían a cuantos están dentro. Imagínalo: la belleza y la vida tan cerca de la fealdad y la muerte.

Syl agarró a Dessa y la zarandeó mientras la miraba a los ojos con desesperación.

—Entonces, ¿por qué nos has traído aquí?, ¿cómo podemos volver a entrar?

Dessa apartó a Syl de un empujón y su mirada ya no delataba aflicción ni hechizo. Ni remotamente.

—Te enseñaré cómo volver cuando me cuentes qué le hiciste a mi padre, cómo hiciste que lo mataran.

—Dessa, me estás asustando. ¡No sé de qué me hablas! ¿Quién es tu padre? Yo no he hecho matar a nadie.

Ya cuando lo decía, Syl supo que no era verdad. Habían muerto muchos, algunos a causa de sus actos. Por un fugacísimo instante le vino a la mente la imagen de un humano empalándose con su propia bayoneta, pero se desvaneció inmediatamente, porque las criaturas que había a espaldas de Dessa empezaban a agruparse y se arrastraban cada vez más cerca.

—¿Tan estúpida eres, Syl Hellais? Cuando se puso en contacto conmigo, Vena dijo que eras muy lista, pero no lo descubriste.

—Descubrir... ¿el qué?

—Que soy Uludess, hija de Sedulus; mi nombre aquí no es más que un anagrama. ¿Cómo no te diste cuenta? Vena contactó conmigo después de la muerte de mi padre..., y sí, es mi tía, aunque yo la detesto, porque hechizó a mi padre, se lo arrebató a su propia hermana. Aun así, Vena dijo que tú eras la culpable de lo que le sucedió. Dijo que tenías que pagarlo.

Syl presionó con fuerza la pared de hielo, sintiendo la escarcha en su espalda, y cómo la tela de su vestido se iba helando mientras la saliva de Dessa le salpicaba la cara. Las criaturas se movían a espaldas de Dessa, envalentonadas y curiosas, tan cerca que Syl veía ahora las luces de la fiesta reflejándose en su miríada de ojos.

—Pero yo no hice nada —se quejó.

—No puedes negarlo, Syl. Esto acaba esta noche, contigo desmembrada por los animales del desierto o muerta por mi propia mano, porque vengaré a mi padre.

Syl sintió otra vez un cosquilleo en su cabeza, en la parte delantera del cráneo. ¿Oriel?, ¿era Oriel? Era como si alguien la estuviera buscando. ¿Ani? ¿Era posible? Abrió su mente y mentalmente gritó: *¡Ayudadme! ¡Salvadme!*

Intentó apartarse de Dessa, pero el vestido se le había congelado rápidamente en contacto con el hielo, y Dessa dio un paso atrás, riéndose mientras veía a Syl agachar la cara. El agua empezó a gotear sobre los hombros de Syl, solidificándose en carámbanos alrededor de sus brazos, incrustándola en la pared.

—Dessa, por favor —dijo frenética mientras el agua le goteaba hasta las mejillas, y las gotas se congelaban en cuanto le tocaban la piel—. Esas cosas te matarán a ti también.

Dessa se adelantó y pegó la frente contra la de Syl.

—Yo puedo marcharme cuando quiera, pero tú vas a quedarte aquí. Sospecho que las ostracas tendrán hambre, porque se alimentan al anochecer.

Mientras Dessa hablaba, también a ella la salpicó el agua, que le escurrió por la cara. De repente Syl lo entendió. Era un engaño, una ilusión que parecía tan real como la misma realidad, porque Dessa tenía el don de nublar las mentes: podía hacer que sus víctimas vieran cosas que no estaban ahí, sintieran cosas que no estaban sucediendo, igual que Ani. El plato en realidad no se había calentado y el agua en realidad no se estaba congelando al tocarla, porque no se había congelado al salpicar a Dessa.

Como para corroborarlo, Iria salió a través del agua y, por un fugaz instante, la concentración de Dessa decayó. Al momento, Syl sintió que el hielo de su espalda se convertía en lodo. Sin embargo, no se movió, porque no quería revelar nada, y menos delante de Iria. Era posible que la siguieran más Dotadas, pues se movían en manada, y Syl no era lo bastante poderosa para ocuparse de todas.

401

—¡Iria! —gritó Dessa—. ¿Qué haces aquí?

—Estaba preocupada. Oriel dijo que no os quitara ojo de encima, ni a ti ni a la zorra de la Tierra. Sentí que estabas en peligro. Sentí tu llamada. Y no me fío de *ella*.

—Pero si yo no he llamado a nadie —se quejó Dessa mientras Iria lanzaba una mirada envenenada a Syl; pero ésta siguió sin reaccionar.

Lo que hacía era vigilar a las criaturas que había detrás de Dessa, porque ésas, al menos, no cabía la menor duda de que eran reales, y se acercaban inexorablemente. La primera de ellas llegó al fondo de las escaleras y contempló la imagen que ellas ofrecían con sus incontables ojos fríos y hambrientos.

—Sólo estoy cobrándome una deuda pendiente —prosiguió Dessa.

—¿Vas a dejar que se la cobren las ostracas? —Iria sonrió ante la simple idea.

—Pues sí, porque no soy yo la que corre peligro esta noche, ¿verdad que no, Syl Hellais? No soy yo la que está a punto de morir.

—Oh, bueno —dijo Iria—. Pues quizá deberíamos irnos ahora. Están ya demasiado cerca para...

Syl dio un paso atrás, y la pared de agua la absorbió con facilidad, cayendo sobre ella como una ola al romper contra la costa, pero no vio el pez que pasó a su lado ni tampoco la expresión de desconcierto en la cara de Dessa cuando su presa se le escapaba. Lo único que vio Syl fue el color rojo, denso como un coágulo de sangre, de su mente oscurecida por la rabia. Al huir, deseó que el agua se helase tras ella, pero en este caso no se trataba de un engaño. El poder de Dessa era el de la ilusión, pero el de Syl era real.

Fuera, Iria gritó, porque el repentino movimiento de Syl había hecho que la primera ostraca pasara a la acción. La criatura se abalanzó hacia delante e Iria corrió hacia el agua helada, al tiempo que agarraba la manga de Dessa y tiraba de ella. Juntas se precipitaron contra el muro helado; salieron despedidas esquirlas de hielo centelleantes que volaron por el aire mientras las dos se resbalaban aturdidas. Las ostracas se apresuraron hacia ellas como un enjambre, con las pinzas chasqueando con entusiasmo, como el sonido de un centenar de manos aplaudiendo.

Dentro del salón de banquetes, Syl se dejó caer en el suelo, chorreando agua y temblorosa, mientras las lágrimas se deslizaban por sus mejillas. Por un instante vio las figuras borrosas fuera, golpeando el hielo, y entonces las ostracas las alcanzaron. Syl se dio la vuelta para no ver cómo se alimentaban, y el hielo empezó a fundirse. Cuando miró de nuevo, la pared de agua estaba ribeteada de oscura sangre ilyria, y el complejo mecanismo tecnológico que había creado esa defensa lanzaba la sangre hacia arriba, y los peces que antes nadaban en él caían de los riachuelos, ahogados por el hielo y la sangre.

Syl se metió debajo de la hilera más próxima de mesas y, oculta por los opulentos manteles, se alejó arrastrándose en el mismo instante en que empezaban los gritos.

62

Syl se quedó debajo de la mesa más alejada todo el tiempo que se atrevió, consciente de las botas que corrían, de los sonidos de pánico, y al poco enmudeció la música y se encendieron unas luces brillantes. Siguieron disparos contra las ostracas enfebrecidas por la sangre, y oyó que varios preguntaban a gritos preguntas por qué estaban apagados los reflectores de seguridad, y Syl escuchó sollozos y gemidos, y órdenes dadas a voces. Temblaba, temblaba incontrolablemente, pero no sabía si era por el frío o por la conmoción, o tal vez eran los efectos del alcohol y el aire ilyrio. Como fuera, no creía que sus piernas fueran capaces de mantenerla en pie.

Por fin salió deslizándose de su escondrijo y se escabulló por el casi desierto salón de baile hasta el guardarropa para recoger su capa. Los pocos que deambulaban por allí, lejos del caos de la pared, estaban demasiado ocupados hablando entre ellos para fijarse en una don nadie zarrapastrosa, porque la fábrica de rumores ilyria había empezado a rodar. Las teorías se convertían rápidamente en hechos, y los hechos en conspiraciones; la aparentemente accidental y muy desafortunada muerte de dos Novicias borrachas y atontadas nunca sería explicación suficiente.

—¿Qué le ha pasado? —le preguntó el joven oficial de atuendo negro y dorado que había recogido su capa antes, mirando por encima del hombro de Syl para ver qué estaba ocurriendo.

—Me he mojado intentando ayudar.

—Ya veo —dijo, entregándole la capa amarilla sin siquiera volver los ojos hacia ella—. Es una tragedia, una verdadera tragedia.

Syl no dijo nada. Simplemente se echó las telas ondulantes por encima, agradecida ahora de que esta anticuada capa fuera suya.

El regreso a Avila Minor fue muy triste, por todas partes había Hermanas con expresión petrificada en el rostro y Novicias llorando, y nadie prestó la menor atención a Syl, acurrucada en su capa al fondo de la tercera nave. Dado que eran amigas íntimas de las fallecidas, a Ani y a las demás Dotadas se les había ordenado viajar con Oriel, y un pequeño grupo de las Hermanas Rojas más jóvenes se habían visto obligadas a ocupar sus puestos en el transporte menos suntuoso. Estaban malhumoradas y amargadas, irritadas porque sus oportunidades de encontrar pareja se hubiera visto frustradas por la estupidez de un par de Novicias. No hacían el menor caso a las que las rodeaban, entre ellas Syl, ensimismadas en lo que consideraban su propia mala suerte.

Syl agradecía esa soledad.

Y así la llegada a la Marca se produjo sin incidencias, y Syl pudo colgar su vestido húmedo antes de que Ani volviera a sus alojamientos. Pero Ani no volvió ese día, ni el siguiente. Cuando por fin reapareció, Syl se llevó otra sorpresa: Ani la dejaba. Thona le había ordenado que recogiera sus cosas y se instalara de inmediato en la antigua habitación de Dessa. A partir de ese momento, las Novicias Azules permanecerían juntas..., juntas y separadas de las demás.

Tras la doble tragedia en el Baile del Génesis, la Marca entró en un periodo de duelo oficial por las Novicias fallecidas de la Hermandad. Todas, desde las Novicias hasta las Hermanas plenas, pasando por las Dotadas, e incluso la Granmaga Oriel en persona, lucían túnicas azul marino, el color del duelo entre las Nairenes. Se impuso la norma de guardar un silencio absoluto durante una semana, silencio que sólo podía quebrarse para dar una instrucción esencial, y también se interrumpieron todas las clases. No se pronunciaba palabra, no se tocaba música, no se tarareaban canciones, y los únicos sonidos eran las pisadas, el amortiguado siseo al pasar las páginas y el tintineo de los cubiertos, salpicados por un esporádico sollozo o una tos.

Syl se quedó en su habitación los primeros días, mirando por la alta ventana, echando en falta a Ani, pero también llorando a Dessa, y odiándola, profundamente herida porque ésta la hubiese engañado, furiosa consigo misma por haberse dejado engañar, alternando una tristeza angustiada con una profunda ira. Le daba vueltas a las historias que le había contado Dessa, a lo que era cierto y lo que no, aunque, en última instancia, poco importaba. Se preguntó si habría podido manejarlo todo de otro modo, si podría haber evitado dos muertes más. Finalmente, resignada, anotó sus nombres en su corazón, junto a los nombres de aquellos cuyas muertes había causado, directa o indirectamente.

¿Qué soy?, se preguntaba. *¿En qué me he convertido?*

Cuando finalmente salió de sus silenciosos alojamientos, se planteó utilizar la ubicua túnica azul marino y aprovecharla para explorar la Marca una vez más, pero su plan se vio desbaratado porque todos los Reinos se habían cerrado durante el periodo de duelo y habían apostado una guardia en el Decimocuarto.

Por fin, como era inevitable, Syl fue convocada por Oriel y sometida a un interrogatorio sobre el papel que había desempeñado en la tragedia del Baile del Génesis, pero se limitó a repetir la historia que desde un principio había contado: había ido al baño porque estaba mareada, explicó, porque se había excedido con el cremos que ofrecían sin restricciones, y cuando había vuelto, Dessa, su nueva amiga, ya había muerto. Syl incluso lloró y ésas fueron lágrimas de verdad.

Oriel la observaba con cautela mientras su mente sondeaba la de Syl, pero lo hacía sin demasiado entusiasmo.

—No te creo, Syl Hellais —dijo por fin—, pero sigues bajo la protección de Syrene. Entiendo sus razones, aunque las aborrezca y desconfíe de ti. Sin embargo, esa protección es ahora mayor, dado que vas a convertirte en su hijastra.

Syl estuvo a punto de cuestionar el uso de esa palabra, pero Oriel acalló inmediatamente la menor muestra de disensión.

—¡Idiota! —dijo—. ¿Todavía te engañas creyendo que tus sentimientos importan, que tienes la menor influencia aquí? Ya se han enviado las invitaciones, en realidad es como si ya se hubiera celebrado la boda. Y he recibido informes muy fiables de que la Archimaga se ocupará de ti a su debido tiempo, que te someterá como sometió a tu padre, pero por ahora nada debe proyectar la menor sombra sobre la ya cercana ceremonia nupcial. Parece que tengo que tolerar tu presencia por mis pasillos y aulas todavía durante cierto tiempo, pero me consuelo pensando que no será por mucho más.

Despidió a Syl con un gesto de la mano.

Al día siguiente se dio por terminado el periodo de duelo y se reanudaron las clases, aunque las Dotadas no reaparecieron; recibían instrucción aparte. Dos días más tarde, Oriel convocó a una reunión a todas las Novicias —tanto Dotadas como Hermanas Intermedias y Novicias Amarillas—, que se congregaron presas del nerviosismo, preguntándose qué iba a sucederles. Lo cierto es que el detalle de que Oriel sonriera no tranquilizaba mucho, porque era como mirar la mueca de un depredador. Syl atisbó a Ani delante de todo, llevada en una oleada de Hermanas Intermedias, pero no pudo llamar su atención.

Oriel se levantó para hablar y se hizo el silencio.

—Mis queridas Nairenes en formación —dijo—. Tras la devastadora pérdida de nuestras amigas Uludess e Iria, me complace daros una noticia que animará vuestros espíritus y rápidamente os hará pasar del dolor a la celebración.

Cientos de ojos la miraban expectantes.

—Me complace anunciar que, tras el periodo de luto por su difunto marido, el cónsul Gradus, nuestra amada Archimaga Syrene va a casarse por fin de nuevo.

Un murmullo de emoción recorrió la sala. ¿Con quién?, se preguntaban, ¿con quién?

—El receptor de la mano de la Archimaga no es otro que Lord Andrus, respetado y estimado líder del Ejército, y que pronto será una figura paternal para todas vosotras.

Se hizo un silencio entre las aturdidas jóvenes, seguido por vítores, y algunas caras se volvieron hacia Syl, porque algunas recordaban vagamente que la impopular joven Terrinata era hija de Lord Andrus, pero tampoco les había importado mucho, no por entonces al menos. Pero los únicos ojos que buscaba Syl eran los de Ani, porque su amiga la había divisado por fin desde el otro extremo de la sala, y se miraron durante un buen rato. Al final, el rostro de Ani dibujó una inquieta y pequeña sonrisa, y Syl pudo esbozar otra diminuta sonrisa como respuesta.

Oriel dejó que el alboroto se fuera apagando.

—Por último —dijo—, me complace anunciar que vosotras también asistiréis a la boda porque la Hermandad de Nairene celebrará este gran acontecimiento en el esplendoroso palacio de Erebos. Los preparativos empezarán inmediatamente. ¡Larga vida a la pareja! ¡Larga vida a la Hermandad!

63

Paul estableció los turnos de guardia para el viaje a Ilyr, poniendo especial atención en el armamento. Sin minas ni torpedos, dependían por entero de los cañones y, en el caso de sufrir un ataque, Paul no quería perder sus vidas porque alguien se quedara dormido en los controles. Peris, Thula, Rizzo y él se alternaban en guardias de cuatro horas, mientras que Alis asumió la responsabilidad del pilotaje, permitiendo que Steven descansara e incluso hiciera alguna guardia esporádica en los cañones. No obstante, Steven prefería quedarse casi siempre con Alis en la cabina, a veces hasta durmiendo en su puesto cuando había acabado su turno. A Thula le parecía todo muy divertido.

—Si tienen hijos —le preguntó a Paul—, serán biomecánicos, ¿no?

—No creo que ya hayan llegado tan lejos —dijo Paul—. Al menos, eso espero.

Era, tenía que reconocerlo, una situación anómala, una de la que podía afirmar sin temor a equivocarse que no se había dado antes. Oficialmente, las relaciones entre ilyrios y seres artificiales estaban expresamente prohibidas. Peris había admitido —presionado por Thula— que se habían producido uniones entre Mecas e ilyrios en el pasado, aunque solían ser discretas. No obstante, no recordaba a ningún ilyrio, ni varón ni hembra, que hubiera hecho algo más que reconocerlo en privado, y aun en ese caso sólo entre los amigos más íntimos.

Pero la creciente cercanía entre Steven y Alis, humano y Meca, era la primera de su clase, a no ser que Meia hubiera mantenido un comportamiento extraño por su cuenta en la Tierra. Lo que Paul veía desarrollarse entre ellos le preocupaba. Alis podría parecer una joven ilyria, pero Peris, después de hablar con Tiray, creía que había sido «activada» hacía al menos veinticinco años. Y, aparte de los comentarios de Thula sobre las dificultades que podría implicar cualquier relación física, había que tener también en cuenta la cuestión del envejecimiento. ¿Y si, por un milagro inesperado, seguían juntos? Steven envejecería, pero la apariencia de Alis nunca cambiaría, a no ser que ella aceptara alterar su piel ProGen para parecer mayor y, francamente, Paul no se imaginaba a nadie —humano, ilyrio o Meca— asumiendo ese sacrificio.

Paul también se preguntaba hasta qué punto estaba utilizando Alis a su hermano para explorar sus propias capacidades emocionales. Alis seguramente se había mantenido protegida mientras estaba al servicio de Tiray, a salvo de todo contacto innecesario con otros por temor a que se descubriera su verdadera naturaleza. Le sorprendía que se las hubiera apañado para que no la detectaran durante tanto tiempo, pero el engaño no podría haberse prolongado indefinidamente. Con el tiempo, alguien habría empezado a preguntarse por qué la asistente del consejero Tiray no parecía envejecer. Tal vez algún tipo de retoque cosmético habría servido para que su rostro diera la impresión de envejecimiento, pero, en última instancia, no sería más que eso: una mera imitación. Ahora, lejos de Ilyr, y obligada a estar en compañía de un joven humano que se sentía claramente atraído por ella, Alis se había topado con una oportunidad para desarrollar nuevas emociones que añadir a los fantasmas que los ilyrios creían que ya obsesionaban a sus máquinas: afecto, compasión.

Amor.

A Paul le parecía que la relación entre Steven y Alis sólo podía acabar de un modo, y no sería precisamente bien. Pero no dijo nada y se guardó sus pensamientos para sí. Nada bueno sacaría de interferir, y serían las circunstancias, no él, las que decidirían su futuro. Bien mirado, resultaba ridículo preocuparse por si su hermano establecía una relación a largo plazo con Alis, cuando las probabilidades de supervivencia de todos ellos eran tan menguadas.

Una y otra vez, los pensamientos sobre Steven y Alis le llevaban a Syl. Había intentado no pensar demasiado en ella durante los largos meses pasados en las Brigadas porque —aunque le doliese admitirlo— le partía el corazón. Pero la distancia y la evidente imposibilidad de hacer nada en su situación le habían dado cierta perspectiva acerca de sus sentimientos hacia Syl. Se daba cuenta de que la amaba, y no quería resignarse a vivir una vida sin ella. Conseguir su liberación de la Marca había sido una posibilidad remota durante la mayor parte de su tiempo de servicio, pero ahora los acontecimientos habían dado un giro inesperado, por decirlo suavemente, y se encontraba de camino al sistema de Ilyr, una galaxia de la que estaban casi completamente excluidos los que no eran ilyrios, sobre todo aquellos que servían en las Brigadas humanas. Lo que había parecido prácticamente imposible sólo unos días atrás era ahora una realidad: estaría al alcance de Syl, y tenía que aprovechar la oportunidad. Era muy posible que no se volviera a presentar otra igual.

Paul ni siquiera se planteaba el que Syl pudiera negarse a acompañarle si se presentaba la ocasión de huir. Aun así, una cosa era hablar de liberar a Syl de su encarcelamiento en la Marca y otra muy distinta imaginar el modo de hacerlo. Ni siquiera a Peris, que sentía mucho afecto por Syl y no deseaba verla atrapada en Avila Minor más que Paul, se le ocurría un modo de sacarla de allí. A medida que la Hermandad había ido aumentando su poder en la sociedad ilyria, la Marca había dejado de ser no sólo un gran depósito de conocimientos: ahora era una fortaleza. El asalto en toda regla de la Marca requeriría una flota completa de naves, y no podía decirse que contaran con una; tan sólo disponían de una única nave, y el sistema de defensa de la Marca la haría pedazos antes de que les hubiera dado tiempo de llamar a sus puertas.

Así que Paul no paraba de darle vueltas a la posible solución mientras la tripulación seguía el orden de servicio que él había establecido. Hacían guardia, dormían, comían. Avanzaban realizando los saltos pertinentes, y Alis se encargaba de las revisiones antes de cada salto. Las debilidades del casco seguían ahí, pero no parecían agravarse. No era la primera vez que todos agradecían el avanzado diseño de la *Nómada,* tanto daba quién —o qué— fuera el responsable del mismo.

Sólo después de emerger del tercer agujero de gusano empezaron a encontrarse con otras naves: en su gran mayoría, de mercancías, aunque también naves más pequeñas, casi todas dirigiéndose al último agujero de gusano, de manera que la *Nómada* se introdujo en el flujo del tráfico. Pero también quedó inmediatamente claro que su aparición como nave sin registrar había llamado la atención, porque no llevaban mucho tiempo fuera del agujero cuando la *Nómada* recibió un aviso para que se detuviera y se identificara. Tuvieron la suerte de que el primer contacto provino de una patrulla militar y no de una nave del Cuerpo Diplomático o, peor aún, de la Securitat. Una vez que Peris se hubo identificado y se confirmó la presencia de Tiray a bordo, a la primera patrullera se le sumó una segunda y al poco una tercera, de manera que la *Nómada* entró en el último agujero de gusano en el centro de una formación en punta de flecha. Ese agujero se denominaba Paso Melos, así bautizado porque no se trataba de un único portal, sino de cuatro interconectados, todos los cuales desembocaban en el sistema de Ilyr, y su forma se parecía a la del *Melos,* uno de los símbolos del alfabeto ilyrio. Su escolta incluso le permitió saltarse la cola porque se había acumulado una hilera de naves que esperaban para realizar el salto que las acercara a Ilyr.

Fue Tiray el que preguntó a qué se debía la gran cantidad de naves.

—Es por la boda, consejero —fue la respuesta del comandante de la nave de escolta al mando.

—¿Boda? —preguntó Tiray—, ¿qué boda?

—Entre Lord Andrus y la Archimaga Syrene. La notificación llegó hace sólo unos días y ellos volvieron ayer a través de Melos. La ceremonia se celebrará mañana por la mañana. Llegará justo a tiempo.

Antes de entrar en el agujero de gusano, Steven se dio la vuelta y miró a su hermano con cautela. Paul asintió para que viera que lo había comprendido; habían pensado lo mismo: si Lord Andrus volvía a casarse, seguramente su única hija tendría que asistir a la boda, y si se prohibía la entrada de varones a la Marca, la ceremonia se celebraría en otro sitio.

Paul aferró con fuerza la silla cuando hicieron el salto, pero, por una vez, no era debido al miedo.

Escúchame, Syl: voy a buscarte.

64

No les escoltaron directamente a Ilyr, lo que causó cierta consternación en Paul cuando se enteró de las noticias que llegaban por el sistema de comunicaciones. La *Nómada* era llevada a una inmensa base del Ejército conocida como Estación Melos, cerca de la boca del agujero de gusano.

—Son buenas noticias —le tranquilizó Peris—. Estamos más seguros con los militares que en una de las estaciones de atraque compartidas más cercanas a Ilyr.

A Paul no le parecían tan buenas. Atrapado en las lindes del sistema ilyrio no podría serle de ninguna ayuda a Syl.

—Pero ¿qué pasa con Syl? —preguntó con brusquedad—. ¿Cómo se supone que voy a llegar hasta ella desde ahí?

Peris le miró divertido.

—Va a celebrarse una boda —dijo—, así que, por razones obvias, no puede ser en la Marca...

—Eso ya lo sé —le interrumpió Paul—. Ningún varón en la Marca, vale. Seguramente han colgado un rótulo para que todo el mundo lo sepa.

Peris suspiró de la forma en que suspiran los mayores cuando los jóvenes no tienen paciencia para aprender.

—Pero tampoco se celebrará en Ilyr —acabó por fin la frase.

—¿Por qué?

—Llámalo malos recuerdos. La Hermandad no es una gran masa de féminas que se llevan bien unas con otras, y ni siquiera todas piensan lo mismo. Por lo que sé, la mayoría de las más jóvenes, dirigidas por Syrene, tienen el firme propósito de forjar fuertes vínculos con el Cuerpo (y, ahora está claro, también con el Ejército) mediante matrimonios. Syrene es la líder de las Hermanas de alto rango que sirven de consejeras al Cuerpo, tanto explícitamente como en secreto. Pero el grueso de las Hermanas más veteranas prefieren mantenerse a distancia de Ilyr, tanto física como emocionalmente, porque han estudiado sus libros de historia y, para empezar, recuerdan las razones por las que la Hermandad se vio obligada a huir a la Marca.

—Temen otro conflicto —dijo Paul.

—Y puede que tengan buenas razones para ello, si esta nave en la que vamos de por sí no lo demuestra. Pero la historia es más simple si cabe. En Ilyr, la Hermandad fue perseguida, y la mayoría de sus miembros asesinadas, y las heridas no acabaron de cicatrizar. Pero Syrene es más lista, demasiado lista para correr el riesgo de enemistarse con algunas de las voces más influyentes de la Marca excluyéndolas de la ceremonia. No, si mi hipótesis es correcta, la boda se celebrará en Erebos.

Era un nombre desconocido para Paul. No se trataba de ningún planeta ni una luna que él conociera del sistema de Ilyr.

—¿Qué es Erebos?

—El palacio favorito de Meus, el Unificador de Mundos. Se dice que es el edificio más hermoso del universo conocido, si es que te van ese tipo de cosas. Se utiliza tan sólo en los acontecimientos civiles de mayor importancia: la tregua que puso fin a la guerra civil se firmó allí, y allí es donde los presidentes toman posesión. Si el Ejército y la Hermandad van a establecer la alianza más importante que hayan formado a lo largo de la historia ilyria, lo harán en Erebos.

—¿Y dónde está?

Peris se inclinó hacia Paul y señaló a través de una de las ventanas de babor, donde giraba un pequeño mundo azul grisáceo en el vacío: tres diminutas lunas de tamaño menguante destacaban sobre él como una sarta de perlas. Parecía tan cerca que casi podía tocarse.

—*Ahí* está Erebos.

La estación del Ejército se cernía ante ellos. A Paul le recordó a una bola de Navidad colgada de un gran árbol. Tenía la forma de un diamante tallado, pero un diamante de plata, con un anillo central del que sobresalían numerosos puertos de atraque con forma de aguja, la mayoría de los cuales ya estaban ocupados por naves, cuyos tamaños abarcaban desde los inmensos transportes y destructores a las pequeñas patrulleras como las que les escoltaban. Paul supuso que la estación estaba fuertemente defendida, aunque no vislumbró ningún puerto armado.

Entre todos convinieron en qué historia contar durante la inevitable investigación militar sobre la destrucción del *Envion* y la muerte de todos los demás que iban a bordo. En gran parte, era la historia verdadera, que detallaba cuanto había ocurrido desde los sucesos en Torma y la especie de vida basada en el silicio que descubrieron en aquel planeta, que de por sí ya no era ninguna minucia carente de interés; la fuga en la lanzadera desde la base de perforación; el descubrimiento del *Envion* ya dañado; el combate a bordo; la captura de la nave nómada; y el viaje al sistema de Ilyr. Lo que no contarían serían sus sospechas acerca de la posible identidad y motivos de los atacantes, ni la avanzada tecnología de la nave capturada, y tampoco mencionarían su viaje a Arqueón. El retraso en su regreso a Ilyr podía atribuirse a que continuaran persiguiéndoles y a su deseo de proteger a Tiray, lo que les llevó a tomar la decisión de utilizar agujeros de gusano no monitorizados, aunque Paul había tenido el cuidado de comprobar con Alis que el registrador de vuelo de la nave no funcionara y así no existía constancia grabada de su ruta verdadera.

Una vez acordaron los pormenores de esa historia, llegó la hora de concretar sus planes para cuando llegaran a la base.

—Consejero —dijo Peris—, le sugiero que comunique que ésta es ahora su nave personal, y así cualquier tentativa de los militares de tomarla se considerará un acto delictivo. Por lo que a los militares se refiere, usted ha llegado en una traqueteante y anticuada nave nómada. La conclusión de las autoridades será probablemente que ha perdido la cabeza si quiere conservarla para su uso personal, pero no creo que se opongan.

Tiray estuvo de acuerdo. Sabía que todos seguían en peligro por lo que habían visto y hecho en Arqueón, y no le vendría mal disponer de una vía de escape si la estación militar resultaba más hostil de lo esperado.

—Solicitaré una revisión de mantenimiento exterior rutinaria para reparar los daños en el casco —prosiguió Peris—. Debería limitarse a reforzar los paneles y revisar el sellado. También solicitaré que, según sus órdenes, se reponga el armamento de la nave: eso implica torpedos y minas. Alis, tú supervisarás la operación, ayudada por Rizzo.

—¿No por Thula?

Pareció decepcionada.

—¿Ya me echas de menos? —preguntó Thula.

—Sólo tu fuerza —dijo Alis—, no tu personalidad.

Si Paul no la hubiera conocido, habría sospechado que la atracción que sentía Alis hacia los humanos no se circunscribía a su hermano. También se sintió irritado al ver que Peris daba ahora las órdenes. El tiempo de Paul al mando de la nave había llegado a su fin. Ya no era más que otro teniente de Brigada, y en una estación del Ejército eran los oficiales ilyrios, incluso los de nivel de instructor como Peris, los que estaban a cargo.

—No, quiero que Thula y Paul se queden con el consejero Tiray como equipo de seguridad personal, con su aprobación, claro.

Para sorpresa de Paul, Tiray no puso objeción alguna. El político adivinó la razón del cambio de expresión de Paul.

—Soy consciente, teniente, de que no le caigo bien ni se fía de mí, pero soy realista —dijo Tiray—. Una conspiración ha infectado mi sociedad, y ahora la conozco más de lo que sería conveniente para mi bienestar. Si se hace algún movimiento contra mí, lo llevarán a cabo ilyrios, tal vez incluso algunos cercanos a mí, porque tengo que reconocer que ya no estoy seguro de las lealtades de algunos a los que he considerado colegas y amigos. Dadas las circunstancias, aceptaré la protección de humanos de más confianza que los ilyrios. —De nuevo volvió su atención a Peris—. Y conozco la naturaleza de las armas que consiguieron en Torma —dijo—. Pero por el momento, me conviene fingir que no sé nada de ellas. Por favor, no haga que me arrepienta.

Por un instante, Paul lamentó no haber encontrado el modo de encerrar a Tiray en un armario desde el momento que lo habían encontrado. El político tenía la vista y el oído muy agudos, mucho más de lo que Paul había creído. Pero él, como Peris, comprendía lo que se les ofrecía. Estaba proponiéndoles un trato. Paul y Thula no podrían llevar armas que pudieran utilizarse contra ilyrios, ni siquiera en una base militar como Estación Melos. Eran soldados de las Brigadas, y aunque los ilyrios estaban dispuestos a utilizarlos como tropas de combate, abrigaban hacia ellos los mismos sentimientos que Paul hacia Tiray: ningún afecto, ninguna confianza; así que ni podían plantearse llevar pistolas y escopetas. Sin embargo, sí podían portar armas ilyrias, porque se daría por supuesto que éstas tenían bloqueo de ADN para evitar que se utilizaran contra sus creadores. A ojos de cualquiera, los humanos irían equipados con armas de pulso sólo por exhibirlas, como unos niños pequeños que llevaran armas de juguete.

—Encontraré alojamientos seguros para el consejero Tiray y vosotros lo escoltaréis —dijo Peris—. Nadie puede entrar a no ser que yo lo acompañe. Si me acerco con otros, y me he visto obligado a hacerlo contra mi voluntad, utilizaré tu nombre de pila, Paul, no tu rango. Contarás entonces con mi permiso para volver tus armas contra quienes me acompañen. Pero mantenlas a baja potencia. A poco que pueda evitarse, no quiero matar a nadie en esa estación.

Casi habían llegado al puerto de atraque. Las naves que les escoltaban se alejaron, dejando que Steven se pusiera a la velocidad de la revolución lenta de la estación hasta que descendió sin problemas contra sus topes, y la estación los sujetó.

—¿Durante cuánto tiempo tendremos que proteger al consejero? —preguntó Paul.

—Hasta la boda —dijo Peris, que miró a Tiray pidiendo su confirmación y éste asintió.

—A través de Peris, puedo enviar mensajes a aquellos en quienes todavía confío. Todos asistirán a la ceremonia en Erebos. Pero también se encontrarán allí los miembros de alto rango del Cuerpo y de la Securitat, y estaremos rodeados de enemigos.

Tiray les dejó y fue al lavabo para arreglarse y tener un aspecto respetable a su llegada a la Estación Melos.

—Y hay otro problema —dijo Peris cuando se hubo ido Tiray.

—Pues me parece que ya tenemos bastantes —dijo Thula—, pero gracias de todos modos.

Paul no le hizo caso.

—En Erebos no se permiten armas de ninguna clase —dijo—. A nadie. Una vez lleguéis allí, iréis desarmados.

65

A su llegada los recibió el comandante de la base, Hadix, y un pelotón de las fuerzas de seguridad de la estación. Su sorpresa al encontrar a cuatro soldados de las Brigadas a bordo de lo que parecía una nave nómada capturada, junto con un consejero y una asistente a los que se había dado por desaparecidos, se vio hasta cierto punto disminuida por la presencia de Peris. Desde el primer momento quedó patente que Hadix y él se conocían desde hacía mucho y su relación era buena. La solicitud de Peris de que se le dieran alojamientos privados al consejero Tiray y de que miembros de la Brigada se encargaran de su seguridad personal durante su visita fue aceptada inmediatamente, aunque primero Paul y Thula tuvieron que aceptar someterse a un cacheo a fondo por si llevaban armas no permitidas. A sus rifles de pulso sólo les echaron un vistazo distraído. Peris tenía razón: simplemente dieron por sentado que los humanos los llevaban por costumbre y no por su utilidad.

Paul y Thula acompañaron a Tiray a sus alojamientos, donde se aseó y, tras informar a Paul de que no quería que le molestaran durante unas horas, se acostó para descansar. Paul se unió a Thula en su puesto de guardia, fuera de la cámara. Ahora que estaban lejos del atestado interior de la *Nómada,* Paul se dio cuenta de lo espantosamente mal que olían Thula y él, y de lo andrajosos y sucios que llevaban los uniformes.

—Necesitas una ducha —le dijo a Thula.

—Tienes razón —admitió éste—. Y tú, qué quieres que te diga, hueles como una flor fresca. ¿Cómo te las apañas para estar tan pulidito y limpio mientras yo voy como un guarro que avergüenza a las Brigadas?

—Eso era un sarcasmo, ¿no?

—Pues sí, es un sarcasmo.

Se apoyaron en la pared, con las manos cerca de sus armas de pulso. Aunque había dormido a ratos durante el viaje a Ilyr, Paul todavía estaba al borde del agotamiento. Pero era un soldado y todos los soldados aprendían a comer y a dormir cuando podían, y asumían el hecho de que, en general, nunca comerían ni dormirían tanto como les habría gustado.

Al cabo de dos largas horas, apareció Peris. Se había cambiado de uniforme y tenía el aspecto de alguien que acababa de darse una larga ducha y de disfrutar de una comida caliente.

—¿Se ha instalado? —le preguntó a Paul.

—Eso parece. Dio órdenes de que no le molestaran durante unas horas. Quiere darse un baño y dormir, y comerá más tarde.

—Estoy seguro de que a ti te gustaría hacer lo mismo —dijo Peris—. Por desgracia, sólo dispones de tiempo para ducharte y comer algo. Para dormir tendrás que esperar un poco más.

Peris se unió a Paul en la guardia, mientras Thula recibía permiso para ir a las duchas y al comedor. Paul y Peris hablaron de naderías porque Peris le había advertido que tuviesen cuidado con lo que decían dentro de la base; no sabían quién podría estar escuchando...

Thula pasó fuera un rato. Cuando volvió, fue el turno de Paul en las duchas; se hizo con un uniforme militar ilyrio que le quedaba un poco grande, y engulló un poco de comida ilyria en la cantina de oficiales, donde la calidad era un poco mejor que la que servían a los rangos inferiores. Aun así, contenía demasiados elementos inidentificables para el gusto de Paul, pero tenía tanta hambre que no le importó. Se habían pasado la última semana alimentándose de café, gachas, platos precocinados y unos carbohidratos con pinta de fideos finos que sabían a cordones salados. Fuera lo que fuese lo que estaba comiendo ahora, era fresco y, dada la preocupación de los ilyrios por la buena salud, seguramente no le sentaría muy mal.

—Vaya, mírate ahora —dijo Thula cuando Paul volvió—. ¡Pero qué guapo estás!

Peris le miró con cierta estupefacción, pero no dijo nada.

—Cállate —dijo Paul.

—Sí, señor.

Peris los dejó, no sin antes buscarles un par de sillas.

—Procurad no dormiros —les advirtió—, al menos, no a la vez. —Y se fue.

Thula sacó una moneda como por arte de magia.

—Tú eliges —dijo.

—Cara.

—Ha salido cruz.

—Jo.

Thula se sentó, apoyó la cabeza contra la pared a su espalda y cerró los ojos. Al cabo de unos segundos estaba profundamente dormido.

Paul le dejó dormir una hora, luego cambiaron de posiciones. A Paul le despertó un interfono que quedaba al lado de su oído. La voz de Tiray resonó a través de él, pidiendo que le llevaran comida.

—¿Y si la envenenan? —preguntó Thula en voz baja.

—Tú ya has comido lo que dan aquí, ¿no? —dijo Paul—. Sabe como si ya estuviera envenenada.

Al poco Peris se presentó con una bandeja, y se quedó recibiendo instrucciones de Tiray durante casi una hora, informándose de los detalles de aquellos con los que el político quería contactar. Cuando Peris salió por fin, no habló con Paul ni Thula, y éstos no interrumpieron sus pensamientos; sin duda tenía un montón de nombres que memorizar y otro montón de mensajes que transmitir por un canal seguro.

Poco después llegaron Steven y Rizzo se presentaron para sustituirles y que pudieran descansar como era debido.

—¿Quién se ocupa de la nave? —preguntó Thula.

—Alis —dijo Steven—. Queda en buenas manos.

—¿Y cómo está tu novia? —preguntó Thula.

Steven no le hizo caso, pero Thula insistió.

—Eres un poco joven para ella, ¿no?

420

Steven mantuvo la mirada clavada en la pared de delante, negándose incluso a mirar a Thula, pero pudo articular la palabra «no» entre los dientes apretados.

—Yo creo que estaría mejor con un hombre como yo —dijo Thula—. Soy más maduro y... —se metió la mano en la bolsa que llevaba en el cinturón y sacó una pequeña botella de plástico— siempre llevo aceite, por si se oxida.

Eso fue demasiado para Steven. Dio un salto hacia Thula, agitando violentamente los puños, pero Thula lo mantuvo alejado con sus largos brazos, riéndose. Paul tuvo que apartar a su hermano, mientras éste no paraba de insultar a Thula.

—¡Déjalo ya! —le dijo Paul—. ¿No ves que sólo quiere provocarte?

Steven consiguió calmarse, pero seguía rojo de ira. Thula se disculpó, aunque por su expresión nadie diría que sus palabras eran de disculpa. Sonreía demasiado para dar el pego. Paul le empujó antes de seguirle.

—¿Tenías que meterte con él? —le preguntó a Thula cuando quedaron fuera del alcance del oído de su hermano.

—Sólo nos divertíamos un poco.

—Aún es joven, y no sólo por sus años. La última vez que creyó que estaba enamorado no fue correspondido. Todo esto es nuevo para él. Y es difícil. La primera vez siempre duele.

—Hablas como un hombre al que le han roto el corazón.

—¿A quién?, ¿a mí? No, en absoluto. Pero a ti no te gusta Alis, ¿verdad que no?

—¡No! Prefiero que la mía sea...

Thula se calló a tiempo. Había estado a punto de decir «humana», pero recordó tanto la advertencia de Peris de que sus conversaciones podían estar siendo monitorizadas, como la ternura de los sentimientos del propio Paul hacia una no-humana, Syl. Paul le había hablado de ella durante el periodo de instrucción básica que habían pasado juntos, y durante largo tiempo él había sido de los pocos que estaba al tanto de los hondos sentimientos de Paul hacia la joven ilyria. Desde entonces, Paul se lo había confiado también a Rizzo y a Alis, pero nadie más tenía por qué saberlo, ciertamente nadie que estuviera en una base militar en el sistema de Ilyr.

—Prefiero que la mía sea un poco mayor —concluyó por fin la frase.

Paul se dio cuenta de lo que había hecho Thula, y se lo agradeció para sus adentros, pero eso no significaba que no fuera a provocarle a su vez.

—¿Cómo de mayor? —preguntó—. ¿Cómo una abuela, por ejemplo?

—No —replicó Thula con toda dignidad—. Yo no he dicho eso.

—Has dicho mayor.

—Sí, pero en el sentido de más mayor, no de *vieja*.

—No te entiendo, ¿qué quieres decir, más mayor que una abuela?, ¿te refieres a una bisabuela? Dios, tienes que hacértelo mirar.

—Me estás malinterpretando deliberadamente.

—No. He oído perfectamente lo que has dicho.

—No, no es eso lo que has oído.

—Sí, lo has dicho. Ahora no puedes retirarlo.

Thula lanzó una patada contra el trasero de Paul, pero éste era demasiado rápido para él.

—¡Tentativa de agresión a un oficial superior! —gritó Paul, pero se estaba riendo al decirlo—. Podría mandarte a un consejo de guerra.

Un par de soldados ilyrios con los que se cruzaron los miraban con curiosidad, sin saber muy bien qué pasaba.

—Si no empiezas a andar —dijo Thula—, te daré motivos para hacer que me fusilen.

Al llegar a los alojamientos que les habían asignado, los dos todavía sonreían. En la habitación había dos catres, dos armarios, dos sillas y poca cosa más. Las mochilas con sus pertenencias ya estaban allí, porque seguramente las había llevado Peris. Paul buscó en su mochila hasta encontrar un cuaderno y un bolígrafo. Escribió en la primera hoja, y se la enseñó a Thula.

Creo que Syl asistirá mañana a la boda. Voy a intentar encontrarla y sacarla de la Hermandad.

Thula escribió la respuesta.

¿Cómo?

La Nómada. *Si consigo que subamos a bordo, puedo hacer un salto a través del agujero de gusano de Melos. Tiene cuatro salidas.*

¿Quién más lo sabe?

Steven. Peris sabe que quiero ayudar a escapar a Syl, pero no cómo. Aunque supongo que lo sospecha.

Peligroso.

No estoy pidiéndote ayuda.

Con la expresión de su rostro Paul dejó claro que no pretendía parecer brusco. Sólo intentaba proteger a Thula.

Sí, estás pidiéndomela.

Puede que sí, pero no espero que pongas tu vida en peligro por esto.

Cuenta conmigo. Y con Rizzo, añadió Thula. *Ella te seguirá, sobre todo si implica que puede disparar a algo.*

Paul sintió que se le humedecían los ojos de agradecimiento. No creía que pudiera intentar un rescate sin Thula a su lado, y había esperado que su amigo se prestara a colaborar, pero no podía estar seguro. Agarró el brazo izquierdo de Thula como señal de gratitud.

Quítame la mano de encima, escribió Thula.

Y Paul le propinó un golpe.

66

Nada es lo que parece.

Syl todavía oía las palabras pronunciadas por Onwyn, casi sentía la piel de la anciana bibliotecaria rozando la suya, su mano delgada y huesuda aferrada a la palma de Syl, frágil pero llena aún de vida. ¿Acaso incluía Onwyn en sus palabras la muerte de Kosia, la pobre Kosia, que, como Syl, como Elda, había investigado sobre Arqueón? Cuanto más pensaba en eso, más se convencía de que el hallazgo del cadáver de Kosia en el Segundo Reino no había sido accidental. Si sus sospechas eran ciertas, primero la habían descubierto y luego la habían matado haciendo que su muerte pareciera un desgraciado derrumbe con la intención de mantener alejadas a otras y aumentar la fama de inestabilidad y peligro del Segundo Reino. A Syl no le hacía gracia, ninguna gracia, pero estaba claro que el Segundo Reino era el que tenía que visitar.

Y aunque ahora sabía que Arqueón era un planeta, todavía no entendía por qué la Hermandad parecía tan ansiosa por borrar todos los detalles de su existencia. Supongamos que fuera un mundo habitable, con alguna forma de vida, no se trataría del único mundo así. ¿Por qué era tan importante como para matar por él?, porque todo indicaba que Elda había muerto a causa de Arqueón, si no, ¿por qué habría grabado el nombre en un medallón y se lo había confiado a Syl para que lo sacara de Avila Minor y se lo llevara a su madre? ¿Estaba la madre de Elda al tanto de la doble vida que había llevado su hija? ¿Le sorprendería, le decepcionaría o le enorgullecería? El caso es que, por el momento, estaba sólo en manos de Syl analizar la pista dejada por Elda e intentar darle algún sentido.

La inminente boda de su padre y Syrene dio a Syl una oportunidad para explorar que probablemente no se repetiría, pues la ceremonia había sumido la Marca en un estado de nervios y distracción. Con la excepción del personal más esencial, todas irían a Erebos, dado que la Hermandad estaba a cargo de la organización de la celebración, desde el *catering* a la seguridad. Las Novicias y las Hermanas Intermedias harían las veces de anfitrionas y camareras en la boda, y habían salido antes del alba, vestidas con túnicas nuevas, susurrantes, a fin de prepararlo todo para los invitados. Sin embargo, como futura hijastra de la Archimaga, Syl estaba eximida de esas tareas. Se esperaba que se vistiera con un atuendo elegante, a juego con su mejor sonrisa de felicidad, y que luego se colocara detrás de su padre mientras éste se casaba con la criatura que lo había destruido.

Dejaron completamente sola a Syl para que se preparara. El vestido amarillo que había lucido en el Baile del Génesis había sido lavado y colgaba en su armario, con las piedras del cinturón pulidas hasta dejarlas brillantes, pero le costaba hasta mirarlo.

Así que, poco después del desayuno, Syl se puso su túnica blanca robada y se dirigió a las entrañas de la Marca. No necesitaba buscarse más excusas ni subterfugios. Sólo parecía haber quedado el personal mínimo, y estaban demasiado ocupadas con mantener en funcionamiento todos los sistemas para prestar atención a una Hermana del Servicio que pasaba por allí.

De manera que llegó a la entrada del Segundo Reino sin el menor contratiempo. Bajó por la vieja escalera hasta la sección donde el túnel estaba sellado por montones de rocas. Con el cartografiador de Lista había descubierto un desvío: un estrecho túnel al fondo de una de las bibliotecas desiertas que quedaban a sus espaldas; las rocas y la cinta que prohibían el paso sólo tenían una función disuasoria. Ese viejo Reino era demasiado laberíntico para ser completamente seguro.

Dentro del frío y húmedo túnel había un poco de luz, incluso sin activar la vara luminosa, porque el espacio en desuso servía de hogar a microorganismos que crecían en las paredes y resplandecían en la oscuridad. No era una iluminación potente, pero sí lo bastante intensa para permitir la visión. Sin embargo, Syl se topó pronto con otro problema: el túnel era tan estrecho que tuvo que ponerse de lado para seguir adelante, y en cierto momento la constriñó hasta el punto de que se vio incapaz tanto de avanzar como de retroceder, y creyó que se quedaría ahí atrapada para siempre.

Ésta es la razón, pensó, por la que no se tomaron la molestia de bloquearlo, porque no puede utilizarse. Las piedras le presionaban la espalda, inmovilizándola donde estaba, pero entonces se acordó de los garniados que reptaban y, tras unas sacudidas casi presa del pánico, consiguió retorcerse y liberarse, desgarrándose la túnica y haciéndose un arañazo bastante feo en la cadera. Estremeciéndose, siguió adelante.

Al cabo de un rato, el viejo túnel de acceso desembocaba de nuevo en el principal y avanzó rápido hasta que dobló una esquina y vio que el camino estaba de nuevo bloqueado por otro desprendimiento. Piedras, rocas y guijarros se amontonaban del suelo al techo sin ninguna vía alternativa que los salvara. El cartografiador parecía no recibir ninguna lectura. Ni siquiera aparecía en él el túnel donde se encontraba, y sólo la luz azul titilaba solitaria en el dispositivo. Examinó las rocas, acordándose de Kosia, de sus restos destrozados cuando fueron extraídos de una pila de piedras como ésa. Las palabras de Onwyn volvieron a resonar como un eco.

Nada es lo que parece...

Syl palpó las piedras, pero parecían sólidas. Probó con las paredes de los lados, pero también eran firmes. Supuso que podría retroceder y buscar otro túnel secundario, pero la perspectiva de quedar aplastada en aquel mínimo espacio la aterraba. Se forzó a pensar con lógica.

Supuesto 1: Kosia había muerto mientras intentaba descubrir los secretos del Reino. Si Kosia estaba en lo cierto, y el Segundo se utilizaba para ocultar algo, entonces en la Hermandad habría quienes seguramente querrían acceder a ese secreto.

Supuesto 2: El túnel, que sin duda llevaba a algún lugar, no podía estar completamente sellado, a no ser que el derrumbe fuera reciente, pero no era el caso porque había finas telarañas de garniados flotando en los resquicios entre las rocas y el polvo era tan espeso que podía escribir su nombre en él.

Conclusión: Tenía que haber un paso franco.

Empezó a recorrer la pared de rocas de nuevo, tocando cada piedra, palpándola con cuidado, atenta para que no la picara ningún bicho, hasta que llegó a una zona pequeña y hundida a la izquierda, cerca de la pared del túnel, donde las telarañas de los garniados eran más tupidas. Se quedó delante y se asomó dentro utilizando su vara luminosa para alumbrar las telarañas. No vio ningún movimiento. Aun así, no quería que la picaran. Una picadura dolería, pero Amera había dicho que varias podían anegar el organismo ilyrio con veneno suficiente para detener los latidos de un corazón, y el que había ahí abajo parecía un nido muy grande. Con todo, si había un medio de acceder al otro lado del muro de piedras caídas, tenía que estar detrás de la telaraña.

¿Había llegado Kosia a la misma conclusión? ¿Y si ella había metido también la mano en la telaraña, había encontrado una palanca, y había provocado un derrumbe mayor al activar una trampa preparada por la Hermandad, una trampa que esperaba a las más temerarias? Pero Syl ya había llegado hasta ahí, y quería saber la verdad. Además, ya puestos, no tenía nada que perder. Todo lo que le importaba parecía perdido. Cerró los ojos, introdujo la mano en la telaraña y esperó la primera picadura. No sintió ninguna. Lo que sí notó con la punta de sus dedos fue un botón redondo. Lo pulsó con fuerza, manteniendo el dedo allí, y al cabo de varios segundos una parte del muro a su izquierda se deslizó y se abrió, revelando un pequeño túnel que se perdía en una curva tras las rocas. Retiró la mano y la puerta permaneció abierta el tiempo justo para permitirle pasar, tras lo cual se cerró de nuevo a sus espaldas. Syl revisó el muro de piedra del otro lado. Sí, había un hueco entre las piedras, pero esta vez sin telarañas que ocultaran la existencia del botón. Le sería más fácil salir de allí que entrar.

El túnel que tenía por delante estaba mucho más limpio que el que había dejado atrás, y la luces, incrustadas en el techo, iluminaban más porque se habían limpiado los microorganismos de las paredes. Syl vio humedad en las piedras, olió a desinfectante, y entonces oyó un zumbido grave por delante. Pensó en retirarse al pequeño umbral de un pequeño túnel, pero no tuvo tiempo. Doblando una esquina apareció un pequeño dron circular, cerniéndose a media altura entre el suelo y el techo. Una serie de boquillas de manguera que salían del cuerpo central del aparato rociaban líquido uniformemente a lo largo del túnel y, en este caso, por encima también de Syl. Cerró los ojos y la boca, y se cubrió la cara con las manos mientras el desinfectante la empapaba de pies a cabeza. No era tóxico ni quemaba; parecía tan sólo lo bastante potente para exterminar bacterias. El dron se detuvo en las rocas, pitó una vez y luego volvió por donde había venido, sin parar en ningún momento de rociar el desinfectante. Syl lo siguió hasta que llegó a una ventana de cristal claro que estaba engastada en la pared del túnel, y entonces se detuvo.

Había encontrado a las Cinco Primeras.

67

A través del cristal, cuatro de las ancianas Hermanas estaban sentadas como si fueran las puntas de una brújula, encarando el norte, el sur, el este y el oeste. La quinta, y, con diferencia, la mayor de todas, estaba sentada en el centro, desplomada en una silla colocada a más altura que las demás, con la cabeza apoyada en su espeso almohadillado.

—Maga Ezil —murmuró Syl, porque tenía que ser ella.

Así que no estaba muerta, aunque a lo mejor ella misma lo deseara. Unos cables conectaban los cuerpos de las Hermanas a una hilera de monitores. Les habían insertado en las bocas tubos de alimentación, y catéteres y tubos rectales se ocupaban de sus excrementos. La cara de la Hermana que se sentaba frente a Syl estaba mortalmente pálida, y sus ojos eran como canicas que flotaran justo por debajo de una superficie de leche cuajada, nublados por las cataratas: miraban hacia delante sin ver, sin percibir la presencia de Syl. El cuerpo de la Hermana quedaba oculto bajo una bata blanca de hospital, y las manos tatuadas reposaban sobre sus muslos. Unos droides cuidadores plateados colocados sobre vías de caucho esperaban pacientes cerca, con sus múltiples brazos acabados en tenazas, agujas y cuchillas, preparados para intervenir al menor signo de una emergencia médica. No había a la vista ninguna otra Hermana.

Pero no fue nada de eso lo que revolvió el estómago de Syl. Tampoco la visión de estas ancianas rapadas y sentadas como estatuas fue lo que la hizo llevarse las manos a la boca para reprimir las ganas de vomitar.

No, fue esto:

El cráneo de cada Hermana estaba recubierto de una masa de zarcillos rojos que se unían formando una serie de cables carnosos. Los cables más finos conectaban a cada Hermana en un círculo exterior con las demás, serpenteando entre sus cabezas, pulsantes y húmedos, como si estuvieran vivos. Cuatro cables más gruesos y enmarañados se extendían hacia el interior del círculo como los radios de una rueda, uniéndose sobre la cabeza de Ezil, y sus espirales ocultaban la frente de la anciana por completo. Los zarcillos se rizaban y se retorcían, a veces se soltaban y sondeaban el aire a su alrededor antes de volver a sumergirse con glotonería en su huésped, de manera que el cráneo de la anciana Maga era como el cabello de las Medusas, las Gorgonas con serpientes a modo de cabellos de la mitología.

Alzándose desde esa masa entrelazada central había un enlace único de un color más rojo si cabe, un cordón umbilical que salía del cráneo de Ezil y acababa en el vientre de una criatura; Syl sólo había visto una criatura similar una vez: alrededor del bulbo raquídeo del gran cónsul Gradus. Sin embargo, aquel organismo le había parecido poco más grande que una gamba, o que la larva de algún insecto. Pero éste era mucho mayor, tenía aproximadamente el tamaño de un niño con obesidad mórbida, y una red de zarcillos que formaban una hamaca bajo el techo alto de la cueva lo sostenía en alto.

El cuerpo de la criatura era transparente, levemente borroso, como una ventana empañada, y a través de su membrana exterior Syl distinguió un corazón oscuro en el centro bombeando la sangre por los vasos, ayudado por una serie de corazones laterales como los de las lombrices. Veía cómo se hinchaban y contraían lo que debían de ser los pulmones, y también atisbó la masa amarillo rosácea de su cerebro sobre dos ojos oscuros. El resto de su cabeza consistía por entero en tentáculos de succión, la mayoría de los cuales se extendían a través de la red y lo conectaban todavía más a las Hermanas de abajo. Carecía de piernas, pero tenía unos tentáculos de sujeción más pequeños en la parte inferior del cuerpo, cubiertos de un vello corto y púas afiladas.

Syl miró a su derecha, donde vio una puerta, cerrada, que parecía conducir a la sala. Ahora que empezaba a superar su conmoción y repulsión iniciales, quería acercarse más. Quería *ver*.

430

La puerta se abrió automáticamente en cuanto se aproximó, descubriendo una pequeña cámara en la que había colgada ropa quirúrgica y máscaras faciales. Una voz habló con el tono metálico de un altavoz oculto, recordando a todo el personal que cumpliera las medidas de seguridad antes de entrar. Un gráfico en la pared dejaba claro en qué consistían tales medidas: póngase la ropa quirúrgica y la máscara; pase a la ducha de descontaminación; entre. Syl se puso la ropa y una máscara y entró en la ducha a través de una puerta corredera. Su cuerpo quedó envuelto en una neblina de esterilización, y al poco un interfono anunció que tenía vía libre y fue admitida en la cámara principal.

Ella lo olía incluso a través de la máscara y el fluido de esterilización: descomposición, desechos corporales y algo peor, como el hedor que despide un matadero. Se acercó a las Hermanas, concentrada básicamente en el organismo que había sobre ellas, aunque —como las Nairenes mayores— éste tampoco parecía percibir la presencia de Syl. Dio una vuelta completa a las ancianas lanzando miradas ansiosas a la red que se extendía sobre su cabeza, temiendo que uno de esos zarcillos descendiera y se abatiera también sobre ella. Finalmente, retrocedió bajo el cable más exterior y se acercó a Ezil, en su estrado elevado, cuyas manos quedaban a la altura de la cabeza de Syl.

Con cautela, extendió el brazo y tocó la muñeca de Ezil.

Fue como si hubiera puesto la mano en un cable eléctrico. El cuerpo se le arqueó y le dio la impresión de que los dedos se le pegaban a la carne lívida y marchita de Ezil. Simultáneamente, una sucesión de imágenes explotaba en su cabeza.

El vuelo de las Cinco Primeras originales a Avila Minor; los primeros tiempos en los túneles y cuevas; la construcción de la Marca; la exploración de la luna...

Y el descubrimiento del meteorito; y la gran roca que ella había visto en su cúpula de cristal recibiendo aquella lluvia interminable de besos de las Hermanas.

Syl lo vio todo como si estuviera presente en cada momento de importancia. Vio a una científica Nairene explicándole a Ezil el hallazgo de organismos dentro del meteorito que habían desenterrado en la luna, y oyó la orden para que pusieran la roca en cuarentena, pero ya era demasiado tarde. Cuatro Hermanas ya habían sido infectadas, Ezil entre ellas, contaminadas por los viejos parásitos, formas de vida casi tan antiguas como el mismo universo, organismos sin nombre, porque cuando aparecieron no existía nadie que pudiera ponérselo.

Los Otros, pensó Syl.

Habían vagado por el universo durante miles de millones de años, desplazándose en escombros, impulsados por vientos solares, cada organismo capaz de una existencia independiente pero vinculado al resto, compartiendo sus descubrimientos, registrando, recordando, trazando mapas de los sistemas solares y de las galaxias.

De los agujeros de gusano.

Y a lo largo de todo ese tiempo los organismos buscaban mundos apropiados, planetas con vida que podía ser corrompida y utilizada como ganado de cría, y las esporas parásitas explotaban de los cuerpos destrozados de sus huéspedes, con una energía cinética tan poderosa que les permitía escapar incluso de la fuerza gravitatoria de los planetas.

Pero a veces los Otros permanecían latentes, dejando que la vida evolucionara, esperando que los descubrieran, como había sucedido en Avila Minor.

Hasta entonces los Otros nunca habían encontrado una especie tan avanzada como los ilyrios, ni un ser tan inteligente como Ezil, o, al menos, como Ezil creía serlo. Se llegó a un acuerdo. Los Otros dependían del azar y la suerte para descubrir mundos y entidades que les sirvieran de huéspedes, pero en el universo había muy poca vida.

Dejadnos, argumentó Ezil, *y nosotras encontraremos mundos para vosotros. Haced grandes a los ilyrios y a cambio vosotros tendréis vida.*

Y así los Otros establecieron una relación simbiótica con los ilyrios, y los más antiguos y letales de aquellos organismos se incrustaron en las Cinco Primeras, y poco a poco compartieron su conocimiento del universo con la Hermandad. Así empezó la Conquista ilyria.

Pero el precio que la Hermandad tuvo que pagar... Oh, ese precio...

Syl no sólo percibía el sufrimiento de Ezil, sino también la agonía de sus cuatro Hermanas: Atis, Loneil, Ineh y Tola, nombres que ella había visto escritos y oído entre susurros. Según la historia tradicional de la Hermandad, ellas se habían retirado a las profundidades de la Marca hacía muchas décadas para dedicarse por completo a la búsqueda del conocimiento. Habían adquirido el estatus de los mitos, de las semidiosas. Pero lo cierto es que se habían entregado como rehenes a una entidad mucho más inteligente y voraz de lo que habrían imaginado jamás.

Su dolor no era sólo físico, también era mental y emocional. Mientras los zarcillos del organismo se extendían por su interior, las controlaba, se alimentaba de su energía, las mantenía con vida a la vez que las resecaba, ellas seguían conservando la capacidad de sentir dolor, arrepentimiento, culpa. Ezil había creído que podía mantener a raya a esos parásitos llegando a un acuerdo que ella misma no tenía la menor intención de cumplir porque les había prometido otros mundos, otras especies, pero a la vez tramaba la destrucción de estos antiguos seres terroríficos. Poco a poco, se había visto obligada a hacer sacrificios: un animal primitivo aquí, una especie completa allí.

Pero tienen hambre, mucha hambre.

Hasta que al final se sacrificaron mundos enteros.

Arqueón.

Esa palabra resonó como un eco en la cabeza de Syl. Se la había oído pronunciar a Ezil, aunque los labios de la Maga no se habían movido.

Les dimos Arqueón.

La descomposición de Arqueón había sido tan lenta como inevitable, porque no hay males pequeños: cada mal no es más que un paso en el camino a la condenación definitiva.

Y seguirá la Tierra.

De repente, otra conciencia había irrumpido en la revelación que estaba teniendo Syl, una conciencia antigua, perversa y voraz. Era a la vez una y muchas, una gran sombra que recorrió su mente, y escondidas en la sombra habían miles de millones de bocas, y cada boca estaba llena de mil millones de dientes.

El Otro se había percatado de su presencia.

El contacto entre Syl y Ezil se interrumpió, aunque Syl no sabía si había sido por obra de la Maga o de sí misma. Syl se vio empujada hacia atrás y cayó contra el cable de zarcillos que conectaba a Atis y Tola. El cable no se rompió, pero el impacto hizo que Atis se cayera de la silla y enviara una onda expansiva a través de las demás. Los ojos de Loneil se quedaron en blanco en sus cuencas. Los labios de Ineh se movieron silenciosamente, la cabeza de Atis empezó a agitarse descontroladamente y Syl creyó que oyó gemir a Tola.

Entonces sus voces hablaron en la cabeza de Syl: primero una, luego dos, hasta que al final todas gritaban tan alto en su interior que le pareció que iba a volverse loca.

Mátame.

Mátanos.

Por favor, ¡mátanos!

Los droides mecánicos se lanzaron hacia ellas, alertados de la emergencia por el pitido agudo de los monitores. Se oyeron unos crujidos encima de la cabeza de Syl cuando el organismo se movió por primera vez en su red carnosa, los filamentos más pequeños alrededor de su boca se retorcieron, sus ojos negros giraron en sus cuencas. Los zarcillos salieron del cuerpo y se deslizaron por los huecos del entramado, buscando la fuente de la perturbación. Vaharadas de polvo rojo surgieron de diminutos orificios en su cuerpo: esporas.

Pero Syl ya había echado a correr.

Oriel estaba observando cómo se alzaba de la Marca la última lanzadera que se dirigía a Erebos cuando sintió una crispación dolorosa en la base de su cerebro. El Otro que llevaba dentro de su cabeza empezó a bombardear su cuerpo con pulsaciones de alarma, junto con las imágenes que le transmitía el organismo dominante, desde las profundidades del Segundo Reino. Oriel atisbó una figura con ropa quirúrgica, que daba la espalda al Otro, concentrada en huir. Una puerta se abrió. Una máscara fue arrojada a un lado. Una cara se reflejó en el cristal.

Syl Hellais.

68

Syl no se dio cuenta de que estaba llorando hasta que se le empezó a nublar la vista. El sonido de las Cinco Primeras suplicando que las matara retumbaba como un eco en su cabeza incluso cuando las voces habían empezado a apagarse y el horror de la cámara quedaba más y más lejos a medida que corría. Mientras huía, oía: su mayor temor era que la criatura, el Otro, pudiera encontrar el modo de salir de allí y perseguirla. La cámara de descontaminación era demasiado estrecha para él, pero ¿y si rompía el cristal y escapaba por la ventana? No parecía que pudiera moverse muy rápido, lo que era una ventaja, pero la simple idea de quedar atrapada en el túnel con él era aterradora.

Llegó a la pared de piedra y encontró el botón incrustado en las rocas. Lo pulsó, pero no pasó nada.

—¡Por favor, por favor! —gritó golpeando el botón, desesperada por salir de allí.

Se arrepentía de haberlo explorado, se arrepentía de su curiosidad, se arrepentía de todo.

Deseo *no saber,* pero su mente se sentía ahora abierta de par en par, expuesta, como un coco partido por la mitad con un machete. Todo se derramaba en su interior como si fuera una antena parabólica. Recibía los pensamientos y las señales de todo lo que estaba vivo en ese espantoso Reino. Sentía el rabioso palpar del Otro y los zarcillos susurrantes y desesperados de las Hermanas cosquilleando como telarañas sueltas en los recovecos de su mente. Estaba hipersensibilizada, consciente incluso de la presencia de los garniados que vivían en esas rocas. Los percibía en las profundidades de las grietas y sentía su conciencia, algo completamente ajeno a ella, una mezcla oscura de bajos apetitos, nada más. A su modo, eran como los Otros, pero sin su inteligencia. Estaba tan dentro de ellos que casi podía tocarlos.

Y ellos también se daban cuenta de su presencia, de eso no cabía duda; sintió que se le acercaban como atraídos como un instinto primario.

Pero también se acercaba otra cosa. Ella lo sintió y casi se desvaneció de miedo.

Tambaleándose, golpeó de nuevo el botón con el puño derecho, pero algo se arrastró por encima de su mano. Se quedó paralizada. Era un garniado. Tenía que serlo. Sus patas duras tamborilearon sobre su piel, y entonces le palpó el pulgar. No quería que la picara, ni siquiera una vez, porque cada picadura emitía una señal química que atraía a más de su especie a la fuente, a la presa. De ese modo, incluso animales de gran tamaño podían ser abatidos por los insectos si los atacaban en grandes cantidades.

Oyó un estruendo en la sala a sus espaldas.

—Por favor, no. Eso no —susurró.

Manteniendo la mano derecha completamente inmóvil, con el garniado balanceándose en un delicado equilibrio, Syl levantó la izquierda y pulsó el botón, esta vez manteniendo quieto el dedo.

Uno... dos... tres... cuatro...

Al llegar a cinco, el mecanismo emitió un ruido sordo y la puerta se abrió. Tan despacio como fue capaz, se deslizó a través del hueco, retorciéndose al pasar de manera que su mano fuera la única parte de su cuerpo que permanecía en el pasillo. Con los dedos estirados, esperó, observando al garniado, sin respirar apenas mientras la puerta de entrada crujía y empezaba a cerrarse. En el último momento, una fracción de segundo antes de que la puerta le aplastara la muñeca, echó la mano hacia atrás de un tirón a través de la rendija, golpeando a la criatura contra la pared con la esperanza de que la puerta se encargaría del resto al cerrarse con un sonido metálico. El garniado cayó al suelo, donde quedó boca arriba como un escarabajo, agitando las patas con rabia. Syl lo miró y le entró una risa histérica de alivio mientras veía como el bicho se levantaba por fin: alivio porque no la hubiera picado, pero sobre todo por poner la pared de piedra entre ella y lo que dejaba tras de sí.

Se dio la vuelta para marcharse y la risa se le cortó de golpe. Oriel estaba en el túnel con las manos entrelazadas por delante.

—Nunca me fié de ti, Syl Hellais —dijo—. Siempre noté algo impostado en ti. Ahora has estado fisgoneando en lugares que no te competen, pero será lo último que hagas.

Con su conciencia descubierta, Syl percibió el aborrecimiento que había detrás de aquellas palabras, como agujas que se le clavaban en la cabeza, pero la inicial sorpresa al ver a Oriel ya estaba dando paso a la rabia.

—¿Usted lo *sabía?* —dijo Syl—. ¿Usted conocía ese..., ese *monstruo* que hay ahí, conocía a las Cinco Primeras y sabía cómo están sufriendo, y no hizo nada? Es una Nairene. ¡Son sus Hermanas! ¿Cómo ha podido dejar que pasen por lo que están pasando?, ¿cómo puede quedarse quieta y dejar que ese monstruo las torture? Ellas desean *morir*.

—Pero tú tampoco las mataste —dijo Oriel—. Te lo pidieron a gritos y no moviste un dedo para ayudarlas. Simplemente echaste a correr. Eres como un niño que encuentra un animal con la espalda rota, pero no lo rematas para evitarle el sufrimiento. En vez de eso lloriqueas y gimes y suplicas que algún otro haga por ti el trabajo sucio.

»Con la diferencia de que, en este caso, el trabajo sucio consiste en mantenerlas con vida. ¿Crees acaso que no me perturba saber lo que están pasando? ¿Crees que no desearía poder poner fin a eso? Pero ellas se han sacrificado para que las demás podamos florecer.

—No —dijo Syl—. Las Cinco Primeras creyeron que serían más inteligentes que esas criaturas, pero no supieron ver lo espantosas que eran, no intuyeron su *voracidad*. Y no se detendrán nunca: no les bastará con acabar con mundos enteros. Viven para alimentarse y multiplicarse. Las Cinco Primeras me lo transmitieron. Lo vi todo. —Se calló. Miró fijamente a Oriel. Ahora, por vez primera, lo entendió de verdad—. Pero nada de esto es nuevo para usted, ¿verdad? —dijo, ahora más tranquila—. No son las Cinco Primeras las que se han sacrificado a esos monstruos. Ha sido usted la que las sacrificó; usted, y Syrene, y las otras Hermanas de alto rango. No son ustedes las que están atrapadas ahí dentro con esa criatura. No son ustedes las que sufren una agonía perpetua, obligadas a permanecer con vida.

Todo lo que me ha dicho no es más que una mentira. No siente la menor compasión hacia ellas.

Si la verdad de las palabras de Syl afectó a Oriel, ésta no delató la menor reacción.

—Eres joven e ignorante —dijo Oriel—. Pero eso no te salvará.

—¿Como tampoco salvó a Elda ni a Kosia?

—Has estado fisgando lo que has querido, ¿verdad?

—Pero tengo razón: usted las mató o hizo que las mataran.

—O lo uno o lo otro. O ambas cosas. Pero tampoco es que importe mucho a estas alturas. Pero al menos debo reconocerte cierto mérito: ocultaste bien tus poderes. Pero sí, Syl Hellais, sentí tu fuerza cuando Ezil reaccionó a tu presencia. Sentí cómo la atravesaba, porque entonces no me bloqueabas. Hasta entonces yo no creía que fuera posible que alguien tan joven pudiera ocultarse de mí, pero tú lo conseguiste. Tienes un gran potencial. Creíamos que era Ani la que representaba la mayor esperanza entre las últimas Novicias de primer año, pero tú..., tú eres verdaderamente excepcional. Si Syrene supiera lo que eres capaz de hacer, incluso podría dejarte con vida. —Oriel dio un paso adelante—. Pero no podemos permitirlo —concluyó—. Eres demasiado peligrosa. Por lo que a mí respecta, las ventajas de mantenerte con vida tienen mucha menos importancia que los inconvenientes que eso supondría. Y ahora sé con certeza que es verdad lo que había empezado a sospechar: que eres la responsable del asesinato de aquellas prometedoras Novicias. Por la razón que fuera, te las arreglaste para dejarlas atrapadas en la galería exterior, donde eran presa fácil para las ostracas. Y lo pagarás. Sólo por eso ya debes morir.

Oriel extendió la mano derecha, como si quisiera coger una manzana en su palma, y la cerró en un puño convirtiendo sus dedos en garras. Syl sintió como si le presionaran el corazón, y luego punzadas de dolor mientras Oriel palpaba las paredes de su órgano con las puntas de las uñas.

—Tanta vida... —dijo Oriel—. Y pronto no quedará nada.

Syl cerró su mente a la Hermana mayor. Palpó en la oscuridad. Buscó de nuevo a los garniados y llegó a sus conciencias. La presión aumentaba en su corazón. Oyó un jadeo dolorido, pero no era suyo, sino de Oriel.

Cuando volvió a abrir los ojos, el primero de los garniados había encontrado a Oriel y la había picado en el tobillo. Sus patas se aferraban a su presa mientras la púa venenosa de su vientre entraba en la carne. La segunda y la tercera criaturas ya estaban arrastrándose por la pierna de Oriel, picándola a medida que avanzaban, y muchas más brotaban de las grietas del túnel y de la pared de piedra que había detrás de Syl, abriendo un sendero a su alrededor y reuniéndose de nuevo mientras fluían hacia la Hermana anciana. Oriel intentó quitárselos de encima a manotazos, pero se aferraban con saña y su reacción a cualquier ataque era simplemente volver a picar.

—Maté porque no tenía otra opción —dijo Syl—, pero *usted* es una torturadora y una asesina. Así que siéntalo también. Sienta una parte del dolor de las Cinco Primeras.

Pero Oriel, perdida en su propia agonía, ya no la oía. En cuestión de segundos todo su cuerpo estaba cubierto de pies a cabeza por los insectos, y el túnel se llenó de sus chillidos hasta que los primeros garniados encontraron su boca. Por un fugaz instante, Syl sintió el dolor de Oriel mientras su pánico se abría paso desgarrando su propia psique, pero la sensación se desvaneció con la misma rapidez con la que llegó.

Cuando Syl pasó por encima de la Granmaga, ésta ya había muerto.

Nadie más se interpuso en el camino de vuelta de Syl a sus alojamientos, y mientras caminaba sentía cosas que no había sentido antes, oía los pensamientos y los murmullos silenciosos de otros en su cabeza. Se dio cuenta de que también era capaz de rechazarlos con más facilidad, como si las intrusiones fueran pelotas de caucho que rebotaran dentro pero salieran de nuevo expelidas, según su voluntad. Y se sentía fuerte, más fuerte de lo que se había sentido en toda su joven vida.

De vuelta en su dormitorio, se cambió y se puso su vestido amarillo para el baile y llenó una pequeña mochila con unas pocas pertenencias esenciales. Sucediera lo que sucediese, no volvería a la Marca. Intentaría encontrar el modo de huir de Erebos. Si no podía, entonces caería luchando.

Sólo cuando llegó a la puerta de la lanzadera más próxima de las que estaba esperando, una piloto Nairene salió y le preguntó qué quería.

—Me llamo Syl Hellais —dijo—. Mi padre se casa con la Archimaga. Deseo que me lleve a Erebos para la ceremonia.

La Hermana repasó la lista de embarque electrónica.

—Su partida no está programada hasta más tarde —dijo.

—Me gustaría estar allí cuando llegue mi padre —dijo Syl—. Creo que la Archimaga Syrene, mi madrastra, también apreciaría el detalle.

La mención de Syrene fue todo lo que necesitó para vencer cualquier resistencia. Syl ni siquiera tuvo que recurrir a su mente para manipular a la piloto, o al menos, eso le pareció. Ese tipo de manipulación se le estaba haciendo tan natural que a veces ni siquiera se daba cuenta de que la utilizaba.

69

Paul no pudo evitar quedarse boquiabierto cuando apareció ante su vista el palacio de Erebos.

—Dios mío, mirad eso —dijo—. ¡Es inmenso!

Habían salido de Estación Melos por la mañana temprano para llegar a la boda de la Archimaga y Lord Andrus. Tiray parecía tenso. Peris permanecía atento y vigilante.

—Es hermoso —dijo Rizzo, que se sentaba frente a Paul en la *Nómada*. La respuesta de la soldado sorprendió a Paul casi tanto como las dimensiones del palacio. Rizzo no era de las que solían apreciar la estética de nada que no disparara un proyectil.

Erebos no era un único edificio, sino una serie de estructuras conectadas por pasarelas y galerías cubiertas y rodeada de grandes muros de unos seis metros de grosor que se ensamblaban a los edificios principales mediante puentes con arcos que irradiaban hacia dentro. El edificio principal de Erebos era el Gran Salón, construido enteramente de un cristal lo bastante duro para resistir el impacto directo de un pequeño misil, pero lo bastante puro también para ser completamente transparente, sin ningún efecto de distorsión. En total, el palacio abarcaba más de un millón de metros cuadrados de edificios y jardines, de los cuales el Gran Salón suponía tan sólo la décima parte del espacio: era más grande que el Palacio de Versalles francés entero. Su escala, su opulencia, dejaban sin aliento, incluso desde las alturas de la superficie de la luna.

A la *Nómada* no se le permitía aterrizar en Erebos. Para garantizar que no se producía ninguna filtración en el código de armamento, se exigía que todas las naves atracasen en una de una serie de ocho plataformas flotantes, cada una capaz de acomodar a veinte naves. Desde estas plataformas, una corriente ininterrumpida de pequeñas lanzaderas transportaban a los invitados hasta la superficie. Cada VIP tenía derecho a llevar dos acompañantes; podían ser miembros de su familia que no habían recibido invitaciones personales o guardias. La mayoría, le aseguró Tiray a Paul, llevaría guardias. Pese al deshielo en las relaciones entre el Ejército y el Cuerpo, las viejas enemistades seguían arraigadas.

Paul descendería a Erebos como la mitad del equipo de seguridad de Tiray, pero Thula no podría formar parte de la otra mitad.

—Es porque soy negro, ¿no?

—Desgraciadamente, así es —admitió Tiray—. No pueden pisar Erebos los que no sean ilyrios. Las autoridades no lo permitirían. Con el visor cubriéndole los ojos, Paul tiene por poco la altura para pasar por un ilyrio de tez muy pálida. No puede decirse lo mismo en tu caso.

—Es racismo.

—En muchos sentidos —dijo Tiray.

—Necesitará más de un guardia —dijo Peris—. Yo ocuparé el puesto de Thula.

—De acuerdo.

Paul lamentó profundamente la ausencia de Thula. Pero, por otro lado, no le convenía atraer la atención sobre sí en Erebos, no si quería encontrar a Syl; no sabía cómo, debía apañárselas para sacarla de la luna sin que los detuvieran, y, ciertamente, Thula llamaba la atención. También estaba el pequeño problema de Syrene y Lord Andrus: Paul había estado delante de ambos en la Tierra, y ambos tenían buenos motivos para acordarse de él. Cuanto menos sospechara nadie, mejor. Aun así, si tenía que luchar para salir de Erebos, incluso desarmado, no estaba seguro de que pudiera confiar en que Peris le ayudara, y menos aún si Paul tenía que herir, o incluso matar, a otros ilyrios para escapar.

No tenía duda de que se había encontrado en situaciones más difíciles. Pero no se acordaba de cuáles.

Aunque sí se recordó para sus adentros que no hacía mucho que cualquier esperanza de rescatar a Syl le había parecido infundada y remota, y ahora estaba a punto de pisar el mismo edificio que ella; un edificio inmenso, eso era cierto, pero si ella estaba ahí, la encontraría.

Peris se hizo una idea del cariz de sus pensamientos.

—¿Qué vas a decirle cuando la veas? —preguntó.

Corre, pensó Paul, pero se contentó con responderle a Peris que estaba seguro de que, llegado el momento, ya se le ocurriría algo apropiado.

La *Nómada* atracó sin problemas. Tiray, como figura de cierta importancia, fue llevado hacia la lanzadera más próxima disponible, con Peris y Paul tras él, sin que el hecho de que Paul llevara el visor bajado llamara la atención de nadie, ni al primer ni al segundo vistazo. La lanzadera contaba con cincuenta asientos, la mayoría de los cuales ya estaban ocupados cuando llegaron. Tiray saludó a muchos de los otros invitados por su nombre, estrechó manos y palmeó espaldas como el político profesional que era.

Sin embargo, la atención de Paul se desvió a la cabina, donde la piloto y la copiloto realizaban las últimas comprobaciones. Las dos eran chicas y llevaban unos uniformes que a la vez le resultaban extrañamente familiares pero diferentes a los que había visto hasta entonces: rojos y ornamentados, con capas cortas decorativas sujetas por un broche brillante que lucía un ojo grabado.

—Son Hermanas de Nairene —le dijo Paul a Peris en voz baja.

—La Hermandad está a cargo de toda la organización de la ceremonia —respondió Peris—. Se ocupan del transporte, la comida, el alojamiento, la seguridad, todo está en sus manos. Según parece, Syrene insistió en que fuera así y Lord Andrus no se opuso.

Paul todavía no sabía si eso era bueno o malo. Más bien creía que malo. La mayoría de las cosas en las que participaba la Hermandad solía serlo, según su limitada experiencia.

La puerta de la lanzadera se cerró. Una comunicación grabada dio el aviso para que todos ocuparan sus asientos y se abrocharan los cinturones. Una pequeña vibración hizo oscilar a la nave cuando la grúa de atraque se desenganchó y al momento descendían rápidamente hacia Erebos.

El techo de cristal del salón de recepción se apoyaba en árboles inmensos en flor, cuyas coronas se extendían por la cúpula en las alturas. Los árboles habían sido modificados genéticamente, injertándoles el ADN de organismos luminiscentes encontrados en la Marca, de manera que el salón estaba inundado de un tenue resplandor verde.

La Hermandad se había empleado a fondo. Nairenes con atuendos rojos hacían guardia delante de todas las puertas, se mezclaban con las multitudes que se congregaban en las antesalas bebiendo y picando algo, y recorrían los patios o las almenas, siempre en parejas y siempre con una leve sonrisa en sus rostros, como si todas ellas hubieran estado probando últimamente una droga leve pero placentera. Revoloteando entre ellas como pajarillos de un plumaje distinto, estaban las Novicias en las diferentes fases de formación: amarillos pálidos, verdemares, y algún destello esporádico de azul matizado, como un martín pescador apresurándose entre los juncos. Servían comida en bandejas pulidas, ofrecían vasos de los cremos más delicados, y conducían a sus alojamientos a los invitados que eran lo bastante importantes como para disponer de sus propias zonas privadas en las que asearse, vestirse o descansar antes de la ceremonia.

—¿De qué color es la túnica que llevará Syl? —le preguntó Paul a Peris.

—Amarillo, supongo. Es el que visten las Novicias.

Paul estudió el rostro de cada Novicia de amarillo que pasaba, pero no encontró ni rastro de Syl. Entonces se le ocurrió que era improbable que Syl se viera reducida al rango de camarera siendo su propio padre el que se casaba. Era la única hija de Lord Andrus, no la Cenicienta. Estaría en otro lugar. Tal vez incluso luciera un atuendo especial para la boda. Al pensarlo, su confianza flaqueó por un instante: quizá estaba ayudando a Syrene a vestirse, una amorosa hijastra en funciones de dama de compañía. Tal vez las cosas habían cambiado, porque desde la última vez que se habían visto sin duda habían ocurrido muchas cosas. Miró a las refinadas y serenas Novicias, tan distintas de la desmañada Syl que él recordaba, la que recorría a grandes zancadas las Highlands con una raída camisa de campesino, las manos sucias y el viento agitándole el pelo cobrizo, la chica que se enmudeció cuando él la había rozado. ¿Habría cambiado?

Peris le dio un codazo y Paul se sobresaltó.

—La mejor ocasión de verla es en la ceremonia y durante la celebración que seguirá —dijo Peris—. Por ahora intenta concentrarte en Tiray. Ya he visto que algunos de los presentes no son precisamente muy amigos suyos. Mira a tu derecha.

Como el que no quiere la cosa, Paul echó un vistazo. Vio un grupo de cinco ilyrios mayores que llevaban túnicas blancas y dedos recargados de anillos enjoyados: cónsules de alto rango. A su lado había otros dos ilyrios —un varón y una hembra— que lucían el negro de la Securitat. Todos ellos observaban cautelosamente a Tiray y ninguno parecía muy complacido de verle. Tiray daba la impresión de no prestarles atención, y su propia expresión bien humorada no decayó en ningún momento, pero Paul vio que su mirada se dirigió fugazmente hacia ellos antes de pasar de largo.

A través de Peris, Tiray había organizado encuentros con tres ilyrios en Erebos: el primero era una comandante militar llamada Joris; el segundo era el líder de los civiles en el gobierno, un joven político llamado Hanan; y el último, y más sorprendente, era Kellar, un joven cónsul del Cuerpo Diplomático emparentado por matrimonio con el difunto cónsul Gradus. Esos tres se contaban entre los ilyrios más influyentes que compartían la preocupación de Tiray por el futuro de su raza y estaban muy inquietos por el creciente poder del Cuerpo y sus aliadas Nairenes. Otros de los asistentes a la boda en Erebos eran sin duda de la misma opinión que ellos, pero seguirían lo que dijera Tiray.

La reunión con Kellar sería la más difícil de todas, y la más arriesgada, sobre todo si a Tiray ya lo vigilaba la Securitat. Pero el palacio era aún más antiguo que el Castillo de Edimburgo y había sido un semillero de complots e intrigas desde hacía siglos. Tenía más pasajes secretos y escondrijos de los que podrían contarse, y los ilyrios, con su propensión al secretismo, seguían aumentando su número a la menor ocasión. Era asombroso que el complejo entero no se derrumbara y convirtiera en un gran cráter subterráneo causado por todas las excavaciones que se realizaban debajo.

Hanan, el civil, era el primero de la lista. La reunión se celebraría en sus alojamientos, dado que era más antiguo en el cargo que Tiray. Luego tendrían que hablar con Joris, antes de que empezara la ceremonia.

Paul y Peris mantenían un ojo atento a la menor señal de que les siguieran de camino a las habitaciones de Hanan, pero no detectaron el menor rastro de la Securitat. Por otro lado, las Hermanas merodeaban por doquier, lo vigilaban todo, lo oían todo, aunque a Tiray no le preocupaba que le vieran con Hanan; ambos eran civiles y era muy normal que él aprovechara la ocasión para presentar sus respetos a su superior.

El pasillo en el que se encontraban las habitaciones de Hanan estaba tranquilo cuando llegaron. El nombre de Hanan aparecía en una pantalla junto a una de las puertas. Paul pulsó el interfono que había debajo, pero la puerta no se abrió y la pantalla no cambió ni mostró el rostro de Hanan o de alguno de sus asistentes.

—¿Os estaba esperando, consejero Tiray? —preguntó Peris.

—Por supuesto que sí. Usted mismo me trajo su respuesta.

—Pero no la leí. ¿Es posible que la malinterpretara?

—No, era muy clara. Pruebe otra vez.

Paul pulsó el interfono por segunda vez. Nada sucedió. Miró a Peris esperando una orden. Ante la remota posibilidad de que funcionara, Peris pasó la mano por el sensor de la puerta. La puerta se abrió en silencio, deslizándose en el interior de la pared. La habitación que había al otro lado estaba intensamente iluminada y amueblada con antigüedades ilyrias, todas las cuales parecían más viejas que cómodas.

—¿Portavoz Hanan? —llamó Tiray—. ¿Podemos entrar?

No hubo respuesta. Paul olisqueó el aire. Olió a carne quemada.

—Quédate con el consejero —le ordenó Peris.

Peris entró en la habitación. Instintivamente se llevó la mano derecha hacia su arma y se quedó paralizado al recordar que iba desarmado. Paul y Tiray vieron cómo se deslizaba a una habitación lateral. Ninguno de ellos hablaba. El pasillo seguía vacío. Paul se preguntó dónde estarían las cámaras de seguridad. No había ninguna a la vista, pero le parecía improbable que un lugar como Erebos careciera de ese sistema de vigilancia.

Peris reapareció, moviéndose con cautela, cuidando de no tocar nada.

—Más vale que entre ahí —dijo—. Y cierre con llave una vez dentro.

Tiray entró primero, con Paul detrás. Se aseguró de que la puerta no podía abrirse desde fuera, y luego se unió a Peris y Tiray. Se encontraban en la entrada de un dormitorio inmenso, dominado por la cama más grande que Paul había visto en su vida, suspendida del techo por unas gruesas cadenas. Más allá había una puerta abierta que daba a un baño embaldosado. El olor a carne chamuscada era más fuerte en esa zona, hasta el punto de resultar repulsivo.

—Ahí dentro —dijo Peris—. Pero se lo advierto, consejero, no es agradable.

Tiray no le hizo caso. Debería habérselo hecho. Paul vio que se quedaba paralizado en la entrada del baño. Y allí permaneció, inmóvil, durante cuatro o cinco segundos; después se dio la vuelta y vomitó encima de la cama. Paul pasó a su lado y miró.

El baño era casi tan grande como el dormitorio, con dos inmensas bañeras hundidas en el suelo. No había agua en ninguna, pero no estaban vacías: tres cuerpos carbonizados y ennegrecidos yacían en ellas; dos en la primera y otro en la segunda. El esmalte blanco de las superficies internas se había ennegrecido y fundido con el calor de las llamas, y la habitación olía fuertemente a carne asada, pero Paul no vio rastro del fuego que había causado todo eso, y las alarmas y los aspersores no se habían disparado por ninguna llama.

Paul se dio la vuelta. Peris encontró una servilleta en el salón principal y se la pasó a Tiray para que pudiese limpiarse la nariz y la boca.

—¿Qué opinas? —le preguntó Peris a Paul mientras Tiray se recuperaba.

—Parece que los metieron a la fuerza en las bañeras vacías, entonces les vertieron algo encima, no sé qué, un acelerante o un combustible, y les prendieron fuego. Pero cualquier llama habría disparado las alarmas, a no ser que las hubieran desactivado.

—No, no estaban desactivadas, ya lo he comprobado. Y esos cuerpos no sólo están quemados, sino que han sido incinerados hasta casi dejar sólo las cenizas. Eso requiere una cantidad increíble de calor.

—Tenemos que informar a las Hermanas —dijo Tiray, cuya tez había adquirido un tono grisáceo bajo el dorado natural.

—Pero esto tendría que ver con usted, consejero —dijo Peris—. Usted iba a reunirse con Hanan, y ahora él y su personal están muertos. Lo primero que tenemos que hacer es avisar a Joris y a Kellar.

—Pero las Hermanas... ¡hay que decírselo! —repitió Tiray—. Ellas son aquí las responsables de la seguridad.

—Consejero Tiray —dijo Peris con amabilidad—. Piense en lo que acaba de decir. Si la Hermandad es la encargada de todo este espectáculo, aquí no pasa nada sin su conocimiento. *Nada.*

Tiray pareció quedarse sin palabras. Si Peris estaba en lo cierto, todos se habían metido en una trampa.

—Tenemos que irnos —dijo—. Tenemos que salir de Erebos.

—Y lo haremos —dijo Peris—. En cuanto hayamos localizado a Joris y a Kellar. Kellar no me importa, pero conozco a Joris. Es una buena soldado. No la abandonaré.

Tiray asintió. Ya estaba avergonzado de su momento de pánico.

—Lo siento —dijo—. Tiene razón. Claro que la tiene. Busquémosles, y a cualquier otro que pueda estar de nuestra parte. Lo siento por la boda. No podrán impedir que todos nos marchemos.

Pero Paul no estaba tan seguro.

70

Lady Joris había viajado sin seguridad porque no tenía preocupaciones al respecto. Se encontraba entre los comandantes más antiguos del Ejército, pero sus relaciones con el Cuerpo Diplomático siempre habían sido buenas, en términos generales. Como Lord Andrus, que asistió al curso posterior al suyo en la academia, Joris era a la vez una soldado y una política, tan hábil en las negociaciones como en el combate. Hacía mucho que había adoptado el papel de la voz de la razón en las discusiones entre el Ejército y el Cuerpo, moviéndose entre ambos, alisando las aristas más afiladas, buscando compromisos. Sin embargo, lo cierto es que era una leal devota del Imperio ilyrio y de sus militares, a los que ella consideraba mejor equipados para proteger la especie y ampliar la Conquista ilyria.

Sin embargo, a lo largo de los últimos meses, sus espías en el Cuerpo y sus partidarios habían acudido a ella con alarmantes rumores sobre instalaciones no registradas del Cuerpo en mundos conquistados, y le había llegado un mensaje inquietante de la Tierra, supuestamente enviado por un antiguo miembro de la Securitat llamado Fremd que se había convertido en un traidor. Se refería a un posible agente contaminante alienígena, un organismo extraterrestre desconocido que había sido introducido en la raza ilyria. Por eso se había enviado al consejero Tiray para aclarar cuánto de verdad había detrás de esos relatos, y ahora había vuelto. La mayor esperanza de Joris radicaba en que Tiray hubiera descubierto pruebas que vincularan al Cuerpo y a la Hermandad con esos crímenes contra su raza, dando así una razón a Joris para impedir esta abominación de boda: ese matrimonio uniría firmemente a los militares con la Hermandad.

Una campana resonó suavemente en sus alojamientos. Su pareja de siempre, Raya, que la acompañaba como invitada a la boda, descansaba en la cama, pero ahora se incorporó. Estaba al tanto de las preocupaciones de su amante, y de sus planes y complots.

—¿Es Tiray? —preguntó.

—Si lo es, llega antes de lo esperado.

Joris activó la cámara. Dos Novicias con túnicas azules estaban ante su puerta.

—Brujas en formación —le dijo a Raya—. ¿Qué querrán estas niñatas?

Pulsó el botón de desbloqueo. La puerta se abrió.

Una de las Novicias sostenía una bandeja. En ella había un cuenco de frutas confitadas y una botella de cremos muy antigua y cubierta de polvo.

—Con los saludos de la Marca —dijeron las Novicias. Hablaban al unísono, y Joris vio que guardaban un asombroso parecido entre ellas, aunque la de la izquierda era más alta y delgada.

—Si la Hermandad hubiera hecho los deberes, sabría que no tomo bebidas embriagadoras —dijo Joris—. Tampoco Lady Raya.

Las dos Novicias la ignoraron. Se deslizaron junto a ella y depositaron la bandeja sobre una mesa.

—Esperad un momento —dijo Joris—. No os he dado permiso para entrar ahí. Quiero vuestros nombres. Ahora.

—Yo soy Xaron —dijo lo mayor—. Y ésta es mi hermana, Mila.

Mila sonrió e hizo un gesto con la mano izquierda. La puerta que había detrás de Joris se cerró y la pantalla que tenía cambió a CERRADO.

—¿Qué estáis haciendo? —preguntó Joris mientras las Hermanas se tomaban de las manos y la miraban fijamente.

Raya se levantó, alarmada, y se acercó a ella, pero se detuvo cuando algo goteó sobre su hermoso vestido. Se llevó la mano derecha a la nariz. Al apartarla la vio manchada de sangre.

—Joris, estoy sangrando —dijo.

Las gotas se convirtieron en un torrente imparable, que le llenó la boca y se derramó sobre la delantera de su vestido. Lágrimas de sangre empezaron a asomar por los rabillos de sus ojos, y finos regueros de sangre fluían de sus orejas. Abrió la boca para hablar de nuevo, pero un chorro de fluido rojizo reemplazó a las palabras, y manchas sanguinolentas empaparon su ropa. Cayó de rodillas, sin comprender nada, y se apoyó en los talones, con los brazos colgando flácidos del cuerpo y la luz abandonando ya sus ojos mientras agonizaba. Joris no pudo hacer nada por ella: diminutas explosiones de dolor estallaban por todo su cuerpo, con intensidad creciente, hasta que lo único que pudo hacer fue gritar y gritar, pero a cada grito un chorro salía de una fuente de sangre.

Y Xaron sostenía la mano derecha de Mila en su mano izquierda, la mejor postura para concentrar su potencia lenta y meticulosamente, como niñas que pinchan globos, hasta reventar todos los vasos sanguíneos del cuerpo de Joris.

71

Puede que el cónsul Kellar fuera joven, pero no tonto. Sabía que el Cuerpo no tendría piedad con él si descubría la magnitud de su traición; sin embargo, no iba a amilanarse, ni aunque uno de sus aliados y amigos más íntimos hubiera muerto en misteriosas circunstancias. Habían encontrado muerto a Radis en el baño de su casa. Se dijo que se había caído y golpeado la cabeza contra una esquina embaldosada. Según parecía, una de las baldosas se había hecho añicos y le había perforado la base del cráneo.

Kellar no creía ni una palabra.

El propio Kellar procedía de familias de militares y diplomáticos, pero se había unido a una joven de una familia de incondicionales del Cuerpo cuando se casó con su novia de la infancia, Velaine, que resultó ser la sobrina favorita del cónsul Gradus. Pero Kellar era inquisitivo por naturaleza —fisgón, le llamaba su risueña esposa— y poco a poco había ido enterándose de parte del misterio que envolvía a Gradus y a su esposa, la formidable Archimaga Syrene. Una vez despierta la curiosidad, empezó a escarbar más profundamente hasta que, mediante una observación cuidadosa —y, en última instancia, cometiendo actos ilegales, como la monitorización electrónica de las reuniones y el pago de sobornos a asistentes—, descubrió que, fuera lo que fuese lo que estaba en marcha, se había diseñado sin duda para volver a desatar las hostilidades de una nueva guerra civil.

La educación que había recibido Kellar le daba una perspectiva única de la enemistad entre el Ejército y el Cuerpo: había escuchado los horrores de la guerra civil contados desde ambos bandos, y estaba resuelto a hacer cuanto estuviera en sus manos para impedir que estallara un segunda guerra como aquélla.

Su debilidad, si podía considerarse tal, era su bondad.

Ahora el joven cónsul estaban en las escalaras que descendían desde sus apartamentos en Erebos hasta el césped del jardín. Los invitados paseaban por el recinto o se sentaban bajo grandes árboles a beber cremos en el fulgor de sus ramas luminiscentes, mientras en una brisa suave flotaban los aromas de las flores y las plantas. Todo parecía idílico, pero Kellar sólo veía sombras y olía el veneno que rezumaba por doquier. Observaba a las Hermanas moviéndose pegadas a las paredes entre las multitudes y parecían encarnar todo lo que tenían de malo los ilyrios. Gradus, el difunto tío de su esposa, incluso se había casado con la más poderosa y conocida de ellas: Syrene. Sus huellas eran fáciles de rastrear en todos los complots que Kellar había descubierto.

Velaine se había planteado acompañar a su marido en esta ocasión excepcional, pero el recuerdo de su tío difunto la había disuadido. La rapidez con que la viuda Syrene se había buscado un nuevo marido le parecía indecorosa, se quejaba en privado Velaine, y Kellar se había sentido aliviado en secreto cuando ella decidió quedarse en Ilyr con sus dos hijos.

La extraña muerte de Radis había dejado claro que Kellar estaba metido en un asunto peligroso, y se alegró de que Velaine se quedara a salvo en casa. En su lugar, le habían acompañado dos guardias; uno permanecía delante de la puerta de sus habitaciones y otro le esperaba al final de las escaleras. Con todo, incluso emparedado entre ellos como estaba, se sentía inquieto y anhelaba el calor de su esposa.

De repente las figuras que estaban abajo se levantaron y los dedos señalaban con emoción hacia el cielo. Apareció una lanzadera dorada y roja, escoltada por un par de deslizadores más pequeños que dejaban unas estelas artísticas similares de humo rojizo. Lord Andrus y Syrene llegaban a su boda.

Kellar oyó que se abría la puerta de sus apartamentos, aunque no había sonado el timbre. Entró y preguntó:

—Hola, ¿quién anda ahí?

Apareció una mujer desde el pasillo. Era Velaine. Kellar se tambaleó por la conmoción al ver a su esposa.

—Cariño, ¿qué haces aquí? —preguntó mientras se acercaba a ella con los brazos extendidos. Amaba a Velaine, e incluso la preocupación que le producía su presencia en Erebos en este momento crítico no podía borrar su afecto hacia ella.

—No soportaba estar tan lejos —dijo—. Lo siento. Quería verte.

Él la atrajo hacia sí y la abrazó, y los brazos de Velaine lo rodearon.

—¿Dónde están los niños? —preguntó.

—¿Los niños? —repitió ella distraídamente—. Los dejé en Ilyr.

—¿Con quién? —preguntó Kellar—. ¿Están seguros?

—Claro. Los dejé con tus padres —fue la respuesta.

Un momento, pensó Kellar. Algo no encajaba, porque sólo su madre vivía.

—¿Has dicho con *mis padres*?

Ella le abrazó con más fuerza, aferrándole como una enredadera, pegándose a él, pero no era un abrazo sexual. Le arrullaba en el hombro. Era extraño y perturbador. Y ella *olía* distinto. Estaba tan acostumbrado al aroma de Velaine que podía reconocerlo incluso por debajo de cualquier perfume que se pusiera.

Unos labios blandos le besaron el cuello, y entonces ella le miró a la cara, y su curioso aliento le entró en la nariz. Hedía a descomposición y enfermedad. Él se echó atrás, pero ella le retuvo con resolución.

—Te echaba de menos —dijo aquello que no era su esposa.

Intentó zafarse, pero ella le agarraba con fuerza y se estiraba buscando su boca con voracidad, con los labios separados, mostrando una lengua gruesa y húmeda. Por encima del hombro de ella, Kellar vio movimiento en el pasillo. Apareció una chica vestida con el atuendo de una Novicia de Nairene más avanzada, una Hermana Intermedia, pero esa túnica verdemar estaba ribeteada de azul brillante, una combinación que él nunca había visto.

Se llamaba Bela, aunque Kellar nunca lo sabría. Era una experta en nublar mentes, y notó que Kellar había descubierto su engaño.

—Nemein —dijo—. Lo sabe.

—No pasa nada —dijo Nemein—. Ya ha empezado.

Ella soltó a Kellar y se apartó de él. En ese momento él vio su verdadera forma: delgada, demasiado joven, con rasgos que delataban hambre y apetitos que no podían satisfacerse. No era hermosa. No era su mujer.

Kellar sintió dolor en las axilas. Se llevó la mano izquierda a la piel de debajo del brazo derecho y notó que le salían unos bultos.

—¿Qué me habéis hecho? —preguntó.

Se puso la mano derecha delante de la cara. Y mientras miraba, la piel se le hinchó y apareció el primer tumor, que pasó del rojo al negro en un abrir y cerrar de ojos. Sintió que los bultos se extendían por su cuerpo, y su visión se volvió borrosa cuando llegaron a su cara, le deformaron las mejillas y le inflamaron los ojos.

—Cáncer —dijo Nemein—. No te preocupes, casi ha terminado.

Kellar intentó hablar, pero la lengua se le había hinchado. Intentó llegar hasta la Novicia que se lo había hecho, pero ella se deslizó lejos de su alcance, y él ya no tuvo la fuerza para saltar hacia delante y pillarla. La enfermedad prosiguió la destrucción de su cuerpo, cambiando el color de sus células de blanco a negro, hasta que finalmente le alcanzó el cerebro y, misericordiosamente, el dolor acabó. Kellar se derrumbó golpeando el suelo con fuerza y murió sin emitir otro sonido.

—Lo siento —dijo Bela. Parecía horrorizada, pero no era el cadáver de Kellar el origen de su frustración—. Creía que podría engañarlo más tiempo.

Nemein sonrió.

—Ha sido más que suficiente —dijo—. De hecho, eres casi tan buena como lo era Dessa. En cualquier caso, yo sólo tenía que abrazarlo para que ocurriera así de rápido. Anda, vamos, tenemos mucho que hacer. Dispondrás de numerosas oportunidades para perfeccionar tu habilidad.

Bela se iluminó por el cumplido, y ante la perspectiva de más asesinatos.

72

Syl observó el descenso de la lanzadera que traía a Lord Andrus y a su futura esposa. Le sorprendió el frío que sentía por dentro. Ahí venía su padre: el hombre que la había criado tras la muerte de su madre, que la había mimado, protegido y amado, y del que se había visto separada por la sed de venganza de Syrene. En circunstancias normales, Syl habría corrido a recibirle, se habría echado a sus brazos, enterrado la cara en su pecho y le habría felicitado por haber encontrado por fin una nueva compañera en la vida después de tantos años de soledad.

Pero éstas no eran circunstancias normales. Su padre ya no era el mismo. Los Otros lo habitaban —lo infestaban— y Syrene era la responsable, la misma mujer a la que pronto llamaría esposa. Syl no tenía nada que celebrar.

Se preguntó si el cuerpo de Oriel ya habría sido descubierto. No se arrepentía de lo que le había hecho, ni de haber arrebatado otra vida. Durante el vuelo en la lanzadera había examinado su falta de sentimiento de culpa de una forma científica, como si se estudiara a sí misma bajo el microscopio. Oriel la habría asesinado si Syl no la hubiera matado antes, y se habría regocijado al hacerlo. Syl había percibido las intenciones de Oriel en aquellos últimos momentos, percibió el odio que supuraba. Pero ella no había sentido placer alguno al matar a Oriel. Simplemente había sido necesario. Y podría haber hecho que la vieja bruja sufriera mucho más si lo hubiera deseado así, reteniendo a los garniados un poco y prolongando su dolor, pero no quiso. Eso le producía un triste consuelo.

Con un poco de suerte, todavía tardarían un poco en dar con el cadáver, sobre todo porque la Marca estaba tan vacía de vida como pocas veces lo estaría. Aun así, seguía siendo una cuestión de tiempo el que descubrieran la muerte de Oriel, y que despúes la relacionaran con ella porque sus huellas dactilares y su ADN estarían por todo el Segundo Reino. Pronto empezarían a buscarla, y con su elegante vestido destacaba en aquel mar de túnicas.

Una figura con atuendo blanco y una pañoleta pasó por detrás de Syl mientras ésta miraba por la ventana. Syl mantuvo la cara vuelta hacia fuera, pero la Hermana del Servicio atisbó su reflejo y Syl, a su vez, vio su reacción reflejada. La chica se detuvo de golpe y se quedó mirándola.

—¿Tanit?, ¿eres tú? —le preguntó la Novicia.

Durante una fracción de segundo, Syl casi se olvidó del nombre que le había dado cuando se encontraron por primera vez.

—Hola, Lista —la saludó dándose la vuelta.

—¡Guau! ¿Qué llevas puesto? Qué vestido tan bonito. ¿Hoy no trabajas?

—No —dijo Syl pensando a toda prisa—. Estoy emparentada con el grupo de la boda, así que no tengo que trabajar, pero ojalá pudiera.

—¡No me digas! ¿Y por qué ibas a querer?

—Porque me siento desnuda con este vestido. Es demasiado ceñido y estoy acostumbrada a llevar el pelo cubierto.

—Qué rarita eres. Yo me moriría por llevar un vestido como ése. —En sus ojos había anhelo y sus manos se alisaban distraídamente su sencilla túnica.

—Bueno, ¿y por qué no los cambiamos? Sólo un rato.

Lista dudó.

—Podríamos cambiar de ropa, sólo por diversión —la apremió Syl—, y nos volvemos a encontrar aquí mismo dentro de unas horas para cambiárnosla de nuevo.

—No me fío de ti, Tanit. No me devolviste el cartografiador y ninguna Hermana del Servicio te conocía cuando intenté localizarte. Me echaron una merecida bronca cuando tuve que solicitar uno nuevo.

Syl decidió que haría que Lista la obedeciera.

—Oh, Lista, cuánto lo siento —dijo, y, al menos eso, lo dijo con sinceridad—. Aquel día te mentí porque no quería que supieras quién soy en realidad. Por eso llevaba la túnica del Servicio. Cuando las demás se enteran de que estoy emparentada por sangre con la Archimaga Syrene, siempre se comportan conmigo de manera distinta, como si tuvieran que servirme...

Mientras hablaba, los rasgos de la chica se ablandaron. Su mente parecía pastosa y rosácea bajo el sondeo de Syl. La combinación de la voluntad de Syl y el nombre de Syrene estaba volviéndole maleable.

—Por favor —añadió Syl.

Lista sonrió. En la pared en el pasillo, un poco más adelante, había una puerta que daba a un pequeño almacén, y Lista llevó a Syl hasta allí. Se apretaron dentro y se cambiaron rápidamente de ropa. Cuando salieron, Lista se reía tontamente.

—¿Qué tal estoy? —preguntó dándose la vuelta con timidez.

—Bellísima —respondió Syl. Con ternura, alisó el pelo de la chica, porque la pañoleta se lo había revuelto, la misma pañoleta que ahora cubría el pelo de Syl. Se sentía culpable y esperaba que la chica no tuviera problemas cuando se descubriera el cambiazo.

—Será divertido que la sirvan a una aunque sólo sea una vez —dijo Lista.

—Será agradable poder pasar inadvertida —dijo Syl.

Sonrieron y se abrazaron.

—Nos volvemos a ver aquí dentro de... ¿cuánto?, ¿tres horas? —dijo Lista.

Syl asintió y Lista desapareció.

Syl se encaminó en la dirección contraria. Dobló una esquina, dispuesta a perderse entre los invitados que se mezclaban, y casi chocó con una figura de azul. Volvió la cara rápidamente mientras Sarea se abría paso con brusquedad a su lado, frunciendo el ceño por la obstrucción y luego siguió su camino con paso resuelto. La puerta a uno de los alojamientos privados VIP había quedado abierta tras ella. Syl estaba segura de que Sarea había salido de allí. Tuvo la tentación de seguir a su vieja enemiga, pero también sentía curiosidad por saber qué había estado haciendo la Novicia en esa sección del palacio. Se acercó con pasos amortiguados y silenciosos hasta la puerta y se asomó.

Dos cuerpos yacían en el suelo. Uno llevaba el uniforme formal de un oficial militar y, el otro, una túnica de civil. Les habían aplastado el cuello, como si se hubiera dejado caer un gran peso sobre ellos y luego lo hubieran retirado. Syl los miró un segundo más antes de comprobar el nombre en el panel de la pantalla de la habitación. Rezaba: FORMIA DESHAN, pero el nombre no le decía nada a Syl. Siguió adelante, acelerando el paso para alcanzar a Sarea. La vio cuando ésta se reunía con otras dos Dotadas, Xaron y Mila. Apareció una cuarta: Nemein, esa rata, y con ella iba una Hermana Intermedia a la que Syl no reconoció, pero los ribetes azules del dobladillo y los puños de su túnica delataban su estatus.

Los invitados se dirigían al Gran Salón para ocupar sus asientos durante la ceremonia, pero las Dotadas se movían contracorriente. Y en medio de la marea de ilyrios, como una roca alrededor de la cual todos estaban obligados a pasar, había una última Novicia Azul. Tanit esperaba que sus Hermanas se unieran a ella. Detrás de Tanit, sonriendo encantada, estaba Ani con su túnica azul. Syl agachó la cabeza y se movió con cautela, sin atreverse a utilizar ninguno de sus poderes psíquicos por temor a atraer la atención de su amiga. O la de Tanit. Optó por confiar en la multitud en movimiento, y en su túnica del Servicio, para ocultarse.

Las cinco Dotadas se arremolinaron en torno a Tanit y Ani. Intercambiaron unas palabras y entonces Tanit susurró algo al oído de Ani. Ésta se ruborizó, alzó la mirada hacia Tanit encantada y asintió con vehemencia. Tanit le besó la mejilla y Ani se dio la vuelta para marcharse. Syl vio cómo se iba y, mientras se alejaba, Ani se metamorfoseó ante sus mismos ojos, convirtiéndose fluidamente en una segunda Tanit. Las Dotadas la miraban, y Tanit asintió satisfecha. Entonces se marcharon.

Y Syl las siguió.

Tiray miraba el cadáver de Kellar. Los rasgos del joven cónsul eran apenas reconocibles bajo los tumores que habían brotado como oscuras y nefandas flores de su carne. Tiray se sentía incapaz de articular palabra, tales eran la conmoción y el dolor que le abrumaban, aunque, ¿qué podría haber dicho? No había nada que decir, nada que pudiera devolver la vida a Kellar ni explicar cómo había muerto.

—Ya está —dijo Paul—. Nos vamos de esta roca ahora.

Activó el comunicador de su casco para ponerse en contacto con Steven y Alis, pero sólo captó interferencias.

—Peris —dijo—. No puedo contactar.

—Déjame intentarlo.

Peris habló en voz alta, utilizando su Chip para establecer la comunicación.

—Peris a la *Nómada*. Adelante, *Nómada*.

No hubo respuesta.

—Algo bloquea nuestras transmisiones —dijo Peris.

—Entonces no nos queda más remedio que convencer a un par de Hermanas para que nos lleven de vuelta a nuestra nave en una de sus bonitas lanzaderas —dijo Paul.

—¿Y cómo vas a hacerlo sin un arma? —preguntó Peris.

—Puedo ser muy persuasivo —respondió Paul—. Y si eso no funciona, las dejaré inconscientes y tú puedes llevarnos en la lanzadera hasta la nave. —Agarró el brazo de Tiray—. Consejero, tenemos que irnos. Si se queda aquí, acabará tan muerto como sus amigos. Todos acabaremos así.

Tiray no se movió. Tenía los ojos cerrados y movía los labios en silencio. Si Paul no lo conociera, habría dicho que Tiray estaba rezando.

—Consejero...

Pero entonces hubo movimiento a sus espaldas, y Paul vislumbró destellos de un azul intenso, como pájaros que se posaran suavemente. Se dio la vuelta y se topó a cinco jóvenes ilyrias bloqueando la salida de la habitación, todas vestidas con túnicas de color azul Francia.

—¿Quiénes sois? —preguntó.

—Me llamo Tanit —dijo la mayor—. Y éstas son mis Hermanas.

Y a Paul la piel empezó a escocerle cuando aparecieron las primeras ampollas producidas por el calor.

Habían dejado a Bela en el pasillo para vigilar la puerta. La Hermana Intermedia observó con curiosidad a Syl cuando se acercó, y Syl notó que la conciencia de Bela intentaba sondear la suya.

Lista. Me llamo Lista.

Bela frunció el ceño. Parecía confusa, y al momento la confusión dio paso a la preocupación. Abrió la boca para alertar a las otras, pero Syl la acalló. Entonces, sin requerirle más que un pensamiento fugaz, Syl obligó a Bela a correr hasta estrellar su cabeza contra la pared de enfrente.

Paul sentía la mano izquierda como si la tuviera encima una hoguera. Intentó moverse, pero estaba paralizado. Ni siquiera podía abrir la boca para gritar. A su lado, Tiray balbuceaba, mientras la cara se le enrojecía cada vez más en un esfuerzo por respirar. Peris, por su parte, contemplaba horrorizado cómo las puntas de los dedos de su manos derecha se curvaban hacia dentro sobre sí mismas y parecían fundirse por los nudillos.

La sensación de estarse abrasando se extendía ya por el antebrazo de Paul cuando de repente empezó a menguar. La Nairene que lo había estado mirando fijamente, la que era extrañamente hermosa, incluso mientras le torturaba, ladeó la cabeza asombrada.

—Éste no es ilyrio —dijo—. Es... ¡humano!

Sus palabras parecieron reverberar en las Nairenes que tenía a cada lado, y en la pareja que había detrás, cogidas de la mano, con rasgos casi idénticos aunque una era más baja y ancha.

—¿Un humano? —se sorprendió la Nairene de la derecha, la que se había concentrado en Peris—. Pero, Tanit, eso no es posible.

La breve interrupción en la concentración dio a Paul la oportunidad que necesitaba. Soltó la mano derecha y le dio un puñetazo de lleno en la nariz a la que se llamaba Tanit, la que había estado quemándole, y notó cómo se la rompía con el impacto. Peris reaccionó en cuestión de segundos, lanzando su mano ilesa contra la más cercana de las jóvenes, pero era diestro, y el golpe de su izquierda no alcanzó su blanco por unos centímetros. Paul, aunque intentó aprovechar su ventaja, de repente se encontró volando por los aires, y su espalda chocó contra una pared con tanta fuerza que se quedó aturdido un momento. Cayó de rodillas, su casco fue a parar al suelo, incapaz de ver nada más que destellos de dolor durante unos instantes.

Cuando se recobró, alzó la mirada y vio la rabia encarnada ante sí: Tanit, con la parte inferior de la cara bañada en sangre que también le salpicaba la túnica. Tiray yacía en el suelo detrás de ella, y su cuerpo se arqueaba mientras moría asfixiado. Peris estaba arrodillado a su lado. El mal que infectaba al viejo soldado era una enfermedad que le devoraba la carne: ya le había consumido el brazo derecho hasta el codo.

Pero Paul no podía ayudarles. Ni siquiera podía hacer nada por sí mismo. Como una marioneta a la que manipularan los hilos, sintió que le levantaban el brazo izquierdo y que las puntas de los dedos de la mano se separaban ante él.

—Haré que te arrepientas de haber nacido —dijo Tanit.

Y la mano de Paul se prendió en un fuego de llama candente.

73

Fuera quien fuera al que Syl hubiera esperado encontrar al entrar en la habitación, no era desde luego Paul Kerr. Se quedó tan estupefacta al verle, con la mano izquierda alzada ante sí como un emblema llameante, que tardó unos segundos en reaccionar. Cuando lo hizo, fue con una furia comparable al calor de la rabia de Tanit.

Tanit estaba tan absorta en su propia ira y en su dolor, además de en el placer que le procuraba torturar a un varón humano, que al principio no notó que sus pies se levantaban del suelo. Asociaba la sensación de levitar con el más profundo de los trances psíquicos, y sólo cuando las suelas de sus zapatos se hallaban ya a unos centímetros de la alfombra, se dio cuenta de la intervención de una fuerza exterior. Pero a esas alturas Syl ya la había lanzado por los aires y fue a estrellarse dolorosamente contra un antiguo aparador, esparciendo por todas partes las flores y los ornamentos.

El fuego que quemaba la carne de Paul se apagó, pero el dolor seguía. La mano se le había abrasado y ennegrecido, la piel herida se le soltaba en algunos sitios, como un paisaje volcánico atravesado por riachuelos de lava roja. Las lágrimas le caían por las mejillas, de manera que la habitación se volvió un espacio borroso. A través de él vio a otra Nairene vestida con una túnica blanca, los ojos enfebrecidos, un pañuelo cayéndole desde una melena broncínea que le resultaba familiar. Parpadeó y la visión se aclaró un poco.

—¿Syl? —dijo.

Pero Syl no le oyó porque estaba más allá del alcance de las palabras o de la razón.

Syl era un ser de pura rabia.

Mila y Xaron se dieron la vuelta y vieron a Syl a su lado. Su aparición las sorprendió a tal punto que se soltaron las manos. Juntas, su poder no se doblaba sino que se elevaba al cuadrado, pero por separado eran vulnerables. Xaron —mayor, con más experiencia— era la amenaza inmediata. Syl notó la mente de Xaron sondeándola y los alfilerazos de su fuerza cuando intentó causar dolor por todo el cuerpo de Syl. Pero ella se imaginó su propia piel como una armadura de acero que Xaron no podía penetrar. Le dio un tiempo a ésta para que reaccionara, dejándola aumentar la intensidad de sus ataques mientras esperaba que Mila se le uniera, buscando la mano de su hermana, su fuerza. Syl sintió que ambas cargaban juntas y dejó que ambas profundizasen cada vez más en su trance asesino hasta que se ensimismaron exclusivamente en él. Fue entonces cuando intervino, volviendo contra ellas la fuerza de la potencia de ambas como una serie de dardos de doble punta lanzados contra su fuente.

Los ojos de Xaron se abrieron de par en par a causa del dolor cuando agujas invisibles le desgarraron el cuerpo. Presa del pánico, se volvió hacia Mila, extendiendo la mano libre hacia ella, con la esperanza de que poder salvarse juntas, pero Mila ya estaba más allá de toda salvación posible y sus dedos resbalaron de la mano de Xaron. Se derrumbó en el suelo, con ojos que ya no veían, mientras las piernas se le crispaban cuando la vida la abandonó del todo. Xaron se unió a su hermana, pero a esas alturas Syl ya estaba ocupándose de las demás. Lo último que pensó Xaron fue que Syl ni siquiera se tomaba la molestia de contemplar cómo moría.

Paul se había puesto en pie, mientras Nemein y Sarea se disponían a enfrentarse a Syl. La habían rodeado, intentado dispersar su atención y debilitar su capacidad para atacarlas. Syl se concentró en mantenerse alejada del alcance de Nemein. No creía que ésta, como virus andante que era, fuera lo bastante poderosa para infectarla sin tocarla, y aun en ese caso tendría que agarrarla durante un rato para abrirse paso a través de las defensas de Syl. Pero Sarea era distinta. Algo dentro de ella se había roto de la peor manera posible. Era una sádica, una criatura que carecía por completo de piedad, y eso le otorgaba un poder temible. Syl ya sentía su presión en el cuello, en las sienes, en los riñones, en el corazón, mientras la mente de Sarea apretaba.

Pero el deseo de Sarea de infligir dolor era también su punto débil. No podía controlarlo como era debido. Una vez desatado, era como un torrente. De manera que Syl hizo lo mismo que con Xaron y Mila: dejó que el poder de Sarea se le echara encima, provocándola para que pusiera más empeño...

¡Vamos! Has deseado hacerlo desde hace mucho tiempo. Hazme daño. ¡Mátame!

Vio que Sarea sonreía y observó que los músculos de su cuello se tensaban y los puños se crispaban. Syl sintió como si le aplastaran el cráneo en un tornillo, y sus pulmones tenían que hacer ímprobos esfuerzos para conseguir aire. Algo estalló dolorosamente en su pecho —Sarea le había roto una costilla—, pero al mismo tiempo Syl sintió cómo Sarea apremiaba a Nemein para que se mantuviera a distancia.

Aléjate de ella. Es mía.

Sí, soy tuya. Hazlo. ¡Hazlo, malvada zorra!

El poder de Sarea se incrementó al máximo. En cuestión de segundos fracturaría el cráneo de Syl. Cuando parecía que le iba a reventar, Syl mandó una simple imagen a la cabeza de Sarea, fijándola y nublándole la mente, y luego se hizo a un lado.

Nemein estaba frente a Sarea, pero para ésta era Syl. Nemein, indefensa y desprevenida, recibió de lleno toda la fuerza del deseo de Sarea de aplastar y romper. Syl oyó un crujido como de una ramitas secas, y el cuerpo de Nemein se desmoronó sin vida.

Y lo único en que pensó Syl fue que, como la de Oriel, la muerte de Nemein había sido más rápida de lo que se merecía.

Bajó la mirada y vio a Peris yaciendo a sus pies, con el brazo derecho casi devorado por completo, aunque no había rastro de sangre. Estaba sumido en un shock profundo, y apenas parecía darse cuenta de la presencia de Syl. A su lado yacía el cuerpo de otro ilyrio, pero éste estaba visiblemente muerto, con el cuello retorcido en un ángulo imposible.

Sarea miraba fijamente el cadáver de Nemein. Entonces se volvió hacia Syl.

—¡Mira lo que me has obligado a hacer! —chilló.

Syl pensó en Elda y en los dos cadáveres que había descubierto hacía poco con los cuellos aplastados. Sarea era como un animal rabioso, y lo que estaba a punto de hacerle Syl era casi una caricia amable.

Deseó que Sarea se alzara en el aire, pero no pasó nada. Absorber todo ese dolor, todo ese odio, había debilitado momentáneamente a Syl, pero la Novicia Azul necesitaba apenas unos instantes para recuperarse. Syl sintió que Sarea intentaba hacerle daño de nuevo, y ahora estaba demasiado agotada para resistirse. Un intenso dolor estalló en su cráneo y la muerte tendió la mano hacia ella.

El dolor bajó de intensidad. Sarea sacudió la cabeza, como si intentara quitarse un insecto de dentro del oído.

—Siempre supe que eras cruel —dijo una voz familiar y Ani surgió del pasillo exterior—. Pero no me di cuenta de lo indigna que eras de la túnica que vistes.

Esa distracción fue lo único que necesitó Syl, y el cuerpo de Sarea golpeó la pared de piedra del palacio con la fuerza necesaria para matarla instantáneamente. Por un momento, Syl se sintió débil, falta de toda energía, y estaba segura de que las piernas le fallarían, pero en lugar de eso el cuerpo se le estremeció y sintió que la recorría una descarga de potencia mientras recuperaba las fuerzas. Por unos segundos se quedó desconcertada por esa energía y, por extraño que parezca, se sentía más poderosa incluso que antes, pero ahora no había tiempo para ponerse a pensar, tenía preocupaciones más apremiantes.

Miró a Ani, pero su amiga se había vuelto y contemplaba boquiabierta la carnicería que la rodeaba. Syl quería decir algo, explicarse, pero al abrir la boca para hablar sintió calor en el brazo izquierdo: la manga de su túnica ardía. Olió el vello quemado y se dio cuenta de que un lado de su cabeza también estaba en llamas.

—No —dijo y las llamas se apagaron.

—Oh, ahora lo entiendo —dijo otra voz. Era Tanit. Estaba junto a la ventana y a su lado estaba Paul, con los brazos desplegados y sus pies apenas rozaban el suelo, colocado en esa posición por la fuerza de la voluntad de Tanit.

—Así que éste es el humano por el que tenías *sentimientos* —se burló. Sonaba a la vez divertida y asqueada—. Sí, Zorra de la Tierra, Dessa me contó tus perversiones. Deberías estar avergonzada.

—Déjalo —dijo Syl.

Tanit no obedeció. En vez de eso intentó quemar a Syl de nuevo, pero esta vez el fuego se extinguió antes de que fuera más que una chispa.

—Lo ocultaste bien —dijo Tanit en voz baja y suave—. Nunca sospechamos que tuvieras ningún poder.

—Ni yo misma sabía qué grado podía alcanzar..., hasta ahora.

—La Hermandad te perdonará por lo que has hecho aquí —dijo Tanit—. Con tus capacidades, seguramente hasta te perdonaría si mataras a Syrene en persona.

—Puede que todavía lo haga —dijo Syl—. Por el momento, te lo advierto por última vez: suéltalo.

Pero Tanit negó con la cabeza. Todavía creía que podía dominar a Syl.

—Únete a nosotras —dijo—. Únete a mí. A mí y a Ani. Podríamos hacer tanto por la Hermandad, por todos los ilyrios... Nosotras somos el futuro. Cambiaremos la sociedad. La alteraremos con nuestras mentes. Díselo, Ani. Dile que hablo sinceramente.

Ani estaba a un lado, equidistante entre Tanit y Syl, como el tercer ángulo de un tosco triángulo. Las lágrimas le caían por las mejillas y Syl se horrorizó al oír su respuesta.

—Ella tiene razón, Syl —dijo Ani—. Podemos cambiar las cosas para mejor. No tiene por qué ser como era en la Tierra. Juntas podemos conseguir que el Cuerpo y el Ejército cumplan nuestra voluntad. Podemos impedir la guerra. La Hermandad sería el verdadero poder, y sería un poder para el bien.

—Ani —dijo Syl—, ¡mira a tu alrededor! ¡Aquí no hay ningún *bien!* Están matando a ilyrios. Están eliminando a todos los que no están de acuerdo con ellas, a todos los que supongan una amenaza.

—¿Ésos? Ésos son enemigos —dijo Tanit—. Nos habrían hecho daño si no nos hubiéramos encargado antes de ellos.

Syl no le hizo el menor caso y fijó la mirada en Ani.

—He visto cosas, Ani, en las profundidades de la Marca. He visto a las Cinco Primeras. Están vivas, pero hay una criatura, una conciencia, que las retiene prisioneras. Ellas quieren morir. Empezaron creyendo que podrían controlarla, pero ahora ella es la que controla a las Hermanas. Han sacrificado mundos enteros a esa criatura, eso es lo que le pasó a Arqueón, y la Tierra será el próximo. Creían que estaban haciendo el bien, pero cometieron un error espantoso. Todo lo que está mal en el Imperio, todo lo que lo ha envenenado, tiene sus raíces en la Marca.

—¡Miente! —gritó Tanit.

Syl la miró y vio que ella no sabía nada de lo que Syl había contemplado con sus propios ojos.

—Es verdad, Tanit —dijo Syl—. Ellas también nos han utilizado a nosotras.

Pero con Tanit no se podía razonar.

—¡Tú eres el veneno! —gritó—. ¡Tú eres el error! Y si no puedo quemarte a ti, quemaré a lo que amas.

Paul chilló cuando unas nubes de humo se alzaron por todo su cuerpo y empezaron a salirle ampollas en la piel de la cara y de la mano ilesa. Syl se concentró en Tanit, pero la última de las Novicias Azules era más poderosa que las demás, mucho más poderosa, y los chillidos de Paul se volvieron más agudos cuando cayó al suelo y empezó a rodar por él desesperadamente como si así pudiera apagar las llamas.

El humo se desvaneció. Como Sarea antes que ella, Tanit sintió la intromisión de Ani como un zumbido en su cabeza, una ofuscación de su conciencia.

—Mantente aparte —le dijo con rabia a Ani—. Créeme, querida, te estás equivocando de bando.

Pero Syl, obligada a contemplar de nuevo el sufrimiento de Paul, apenas oyó las palabras de Tanit. Sus sentimientos hacia él alimentaron su propio fuego interior. Él había ido ahí a buscarla, y no iba a permitir que muriera por ella. Concentró toda su energía en Tanit, todo el poder que había extraído de la Novicias muertas cuyos cuerpos yacían esparcidos por la habitación. Por primera vez desde que había empezado la carnicería, Syl se sintió cansada de matar. Quería que aquello acabara, pero Tanit no lo permitía.

Y por eso Tanit también tendría que morir.

Me he convertido en un monstruo, pensó Syl. Si soy tan malvada como vosotras, pues que así sea.

Tanit jadeó, desconcertada, al mirarse el índice de la mano izquierda. Estaba ardiendo. El fuego pasó de rojo a naranja, y de amarillo a blanco a medida que aumentaba su intensidad. Tanit chirrió con los dientes e intentó apagar la llama, pero fue en vano. La mano se alzó hasta la frente y el dedo en llamas quedó suspendido a un par de centímetros de su piel, mientras el cuerpo entero se estremecía. Miró a Syl sin dar crédito a lo que ocurría y encontró las fuerzas suficientes para pronunciar sus últimas palabras.

—Te destruirán por esto.

Entonces la punta del dedo de Tanit tocó su frente y ella se consumió en las llamas.

74

Syl salió como de un trance. Tanit ya no existía, había quedado reducida a un montón de carne carbonizada, y Syl estaba rodeada de muertos. Sólo Ani, Paul y Peris seguían con vida.

Cuando tuvo tiempo para pensar y reflexionar sobre sus actos, Syl intentaría analizar sus sentimientos, y su estado de ánimo, durante la matanza en los apartamentos de Kellar. Al principio, le dio la impresión de que era otra Syl, una Syl más oscura, que de algún modo la había dominado, y que ella, la Syl buena, fue incapaz de contener. Pero, en silencio y soledad, se vio obligada a admitir que no era así: la verdadera Syl, la que sometía a los demás a su voluntad, incluso llegando al extremo de forzarlos a matar o a quitarse sus propias vidas, era una combinación de ambas. Y lo más aterrador de todo era que todavía no había alcanzado una comprensión cabal de su propia naturaleza ni de la magnitud de su poder.

Pero todo eso quedaba relegado para otro momento. Por ahora, lo que importaba era Paul. Corrió hacia él, que la recibió con un solo brazo, manteniendo la mano herida alejada del cuerpo de Syl.

—¿Cómo has llegado aquí? —preguntó ella apoyando los labios en su frente y acariciándole con la boca la piel llagada.

—Es muy complicado —dijo Paul. Con una mueca de dolor, la abrazó—. He venido para sacarte de aquí —dijo él, y agradeció que ella no pusiera ninguna objeción, y más todavía que ni siquiera le preguntara si tenía un plan.

Su plan, hasta ahora, consistía en volver a la *Nómada,* dirigirla hacia el agujero de gusano y esperar que todo saliera bien. Pero, sin la intervención de Syl, una vez más estaría muerto, de eso era plenamente consciente. De alguna manera, el rescatador había intercambiado su papel con el rescatado.

—Me estarán buscando —le dijo Syl—. Y no sólo por esto. He matado a una Hermana en la Marca. Tuve que hacerlo. Yo...

Paul la soltó y le puso la mano con ternura en la mejilla. El cabello de Syl le cosquilleó en la muñeca.

—Ahora no —dijo—. Ya hablaremos cuando estemos a salvo, lejos de Erebos.

Se acercó a Peris e intentó levantarlo, pero el ilyrio no se sostenía en pie.

—¿Cómo pudieron enterarse? —preguntó Peris, tanto para sí como a los demás—. Los mataron a todos, pero ¿cómo se enteraron de quiénes eran?

—Peris, no tenemos tiempo que perder —dijo Paul.

Peris estaba lívido, bañado en sudor. Sólo en ese momento pareció percatarse de la presencia de Paul.

—Yo no me voy —dijo.

—Tienes que venir. Querrán matarte.

Peris negó con la cabeza. Estaba sufriendo, pero seguía resuelto.

—Alguien debe quedarse. Si huimos todos, no quedará nadie que pueda declarar contra ellas.

Paul se agachó junto a Peris. Le abrumaba la admiración que le producía el ilyrio, que nada salvo el puro afecto enturbiaba, y sintió una fugaz punzada de vergüenza por haber dudado alguna vez de él.

—Yo no puedo quedarme —dijo Paul.

—Lo sé. Si lo hicieras, pensaría que eres idiota. Llévate de aquí a Syl y a Ani. Cuídalas. Cuidaos entre vosotros. Y Paul —Peris agarró al joven humano por la nuca y le acercó la cara—, encuentra el modo de combatirlas.

Paul tragó saliva. Estaba convencido de que estaba viendo a Peris por última vez.

—Lo haré.

—¡Vete! Salid de aquí mientras todavía podáis.

Paul tomó la mano de Syl y se dio la vuelta para marcharse, pero ella tiró de él.

—¿Ani? —dijo.

Su mejor amiga estaba agachada en el suelo junto a los restos de Tanit, con la cabeza entre las manos, y el cuerpo se le estremecía con silenciosos sollozos. Al oír su nombre, alzó la mirada y tenía la cara deformada por el dolor.

—¿Cómo has podido, Syl?, ¿cómo has podido matarla? ¡Yo la amaba!

—Ani, por favor..., por favor, vámonos, anda. Podemos hablar luego.

Ani se levantó.

—¡No! No voy contigo. ¿Y si te da por matarme? Ya has matado a muchas de nosotras.

—No tenía opción. ¡Mira esos cuerpos! ¡Mira lo que le han hecho a Peris! ¡Piensa en lo que Tanit iba a hacerle a Paul!

Paul intervino:

—Ani, han dejado un largo reguero de víctimas tras de sí en este maldito palacio. Yo las he visto, todas asesinadas. Cualquiera que se interpone en el camino de la Hermandad acaba muerto.

Ani lo miró fijamente.

—¿Dónde está Steven? —preguntó por fin.

—En una nave esperando para sacarnos de aquí. Vamos, tenemos que irnos.

Ani se levantó, pero entonces negó con la cabeza y fue a arrodillarse junto a Peris, enjugándose las lágrimas.

—Si lo que dices es cierto, Paul, entonces es importante que me quede aquí, con Peris. Juntos daremos testimonio. Juntos intentaremos cambiar las cosas.

Extendió el brazo y cogió la mano ilesa de Peris. El viejo soldado levantó la mirada y abrió la boca para hablar, pero su dolor se lo impidió.

—Por favor, Ani —rogó Syl—. ¡Ven! Ven conmigo. Eres mi mejor amiga.

Ani se volvió y miró con frialdad a Syl.

—¡Tú! —dijo—. Tú me mentiste sobre tus dones, Syl. Mataste sin piedad. Y Tanit se ha ido, se ha ido para siempre. Ni siquiera puedes empezar a hacerte una idea de cuánto me aflige esto. Y todas mis demás amigas también están muertas, por tu mano. No, no puedo llamarte amiga *mía*, ya no, no después de lo que has hecho.

Syl intentó hablar, pero Ani la acalló con una mirada furiosa.

—¡No! —dijo—. Me quedaré aquí, y si las cosas son como decís, haré cuanto pueda para poner fin a ese mal. Tú pareces resuelta a olvidar que la Hermandad fue fundada con un noble propósito, pero yo asumiré como mi deber el reivindicarlo, por más tiempo que me lleve. Con los años tal vez incluso llegue a perdonarte, pero nunca volveré a confiar en ti, Syl Hellais. Para serte franca, me alegraría no volver a verte en mi vida. —Ani respiró hondo, y se atragantó al proseguir—: Pero las dos estamos en el lado de lo que es bueno y correcto, y por eso te deseo suerte. Os la deseo a los dos.

Syl apenas podía ver a Ani, sus propias lágrimas le nublaban la vista, pero sí vio lo bastante para saber que Ani le había dado la espalda, y cuando intentó alcanzarla desesperadamente con su mente fue como correr entre cristales rotos.

—Ani —susurró—. Ani, por favor...

La columna de Ani se había envarado y Paul tiró de la mano de Syl.

—Tenemos que irnos —dijo.

Ella asintió.

Juntos se alejaron corriendo.

El primer paso era llegar a las plataformas de aterrizaje de las lanzaderas. Una vez allí, podrían obligar a una tripulación a que los llevara hasta la *Nómada*. Paul veía que seguían aterrizando y despegando: con un poco de suerte pasarían inadvertidos entre ese tráfico.

Los invitados todavía se encaminaban hacia el Gran Salón para la ceremonia. Las Nairenes se movían entre ellos, pero no había rastro de más Novicias Azules, y nadie parecía prestarles la menor atención. Miró a Syl y vio que bajo su pañuelo, que había vuelto a ponerse precipitadamente, su rostro dibujaba un rictus de concentración, con los ojos hinchados y enrojecidos, pero secos. Estaba haciendo todo lo que podía para conseguir que *ambos* pasaran inadvertidos.

Un túnel cubierto de cristal conectaba el complejo del palacio principal con las plataformas de aterrizaje. Habían recorrido casi la mitad del túnel y ya habían dejado atrás a las multitudes, cuando una voz pronunció el nombre de Syl. Syl se detuvo y una sensación de inmenso cansancio se abatió sobre ella. Tendría que haber supuesto que la fuga no sería tan sencilla.

Se dio la vuelta para encarar a Syrene. La Archimaga esperaba en una intersección del túnel, a media docena de metros de donde estaban Syl y Paul. La flanqueaban sus doncellas personales, Cocile y Layne.

Se les unieron otros: securitats, los mismos que habían mirado a Tiray con hostilidad un poco antes. Parecían ir desarmados —estaba claro que las leyes sobre armas en Erebos se aplicaban también a los securitats—, pero eran mucho más numerosos que Paul y Syl.

Paul oyó pasos a su espalda. Miró por encima del hombro y vio que tres securitats más les cortaban el paso hacia las plataformas de aterrizaje. Estaban rodeados.

Fue entonces cuando Lord Andrus irrumpió en el túnel.

Syl casi echó a correr hacia su padre. No le habían permitido comunicarse con él desde su partida hacia la Marca, y aunque se había convencido de que ya no era el padre que había conocido, verlo en carne y hueso borró de su mente todo salvo el amor, especialmente en ese momento, cuando se sentía tan expuesta y con los sentimientos a flor de piel.

—Padre —dijo.

Él le sonrió y le tendió los brazos, invitándola a abrazarle.

—Syl —dijo—, mi amada hija. Ven a mis brazos.

Los pies de Syl se movieron como si tuvieran voluntad propia. Sólo la fuerza con la que Paul le agarraba la mano impidió que fuera hacia su padre. Paul le apretó los dedos.

—Ten cuidado —dijo, recordando lo que le había advertido Peris acerca de Andrus—. Ahora es distinto.

Pero no lo parecía. Seguía siendo el mismo que la había sostenido en brazos de niña, que la había mimado de adolescente, que le había enseñado las imágenes de la difunta Lady Orianne y que le había contado historias de su madre que ella no conocía, devolviéndole la vida al compartir sus recuerdos con su hija.

Lord Andrus pronunció de nuevo su nombre, pero ahora su tono delataba un extraño filo. Seguía sonriendo, pero sus ojos eran vidriosos, como los de una muñeca.

—Syl, ven aquí. Haz lo que te mando.

Y en ese momento Syl tuvo la respuesta a las preguntas de Peris: las pequeñas asesinas amaestradas de Syrene habían sabido a quién buscar gracias a que su padre —o de la cosa que ahora lo infectaba— había revelado todos sus secretos a su futura esposa. Intentando desesperadamente no llorar, Syl retrocedió y se puso a la altura de Paul aferrándole la mano con más fuerza.

La sonrisa de Lord Andrus se desvaneció, pero la que habló a continuación fue Syrene.

—Nos has decepcionado, Syl. Habíamos puesto grandes esperanzas en ti.

Pero Syrene no parecía decepcionada. Syl hubiera dicho que más bien estaba casi impresionada. Con cautela, Syl dejó que su mente sondeara los sentimientos de Syrene. Y sí, ahí estaba: sorpresa. Syl la había sorprendido.

Ella lo sabe, pensó Syl. Sabe lo que le he hecho a Oriel. Sabe que he visto a las Cinco Primeras. Y también sabe qué puedo hacer con mi mente. Como las demás, siempre creyó que era Ani la que tenía los poderes, pero se equivocaba.

Sorpresa. La siento. La percibo.

Sorpresa...

Y miedo.

Syrene se quitó de encima los sondeos de Syl, pero reaccionó un segundo demasiado tarde. Había quedado expuesta a la joven.

Ahora se volvió fugazmente hacia Paul.

—Tendrías que haberte quedado lejos de aquí, chico —le dijo—. Ahora morirás en Erebos. Si te sirve de consuelo, piensa al menos que mueres por amor. —Volvió a dirigirse a Syl—: Asistirás a nuestra boda —dijo—. Sonreirás de principio a fin. Cuando la ceremonia haya terminado, se te enviará de regreso a la Marca. Y entonces, bueno, ya veremos...

Syrene ordenó a los securitats que tenía detrás que detuvieran a Paul. Dos de ellos eran varones, la otra, una chica. Los varones sujetaron a Paul. Uno de ellos lo inutilizó al instante al hundir los dedos enguantados en la mano herida de Paul. La chica intentó agarrar a Syl —porque a los varones no se les permitía tocar a las Hermanas de Nairene, ni siquiera a una prisionera como ella—, pero a esas alturas a Syl le resultaba muy sencillo nublar la mente de la securitat, y de repente la chica aferró a uno de los varones que retenían a Paul.

En ese momento Syl sintió los pensamientos de Syrene penetrando en su mente, saturando su cerebro con un chillido agudo y doloroso mientras intentaba concentrarse en la securitat.

—Cocile, Layne, ocupaos de ella —le dijo Syrene a sus doncellas, y la pareja se adelantó.

Lo que sucedió a continuación convenció a Syl de que había empezado a sufrir alucinaciones. Layne se quedó atrás y cuando Cocile se acercó a Syl, Layne saltó en el aire y lanzó un golpe que dejó a Cocile inconsciente. Los securitats varones que agarraban a Paul no tuvieron tiempo de reaccionar antes de que Layne se abatiese sobre ellos. Syl oyó el crujido de las vértebras y los securitats ya habían muerto. El chillido en la cabeza de Syl cesó, y vio que la securitat se golpeaba con tal fuerza en su propia cara que se derrumbó inconsciente. Al instante estaba en el suelo.

Entonces Layne se dio la vuelta y alargó la mano derecha cerrándola en un puño. La carne por encima del dedo anular reventó y la delgada boca de un arma se extendió desde dentro. El primero de los pulsos que disparó alcanzó al securitat más próximo a Syrene, y el segundo le dio a la Archimaga en persona, haciéndole tambalearse dolorida hacia atrás. El túnel empezó a vibrar a su alrededor, Syl alzó la mirada y vio que se acercaba rápidamente una nave desconocida. El cañón pesado de la *Nómada* giró y al cabo de unos momentos el extremo más alejado del túnel se desintegró en esquirlas de metal y cristal.

—¡Corred! —dijo Layne, y Paul y Syl se abalanzaron hacia el hueco mientras la sirviente de Syrene les cubría la retirada, caminando despacio hacia atrás mientras su brazo derecho se sacudía con la fuerza de los disparos de pulso.

La *Nómada* tomó tierra; se abrió la puerta de la cabina y descendió automáticamente la pasarela de acceso. Thula apareció en el hueco y ayudó primero a Syl y luego a Paul a subir a bordo. Layne fue la última, sin dejar de disparar. Cuando todos estaban dentro, la *Nómada* se giró hacia las plataformas de aterrizaje, donde aguardaban una docena de lanzaderas. Alis barrió las plataformas con el cañón pesado mientras contemplaba con satisfacción cómo se dispersaban las Nairenes y explotaban las lanzaderas. Tardarían bastante tiempo en poder utilizar de nuevo esas plataformas.

—Y allí —dijo Layne señalando a una serie de antenas y parabólicas que tenían delante. El cañón volvió a hablar y las antenas volaron hechas pedazos.

—Van a necesitar mucha suerte para dar la alarma —dijo Steven.

La *Nómada* emprendió un ascenso pronunciado. Steven puso la nave a toda potencia de manera que Paul y Syl apenas tuvieron tiempo de ocupar sus asientos antes de que la fuerza de gravedad los aplastara contra el almohadillado. Salieron de la atmósfera de la luna menos de un minuto más tarde y emergieron a la inmensidad del espacio, con Estación Melos a babor y el agujero de gusano de Melos a estribor.

Layne se levantó de su asiento, encontró el botiquín de la nave e intentó examinar la mano de Paul. Éste la apartó.

—¿Quién eres? —preguntó Paul—. ¿Qué eres?

—Ésa no es forma de hablarle a la que te ha rescatado —dijo Alis desde la cabina—. Las palabras pertinentes son «Gracias, Meia».

—¿*Meia*? —dijo Syl.

Y se acercó y abrazó a la Meca que, una vez más, la había salvado.

75

Mientras Meia atendía las quemaduras de Paul, les contó cuanto pudo de cómo había llegado a Erebos: la selección de una nueva identidad (lo que, sin que hubiera que lamentarlo demasiado, había implicado librarse de la verdadera Layne, cuyos restos se descomponían en las profundidades del Castillo de Edimburgo); el viaje desde la Tierra y su llegada a la luna con el grupo de Syrene; y su descubrimiento, mediante una escucha atenta durante el largo viaje, del plan para utilizar a las Novicias Azules, la generación más evolucionada de Dotadas, para librarse de los enemigos tanto de la Hermandad como del Cuerpo, utilizando la ceremonia de boda como tapadera para los asesinatos.

Por desgracia, Meia había llegado demasiado tarde para impedir los ataques, pero estaba presente cuando se descubrieron los cadáveres de Tanit y las demás, y tuvo el tiempo justo para hablar con Peris e informarle de su identidad antes de que se lo llevaran para prestarle atención médica e interrogarle. Fue él quien la puso al tanto de la huida de Syl y Paul, y también de la presencia de la *Nómada* en órbita. Como Meca, el apagón de comunicaciones impuesto por la Hermandad no la había afectado: Meia era su propio sistema de comunicaciones. Alis había seguido la señal de Meia y cuando vio las figuras en el túnel de conexión supo exactamente qué debía hacer.

Entonces Syl y Paul empezaron a hablar a la vez, intentando contarse qué habían descubierto respectivamente el uno al otro y a Meia. Pero su conversación se interrumpió de golpe por un aviso de Alis.

—Naves cerca del agujero de gusano —dijo—. Estoy captando comunicaciones del Cuerpo.

—Qué mala suerte —dijo Meia por boca de Layne.

Había esperado que la destrucción de la red de antenas les diera más margen de tiempo. Sacó una pantalla y observó la aproximación de seis naves, una mucho mayor que las demás.

—Un momento, ésa no es una nave conocida —dijo—. Ninguna de ellas lleva identificación de la flota a la que pertenece, ni del Cuerpo ni de nada.

Aumentó el tamaño de la imagen.

—Es grande como una nave de combate, pero no reconozco ningún armamento. Es como una inmensa nave cisterna.

—Tenemos contacto visual —dijo Paul.

Aparecieron seis naves que crecían como motas blancas por la ventana de la cabina. Mientras ellos miraban, dos, una de ellas la nave cisterna, se separaron y se dirigieron hacia Estación Melos. Las otras mantuvieron su curso hacia el agujero de gusano, aumentando la velocidad con pasmosa rapidez, con la intención de interceptar a la *Nómada*. Parecían elegantes y letales, como dagas plateadas recortándose contra la negrura del espacio.

—Quieren interceptarnos —dijo Alis.

—Ninguna nave del Cuerpo tiene esa aceleración —dijo Meia.

—El Cuerpo ha hecho muchas cosas mientras estabas en la Tierra —dijo Steven—. Pero al menos sabemos a qué nos enfrentamos.

Aumentó la velocidad de la *Nómada* para alcanzar el agujero antes que sus perseguidores. Una vez más, las cuatro naves plateadas incrementaron la velocidad, pero la *Nómada* les llevaba la suficiente ventaja para llegar al agujero antes que ellas.

—Nos seguirán —dijo Meia.

—Y hay una nave para cada una de las bocas de los agujeros negros —dijo Steven—. Tanto da cuál escojamos, tendremos una nave pisándonos los talones.

Aparecieron más luces en el escáner de largo alcance. Todas se dirigían al agujero de gusano. Ocho de los puntos convergían hacia ellos.

—En realidad, eso supone que nos perseguirán al menos cuatro, vayamos por el agujero que vayamos —dijo Steven.

—¿Se te ocurre algo, teniente? —dijo Alis.

Paul ya estaba ante una consola. Extrajo el mapa de agujeros de gusano y empezó a trazar un rumbo. Cuando acabó, hizo un gesto brusco con la mano para lanzar el rumbo a la pantalla de la cabina de Steven.

—¿Es una broma? —dijo Steven cuando vio la ruta.

—No tenemos otra opción —dijo Paul—. Debemos mantenernos alejados de los agujeros de gusano principales. Estaremos bien al salir de Melos porque no habrán tenido tiempo de dar la alarma, pero en cuanto lo hagan, tendremos problemas. Hemos de procurar quitarnos de encima a los que nos persiguen, y la mejor forma es a través de una secuencia larga de saltos rápidos utilizando agujeros de gusano no monitorizados.

—Pero esta ruta nos lleva directamente a...

—Lo sé —dijo Paul—. Con un poco de suerte, estaremos libres y sin perseguidores antes de que nos veamos obligados a hacer ese último salto.

—¿Y si no?

—Más vale no pensarlo.

Se volvió y miró fugazmente a Syl, que mostró su acuerdo asintiendo con la cabeza. La chica tenía los ojos hinchados, el pelo enmarañado y la cara estaba lívida como la de un fantasma, pero en ese momento Paul sentía que nunca vería nada tan anhelado ni tan amado en lo que le quedaba de vida. Esbozó una débil sonrisa y al instante se volvió de nuevo al control de su nave.

Steven y Alis estaban estudiando el último agujero de gusano de la lista, y la palabra que señalaba el sistema que había más allá: *Derith,* desconocido. El final de la línea era un sistema del que nada había regresado jamás.

—Preparad el primer salto —dijo Paul.

—¿Qué puedo hacer? —preguntó Syl.

—En este momento nada. Sólo sujetarte bien con las correas.

Obedecieron la orden todos, salvo Meia. Ella observaba el avance en pantalla de las dos naves que se dirigían a la Estación Melos.

—Va demasiado rápido —dijo.

—¿Qué? —preguntó Paul.

—Esa nave inmensa; se está aproximando a la Estación Melos demasiado rápido.

Vieron los destellos de los disparos de los cañones y de las estelas de los torpedos cuando abrieron fuego las baterías de la base.

La nave de escolta más pequeña giró para alejarse, pero la mayor no varió el rumbo. No sólo se dirigía demasiado rápido hacia la base, sino que estaba acelerando. Los torpedos estallaban centelleando contra su casco, y los disparos del cañón la tambaleaba, pero ninguna de las defensas parecía capaz de detenerla.

Todos contemplaron en la pantalla virtual de Meia, sobre las pantallas de la cabina, cómo la inmensa nave se estrellaba contra la base, su proa atravesaba los muros de la Estación Melos, destrozaba los brazos de atraque y hacía que las naves sujetas en ellos ardieran en silencio.

Y entonces la nave explotó, llevándose por delante la Estación Melos y a los miles que servían en ella. Un destello blanco cegador inundó las ventanas, obligándoles a apartar la mirada, y la *Nómada* se vio zarandeada por las ondas expansivas de la explosión.

Cuando volvieron a mirar, la Estación Melos había desaparecido y sólo quedaban escombros.

—Cuántos... —dijo Syl—, cuántos muertos...

A bordo, todos se habían quedado igual de petrificados ante lo que acababan de presenciar.

—Esto es la guerra —dijo Meia—. La guerra civil.

—¡Agujero de gusano inmediato! —dijo Alis—. Entramos en el salto.

Se abrocharon los cinturones en los asientos mientras todavía bailaban ante sus ojos los puntos luminosos de la destrucción de la Estación Melos, y antes de que se dieran cuenta estaban en el agujero de gusano. Tras ellos entraron ocho naves, tres de las cuales los siguieron a ellos.

Destruyeron la primera en cuanto salió del agujero de gusano: una mina de la *Nómada* se enganchó al casco de la perseguidora y la voló en pedazos mientras su tripulación todavía estaba bajo los efectos del salto.

Un golpe de suerte dejó la segunda nave a su merced, porque quedó inutilizada por un meteorito en el sistema Lodal y Rizzo pudo destruirla con toda tranquilidad con el cañón pesado.

Pero la tercera siguió pegada a sus talones y estuvieron jugando al gato y el ratón durante treinta y seis horas. El hecho de que hubieran entrado los primeros en el agujero de gusano les concedía cierta ventaja, porque implicaba que la última nave del Cuerpo tenía que salir con cuidado, dando siempre por supuesto un ataque, pero reacia a dejar que la *Nómada* se alejara aún más de ella. Probaron con minas y emboscadas. Intentaron dejarla atrás con los motores a toda potencia, pero la nave del Cuerpo se mantenía a su ritmo todo el tiempo. Intentaron ocultarse y tomaron desvíos hacia el siguiente agujero de gusano, pero los pilotos de la nave perseguidora eran expertos y poco a poco se les iban acercando, ayudados por la carencia de la engañosa capa de blindaje que ralentizaba levísimamente la velocidad de la *Nómada*. Poco a poco la nave iba recortándole la ventaja inicial. Sus perseguidores también conservaban su munición, y disparaban cada vez que se les presentaba la ocasión, pero por lo demás parecían contentarse con esperar a que la *Nómada* y su tripulación se cansaran o agotaran la munición de sus propias armas.

Y la *Nómada* empezaba a fallar. La nave había realizado demasiados saltos y las reparaciones que habían hecho en la Estación Melos eran poco más que remiendos. No podría seguir huyendo para siempre. Así que la persecución continuó, hasta que llegó al último agujero de gusano.

—¿Qué está haciendo? —preguntó Rizzo.

—Esperar —dijo Paul.

La última nave se mantenía justo dentro de su campo visual, pero no al alcance de su cañón. No habían recibido ninguna comunicación de ella, ninguna petición para que se detuvieran y rindieran. Como un depredador que persigue a una presa herida, simplemente se había mantenido tras ellos hasta que estuvieran demasiado doloridos y agotados para seguir corriendo. Ahora los había arrinconado, o eso creía, porque más allá sólo se extendía el último agujero de gusano, y nada que hubiera entrado en él había vuelto a salir.

Derith. Término ilyrio que significa «desconocido».

El agujero de gusano de Derith.

—Tenemos actividad —dijo Steven.

Tres pequeños puntos aparecieron en la pantalla.

—Torpedos —dijo Alis—. ¡Nos disparan!

Los torpedos aceleraron hacia ellos. Uno, tal vez podrían esquivarlo; dos, sólo con un milagro. Tres torpedos los condenaban.

—Prepara el salto —gritó Paul.

—¿Estás seguro? —preguntó Steven.

Paul se volvió bruscamente hacia él.

—¡No es una sugerencia, *soldado!*

—¡Sí, mi teniente! Inicio secuencia. Salto en diez..., nueve..., ocho..., siete..., seis...

Los torpedos se aproximaban. Cerca ya, convergían hacia la *Nómada* desde tres direcciones distintas, los sistemas de inteligencia que llevaban incorporados ajustaban su rumbo para asegurarse de que ninguna maniobra de distracción permitiría que su presa los eludiese.

—Cinco..., cuatro...

Paul se sujetó con las correas. Los demás lo imitaron.

—Tres..., dos..., uno...

Paul agarró con fuerza la mano de Syl, cerró los ojos y rezó.

Danos fuerzas. Por favor, danos fuerzas.

Y líbranos de lo que nos aguarde al otro lado.

—Salto —dijo Steven.

Y el agujero de gusano de Derith se los tragó.

Emergieron en la negrura de un sistema desconocido. No había ningún colapso estelar a la vista, ni cinturón de asteroides, ni ningún planeta en medio de la boca del agujero de gusano cuya atmósfera les esperara para abrasar cualquier objeto que emergiera de él a cierta velocidad. Sólo espacio y el parpadeo de remotas estrellas.

Entonces, poco a poco, el espacio cobró vida, la nada se transformó en algo, algo que les rodeaba por todas partes.

—Dios mío —dijo Syl—. Es una nave.

Agradecimientos

Nuestro más cálido agradecimiento a todos los que han colaborado para mejorar *Imperio* con su lectura atenta, apoyo y ánimo, en especial a nuestras «dos Emilies» —Emily Bestler, de Atria, en Estados Unidos, y Emily Griffin, de Headline, en Reino Unido— y a Mari Evans y Megan Reid. Nuestra inmensa gratitud también a todas las demás personas diligentes y dedicadas tanto de Headline como de Emily Bestler Books/Atria Books.

Gracias, como siempre, a Darley Anderson y su equipo de ángeles.

Y, Cameron y Alistair, no sabéis cuánto apreciamos vuestra paciencia con nosotros, vuestras sugerencias y comentarios. ¡Sois estupendos!